KB092619

새로 쓴 가사문학사

류연석 柳年錫

    1942년 고흥군 출생으로 벌교에서 성장하여 순천사범학교를 졸업하고, 초등학교 교사가 되었다. 조선대 문학사, 고려대 교육학 석사로 고흥영주중, 순천고교, 순천여고에서 근무했으며, 조선대 대학원 석·박사 학위를 영득하고, 순천대 국어교육과 고전문학 교수가 되어 국어과 교사 양성에 심혈을 기울였다.

    순천대 박물관장, 고시가문학회장을 역임하고, 현재는 한국가사문학학술진흥위원회 위원장으로 낙안읍성 뒤편에 류황가원림柳皇家園林을 조성하고, 천수원天壽苑에 우거寓居하고 있다. 저서에는『한국가사문학사』,『시조와 가사의 해석』, 가사시집『낙안읍성 뒤편에 서서』등이 있다.

E-mail_ryuys3153@naver.com

새로 쓴 가사문학사

초판 1쇄 발행   2020년 6월 15일

지은이 | 류연석
펴낸곳 | (주)태학사
등록 | 제406-2020-000008호
주소 | 경기도 파주시 광인사길 217
전화 | 031-955-7580
전송 | 031-955-0910
전자우편 | thspub@daum.net
홈페이지 | www.thaehaksa.com

편집 | 최형필 조윤형 김성천
디자인 | 이윤경 이보아
마케팅 | 안찬웅
경영지원 | 정충만
인쇄·제책 | 영신사

값 30,000원

ISBN 979-11-90727-16-7 93810

새로 쓴

가사문학사

류연석 지음

歌辭文學史

태학사

머리말

　1994년『한국가사문학사』가 출판되었으나, 그동안 한 세대가 지나면서 즐겨 쓰던 한자의 표기가 소통의 장애가 되었으니, 이를 해결하기에 필연코『새로 쓴 가사문학사』가 탄생하게 되었다.

　도남 조윤제(『조선시가사강』, 1937)는 우리 시가사詩歌史의 학문적 체계를 최초로 세웠다. 이를 통하여 우리에게 많은 문제를 제시하였고, 나아갈 방향을 암시해 주었다. 특히 '가사송영시대'를 열어, 가사는 '4음보 연속체'라는 점에서 경기체가·악장·시조 등과 확연히 다를 뿐만 아니라, 다른 문학 장르를 압도할 만큼 작품량도 많아서 시가문학상 지위가 뚜렷하다고 하였다.

　드러난 바, 가사문학은 고려 말에서 지금까지 향유되어 오는 동안 다양한 작가층이나 작품의 질량에서 다른 장르와 비교할 수 없을 만큼 뛰어난 민족의 유산으로 국민시적 위치를 확보하게 되었다. 허나 아직도 그에 걸맞는 문학사를 갖지 못했다는 아쉬움에서 이 작업이 시작되었다.

　훌륭한 문학사의 기술을 위해서는 수많은 가사 작품을 해석하고, 재평가해야 한다. 이를 바탕으로 하여 작가와 작품이 서로 유지하고 있는 상관관계를 검토하여 이룩된 자리매김이 선행되어야 한다. 아울러 작품에 대한 탁월한 비평력과 체계적인 이론, 그리고 시가사에 대한 종합적인 통찰력이 필요하다. 그래야만 가사에 관한 본질의 규명과 문학사적 의미를 부여하는 작업이 가능할 것이다. 이런 노력이

미흡함을 자인하면서도 출판을 서두른 것은 이 분야의 연구 역량과 관심의 폭을 넓히기 위함이다.

아시다시피 가사와 시조는 700년에 가까운 역사를 가지고, 장구한 세월을 한민족과 함께한 시가 장르다. '4음4보격 3행시'인 시조는 정제된 언어와 상상의 함축성을 바탕으로 한 서정적 정서를 단형으로 읊어가는 것이고, '4음4보격 연속체'인 가사는 줄거리가 있는 서사 구조를 전제로 하여 장형으로 서술한 것이다. 다시 말하면, 긴장과 절제로 짧은 내용을 노래할 때는 시조에 담고, 이완과 부연으로 긴 내용을 읊조리고 싶을 때에는 가사에 담는다. 해서 가사는 긴 이야기를 품어야 하니, 기·서·결의 논리적 구성이나, 춘·하·추·동의 자연적 전개 등으로 내용을 구성하게 된다.

가사문학은 시대적 요구에 따라 다양한 삶의 모습을 비교적 자유롭게 담기에 적합한 장르다. 관습적 운율과 개방적 내용에다 길이의 제한도 없다고 하니 무불통의 소통방식이 되고 말았다. 그러나 가사문학에도 가사되는 원리가 있을 것인즉, 조금만 관심을 가지면 극복하는데 큰 문제는 없을 것이다. 서사적 구성에 따라 자신의 과거와 현재, 그리고 미래를 조곤조곤 설명하듯 친절하고 자상하게 말해주는 가사시, '씹을수록 고소한 맛 게미에 끌려 여기까지 왔는데 / 가사를 써보지 않는 이들은 그 재미를 모른다'고, 어느 시인의 말씀이다.

제1장 '들머리'는 20C에 논의된 가사문학 연구 성과를 회고하였다. 자료 발굴, 가사의 발생론, 장르론, 형식론, 내용론, 작가론, 비교론 등을 살펴보았고, 가사문학사의 시대구분을 하였다. 제2장 '발생기'는 가사의 연원과 발생시기에 대한 작가들의 다양한 주장을 고찰하고, 당대 가사의 작가와 작품을 살펴보았다. 제3장 '발전기'는 가사의 내용 논의를 위한 내용적 분류를 시도하였다. 제4장 '흥성기'부터 제6장 '변전기'까지는 당대의 작가·작품론과 문학사적 의의를 기술하였다.

그리고 제7장 '마무리'는 본론의 내용을 요약하고, 가사의 명칭·개념·형식미 등에 대한 논의를 보충하였다.

이 책은 가사가 생성되어 발전된 과정을 구명하고, 가사문학의 사적 실상을 파악하는데 의의를 두었다. 경우에 따라서는 작가와 작품에 대한 논의도 함께 하였다. 따라서 여기서는 가사의 생멸과정生滅過程과 문학적 가치를 고찰하는 사론적史論的 체제를 갖추게 되었다.

아무튼 가사는 현재도 창작·발표되고 있을 뿐만 아니라 한국의 고유한 국민시가로 지금까지 꾸준히 향유해 온 역사적 기록을 무딘 펜에 의탁한 것이기에 많은 오류가 있을 줄 안다. 아무쪼록 동행하는 입장에서 여러분들의 애정 어린 질정을 충심으로 바라는 바이다.

끝으로 이 책의 출간을 위해 마음을 모아주신 담양군 한국가사문학관 관계자 여러분께 감사한 마음 올리며, 간행을 위하여 애써 주신 ㈜태학사 지현구 회장님과 출판사 식구들께도 고마운 마음 드린다.

2020년 2월

류 연 석

차례

제1장 들머리

1. 가사문학의 회고와 전망

필자의 『한국가사문학사』(류연석, 1994)에 추천사를 써 주신 이상보 교수님은 "우리 고전시가 중에서 가사문학처럼 그 질량이 가멸찬 것은 없을 것이다"라고 하였다. 이는 고시가古詩歌 장르 가운데 가사문학이 질량 면에서 많고 넉넉함이 차고 넘친다는 것을 지적하고 있다.

국문학의 대가 조윤제는 가사문학은 운문에서 산문으로 넘어가는 도중에 발생한 우리나라의 독특한 문학형태이며, 한 때는 문학계를 풍미하였을 뿐만 아니라 모든 문학을 압도할 만큼 작품량도 많아서 국문학 상의 지위가 뚜렷하다고 하여, 그 문학적 가치를 높이 평가했다. 한편 선인들도 송강가사에 찬사를 아끼지 않아 『동국악보』에서는 〈관동별곡〉은 악보의 절조이고, 〈사미인곡〉은 영중의 〈白雪〉이며, 또한 〈속미인곡〉은 공명의 〈출사표〉와 백중한 것이라 하였다. 또 『서포만필』에서는 좌해진문장左海眞文章은 이 3편 뿐이라고 했으며, 『북헌집』에서도 전후 미인곡을 극찬하여 굴평의 〈이소〉와 짝이 될 만하다고 하였다.

드러난 바와 같이 가사문학은 고려 말부터 지금까지 700년의 전통과 역사를 겸비하면서, 다양한 작가 층이나 작품의 질량에 있어서 시조에 비견되는 뛰어난 민족의 유산으로 국민시적 위치를 확보하게 되었다.

그러나 불행하게도 가사 자체의 형식과 내용이 크게 달라지고, 근대정신에 맛들인 근대시 장르인 자유시나 산문시의 발전에 영향을 주고 역할을 양도하면서 가사문학은 쇠퇴의 길을 가게 되었다.

그럼에도 가사문학을 새로 쓰게 되는 데는 여러 가지 이유가 있겠지만, 가사문학은 긴 세월동안 조상들이 향유하고 남겨둔 민족문화유산이기 때문이다. 그 가운데는 우리 문학의 뿌리가 서려있고, 우리들이 앞으로 나아갈 지향점을 담고 있어서, 그것을 간과하고서는 우리의 주체성을 드러낼 수가 없다. 자기 것을 버리고 세계가 하나로 통하는 데도 의의가 있겠지만, 각자의 전통문화를 간직한 다양성의 세계가 더 아름다울 것이기 때문이다.

비록 소통의 도구가 난해하다고, 고어古語와 한자漢字를 버리면 소중한 고전문학은 어느 누가 계승하고, 어떻게 발전해 갈 것인가. 문화민족의 자긍심을 가지고 선진국의 위상을 지켜나가기에 가사문학사는 반드시 새로 쓸 수밖에 없다. 이제부터 몇 장에 걸쳐서 가사문학이 생성되어 발전한 과정을 구명하고, 시대에 따라 향유된 가사문학의 작가와 작품에 대한 논의를 통하여 가사문학의 향유실상과 문학적 가치를 살펴보고자 한다.

국문학에 대한 연구는 20세기에 들어와서 애국개몽운동으로부터 신문학운동을 거치는 과정에서 민족문화에 대한 관심이 높아지고, 고전古典에 대한 재평가가 시도되면서 활발하게 전개되었다. 이러한 구체적인 노력으로 나타난 것이 1922년 안확의 『朝鮮文學史』다. 이는 분량도 적고 내용도 만족스럽지 못할망정 최초의 국문학사라는 데에 의의가 있다. 여기에는 시조, 잡가, 민요 등 고유시를 범칭하여 '가사'라 했고, 정작 가사는 '長句의 詩形'이라 하였을 뿐이다.

'가사'라는 명칭이 독립된 장르로 인식되기 시작한 것은 조윤제의 「古歌謠一章」(1929) 이후부터라고 보아야 할 것이다. 또한 김태준은 「別曲의 연구」(1932)에서 '가사'는 별곡의 정형이 깨어지면서 장가의 형태로 분화된 것이라고 가사의 기원에 대해 언급하였고, 조선어문학회의 『조선가요집성』(1934)이나, 신명균의 『가사집』(1936)은 가사자료를 모은 것으로 가사에 대한 인식을 새롭게 하는데 기여하였다.

이렇게 시작된 가사문학의 연구동향을 조규익은(「시조·가사연구 60년 개관」, 1992) ① 장르 발견 및 출발기, ② 이론적 모색 및 정착기, ③ 반성적 확장기 등 3기로 나누어 그 시기별 연구경향을 발표하였다. 이에 부연하여 논급하면 다음과 같다.

① 제1기 가사문학의 연구

먼저 제1기는 1929년 조윤제로부터 1948년 박노춘 등 40년대 후반까지의 20년에 가까운 기간이며, 이 시기에는 주로 조윤제, 김태준, 고교형, 이병기, 최익한, 방종현 등이 가사문학을 소개하였다. 특히 조윤제(『영남여성과 그 문학』, 1931)와 고교형(『영남대가내방가사』)은 영남지방의 내방가사를 소개하였다. 그리고 이병기(『송강가사의 연구』, 1936)는 송강가사 판본, 송강의 생활과 가도歌道의 전통, 작품의 해석과 비평 등을 광범하게 거론하였고, 가사의 명칭과 형식·종류·작가 및 작품들을 상술한 조윤제의 『조선시가사강』이 1937년에 출판됨으로 가사의 장르가 확실히 파악되었으며, 본격적인 연구의 발판이 이루어졌다고 본다. 또한 조윤제는 장가의 변천이라는 통시적 맥락에서 가사가 성립되었다는 점을 전제로 '가사송영시대歌辭誦詠時代'를 설정하여 무위자연의 영향으로 자연미의 발견시대를 열었다. 그리고 가사의 명칭은 곡조에 대하여 '노래할 내용 문구'라는 의미의 가사歌詞 대신, '해설적 노래'라는 의미의 가사歌辭를 쓰자고 주장하여 향후 장르론의 단서까지 마련하는 연구사적 의의를 이루어 놓았다. 또 방종현(「송강가사 판본고」, 1942)의 연구도 이들과 같은 맥락에서 이루어진 결과라고 하겠다.

이상과 같이 내방가사, 송강가사 등을 통하여 가사 장르의 존재를 확인하였으며, 판본고 등 문헌적 연구의 방법론적 가능성을 보인 시기가 바로 제1기라고 할 수 있다.

② 제2기 가사문학의 연구

제2기는 조윤제의 『조선시가의 연구』(1948)로부터 趙東一의 「가사의 장르 규정」(1969) 이전까지 약 20년 동안의 기간이다. 이 시기에는 가사의 본질을 탐구하려는 다양한 방법론이 등장하였고, 새로운 자료들이 발굴되어 상당한 폭과 깊이를 겸비한 가사론이 국문학연구의 한 분야로 정착하게 되었다. 장르론·발생론·형태론·내용론·비교론·작가론·작품론·배경론 등이 이 시기 가사론의 주된 연구업적들이다.

즉 가사 장르론에 대한 본격적인 연구가 시도된 것은 조윤제의 『조선시가의 연구』가 나오면서 부터다. 여기에서는 가사를 시가詩歌와 문필文筆의 양면을 갖춘 독립 장르로 간주할 것을 제안하였다. 이에 많은 국문학 논저들이 가사의 장르문제를 언급하였는데, 가사를 시가로 볼 것인가, 산문 즉 수필로 볼 것인가, 아니면 독립적인 장르로 볼 것인가에 대하여 분분한 견해들을 개진한 것이 이 시기의 장르론이었다. 장르론에 대해서도 다양한 견해를 보였는데, 이를 요약해 보면 다음과 같다.

첫째, 가사는 가사라는 독립 장르다(조윤제).

둘째, 가사는 수필문학 속에 포함된 부속장르다(우리어문학회, 이능우).

셋째, 시가로서의 가사와 수필로서의 가사, 또 1700년을 기준으로 그 이전은 시가(가창의 문학)로서 가사, 그 이후는 수필(음송의 문학)로서 가사, 그리고 운문인 가사를 시가로 보되 주관성을 띤 서정적 가사와 산문성을 띤 문필적인 가사 등 혼합장르다(장덕순, 이혜순, 박성의).

넷째, 가사는 율문으로 된 교술 장르다(조동일).

다섯째, 가사는 시가장르다(이태극, 김기동).

이상의 장르에 대한 개념을 종합해 보면 일원적인 견해와 이원적인 견해로 나눌 수 있다. 그러나 가사의 형식과 내용이 비록 다양하게 장형화되어 서사적인 일면이 있지만, 그것만을 가지고 하나의 시가장르를 이원적으로 보거나 새로운 장르개념을 부여할 수는 없다. 따라서 가사는 그 나름대로 정돈된 시사詩辭가 연결되어 긴밀한 내용으로 시상을 형성하고 있는 시가로 시조와 더불어 우리 시가장르의 양대 산맥을 이루었다.

그리고 이동영(「長歌・歌詞・歌辭의 판별」, 1959)은 가사의 장르적 본질을 시사하면서 장가長歌는 가곡의 내용인 문장의 장단을 구분하는 호칭이고, 가사歌詞는 가곡의 내용인 문장의 별칭이며, 가사歌辭를 가사 장르의 명칭으로 주장한 근거는 한무제의 〈秋風辭〉, 굴원의 〈漁父辭〉, 도연명의 〈歸去來辭〉 등의 문장속성에서 찾았다. 그리고 이태극은 가사가 내용상으로는 수필적인 산문성과 서사성을 띠고 있지만 형태상에서는 운문체로 시가에 들 수 있다고 하였다. 특히 묘사에서 나타나는 시가적 감흥과 이것이 가창되었다는 사실을 감안할 때 시가장르에 넣어야 한다는 것이다. 이와는 달리 이혜순(『歌詞・歌辭論』, 1966)은 1700년대를 기준으로 歌詞와 歌辭로 양분하여 전자는 시가, 후자는 수필로 보았다.

발생론도 이 시기에 들어와 장르론 못지않게 활발히 전개되었던 분야이다. 앞에서 김태준이 '별곡의 연구'에서 경기체가에서 가사가 발생했다고 본 이래, 조윤제・고정옥・박성의 등도 같은 논조의 주장을 폈다. 조윤제는 고려 장가가 조선 초기에 잠시 유행되었다가 없어지고 가사가 그것을 대신하였다고 했고, 고정옥은 분장되어 있고 매장 끝에 후렴이 붙어 있는 고려 가요에서 가사의 시초를 구해야 한다고 했으며, 박성의는 3음보격인 경기체가에서 4음보격으로 전환・연장되면서 가사가 이루어졌으며 형식면에서 시조의 영향도 컸다는 것 등으로 요약해 볼 수가 있다. 이와 함께 이능우·김사엽·김기동·이태극 등의 시조 연원설도 학계에 큰 영향력을 발휘하였다. 이들의 논리로는 가사가 4·4조로 연첩되었다가 종행에서 낙구를 첨가한다는 것과 4음보격으로 음절율과 결사법도 동일하다는 점에서 가사장르에서는 시조의 형식적 본질이 작용하고 있다는 것이다. 또한 정형용·김동욱·유창균의 악장체 연원설, 이병기·장덕순의 장편한시 연원설, 서수생의 향가·여요 낙구 연원설 등 이 시기의 발생설은 다양하게 전개되었다.

또 윤귀섭·이동영·정익섭 등의 발생론들이 등장함으로써 제2기의 발생론은 마무리가 되었다고 본다. 즉 윤귀섭(「가사문학형성에 관한 고찰」, 1963)은 잡다한 시가형태를 포용하고 있는 악장의 변화와 장형시가를 요구하는 내적 특질이 가미되어 가사가 형성되었다고 하였고, 이동영(「가사문학의 발생학적 연구」, 1963)은 가사를 경기체가의 파격적 전개로써 악장체의 영향을 입어 이루어진 사설적 시가로 보았으며, 정익섭(「가사형식의 연원적 고찰」, 1969)도 형식적 유사성을 전제로 가사 형식의 연원을 여요에 두었다.

이경선(「송강가사의 비교문학적 시고」, 1958), 성원경(「관동별곡과 적벽부의 비교연구」, 1964) 등의 중국문학과 가사장르의 비교는 새로이 등장한 방법론으로서 대부분 가사의 장르적 연원을 중국에 두는 논리로 귀일되었다. 중국과의 비교는 아니지만 정익섭(「경복궁타령과 경복궁가의 비교 고찰」, 1963), 정재호(「면앙정가와 성산별곡의 비교 연구」, 1967) 등의 장르 간, 작품 간의 비교도 이 시기에 새로이 등장한 방법론이었다.

가사의 형식론은 주로 음절율, 음보율, 종결형식 등에서 그 특징을 볼 수 있다. 음절률은 '8음 1구를 중첩한 8·8조의 연속체다'라고 한 조윤제(『시조자수고』, 1930) 이후 수많은 학설들이 발표되었는데, 가사의 음절률은 3·4조나 4·4조가 중심이 되었으며, 특히 임진왜란 이전까지는 3·4조가 주조를 이루었고, 영조 이후에는 4·4조가 우세하였다.

가사의 음보율은 정병욱(「고시가 운율론 서설」, 1954)이 처음 제시한 것으로, 초기 시가의 형태적 연구가 율격 파악의 대상을 시조의 음절수에 의존하여 이루어졌으나, 이는 사실에 부합되지 않는 모순과 이론적 허구성이 밝혀지므로 이런 문제를 극복하기 위해 제시된 것이다. 이는 어떤 음군音群의 시간적 등장성等長性의 반복에서 시가운율의 기본 단위를 추구해 보자는 것으로 강음절과 약음절의 역학적 대립인 강약율을 주장하였다. 여기에 이능우(「字數考代案」, 1958)가 동의하면서 각 음보가 강음과 약음의 대립에 의해 형성되는 몇 개의 저율각의 집합으로 이루어진다고 했다. 이처럼 운율미가 주로 청각적인 감각 형상이라는 관점에서 강약의 주기적 반복이 뚜렷한 강약률을 한국 시가의 운율 구성 원리로 보자는 이론들이 계속 실험되고 있다. 가사의 음보율은 두 개의 대구, 즉 4음보가 일행을 이루어 연속되는 것인데, 때로는 2음보, 3음보, 6음보 등의 파격형이 나타나기도 했다.

가사의 종결형식에 관해서는 이능우(「자수고대안」, 1958)가 처음으로 밝힌 바로, 가사의 마지막 시행이 시조의 종장과 동일한 구조라는 견해에 대해서 김기동(『국문학개론』, 1955), 김사엽(『이조시대 가요연구』, 1956) 등이 동조를 하면서 가사가 시조에서 발생되었다는 주장을 펴기도 했다. 그런데 이 종결형식이 영조 이후 양반문학에서 서민문학으로 전환하면서 정형이 파괴되고 서민들의 생리에 알맞은 변형을 이룩하였다는 김기동에 대해 서원섭(「가사의 형식과 주제의 연구」, 1983)이 16편의 가사 작품의 자수통계를 보이면서 숙종 이전의 가사에 종장형식이 3(4)·4, 4·4조로 나타나 있다고 반증하였다. 따라서 가사의 종결형식은 발생초기부터 정형과 변형이 있었으며, 초기에는 변형이 오히려 우세했다가 정극인에 와서야 정형이 양반가사의 기본형식으로 확립되었고, 송강·노계를 거치는 동안에 변형은 억눌려 오다가, 영조이후 서민문학의 발흥으로 정형보다는 변형이 용이한 데서 서민과 부녀자에 의해 활용되었다. 이 밖에도 형식론을 중점적으로 연구한 사람은 김동욱(『국문학개론』, 1962), 윤귀섭(『가사문학 형식에 관한 고찰』, 1963), 이태극(「가사 개념의 재고와 장르고」, 1964), 박성의(『한국시가문학사』, 1967) 등이 있다.

가사의 내용론에 관한 연구도 다양하게 이루어졌는데, 분류의 명칭과 항목 수효, 그리고 작품 구분이 각기 달라 동일한 견해를 얻기란 매우 어려운 일이다. 즉 강호한정과 안빈낙도, 은일과 강호자연, 상사연정과 연정, 연모상애와 상사 등의 용어차이와 내용 항목의 수효도 최소 7종에서 최다 53종으로 분류하여 큰 차이가 있을 뿐 아니라, 작품을 분석해 보면 내용의 한계가 모호한 경우도 많다. 중요 연구자로는 조윤제, 이태극, 정재호, 박성의, 서원섭 등이 있다.

한편, 작품론·작자론의 경우는 송순, 정철, 박인로 등에 대하여 초창기부터 연구가 계속되어 왔으며, 이어서 불우헌, 난설헌 등에 대한 연구도 시도되었다.

이 시기에 특이할 만한 업적으로 김동욱(『임란 전후 가사 연구』, 1964)을 들 수 있는데, 철저한 문헌연구를 통하여 가사의 시대적 성향이나 장르의 본질을 밝힘으로서 가사에 대한 인식의 폭을 넓히는 계기가 되었다. 전자를 통해서는 〈상춘곡〉→〈면앙정가〉→〈성산별곡〉의 계통 및 호남가단의 역할과 의의를 밝혔고, 후자를 통하여 그가 발굴한 〈서호별곡〉의 악조 표시를 근거로 숙종조 이전의 가사는 창의 문학이었음과 그에 따라 가사는 시조의 부연이 아니라 歌詞의 반복·부연임을 주장했다.

그리고 내방가사에 대한 연구의 업적으로는 성옥연·사재동·최태호·이재수 등이 있고, 이동영·이상보·김동욱 등에 의하여 종교가사 혹은 가사의 배경사상에 대한 연구들이 본격적으로 이루어지게 되었다. 이외에도 이 시기에는 박노춘·홍재휴·최강현·서원섭·강전섭·황충기·박준규 등이 활발한 연구를 통하여 가사문학의 이론적 모색과 탐구를 성취함으로 연구의 기반을 조성하였다.

③ 제3기 가사문학의 연구

제3기는 1969년 조동일부터 1990년까지로 볼 수 있는데, 이 시기에는 기존 학자들의 왕성한 업적과 더불어 새로운 세대들이 연구에 참여하였으며, 아울러 기존연구들에 대한 반성과 함께 가사 연구의 저변 확대와 이론적 심화가 이루어졌다. 조동일(『가사의 장르규정』, 1969)은 교술장르를 도입하여 가사의 본질을 설명함으로써 기존의 장르론에 큰 전환적 계기를 마련하였다. 가사의 장르론을 공시적·대비적·통시적 각도에서 다루어야 한다고 본 그는 가사를 교술장르류로 설정·명명하고 가사는 교술 율문이며, 가사의 기원은 4음보 연속체의 교술민요로, 이것이 기록문학으로 발전한 것이 가사이고, 이처럼 발전시킨 계층은 이조초의 사대부이며, 가사는 개화기의 새로운 문학 담당층의 출현으로 쇠퇴하기 시작되었다고 주장함으로 기존의 논리로부터 큰 전환을 보여주었다. 또 주종연·이능우·김병국·김학성·장홍재·최한선·정혜원·김광조·박영주의 연구는 조동일에 이은 이 시기의 주된 장르론적 연구결과로 꼽을 수 있다.

특히 주종연(「가사의 장르고」, 1971)은 장덕순(『국문학 통론』, 1960)의 장르적 견해를 인정하고 슈타이거(Staiger, E.)의 장르적 틀을 도입하여 가사의 類(서정적인 것과 서사적인 것), 種(수필)개념으로 나누는 한편, 조동일의 교술적인 설정을 비판하였으며, 또한 가사장르를 서정적인 것, 사사적인 것, 교시적인 것 등의 복합적인 장르로 규정하기도 하였다. 그러나 이능우(『가사문학론』, 1977)는 가사가 당시의 민요·잡가·단가 등을 포괄하여 불렀던 하나의 관례적 명칭에 지나지 않을 가능성을 제시했고, 이 견해는 가사장르의 복합성을 설명하기 위한 근거로, 조동일을 비판한 김병국(「장르론적 관심과 가사의 문학성」, 1977)에 의해 수용되었다. 김학성(「가사의 장르성격 재론」, 1982)도 서정·서사·교술 중 하나만으로 가사의 장르를 설명할 수 없다고 보았으며, 화자와 청자 간의 시적담화 유형에 주목하여 가사를 작자가 독자에게 직접 공개적인 목소리로 이야기하는 주체적 양식으로 보기도 하였다. 가사의 장르적 복합성을 강조하고 있다는 점에서 최한선(「개화기 가사의 장르복합고」, 1985)도 비슷한 생각이라고 본다. 이들과 달리 장홍재(「가사의 장르소고」, 1983)는 기원, 발생 등의 견지에서 가사의 장르적 성격은 시가일 수밖에 없음을 주장했고, 가사의 시적담화·유형을 중심으로 살펴본 김광조(「조선전기가사의 장르적 성격연구」, 1987)는 가사에 나타나는 서사성이나 극성은 서사장르나 극적장르에 내재하는 본질적 차원에서의 그것들이 아니며, 조선 전기 가사의 보편적 장르 지향은 서정성에 있다고 보아 기존의 장르론에 거론되던 장르적 복합성을 발전적으로 극복하고 있다.

　이상과 같이 이 시기의 장르론은 앞 시기의 그것을 포괄적으로 극복하는 입장에서 전개되었고, 같은 시기 안에서도 단일장르설로부터 복합 장르적 관점으로 발전하였으며, 최근에는 그러한 복합 장르설마저 발전적으로 극복하려는 시도까지 나타나고 있음을 확인할 수 있었다. 그리고 홍재휴(『영남시가문학연구』, 1973), 정익섭(「성산가단연구」, 1975) 등은 작가를 배출한 지역을 중심으로 그 계보를 설정하고 그들의 작품이 지닌 공통적인 특질을 구명하려고 한 점에서 특이할 만하다. 정재호(「속미인곡 내용분석」, 1979)는 작품의 구성방법을 비롯하여 내면구조 문제를 정밀하게 분석하고 있다는 점에서 기왕의 연구방법이 지녔던 한계를 극복하고 있다. 이러한 방법론이 가사의 작가론과 작품론을 바람직한 방향으로 이끄는 계기가 되어, 80년대 들어서는 수많은 작가·작품론이 발표되었다. 그러나 아직도 이 분야에 대한 계속적인 연구의 여지가 많다고 하겠다.

한편 박노춘·김문기·최강현·김기탁·금기창·전일환·최웅·정
재호 등은 발생론에 대한 연구를 꾸준히 하여 고려 말·조선전기를
중심으로 하는 장르 형성론과 〈서왕가〉·〈승원가〉·〈상춘곡〉 등을
중심으로 하는 효시작품론이 주된 논점이었다. 그러나 양적인 성과
에도 불구하고 대부분 추정에 불과할 뿐 아직 찾아 내지 못한 상태임
은 이 분야의 논자들도 공통적으로 인정하고 있다.

　종교가사에 관한 연구의 업적으로 정재호(「동학가사에 대한 소
고」, 1970)·김성배(『한국 불교 가요의 연구』, 1973)·이재호(「상주동
학의 배경과 가사 연구」, 1983)·하성래(『천주 가사 연구』, 1985)·윤
석산(『용담유사 연구』, 1987)·임기중(「화청과 가사문학」, 1987)·김
장호(「한국 불교 가사의 기술문명관」, 1989)·류경환(「동학가사의 원
형적 접근」, 1990) 등을 들 수 있고, 세시가사를 한 부분으로 깊이 있
게 다룬 박준규(『한국세시가요의 연구』, 1983), 유배가사를 중점적으
로 연구한 나정순(『조선조 유배가사 연구』, 1982)·최상은(「유배가사
의 작품 구조와 현실인식」, 1984)·이재식(「유배가사 연구상의 문제
점 고찰」, 1988)·권성준(「유배가사의 미학적 접근」, 1990)·이상무
(『유배가사 연구』, 1990) 등이며, 내방가사에 관해서는 이종숙·어영
하·이재수·권영철·이정옥·최정희 등이다. 또 개화가사에 관한
연구는 조동일·이동영·조남현·윤장근·손종호·신범순·송기한
등이며, 작가 계층의 현실인식에 관한 연구는 류탁일(「조선 후기 가
사의 현실인식」, 1982)·정양형(「조선 후기 가사에 나타난 현실 인식
의 고찰」, 1989)·고순희(「19세기 현실비판 가사 연구」, 1990) 등을 들
수 있다. 그리고 형태론에 대해서는 박노춘·이동철·진무현 등의 업
적이 있으며, 내용론에 있어서도 류우선·김준영·이상보·최강현·
임성철·윤석창·서원섭 등의 연구가 있다.

　또 가사문학을 전반적으로 고찰한 역사적 연구로는 이상보의 「가
사문학의 역사」(『월간문학』, 1970)에서 시도되었으며, 그는 현재 18

세기까지 자료를 정리하여 『18세기 가사 전집』을 간행하였다. 이 밖에도 몇몇 학자에 의해 역사적 연구가 진행되었으며, 이런 연구의 기반에서 미력하나마 가사문학을 통시적 관점에서 전체적으로 살필 수 있는 역사적 연구도 필자의 박사학위논문(『가사문학의 역사적 연구』, 1989)에 의하여 시도되었다.

그리고 박노춘·이동영·강전섭·홍재휴·최강현·정재호·이상보·권영철·황충기·박요순·정익섭 등이 문헌 실증적 연구를 꾸준히 진척시켜 새로운 사실들을 밝혀냄으로써, 가사연구는 새로운 국면으로 접어들게 되었다. 특히 시조보다 가사를 한국고전시가의 대표로 꼽고 있는 임기중은 『역주해설 조선조의 가사』에 이어 『역대가사문학전집』 30권(1987 이후 5년간 총 계획은 50권)을 펴내 가사문학 자료를 집대성함으로써 가사문학 연구의 새로운 장을 여는 데 결정적인 기여를 하였다. 이미 김성배·이상보·권영철 등이 작품집이나 주해서를 펴냈고, 그 밖에 개인적으로 한두 편씩 발굴하고 소개하는 정도였으나 임기중의 자료집성은 그 규모와 짜임에 있어 새로운 차원의 업적이었다.

이 시기에 나온 단행본으로 앞에서 언급하지 못한 사람들은 이상보·정익섭·이능우·이동영·서원섭·국어국문학회·정재호·강전섭·김문기·최강현·전규태·전익환·윤석창 등을 들 수 있다.

이상에서 살펴본 바와 같이 제3기의 연구도 자료 발굴 및 소개, 작가 추정 및 전기적 사실 추적, 창작 연대 추적, 작품의 형성과 시대 배경 탐구, 원전의 추정 및 복원 등 문헌 실증적 연구가 주류를 이루었다.

④ 연구의 전망

고려 말엽에 발생하였다고 하는 가사가 가창歌唱에서 비롯하였다고 하지만 시가로서의 발전은 음영吟詠을 위주로 하는 데서 이루어졌으며, 조선조에 들어오면서 사대부들에 의해 본격적으로 창작되고 향유되었다. 조선 후기에 와서는 서민과 부녀자들에게까지 작자층이 넓혀지면서 다수의 작품이 나오게 됨으로 국문학의 폭은 한층 더 확대돼 갔다.

이처럼 폭넓은 작자층을 확보하면서 발전해 온 가사가 시조와 함께 민족시가로 자리를 굳히게 된 것은 그만큼 뛰어난 문학적 특성을 가졌기 때문이다. 특히 가사는 그 내용과 형식이 복합적인 성격을 띠었을 뿐만 아니라, 조선 초의 문학적인 환경과 국민적 성정에 맞는 문학 장르였기 때문에 사대부들에게 쉽게 수용될 수 있었다. 또한 한글이 창제되어 우리말 표기에 대한 불편도 사라지고 어떠한 내용이나 시상도 형식적 제약을 비교적 받지 아니하고 우리의 호흡에 맞게 무엇이든 영출할 수가 있었기 때문에 가사문학은 선인들의 생활과 사상을 폭넓게 담고 있는 귀중한 문화유산이 된 것이라고 할 수 있다.

가사 연구가 시작되어 80여 년이 된 마당에 그 동안 많은 연구의 성과로 큰 발전을 이루었다 하겠으나, 시조에 대한 연구에 비해 아직은 크게 부진하고 지금에도 자료의 발굴이 왕성하게 이루어지고 있는 바, 연구의 기초단계에 머무른 감이 없지 않아 앞으로도 상당기간 작품에 대한 미학적 연구와 함께 문헌 실증적 연구가 병행되어야 할 것이다.

이 연구는 '문학은 그 민족의 생활사'라는 입장에서 출발되었으며, 가사문학이 하나의 생명체로 지속해 온 과정을 체계적으로 고찰한 역사적 연구를 목적으로 하였는데, 지금까지 가사문학 장르에 대한 역사적 연구의 실적은 다른 장르에 비하여 매우 부진한 편이다. 우리의 시가사를 개척한 조윤제의 『조선시가사강』은 가사문학의 사적 서술의 체계를 이루지 못했으며, 그 후 이에 대한 부분적 연구의 실적으로 조선전기와 개화기에 대한 것이 몇 편 있을 뿐이며, 유형별 사적 연구는 이상보의 「한국 불교가사의 역사적 고찰」과 하성래의 『천주가사의 사적 연구』 등이 있을 정도이다.

또한 가사문학을 전반적으로 고찰한 역사적 연구로는, 이상보의 「가사 문학의 역사」에서 시도 되었는데, 그는 '가사의 역사는 끝나지 않았다'고 하면서 14C부터 20C까지 세기별로 7기로 나누어 고찰을 하였으며, 장석연(『이조가사의 작품사적 연구』, 1971)은 가사를 작품사적 방법으로 연구하여 작품군이 형성되고 성장하고 쇠퇴하는 역사적 과정을 밝히었다. 박성의(『한국가요문학론과 사』, 1974)는 가사론을 전개하면서 '가사의 발달과 내용'이라 하여 가사문학의 사적 전개를 4 단계로 나누어 설명하였다. 이는 전체적으로 보아 가사문학론이면서 가사문학사를 겸한 것이다.

그리고 이동영(「가사의 발달사적 고찰」, 1976)은 가사문학의 발달사적 시대구분을 4기로 나누어 논술하였고, 강전섭(『가사문학연구』, 1979)은 가사문학의 사적 발전에 대해 체계 있게 쓰여진 논저가 별로 많지 않다고 하면서 5기로 나누어 고찰하였다. 정재호(『한국가사문학론』, 1982)도 '가사문학의 사적고찰'에서 시대 구분을 6기로 나누어 가사문학의 변천 양상을 살펴보았다. 최강현(『가사문학론』, 1982)은 '가사의 발생사적 연구'에서 형태론, 효시작품론, 그리고 가사의 현대적 계승문제를 집중적으로 고찰하였다. 이처럼 가사문학의 연구는 개별 작품의 소개와 아울러 작자에 대한 고증 및 전기적 사실의 정리, 작품의 제작 연대와 제작 동기의 추정, 작품의 시대적 배경에 대한 언급, 그리고 유사작품과의 대비 등이 가사문학 연구를 주도해 왔다고 할 수 있다. 이러한 과정에서 사적 위치나 조명이 아울러 이루어지고 있음을 볼 수 있을 뿐, 전체적으로 통시적 관점에서 본 역사적 연구는 드물었다고 할 수 있다.

그런데 700년간 향유된 양대 시가 중 시조문학의 역사적 연구는 어느 정도 체계화되었다고 하겠으나 가사문학의 경우는 아직도 많은 과제를 안고 있다. 가사문학은 현재 개별적 작자나 작품에 대한 연구는 상당히 깊이 있게 진전되어 온 반면에 하나의 장르로서 통시적 고찰이 이루어지지 않고 있는데, 이는 앞으로 해결해야 할 과제중의 하나라 하겠다.

가사문학을 역사적으로 파악하기에는 먼저 가사문학의 시대구분과 내용적 분류가 시도 되어야 한다. 시대구분의 입장은 다음에서 밝혀 보기로 한다.

2. 가사문학사의 시대구분

가. 시대구분의 입장

역사의 발전을 구체적으로 인식하려고 시도할 때에 역사가들은 어쩔 수 없이 시대구분의 문제와 마주서게 마련이다. 그리고 이 시대구분을 어떻게 처리하느냐 하는 것은 역사가가 역사를 인식하는 태도와 방법을 말하여 준다고 할 수 있다.

가사문학의 시대구분 문제는 많은 쟁점을 가지고 오늘에 이르고 있다. 그간에 이룩한 가사문학에 대한 연구를 체계화하기 위해서도 부족한 대로 하나의 문학사를 기대해 볼만도 한데, 지금까지도 가사문학사를 구성함에 있어서 중요한 과제라고 할 수 있는 가사문학의 기원과 형성 시기를 밝히는 문제가 미해결 상태로 놓여 있으니 가사문학사 연구의 큰 장애가 아닐 수 없다.

물론 그 까닭은 가사 자체에도 문제가 있어서, 가사의 내용이 다양하고, 형태나 장르문제의 복합성 때문에도 문제가 있겠지만, 한편으로는 오랜 시간 속에 조각난 역사의 자료들을 바라보는 역사적 안목들이 다르기 때문에 명쾌한 해답을 주지 못하면서 사가들의 주장만 다양하게 나오게 되었다. 더구나 가사에 대한 역사적 사실을 두고 그것을 해석하는 연구자들의 사관의 차이 때문에 문제를 더욱 어렵게 하고 있다.

가사문학사는 가사문학의 역사적 이해이고, 이를 위해서는 시대구분이 우선 문제가 된다. 이런 문제는 가사문학 연구가 시작된 후 오늘날까지 줄곧 논란이 되었으며, 그 결과 상당한 성과도 있었지만 아직 흡족한 단계라고 할 수는 없다.

가사문학사의 시대구분에 대한 깊은 관심은 가사문학 연구의 의의와 과제를 자각할 때 당연한 것임을 알 수 있다. 전대문학과 후대문학이 어떤 관계를 가지고 있는가를 살펴서 과거가 현재에 어떻게 작용했는가를 문제 삼자면 시대구분론에서 논의의 단서를 얻어야 한다. 또한 가사문학이 우리 시가 전체에서 어떤 위치와 구실을 했던가를 역사적인 맥락에서 살피는데 있어서도 시대구분은 핵심적인 의의를 가진다.

이 점에 대하여 서원섭(『가사문학연구』, 1978)은 長江의 물굽이와 문학의 소장消長을 하나의 기점으로 해서 시대를 구분하면 비교적 타당성이 있는 설정이 되리라고 본다고 하여 시대구분의 가능성을 확인하다.

또한 박을수(『한국고시조사』, 1975)는 시대구분의 방법론에 대해, 시대구분은 공간적인 면에서 그 변인이 가장 뚜렷한 때를 기준으로 시대적인 구분을 해야 되겠는데, 공간상에 나타난 사건의 인식여하가 시대구분의 척도가 된다고 하였다. 이러한 시대구분의 가능성과 방법론이 제시된다 하더라도 단순한 문학적 사실만으로 시대를 구분하다는 것은 불가능한 일이다. 어느 시대를 막론하고 정치적 의지가 문학적 의지보다 시대를 이끌어 가는데 주도적 역할을 담당하고 있기 때문이다. 따라서 문학사란 '문학적 사건'을 위주로 하되, 그 사건이 위치한 '역사적인 변동상'을 참조해야 한다고 하였다.

이러한 맥락에서 본다면, 가사의 시대구분은 결국 전체 가사를 체계적이고, 통시적으로 파악하자는 데 그 목적이 있다. 이런 의도에 따라 시행된 가사의 시대구분이 연구의 중요한 위치를 점하고 있으나, 아직도 가사 문학의 기원에 대한 연구가 충분히 이루어지지 못한 상태이니, 이 과제를 고찰함에 있어서 많은 어려움이 있다는 것도 사실이다. 그래서 정책을 전혀 달리하는 왕조의 교체라든가, 임진란과 같은 정치적 사건이 실로 문학 면에서도 지대한 영향을 주었음을 상기할 때 이런 방법의 도입은 꼭 필요하리라 생각한다.

나. 제설의 검토

이런 입장에서 이룩된 다양한 가사문학사의 시대구분을 모두 분석한다는 것은 일반문학사와 가사문학사에 대한 깊은 통찰이 없이는 결코 용이한 일이 아니다. 따라서 이 연구에서는 지금까지의 가사문학사의 시대구분론을 소개하면서, 이에 대한 사가들 사이의 의견의 차이는 무엇이며, 왜 그런 결과를 가져왔는가를 밝혀보고, 시대구분의 제 논의에서 나타난 의견의 일치가 어떤 것인가를 고찰하면서 필자나름대로 타당성을 찾아내서 가사문학사 연구를 위한 첫 번째 과제로서 시대구분을 시도하고자 한다.

선학들이 주장한 가사문학사의 시대구분이 충분히 구체성을 띠고 있을 뿐만 아니라, 다양하게 주장된 이론들에 잘 반영되어 있다고 보아, 지금까지의 시대구분을 쉽게 이해하기 위하여 일람표로 작성하여 보면 다음 〈표 1〉과 같다.

〈표 1〉 가사문학사 시대구분 일람표

시대연도 / 논저자(논저서)	통일신라 35代 경덕왕 (742)	고려 광종 (958)	나옹화상 (1376)	조선 정읍사제 (1443)	정극인 (1481)	일탄 (1592)	인조 (1649)	숙종 (1674)	영조 (1724)	순조 (1801)	갑오경장 (1894)	일제 강점기 (1920)(1930)	현재 (1945~)
1. 조윤제 (한국문학사)					①			②			③		
2. 김사엽 (이조시대의가요연구)					1기	2기				3기			
3. 이병기(외) (국문학전사)		①	②					③					
4. 이혜순 (가사·가사론)				(歌調)	① ②	③	① (歌辭)	(1840)	②				
5. 박성의 (한국문학사대계)		①		②		③		④			⑤		
6. 강전섭 (낙은별곡의 연구)		①	(1520)	② (1580)	③ (1623)		④ (1724)				⑤		
7. 이상보 (한국가사문학의연구)													
8. 이동영 (가사문학론고)		①	(전기)	②		③			(후기)		④		
9. 정병욱 (한국고전시가론)		①					②	③ (1860)					
10. 전규태 (한국고전문학사)				①			② (1860)						
11. 김수업 (배달문학의 길잡이)			(16C전)		(17C중)		(19C중)		(20C전)				
12. 서원섭 (가사문학의 길잡이)		①		②		③		④					
13. 장홍재 (국문학사시대구분론)			① (서정)			② (서사)			③ (개화)				
14. 정재호 (한국가사문학론)		①		② (1690)		③	④ (1860)		⑤		⑥		
15. 홍재휴 (가사문학론)	①	② (1259)		③ (전기)		(후기)		④		⑤			
16. 조동일 (한국문학통사2)		①		②		③							
17. 최강현 (가사문학론)		①		②		③		④			⑤		
18. 유홍구 (조선후기세태묘사가사연구)		①		②			③		④				
19. 윤석창 (가사문학개론)		①		②		③		④			⑤		
계	(1)	(1)	1	10	3	12(6)	12	4	5	7	5(1) 13(5)	(4) (2)	(6)

※ 계란의 ( )속의 숫자는 발생과 소멸을 나타낸 것임.

위에서 필자는 지금까지 발표된 시대구분의 유형을 변천단계, 시대범위, 효시 작, 분기점, 용어, 구획점 등 여섯 부류로 나누고 각 유형이 지니는 문제점들을 검토해 보았다. 이러한 검토의 결과를 기반으로 해서 가사문학사의 시대구분에 대한 몇 가지 필자의 견해를 제시하면 다음과 같다.

첫째로, 사적 현상을 해명하는데 하나의 절대적인 기준만이 가능하다는 태도는 지양되어야 한다. 단 하나의 역사적 법칙이란 존재하지 않기 때문이다. 따라서 제법칙에 의해 지배된 역사는 자연히 여러 가지 시대구분을 가능하게 하는 것이다. 따라서 논자가 사용한 법칙이 역사적 사실에 의하여 뒷받침될 수 있는 객관성을 지닌 것이라면, 이에 따르는 시대구분도 역사를 이해하는 하나의 관점을 제공해 주는 것이 될 것이다.

둘째는, 역사적 사실들이 시간적 공간적인 종횡의 관련성을 가지고 설명되도록 시대구분이 되어야 한다는 것이다. 그러기에는 다른 법칙들을 포용, 흡수하여 서로 연결 지어야 하고, 연접한 다른 시대로 발전해 하는 과정이 일정한 법칙에 의해 설명되어야 할 것이다. 말하자면 시대적 변화에 대한 필연성, 객관성을 가지고 설명되어야 성공적인 시대구분이 되는 것이다.

셋째는, 시대구분에 논리적인 일관성이 있어야 하겠다. 오늘날 가사문학상의 시대구분은 그 대부분이 내용에 있어서나 용어에 있어서 논리적 일관성을 지니지 못하였다. 그리고 시대구분의 용어에 관해서도, 우선 이들 용어는 구체적 내용을 나타내 주어야 하는데, 고대나 근대 또는 단순한 왕조명은 시대 구분의 용어에서 제외되어야 한다고 하였다. 물론 왕조명 그 자체는 구체적 내용이 있는 것이지만, 그것만으로 문학사적 사실에 큰 의미를 지니지 못했기 때문이다.

다. 시대구분

이상의 의견과 선학들의 제설을 검토한 결과, 필자는 가사가 고려 말 경기체가를 비롯한 제시가의 영향으로 발생되어, 현재까지 이르고 있다고 보아, 발전 자취를 더듬어 시대구분을 다음과 같이 5기로 나누고자 한다.

제1기 가사의 발생기 (고려 말 ~ 성종 조)
제2기 가사의 발전기 (연산 조 ~ 임진왜란)
제3기 가사의 흥성기 (임진왜란 ~ 경종 조)
제4기 가사의 전환기 (영조 조 ~ 갑오경장)
제5기 가사의 변전기 (갑오경장 ~ 현재)

제1기 가사의 발생기인 고려 말엽은 정치적, 사회적 불안이 극심하였고, 신흥사대부의 등장으로 새로운 삶의 모색과 참신한 문학 장르가 요청되었다. 이에 따라 내용적으로는 타력왕생을 원하는 서민층에 불교의 구도정신을 담은 화청和請이 적극 권장되었으며, 형식적으로는 당시의 고려속요, 경기체가, 민요, 장편 한시 등의 문학적 표현을 빌려 이룩된 것이 불교가사다.

때문에 나옹의 〈서왕가〉류는 발생기의 가사문학을 대표하여 조선시대 와서는 더욱 폭을 넓혀 사대부문학으로 자리를 굳혀 발전하였다.

제2기 발전기 가사문학은 성종 이후 건국정신의 해이로 훈구파 사림파의 대립과 사화 당쟁의 발생으로 정치 사회적으로 혼란기를 맞이하였다.

따라서 벼슬길에서 치사했거나 환해풍파를 걱정하여 미리 자연을 벗하게 되니, 유자들에게 강호와 산림은 이상향으로 동경되었으며, 자연미가 깊이 있게 인식되었다. 그 결과 송순의 〈면앙정가〉를 비롯하여 송강의 〈관동별곡〉, 〈사미인곡〉, 〈속미인곡〉 등이 창출되었다. 특히 정철의 작품은 최고의 가사문학이라 숭앙받게 되었고, 드디어 가사문학은 조선시가의 중요한 자리를 차지하게 되었다.

제3기 흥성기는 임병양란으로 민족이 수난을 당하였고, 더구나 당쟁이 계속됨으로써 국민의 생활은 만신창이가 되었다. 이에 서민들은 위정자와 양반들의 무력함을 깨달아 자아각성하게 되었으며, 이에 맞춰 서학의 전래와 발흥으로 서민대중의 감성과 의식을 반영한 근대 문학의 기반이 구축되기 시작하였다. 〈홍길동전〉, 사설시조, 노계가 사 등에서는 서민대중과 호흡하는 정신이 반영된 문학이 등장하였다. 한편 가사의 형식과 내용에도 변화가 일어났는데, 전기의 영탄적 주관적 서정적인 경향에서 후기에는 서술적 객관적 산문적 경향으로 달라졌으며, 또한 음절율이나 종결형식에서 파격이 나타났다.

제4기 전환기는 가사의 형식과 내용이 본격적으로 변화한 시기이다. 천주가사와 동학가사는 평등사상과 민족갱생을 내용으로 하였고, 정약용은 『목민심서』를 통해 이상 국가 건설을 꿈꾸었다. 따라서 과거의 관념적이고 허구적 생활을 청산하고, 진실성 있는 참다운 인간적인 생활을 요구하게 되었다. 가사의 내용도 기행, 유배, 풍속 등 현실생활을 그린 것이 많았고, 서민들의 진솔한 감정과 부녀자들의 애환을 그린 심정이 서민가사나 내방가사에 잘 나타나 있다. 가사의 형식은 종결형식이 파격을 이루었고, 산문화된 장편 기행가사류와 창사화唱詞化된 12가사, 잡가류로 단편화되는 두 경향으로 나타났다.

제5기 변전기는 제도적으로 개혁의지를 보인 갑오경장 이후의 가사를 말한다. 전통가사 형식인 4·4조에, 자주독립 애국애족의 내용을 담은 가사가 독립신문 3호로부터 수록된 바, 이를 창가나 신체시에 넣기도 하였으나, 노래의 내용이 같을 뿐이지 조사나 율격이 전통가사이니 개화가사인 것이다. 대한매일신보에 600여 편의 애국계몽가사가 실렸고, 의병의 항일정신을 담은 창의가사나 포교 신앙을 위한 천주가사, 불교가사, 동학가사, 유교의 삼강오륜의 실천역행을 주장하는 가사(명륜가, 경부가) 등 다양한 가사가 침체되어 가는 민족정신과 미풍양속을 일깨우는 목적의식을 가지고, 일반대중들에게 침투하기 쉬운 이 가사의 형식을 빌려 널리 깊게 뿌리박고 퍼져 나갔던 것이다.

이 시기에 와서도 가사는 풍성하게 창작되었으나 결국 근대문학 장르에 밀려 쇠퇴해 갔다고 하겠으나, 그런대로 전통적인 가사형식을 차용한 이 시대 작자들의 의도가 가상하고, 지금도 계속 창작되고 있는 작품들이 있어 현존 문학 장르로서 의의를 발견할 수가 있는 것이다.

제2장 발생기(고려 말~성종 조)의 가사문학

1. 시대적 배경

고려 말부터 조선 성종조成宗朝까지를 가사문학의 발생기로 보았다.

찬란한 신라문화를 계승한 고려는 과거법科擧法을 시행하여 유능한 인재를 등용시켰다. 중국의 서적을 많이 들여와 널리 학문을 넓힘으로써 16대 예종 때까지는 국가의 기초를 튼튼히 했고 문운文運이 왕성하였으나, 의종 때에는 왕이 문신들과 더불어 연락宴樂에 빠져 정사를 소홀히 했다. 이에 고려 초부터 문무차별 정책으로 불평이 쌓인 무신들은 의종 24년(1170)에 정중부를 중심으로 무신란을 일으켰다. 그때부터 약 1세기 동안 무신정권이 지속되면서 문무의 대립과 경제의 파탄, 민심의 해이解弛, 빈번한 외침의 피해로 고려사회는 극도의 혼란상을 빚었다.

당시 문인들은 강압된 권력 앞에서 아첨으로 입신하려는 굴종형屈服型과 무신들을 피하여 산간벽지에 숨어사는 은둔형隱遁型으로 갈리게 되었다. 많은 문사들이 전자의 길을 택하였는데, 이규보 역시 최충헌의 〈모정기茅亭記〉를 짓고 환로宦路가 열렸다. 그런 반면, 고결을 자처하는 명유名儒들은 현실의 소용돌이를 벗어나 산림에 거처하며 시주詩酒로 벗을 삼는 좌해칠현海佐七賢과 같은 선비도 있었다.

경기체가의 효시작인 〈한림별곡翰林別曲〉의 창작배경에 대해서 김석하(『한국문학사』, 1975)는 고려 고종 때 지은 것으로 거세去勢된 문인들이 풍류를 즐기던 자리에서 지은 기형적인 노래라 하였다. 그러나 이명구(『고려가요의 연구』, 1974)는 지공거知貢擧 금의琴儀가 관장한 과거를 통하여 선출된 신진들이 발랄한 의기를 가지고, 그들의 이념과 생활 감정을 노래한 것이라 하였다. 당시의 시대적 정황으로 보아 이는 고려 때의 신진사대부들이 그들의 새롭고 희망적인, 득의得意에 넘치는 생활을 읊은 문학의 한 유형으로 볼 수도 있겠다.

고려 후기의 지배세력은 권문세족權門世族이라 할 수 있는데, 신흥사대부가 이에 대항하는 세력으로 성장한 것이 이 시기의 특징이다. 신흥사대부는 원래 지방의 중소지주에 지나지 않는 향리출신들이다. 그들은 무신난을 겪고 전대의 귀족이 몰락한 틈을 타서 과거를 보아 중앙정계로 세차게 진출하기 시작하였다. 원나라 간섭을 받던 시절에는 실력을 다지면서, 고려가 주권을 되찾게 되자 그들은 권문세족과 정면으로 대결한 세력층이 되었다. 이에 대해 권문세족은 무신난, 몽고란을 겪고 원나라의 간섭이 지속되는 동안에 권력과 토지를 독차지하고 지배체제의 위기를 조성하였을 뿐, 문화의 창조와 계승에는 무관심했다. 지배층과 그들의 정신적 지주였던 불교가 타락하게 되므로 뜻있는 신흥사대부들은 새로운 삶의 길을 모색하였다. 이들은 송나라 주자의 성리학性理學을 바탕으로 한 새 도덕관과 민본정신을 내세워 새 국가를 건설하는 데 앞장섰다.

당시의 문학계에도 이런 영향이 없을 수 없었다. 불승佛僧과 신흥사대부가 그들의 시가문학을 새롭게 일으키고자 한 데서 고려 후기 문학에는 전기 문학과 구별되는 두드러진 특징이 구현되었다. 이리하여 고려의 시가문학은 한동안 향가의 잔류를 이어받아 오다가, 차츰 새로운 시가가 창조 발전됨으로써 다채로운 문학적 특성을 지니게 되었다. 가사는 그 발생설이 다양하여 고려중기 이규보의 〈東明王篇〉, 이승휴의 〈帝王韻紀〉, 오세문의 〈歷代歌〉, 그리고 〈漁父歌〉 등에서 그 연원을 찾기도 하는데, 고려시가인 속요, 경기체가, 시조 등과 한문학인 한시, 사부 등의 영향으로 고려후기에 새롭게 형성된 시가유형으로 가사가 발생하였다고 할 수 있다.

가사의 초기 작품으로는 고려후기에 나옹화상이 지은 〈西往歌〉, 〈樂道歌〉, 〈僧元歌〉 등이 전하며, 그 내용은 불교의 포교를 위한 것이었다. 이러한 불교가사의 영향과 조선시대의 훈민정음의 창제로 성종대 정극인의 〈賞春曲〉이 제작됨으로써, 가사는 완성된 형태로 굳어졌다. 이를 두고 조동일(『한국문학통사 2』, 1983)은 이 시기의 가사체의 발생은 선승禪僧들이 앞장서서 개척하였으나 나중에 사대부문학으로 수용되었다고 하였다. 김석하는 『한국문학사』에서 고려후기에 신흥사대부가 모색하고 주장했던 바가 조선전기의 문학세계에는 동질성이 더욱 두드러졌으며, 유학이나 한문학이 그러했을 뿐만 아니라, 중세의 전형적 문학 장르의 하나인 '교회문학敎誨文學'이 현실을 타개하기 위한 방편으로 등장하는데, 이런 모습은 권문세족에 붙어 타락의 길을 가던 불교계가 자기반성을 위한 노력으로 권불가사勸佛歌辭를 짓게 되었다고 하였다.

선승들은 스스로의 깨달음을 서정적인 선시禪詩로 표출하고, 또 인생살이란 어떤 것인가를 설명하면서 널리 교화를 펴는 데에 가사라고 하는 우리말 노래를 불렀던 것이다. 선승의 노래로 시작된 가사가 사대부 문학의 영역에 들어옴으로 가사는 경기체가, 시조와 더불어 공존하고 되었다.

한편 조동일은 『한국문학통사 2』에서, 경기체가와 가사는 같은 시가장르이면서, 전자는 독립적인 사물을 하나씩 거론하고 거기서 감흥을 찾는다면, 후자는 사물에 대한 더욱 폭넓은 서술을 할 수 있을 뿐만 아니라, 작가 자신의 생활내용을 다각도로 대상화하였다는 점이 서로 다르다. 그러나 사대부의 관심이 사물에서 실생활로 확대 심화되면서 경기체가는 위축되고 가사의 세력은 확장되었다. 한편 시조와 가사는 단가와 장가로서 또는 서정시와 교술시로서 경쟁적이라기보다는 상보적인 관계를 가지고 나란히 발전하였다고 하였다.

이러한 사대부 문학은 공적인 것과 사적인 것으로 나누어진다. 공적인 문학이 왕조의 사업에 긴요한 구실을 했다면, 사적인 문학은 작가가 자기생활을 표현하며 스스로 즐기는 데 소용되었다. 악장이 공적이라면, 경기체가는 공사公私의 양면을 지녔고, 가사는 시조와 함께 사적인 문학이라 할 수 있다.

더구나 집권세력에서 밀려나 은거의 길을 택하거나, 귀양살이를 하게 될 때 갈등이나 고난을 하소연할 노래를 한층 절실하게 요망했을 것이다. 질서와 조화를 내세우는 명분이 퇴색하고, 사대부들 사이에서 분열이 일어나며, 이념을 반성하고 생활을 재인식하자는 움직임이 대두하여 가사가 더욱 중요한 구실을 하게 되었다. 환로宦路에서 밀려나 은거를 하는 것을 신선인 양 자부하고, 자연과 화합하는 즐거움을 노래함으로써 사대부문학은 큰 성과로 축적되었으며, 아울러 가사 문학은 커다란 발전을 이룩할 수 있었다. 따라서 성종 때 정극인의 〈賞春曲〉은 이러한 시대적·문학적 배경에서 발생한 작품으로 가사의 완성된 모습을 보여주는 대표작이라 할 수 있다

2. 가사의 기원

문학 장르의 기원을 찾는 일은 용이한 일이 아니어서, 모든 문학 장르는 생물의 생멸生滅과 같이 당대의 문학풍토와 사회적·역사적 배경에 따라 생성, 성장, 소멸 등의 과정을 거치면서 발전해 간다고 하겠다. 따라서 전 장르의 소멸은 새로운 문학 장르의 발생에 큰 영향을 주게 된다. 그러므로 문학 장르의 영향관계를 밝히는 일은 문학사를 구성하는 데에 선결되어야 할 중요한 과제라 하겠다.

그러나 가사문학의 기원에 대한 논의는 아직까지 뚜렷한 결론에 이르지 못할 설정이다. 물론 거기에는 내용상 주제의 다양성과 형식

상 양식의 복잡성, 그리고 음악과의 결부관계 등 해결해야 할 문제가 많기 때문이다. 이 분야의 최초의 연구는 조윤제의 『조선시가사강』에서 비롯되었으며, 이어서 가사의 기원과 발생 시기에 대한 논의가 본격적으로 전개되었다.

가사의 기원에 대한 기왕의 견해로는, 조윤제의 '고려가요기원설'과 이병기의 '한시현토기원설'이 있으며, 또 '시조기원설', '악장기원설', '교술민요기원설', '신라가요(불교시)기원설', '종합기원설' 등 다양하게 주장된 바, 이에 대하여 살펴보면 다음과 같다.

가) 고려가요(속요 및 경기체가) 기원설

- 김태준(「별곡의 연구」, 1932)은 조선중엽에 이르러 종래의 별곡의 정형이 깨뜨러져서 장가와 단가의 두 가지가 되어, 장가는 가사로 단가는 시조로 분화한 것이다 라고 하였고,
- 조윤제(『조선시가의 연구』, 1948)는 고려의 속요, 경기체가 등 장형가는 조선에 와서 갑자기 쇠미衰微하여 초기에 약간 유행하다가 없어지고 가사가 그에 대등代等하였다고 하였으며,
- 고정옥(『국어국문학요강』, 1949)도 가사의 시초는 고려 때 '경기체가'나 〈청산별곡〉 기타의 가요에서 求할 것이다고 하였다.
- 정학모(『국문학사』, 1948)는 경기체가가 국자제정이후 그 형태변화의 파괴가 현저해져서 점차 가사로 접근하였다고 했고,
- 정형용(『국문학개론』, 1949)도 분절되는 특징을 가진 고려가요로부터 이조가사가 형성될 기반을 투시할 수 있다고 말했으며,
- 양염규(『국문학개론』, 1959)도 가사문학은 경기체가의 형식이 파괴되어 형성된 것이다고 하였다.
- 이동영(『가사문학의 발생적 연구』, 1963)은 '별곡'이라고 부름이 그대로 가사에는 원용되어 온 용례를 보더라도 고려의 쇠망과 유학의 흥기興起라는 시대적 배경에서 佛家불가인 나옹과 儒家유가인 신득

청이 각각 경기체가의 연장체^{聯章體}를 연속체로 변환시켰다며, 가사의 모태를 경기체가다고 하였으며,

· 정재호(『가사문학연구』, 1964)는 가사는 경기체가의 파격으로 이루어져 형식면에서는 시조의 영향을 입고, 내용면에서는 「漁父歌」 등의 고시가와 중국의 사부문학의 영향을 입어서 완성된 문학형태다 라고 하였고,

· 박성의(『한국시가문학사』, 1967)는 가사는 경기체가의 파격으로 삼음보에서 사음보격으로 전환하여 한국가사(장가) 본래의 잠재적 성격인 사음보격이 길게 연장^{延長}되어 이루어진 것이다 라고 형식상 기원을 말했다.

· 정익섭(『가사형식의 연원적 고찰』, 1964)은 가사형식의 연원은 고려의 장가형식이다 라고 하였으며,

· 정병욱(『한국고전시가론』, 1977)도 가사는 경기체가가 쇠퇴하면서 발달할 수 있는 가능성이 매우 짙다고 하였다.

나) 한시현토기원설

· 이병기(『국문학전사』, 1957)는 우리 조상들은 글을 읽을 때에 축문이나 치사^{致詞} 이외에는 반드시 우리말 吐를 달아 읽든지, 시조체의 초중장을 연속하면 이 가사체가 형성될 수 있다 라고 하여, 가사 발생의 양면 기원설을 말했다.

· 장덕순(『국문학통론』, 1960)은 가사가 한시체에서 발전했으리라는 추정은 앞에서 인례^{引例}한 〈鳳凰吟〉에서도 이해될 것이고, 횡적으로는 항상 한시의 영향을 받았다고 보는데, 그 중에서도 가사는 더 많이 한시의 영향 밑에서 발생하였다 라고 하였으며,

· 김문기(『가사문학발생고』, 1972)도 가사는 한문학, 특히 부문학^{賦文學}의 대구형식, 즉 우수개념^{優秀槪念}의 영향을 받아 사음보격이 대두·흥성한데서 求한다 라고 말하였고,

· 최강현(『가사문학의 발생 시기를 살핌』, 1986)은 가사문학의 발생 기원이 한시에 우리말 토^吐를 달아 음영하는 과정에서 이미 원초형 태는 생성되었다 라고 보았다.

다) 시조기원설

· 이능우(『입문을 위한 국문학개론』, 1954)는 가사의 종행은 시조의 제삼행적 리듬을 보유하고 있어 시조의 형식적인 본질이 잠재하고 있다 라고 시조기원설을 처음으로 주장했다.

· 김기동(『형태적고찰』, 1964)도 시조와 가사의 음수율과 음보율이 같고, 종장의 음수율이 동일함으로 시조의 초·중장을 시상에 따라 무제한으로 연속해 나가면 가사체가 된다 라고 하였으며,

· 김사엽(『이조시대의 가요연구』, 1956)은 가사의 최종시행이 시조의 종장과 동일하니, 가사형식은 단가시형의 파격형에 불외^{不外}한 것이다 라고 하였고,

· 이탁(『국문학논고』, 1958)은 가사는 초장과 중장을 제한 없이 거듭한 장시조에 지나지 않는다 라고 하였다.

· 이병기도 『국문학전사』에서 시조의 초·중장을 연속하면 이 가사체가 형성될 수 있다 라는 동일 주장을 하였으며,

· 이태극(『가사개념의 재고와 장르고』, 1964)은 가사는 마치 시조의 초·중장의 반복처럼 대구형식으로 이어지다가 끝맺음에 가서는 시조의 종장형으로 마물려지는 것이다 라고 하였고,

· 임헌도(『최고운강산곡연구』, 1966)도 가사는 시조에서 발생했다고 주장하면서, 그 이유로 시조와 가사의 음절율이 일치하고, 또한 시조의 종장과 가사의 결사구의 음수율이 일치한 데 있다 라고 하였다.

· 서원섭(『가사의 내용과 형식고』, 1968)은 가사는 시조에서 발생했다고 주장한 바 있었고, 이러한 견해는 지금도 변함이 없다 라고 확언하였다.

라) 악장기원설

- 정형용(『국문학개론』, 1949)은 가사가 성립하는데 세종조의 『용비
  어천가』와 같은 장편창작도 영향을 주지 않았을까 하는 설을 처음
  으로 제시하였고,

- 김동욱(『국문학개론』, 1962)도 가사의 전통으로 볼 때에는 조선 초
  세종 대의 『용비어천가』와 『월인천강지곡』이 실재적 원류가 된다
  라고 하였으며,

- 유창균(『한국시가형식의 기조』, 1966)도 가사는 『용비어천가』나 『월
  인천강지곡』과 같은 분장형식에서 사설형식으로 넘어가면서 분장
  의식이 희박해져서 생긴 것이다 라고 악장기원설을 말했다.

마) 교술민요기원설

- 조동일(「가사의 장르규정」, 1969)은 교술민요에서 가사가 나왔고,
  가사는 구비문학인 교술민요가 기록문학으로의 발전에서 이룩됐
  다 라고 하여 학계의 주목을 받았다.

바) 신라가요기원설

- 홍재휴(『가사문학론』, 1984)는 월명사가 지은 〈도솔가〉 이야기에
  '별유산화가別有散花歌 문다부재文多不載'란 『삼국유사』의 기록을 근거
  로 불교시인 〈散花歌〉가 장시형의 발생에 한 이정표를 세우게 하
  였으며, 고려 말에 이르러 〈西往歌〉 등의 불교가사를 형성하였다
  라고 하였으며,

- 이상보(『한국고시가연구』, 1975)는 불교가사의 연원을 '梵唄'에서
  찾아야 한다고 하면서, 범패는 가곡, 창극조와 같은 우리 음악의 창
  법에도 영향을 주었으며, 가창을 수반한 시가양식들에도 그 영향
  을 미쳤을 것이다 라고 하였다.

사) 종합장르기원설

- 박노춘(「가사형식의 발생」, 1970)은 가사는 단가형(시조형식) 이외의 모든 선행가요에서 발원 내지 변모되었다 라고 하였으며,

- 서수생(「송강의 전후사미인곡의 연구」, 1962)도 향가, 경기체가, 속요 등에는 후렴구(낙구)가 있었는데, 이 낙구가 변질되어 여말 사설적 긴 노래 끝에 오를 때는 가사체가 되었다 라고 하였고,

- 윤귀섭(「가사문학 형식에 관한 고찰」, 1963)은 잡다한 시가형태를 포용하고 있는 악장은 우수음보偶數音步 단련체 3・4음절의 시가형태를 마련하였으며, 여기에 장형시가를 요구하는 내적 특질이 가미됨으로써 마침내 가사문학이 이룩된 것이다 라고 하였다.

- 최강현(「가사의 발생사적 연구」, 1974)도 가사는 신라가요 중 창작가요의 잔영이 고려가요의 장형가로 변화・발전하다가 다시 민요와 무가 및 범패의 영향으로 생성되었다 라고 하였으며,

- 전일환(「조선전기의 가사문학연구」, 1987)은 가사는 민요적인 율조의 바탕 위에 향가, 고려속요, 경기체가, 악장시대 등을 거치면서 중국의 한시, 사부, 병려문 등의 영향으로 독창적 시형으로 형성되었다 라고 하였고,

- 윤영옥(「한국시가형태의 계통론적 연구」, 1966)도 〈鄭瓜亭曲〉의 장편화의 요인과 시조의 일시행의 중첩, 그리고 종장형태에 의하여 가사가 도출되었다 라고 하여 가사는 제시가형태의 영향에서 기원되었다고 하였다.

이상에서 살펴 본 결과를 종합해 보면 다음과 같다.

(가) '경기체가' 기원설의 착안점은 소멸 생성시대가 가깝고, 귀족층의 향유물이며, 내용과 형식면에서 기원이 된다고 하였으며, 부정적인 견해로는 문학사를 너무 단선적으로 보았고, 가사의 향유층이 다양하며, 형식상 음수율과 음보율이 다를 뿐 아니라 내용상 많은 차

이가 있으며, 또한 비연장체로 장형화한 까닭을 밝힐 수가 없다는 한계가 있다.

(나) '시조' 기원설의 착안점은, 결구형식이 동일하고, 음보율과 음수율이 같다는 것이다. 부정적 견해로는 두 장르는 동시대적 존재이고, 장형화되는데 중간형태의 엇시조와 사설시조가 발생됨이 늦으며, 전기가사에도 결구가 없는 작품이 있다는 것이다. 그리고 시정詩情이 압축된 시조가 생활의 압축인 가사와의 관계에서 장단의 차로만 볼 수 없으며, 종장 첫 구는 한국시가의 보편적 특징으로 보아서 이를 부정하고 있다.

(다) 한시현토기원설의 착안점은 장편한시에 우리말 토를 달아서 발생하였다고 했는데, 부정적 견해는 노래의 가사가 대부분 한문어구로 된 것이지 한시에 토를 단 것은 아니라는 것이다.

(라) '악장' 기원설의 착안점은 악장체의 분장형식이 파괴되면서 가사가 발생하였고, 동시에 장가이며 사음보로 비연장체의 소지를 가진다고 하였으며, 부정적 견해는 비연체로 된 이유를 밝힐 수 없고, 오히려 더 가사의 발생이 더 빠를 수도 있다는 주장이 있다.

(마) 교술민요기원설의 입장은 기록문학 중에서 가사의 근원을 찾을 수 없어서, 구비문학에서 찾을 수밖에 없으니, 교술민요가 가사의 기원이라 했다. 부정적인 견해로는 가사 발생 전에 사음보의 교술민요의 출현이 확실하지 못하다는 점을 지적하였다.

(바) 신라가요기원설의 견해는 신라의 불교시를 비롯한 종교가요가 대중화하는 과정에서 고려 말 불교가사가 형성되었다나, 신라의 불교계 노래와 고려 말 불교가사를 직접 접맥하는 데는 많은 문제를 가진다.

(사) 종합장르기원설의 견해는 기존의 주장들이 부분적 합리성은 있으나 전체를 보는 종합적인 시각을 지니지 못하고 어느 한 곳의 동질성을 들어 연원을 밝히고 있는데 반해서, 종합설은 거시적 안목이

긴 하지만 명확한 주장이 없다는 반론이 있다.

　이상에서 검토한 결과 기존연구들은 가사를 전체적·종합적으로 보는 시작보다 미시적·부분적인 안목에 치우쳐서 기원을 정확히 탐색하지 못 한 점이 있다. 즉 형식상의 유사성이나 일부의 동질성만을 위주로 하여 가사의 기원을 말하는 경우가 적지 않다. 물론 문학 장르의 형성은 기존시가의 영향아래 분파되거나 생성되는 것이 일반적인 원리이다. 이와 같은 측면에서 가사의 생성에 영향을 주었으리라는 단일적이고 종적인 주장들을 위에서 살펴보았다. 그러나 한 시가장르의 형성을 단일적인 관점으로 어느 한 기존시가의 영향으로만 생각할 수 없다.

　특히 가사는 당대의 국민정서를 표출하기에 가장 알맞은 시형이었기 때문에 사대부에서 서민, 부녀자에 이르기까지 광범위한 작자층과 향유층을 가질 수 있었다. 이 같은 시가장르는 종래의 어느 한 시형으로 말미암아 갑작스레 나타난 장르가 아니다. 오랜 세월을 거치는 동안 고유한 민요적 율조의 바탕위에 향가, 고려속요, 경기체가 등과 중국의 한시, 사부, 병려문 등의 영향으로 우리의 사상과 감정을 표현하는데 가장 알맞은 독창적 시형으로 형성된 것이다. 다시 말하여 가사는 선행된 제시가의 영향으로 형성된 복합적이고 종합적인 성격의 시가장르로 보아야 할 것이다.

3. 가사의 발생 시기

　모든 문학 장르는 그 발생에 있어서 전대에 존재했던 문학 장르와 연원관계를 유지하면서 새로운 형태로 탄생·발전하게 되는데 가사도 예외는 아니었다. 지금까지 가사의 발생 시기가 언제인지에 대한 견해로는 신라 말·고려초엽발생설, 고려중엽발생설, 고려 말엽발생설, 조선중엽발생설 등이 있다. 이상의 제 견해를 다음에서 살펴보기로 한다.

첫째, 신라 말·고려초엽발생설을 주장한 홍재휴는 『삼국유사』에 기록되어 있는 신라 말 경덕왕대의 월명사가 지은 〈도솔가〉에 대한 이야기에 근거하여 가사의 기원을 신라가요 중 불교 시에서 연유하였다고 하고 그 발생 시기를 신라 말로 잡았다.

또한 최강현은 '花朝月夕携手遊 別曲歌詞隨意製'라고 한 이승휴(1223~1300)의 『제왕운기』의 언급과 고려 초 옥룡자 도선국사(827~898)의 한문표기 시가인 〈도선답산가〉, 그리고 두보의 한시 〈증화경〉에 우리말 토를 달아 음영한 듯한 『시용향악보』의 〈횡살문〉을 근거로 하여 가사나 시조의 원초형태는 신라 말 한시에 우리 말 토를 달아 음영하는 과정에서 나타나기 시작한 새로운 문학양식으로 기존의 신라노래나 고려노래의 여음들의 영향을 받아 고려초엽에는 어느 정도의 형태가 성립되었다고 하였다.

둘째, 고려중엽발생설을 주장한 박지홍은 가사발생 시기에 대한 시사점을 제시한 바, 우리나라의 문학사를 원시시대·고대·중세·근대의 넷으로 나누고, 원시시대를 민요·무용의 발생에서 〈도솔가〉까지, 고대를 영웅서사시의 발생에서 향가의 소멸까지, 중세를 시조와 가사의 발생에서 고대소설의 소멸과 시조의 쇠잔까지, 근대를 갑오경장 이후로 구분하였다. 그리고 고대와 중세의 분기점을 고려의 정중부란(1170)으로 보았다. 그 이유로는 정중부란을 계기로 고려왕조는 토지소유 관계에 있어서 대전환기를 가져왔으며, 종전까지 국유화되어오던 토지의 소유원칙이 허물어져 실재 경작자가 대지주와 소작관계를 맺게 됨으로써 중세봉건사회가 시작된다고 하였으며, 이때를 전후하여 향가는 〈정과정〉을 최후로 자취를 감추고 다음 시대의 문학으로서 시조와 가사가 일어난 것이라고 하여 가사의 발생 시기를 정중부난을 중심으로 한 중세봉건사회에서 찾았다.

셋째, 고려 말엽 발생설을 주장한 학자로는 이병기, 박성의, 이상보, 정병욱, 김종우, 서원섭, 박노춘, 서수생, 이동영, 홍홍구, 정재호, 조동일, 김문기 등이다. 이들은 한시현토기원설 또는 고려가요기원설을 내세우면서 고려 말 나옹화상의 〈서왕가〉를 가사의 효시로 보았다. 즉 고려중엽에 이미 가사문학의 형태가 발생되어 고려 말에 이르러서 그 형태가 완성 되었다는 입장이다.

이에 대하여 논란도 많은데 최강현은 〈서왕가〉를 검토한 뒤, 이는 무자화두無字話頭를 즐겨 쓴 간화선의 오도悟道가 높은 나옹화상의 작품이 분명하다고 한 반면, 김종우는 가사내용이 불교포교를 위한 선전색이 농후하여 균여의 작품보다 질적으로 낮아 보이고, 이병주도 나옹화상의 한시와 비교할 때 〈서왕가〉의 품격이 훨씬 떨어진다 라고 하였다.

넷째, 조선 초엽 발생설로는 조윤제, 김사엽, 김석하, 이혜순, 전규태 등의 견해를 들 수 있다. 이들은 나옹화상의 〈서왕가〉나, 〈승원가〉가 소개되기 전에 별곡, 악장, 시조 등에서 가사가 기원되었다는 주장에 따라 가사의 최초 작을 〈상춘곡〉으로 보는 것이다. 이에 새로운 가사작품이 발굴되고, 〈상춘곡〉의 작자연구에서도 안작설贋作說이 대두되면서 조선 초기설에 비판이 일어났다. 특히 강전섭은 정극인의 생애나 〈상춘곡〉의 시상으로 보아 이는 송강가사 이후 작품이라 하고, 최강현은 〈상춘곡〉에 쓰인 어휘나 정극인의 행장을 들어, 이를 부정시하면서 정극인 사후 305년이 지나서 『불우헌집』에 실림으로써 표기법이나 어휘가 성종대의 그것과 다르다는 것이 이들 견해의 초점이다. 그러나 당시에 맹사성이 〈강호사시가〉를 지었고, 또 〈상춘곡〉의 표현기법으로 보면 이 시기에 이 같은 가사의 출현을 부정할 수만은 없는 일이다. 때문에 〈상춘곡〉을 정극인의 작으로 보고, 국문학 가사작품은 그 이전에도 있었을 것으로 생각한다.

다섯째, 조선중기발생설은 김준영, 김수업, 강전섭이 주장한 견해이다. 김준영은 가사의 발생을 훈민정음 창제후인 세조대 이후로 보아야 할 것이 당연하지만, 꼭 성종대라고 단언할 수는 없을 것이니, 〈상춘곡〉이 정극인의 작품이라고 단정할 수가 없고, 그 밖의 연산군 때 조위가 지었다는 〈만분가〉도 또한 꼭 믿을 수 없으며, 꼭 믿을 수 있는 것은 중종 15년 이후에 썼다고 보는 이서의 〈낙지가〉이니, 결국 가사의 확실한 생성기는 세조 이후 중종대 사이의 80년간이다 라고 하였다. 그리고 김수업은 가사가 온전한 모습으로 확립한 시기를 16세기 전반으로 잡는 것이 가장 근리近理한 것이다 라고 하였다. 그러나 가사의 발생 시기를 15세기말 〈상춘곡〉으로 보고, 그 형성 시기는 16세기 전으로 본데서 불명한 주장이 되고 말았다. 또 강전섭은 〈상춘곡〉의 제작을 성종대라 함은 가사문학에 있었던 일종의 전설일 것이고, 최초의 작품은 이서(1482~?)의 〈樂志歌〉다 라고 하였다. 따라서 중종 15년(1520)에 가사의 효시 작이 나왔다고 하여 그 발생 시기를 16세기 초로 잡고 있으나, 이는 너무 실증주의에 치우친 단정이라 하겠다.

이상의 논의 가운데 신라 말·고려 초엽 발생설, 고려 중엽 발생설, 그리고 조선 중기 발생설 등은 일반적인 설득력을 거의 얻지 못한 형편이며, 또한 근거도 부족한 아쉬움이 있다. 반면에 고려 말엽 발생설과 조선 초엽 발생은 〈西往歌〉와 〈賞春曲〉을 각각 그 효시 작으로 내세우면서 견해의 타당성이 주장되고 있는데, 이에는 좀 더 신빙성 있는 자료의 발굴과 학문적 연구가 요청된다.

그런데 〈서왕가〉와 〈상춘곡〉은 창작 후 오랫동안 구전되다가 문자로 정착된 것이라 생각된다. 자료의 부족으로 이의 안작설이 거론되고 있기는 하지만 〈서왕가〉는 〈상춘곡〉보다 100여 년이나 먼저 창작되었으며, 전자는(普勸念佛文, 1704) 후자(不憂軒集, 1786)보다 약 80년 먼저 문자로 정착된 셈이다. 〈서왕가〉가 승려나 불교신도들에 의

해 전승된데 비하여, 〈상춘곡〉이 문중의 친척에 의해 전해진 점을 고려하면 작품의 전승계층에 대한 신빙성은 〈서왕가〉에 대한 비중이 더 크다.

또한 두 작품이 가사의 효시 작으로 운위되는데 유사한 조건이라 한다면, 전시대의 사실史實에서 더 큰 의의를 찾고자 한다. 게다가 최근에는 이두로 된 〈僧元歌〉가 발굴되었으니, 이는 고려 말 〈歷代轉理歌〉와 더불어 당시의 표기법에 따라 가사가 제작되었다는 것을 입증해 주는 좋은 자료가 된다. 이런 점에서 〈서왕가〉가 가사의 효시 작이라는 개연성은 충분하다. 따라서 가사의 발생 시기도 고려 말엽 발생설로 보는 것이 타당하리라 본다.

4. 작가와 작품

지금까지 알려진 발생기 가사는 고려 말에서 조선 초에 걸쳐 제작된 것으로, 강호한정가사 2편, 포교신앙가사 4편, 회고서사가사 1편 등 모두 7편이다. 이를 표로 보이면 다음과 같다.

〈표 2〉는 현재까지 알려진 유명 씨의 가사작품을 작자별·연대순에 따라 배열하였다. 전체의 작품을 전장에서 나눈 시대구분에 따라 일련번호를 붙이고 작품명, 지은이, 지은 때, 내용, 출전 및 참고문헌을 기록하였고, 비고란은 임기중 편, 『역대가사문학전집』(동서문화원, 1~10권, 1987간 ; 11~20권, 1988刊)에 수록된 작품의 일련번호를 쓰되, ( )속은 작품명란의 작품번호이고, 그 이외의 것은 함께 수록된 이본들의 번호이다. 아울러 작자와 작품명에 대한 이설 및 기타 참고사항을 기재했다.

<표 2> 발생기 가사작품 총람표

번호	작품명	지은이	지은 때	내용	출전 및 참고문헌	비고
1	나옹화상서왕가	나옹스님 (1320-1376)	1370	불교	보권염불용문사판 (1704)	(42)3,106,363
2	樂道歌	〃	〃	〃	〃	一名 證道歌 土窟歌 修道歌
3	僧元歌	〃	〃	〃	〃	859 一名 自策歌
4	歷代轉理歌	신득청 (1332-1392)	1371	역사	화해사전 영녕승람	
5	鴛鴦西往歌	수양대군 (1417-1468)	1447	불교	월인석보 제8	
6	賞春曲	정극인 (1401-1481)	1470	은일	불우헌집(石)	(101)
7	梅窓月歌	이인형 (1436-1504)	1475	〃	매헌선생실기 (목:1786)	(66)

가. 강호한정가사

이는 강호의 한가한 정서情緖를 노래한 가사로, 여기에는 정극인의 〈상춘곡〉과 이인형의 〈매창월가〉 등 2수가 있다.

〈상춘곡賞春曲〉은 불우헌不憂軒 정극인丁克仁(1401~1481)이 지은 강호한 정가사로, 그는 본관이 영광이요, 호는 불우헌, 다헌, 다각 등이다. 불우헌은 17세에 향시에 장원했으며, 세종 11년(1429)에 생원이 되었고, 성균관주부, 종학박사, 교수훈도, 사간원헌납, 정언 등의 벼슬을 역임하였고, 성종 1년(1470) 벼슬에서 물러난 후 처가가 있는 전북 태인으로 돌아와 불우헌이라는 초사草舍를 짓고 자신의 호로 삼았다. 그 때의 그의 심정은 도연명이 〈歸去來辭〉를 읊으며 향리로 돌아가는 것과 흡사하다고 보아 〈상춘곡〉의 창작연대를 성종 원년으로 보았다. 그는 성종 3년(1472)에 통정대부에 오르는 삼품교관을 특가함에 경기체가 〈不憂軒曲〉을 지어 천은이 망극함을 노래하였다. 이에 앞서도 단가로 〈불우헌가〉를 지어 역시 그 영화와 임금의 장수를 송축하기도 하였다. 불우헌은 성종 12년(1481) 8월 16일 병으로 태인의 고현리에서 81세로 졸하였다. 저서로는 『불우헌집』이 유일하게 전하는데, 그 끝에 가곡이라 하여 〈불우헌곡〉과 〈상춘곡〉이 실려 있다. 『불우헌집』은 이재頤齋 황윤석(1729~1791)이 지은 서와 행장이 실려서 정조 10년(1786)에 간행된 주자체鑄字體로 된 현전 최고본이다.

〈상춘곡〉은 처가인 태인에서 지은 것으로 춘경을 완상하며 안빈낙도하는 풍류생활을 노래한 낙천적인 내용으로, 작품 구성은 기승전결의 4단이며, 40행 79구로 되어 있다. 기사에는 홍진紅塵을 떠나 풍월주인이 되어서 자연 속에 사는 생활을 노래하였고, 승사에서는 '閑中眞味를 알 니 업시 호재로다'로 춘경에 몰입한 기분을, 전사는 '이바 니웃드라 山水 구경 가쟈스라' 하여 춘경의 완상과 풍류를 읊었다. 그리고 결사에서는 물아일체의 안빈낙도를 노래하였다. 그 일부를 보면 다음과 같다.

　　기사(자연 속의 생활)
　　紅塵에 뭇친 분네　　　이 내 生涯 엇더ᄒᆞ고
　　녯 사ᄅᆞᆷ 風流를　　　미츨가 못 미츨가
　　天地間 男子몸이　　　날만ᄒᆞᆫ 이 하건마ᄂᆞᆫ
　　山林에 뭇쳐 이셔　　　至樂을 ᄆᆞ를 것가
　　數間 茅屋을　　　　　碧溪水 앏픠 두고
　　松竹 鬱鬱裏예　　　　風月主人 되어셔라

　자신의 처지를 속세의 홍진과 대립 공간인 수간모옥을 설정하여

52

스스로를 풍월주인으로 그리고 있다. 자신이 치사환향 할 때의 심정을 마치 도연명이 〈歸去來辭〉를 읊으며 귀향하던 모습에 비유하여 그렸다고도 볼 수 있다.

승사(春景에 몰입)

엊그제 겨울 지나	새 봄이 도라오니
桃花 杏花ᄂ	夕陽裏예 퓌여 있고
綠楊 芳草ᄂ	細雨中에 프르도다
칼로 몰아 낸가	붓으로 그려 낸가 (중략)
物我一體어니	흥興이이 다룰소냐
柴扉예 거러 보고	亭子에 안자 보니
逍遙 吟詠ᄒ야	山日이 寂寂흔딕
閒中 眞味룰	알 니 업시 호재로다

대자연의 조화에 감탄하고 동화하여 노니는 물아일체의 모습이 마치 한 폭의 동양화를 감상한 듯한 느낌으로 시상을 전개하고 있다.

전사(春景의 완상과 풍류)

이바 니웃드라	山水구경 가쟈스라
踏靑으란 오늘 ᄒ고	浴沂란 來日ᄒ새
아춤에 採山ᄒ고	나조히 釣水ᄒ새
ᄀᆺ 괴여 닉은 술을	葛巾으로 밧타 노코
곳나무 가지 것거	수 노코 먹으리라 (중략)
淸流룰 굽어보니	떠오ᄂ니 桃花ㅣ로다
武陵이 갓갑도다	져 뫼이 긘 거인고 (중략)
松間 細路에	두견화룰 부치 들고
峰頭에 급히올라	구름소긔 안자 보니

千村 萬落이	곳곳이 버러 잇닌
煙霞 日輝는	錦繡룰 재펏는 듯
엊그제 검은 들이	봄빗도 有餘홀샤

승사의 흥이 술과 풍류로 어우러지면서 절정을 이른다. 특히 淸流
→ 桃花 → 武陵으로 이어지는 시상의 전개는 자연과 물아일체의 흥
이 절정에 다다르면서 작가 자신이 신선인 듯한 착각 속에 '구름 소긔
앉아'서 '천촌만락'을 내려다 볼 여유를 가지고 있다.

결사(安貧樂道의 생활)

功名도 날 씌우고	富貴도 날 씌우니
淸風明月 外에	엇던 벗이 잇스올고
簞瓢陋巷에	훗튼 혜음 아니ᄒ니
아모타 百年行樂이	이만흔들 엇지ᄒ리

결사에서는 부귀공명을 초월하여 물아일체하고, 안빈락도하며, 유
유자적하면서 세상에 집착하지 않고 남은 생을 단표누항을 누리며 살
겠다는 의지가 여실히 드러나 있다.

위에서 작가의 신분이나 사상은 청운지靑雲志의 욕망을 버리고 백운
객白雲客으로 돌아가는 은일사隱逸士임을 알 수 있다. 거의 마지막에 가
서는 부귀와 공명이 자기를 꺼리니, 청풍이나 명월이 아닌 다른 벗이
없다고 해서 내심을 더 드러냈다. 山林處士로서의 생활을 다루는 은
일가사는 이런 내용을 갖추기 일쑤였다. 밀려나서 은거를 하는 자신
들이 신선인 양 자부하고 세속에서 헤어나지 못하는 사람들이 가엽다
고 해야 심리적인 균형이 이루어진다. 그리하여 자연과 화합하는 즐
거움을 찾는 미의식이 생동하는 표현을 얻어 사대부 문학의 가장 큰

성과로 축적되어 국문시가가 커다란 발전을 이룩할 수 있었다.

이처럼 〈상춘곡〉은 은일사가 상춘賞春을 음영하고 취락한 내용이다. 표현은 매우 사실적이고, 대우법 의인법 등을 구사하여 곡진하게 묘사된 서정가사이기도 하다. 또 이런 현상은 다른 강호한정가사에도 영향을 끼친 바, 〈상춘곡〉→〈면앙정가〉→〈성산별곡〉→〈매호별곡〉으로 이어졌다고 할 수 있다.

〈상춘곡〉은 최근까지 가사의 효시로 논의되었으나, 반대의견이 강하게 대두되고 있다. 이런 입장에 선 권영철(『불우헌가곡연구』, 1969)은 〈상춘곡〉이 '謹作短歌二章中'의 하나가 아니고, 송도가頌禱歌도 아니며, 시어와 사상이 다를 뿐 아니라, 표기도 조선 초기의 것이 아니라고 하였다. 또한 강전섭(『한국고전문학연구』, 1982)은 〈상춘곡〉을 정극인의 장단가 2편과 비교하면 안작贋作임이 확실하다고 하고, 가의와 시상이 송강가사 이후 작으로 간주되어 임병양란을 치르고 난『불우헌집』편찬시기의 환위環圍로 보아도 의심이 간다고 하였다. 〈상춘곡〉은 〈逸民歌〉와 내용이 상호 대응되는 이명이 지은 〈환산별곡〉의 유전체流轉體라 할 수 있으므로 〈상춘곡〉의 원명은 〈환산별곡〉이고, 그 작가도 정극인이 아닌 한성부 참군參軍인 이명이라 하였다. 이들은 동시대의 작품으로 보는 것이 옳을 것이기에, 〈상춘곡〉은 숙종 대에 외삼촌과 생질간의 이명(1634~1698)과 윤이후(1636~1699)의 사이에서 이룩되어 전송되다가 정씨문중의 어느 인사가 채록한 것이라고 하였다.

그리고 최강현(「상춘곡의 지은이를 다시 살핌」, 1990)도 정극인은 경세치민에 적극 참여한 현실주의적 청운지사이고, 그의 다른 시가와 비교하여 어휘, 사상, 시취詩趣 등에서도 차이가 있으며, 척불숭유 모화유자慕華儒者로서 언문으로 〈상춘곡〉을 지을 수 없다고 하여 작자를 불우헌의 후손으로 추정하였다.

이에 대한 반론을 편 이상보(「정극인의 상춘곡 연구」, 1974)는 한시 〈不憂軒吟〉과 시상이 동일함을 말하였고, 전일환은 성종실록의 長歌

六章短歌二章이란 것과 서너 줄 뒤에 '長歌一章短歌二章雜以俚語'라는 말에서 전자와 후자의 작품이 서로 같지 아니하므로, 단가 2장은 〈불우헌곡〉과 〈불우헌가〉이고, 장가 1장은 모두 이어俚語로 이루어진 것으로 보아 〈상춘곡〉일 것이라는 관점에서 작자와 원전문제는 의심의 여지가 없으며, 가사의 효시는 성종대 정극인의 〈상춘곡〉이 분명하다 라고 하였다.

위에서 논의한 바와 같이 〈상춘곡〉을 과연 정극인이 지었던가에 의심스러운 점이 있는 것은 사실이다. 그러나 후대에 편찬된 문집에 수록되어 있으며, 표기법이 도저히 정극인 시대까지 소급될 수 없다는 것을 우선증거로 삼고, 형식이나 표현이 너무 가다듬어져 있으며, 나타낸 내용이 정극인의 평소 생각과 다르다는 점까지 들어 정극인 창작설을 부정하는 견해는 좀 더 신중하게 생각할 필요가 있다.

당대에 표기된 자료가 발견되지 않는다는 것은 국문시가나 소설을 다룰 때 거의 공통적으로 당면하는 고민이다. 시대가 흐르면 작품을 전사하는 사람이 표기법을 바꾸는 것은 흔히 있는 일이기에 작자 판별에서 뚜렷한 증거력을 갖지 않는다. 가사는 고려 말에 생겨났을 뿐만 아니라 이미 온전한 틀을 갖춘 시가의 한 형식으로 받아들였으리라는 점을 고려한다면 형식이나 표현이 산만하지 않다고 해서 의심스럽게 생각할 필요가 없다. 불확실한 근거로 작자와 연대에 대한 속단을 내리는 것을 삼가야 한다(장덕순,『한국문학사』)는 신중론을 주장한 견해도 있다.

〈매창월가梅窓月歌〉는 매헌梅軒 이인형(1436~1504)이 성종 6년(1475)부터 3년간 진주에 은거한 적이 있는데, 이때에 용두정과 광풍정을 짓고, 이른바 매행오국梅杏梧菊의 사형제가 함께 시문으로 소일하던 때의 작품으로 「매헌선생실기」(1869년 간행)에 수록되어 전한다. 연산군 때 대사헌에 올랐으나 1498년 무오사화 때 김종직의 문인이라는 이유로 부관참시를 당했다.

이 작품은 29구의 문답형식을 취하여 쓴 비교적 단형 가사다. 매화 핀 창에 달이 뜬 경치를 읊으면서, 매화·창·달이 각각 어떤 것인가 묻고서 차례로 대답한 내용이다. 형식이 아직 다듬어지지 않는 양상을 보이고 있으나, 시의 구상이 논리적이며 뛰어난 기교와 격조 높은 정취는 사대부의 여유 있는 생활태도에서 반영된 강호한정가사라 하겠다. 작품을 소개하면 다음과 같다.

梅窓에 들리 쓰니　　梅窓의 경이로다

梅는 엇더ᄒᆞᆫ 梅고　　林處士 西湖에
氷肌 玉魂과　　脈脈 淸宵에
吟詠ᄒᆞ던 梅花로다

窓은 엇더ᄒᆞᆫ 窓고　　陶靖節 先生
漉酒 葛巾ᄒᆞ고　　無絃琴 집푸며
瑟瑟 淸風에　　비기였던 窓이로다

달은 엇더ᄒᆞᆫ 달고　　이적선 호걸이
채석강 머리에　　一釣船 띄워두고
夜被 錦袍　　倒着 接䍦
옥잔에 술을 부어　　청천을 향하여
問ᄒᆞ던 달이로다

梅도 이 梅요　　窓도 이 窓이요
달도 이 달이니　　잇으면 一杯酒요
업시면 淸談이니　　平生이 ᄒᆞᆫ 詩를

을푸기 죠와 ᄒ노라

위의 가사는 5단으로 나눌 수 있는데, 1단은 매화, 창, 달 등의 소재를 열거하여 시상을 일으키고 있다. 2단은 자기 집 뜰에 심은 매화를 중국 송나라 임포가 서호에서 매화를 아내로 삼고, 학을 자식 삼아 살던 그 매화라고, 3단은 자기 집(용두정)의 창을 도연명이 풍류로 즐기던 취옥정의 창이라고, 4단에서는 자기 방 매창에 비치는 달은 당나라 시선 이백이 채석강에서 뱃놀이 할 때 보던 달이라 자문자답하였다. 그리고 5단에서 매화와 창과 달을 벗하여 시주詩酒를 즐기며 한가로이 살고자 하는 심정을 읊었다.

이 작품이 발견되기 전까지 성종대의 가사로는 오직 정극인의 〈상춘곡〉만이 유일한 것으로 알고 있었으나, 〈매창월가〉가 발견됨으로 문학사적 의의를 더했다. 이상보(「이인형의 매창월가 고찰」, 1976)는 작자 이인형의 부친인 이미는 성균관에서 정극인과 함께 글을 읽었던 사람이었으니, 〈상춘곡〉이 〈매창월가〉에 직간접으로 영향을 미쳤을 개연성이 크다고 하였다.

나. 포교신앙가사

이에는 나옹화상의 〈서왕가〉 · 〈낙도가〉 · 〈승원가〉, 수양대군의 〈원앙서왕가〉 등 4편이 있다.

〈서왕가西往歌〉의 작자 나옹화상懶翁和尙(1320~1376)은 고려 말 명승으로 성은 牙氏이고, 이름은 혜근이다. 20세에 공덕산(문경군) 묘적암 요연선사를 사사하여 승려가 된 후, 회암사에 4년간 머물며 좌선개오하였다. 28세에 중국에 가서 지공화상(인도승)을 만나 2년간 수학하는 등 연계명산을 편력하다가 39세에 귀국하여 신광사와 회암사의 주지가 되었다. 52세에 왕사王師로 보제존자에 책봉되었으나 척불론을 주장한 사대부들의 공격을 받아 지방으로 내려와 여주의 신륵사에서 시적示寂하였다. 나옹의 저서로는 『나옹화상어록』과 『歌頌』이 현전하고 있다. 전자는 그가 평생에 하던 법문과 말씀을 그 문인이나 시자侍者들이 필기하여 편찬한 책이고, 후자는 그의 몇몇 시구와 찬양의 노래들이다.

그는 많은 노래를 지었는데, 〈翫珠歌〉·〈百納歌〉·〈枯髏歌〉 등 장편한시가 있는가 하면, 한글로 된 〈西往歌〉·〈樂道歌〉와 이두로 전하는 〈僧元歌〉 등이 그의 가사작품이다. 〈완주가〉는 불성을 구슬에다 비해서 노래한 것이고, 〈백납가〉는 승려가 입는 누더기를 들어서 세속의 일에 관심이 없음을 말했다. 〈고루가〉는 사람의 몸은 마른 해골이나 다름이 없으니 거기 집착하지 않아야 한다는 뜻이다.

〈서왕가〉는 해인사에 소장된 목판본 『염불보권문』에 실려 있는 불교가사이다. 극락왕생의 인연으로서 염불공덕을 권장하되, 백년 탐물이 하루아침 티끌이요, 삼일 동안의 염불이 오히려 백만 겁에 다함이 없는 보배라는 것이 이 노래의 주된 내용이다. '서왕가'란 '西方淨土로 가는 노래'라는 뜻이므로 이는 곧 극락왕생을 위한 염불의 권면을 노래한 것으로 이해된다.

서사는 인생의 무상을 한탄하였는데, 그 시작을 보면 다음과 같다.

나도 이럴만졍	世上에 人子ㅣ러니
無常을 싱각ᄒ니	다 거즛 거시로쇠
父母의 기친 얼골	주근 후에 쇽절업다
져근닷 싱각ᄒ야	世事을 후리치고
부모씌 下直ᄒ고	單瓢子 一納애
靑藜杖을 비기 들고	名山을 ᄎ자 드러
善知識을 親見ᄒ야	ᄆᆞ음을 불키려고
千經 萬論을	낫낫치 追尋ᄒ야

六賊을 자부리라	虛空馬롤 빗기 트고
마야검(摩邪劍)을 손애 들고	오온산(五蘊山) 드러가니
諸山은 첩첩(疊疊)ᄒ고	四相山이 더옥 놉다

　계속되는 본사에서는 속세를 버리고 입산하여 선지식을 친견하고 중생제도의 보살행을 실천하려는 사홍서원四弘誓願의 큰 뜻을 편 것이다. 이어 불교의 대 진리를 역설하고 극락왕생의 원심을 무명 중생에게 유발하고자 하였다. 또한 무신자들에게 왕생을 위한 실천을 강조한 내용들이고, 화려한 극락세계의 광경을 묘사하여 안양세계安養世界로 안내하였다. 결사로 누구나 염불해야 한다는 대 선언을 하고 남무아미타불이라는 문자명호를 염송하고 있다. 이는 단골집 문전에서 염불하는 가사로, 사람은 누구나 불생을 가지고 있으니 세상욕심 버리고 염불로 죄악을 씻고 삼계윤회를 믿으면서 부지런히 염불하여 서방극락에 왕생하라는 권불가사다. 결사를 소개하면 다음과 같다.

져근닷 싱각ᄒ야	ᄆ음을 깨쳐 먹고
太昊롤 싱각ᄒ니	산첩첩 슈잔잔
풍슬슬 花明明ᄒ고	숑죽은 낙낙흔딕
화장바다 건네저어	극락셰계 드러가니
七寶 錦地예	칠보망을 둘러시니
구경ᄒ기 더옥 죠희	
九品 蓮臺	넘불소릭 자자 잇고
청학 빅학과	잉무 공쟉과
金鳳 靑鳳은	ᄒ늣니 넘불일쇠
청풍이 건 듯 부니	넘불소릭 요요ᄒ외
어와 슬프다	우리도 인간에 나갔다가
넘불 말고 어이ᄒ고	南無阿彌陀佛

〈서왕가〉의 형식은 전 96구로 구성되었으며, 형식상 조선전기가사의 공통점을 가졌다. 이 작품을 나옹화상 작으로 인정하는 학자들은 장덕순, 서수생, 정병욱, 김성배, 이상보, 최강현, 구수영 등이며, 특히 최강현은 〈서왕가〉와 나옹의 기타 저술에 나타난 어휘를 대비한 결과 사상과 시상이 일치한 점이 많아 〈서왕가〉는 나옹 작이 확실함을 입증하였다. 효시작의 긍정론에서도 〈서왕가〉를 지을 당시는 국자가 없어 구송되었고, 범패와 같은 가락으로 구전되다가 인조 이후 승려들에 의해 국한문병재의 권불서가 인간印刊될 소지가 마련되어 숙종대에 겨우 문자화될 수 있었다.

이상보도 신라의 범패가 발전되어 고려시대에 불교가사가 형성되었으며, 고려 말 나옹화상이 〈서왕가〉를 지었음이 틀림없다고 하였다. 또한 구수영은 나옹의 생애와 불교계의 위치로 보아 포교를 위한 쉬운 염불가사를 시도했을 듯하며, 이는 염송念誦이 목적인 바, 현재도 신도 사이에 낭송되고 있으며, 〈서왕가〉의 사상과 내용이 나옹의 저서와 일치한다고 하였다.

이처럼 가사가 고려 말에 생겼으리라는 견해는 나옹화상의 〈서왕가〉를 근거로 들었으며, 이 작품의 출현으로 가사문학의 형성 시기가 고려시대라는 쪽으로 학계의 의견이 모아지고 있다. 현재 자료의 신빙성 때문에 논의는 계속되고 있으나 근년에 그의 다른 작품 〈승원가〉가 이두표기로 발견되어, 그동안 추정의 타당성이 입증되었으니 고려 말에 이루어진 〈서왕가〉는 가사의 효시작이라 하겠다.

〈낙도가樂道歌〉도 나옹화상이 지은 권불가사인데, 그 일부분을 소개하면 다음과 같다.

飢寒에 無心ᄒ다
飢寒에 無心ᄒ니   世慾情이 잇슬소냐

欲情이 淡泊ᄒ니	人我之相 쓸 틴 없네
四相山 업난고틴	法性山이 놉고 놉다
천산이 깁고깁허	
一物도 업난 中에	一圓相이 獨路로다
皎皎한 夜月下에	圓角相에 올나안저
無空笛을 빗겨불고	無鉉琴을 노피타니
石虎난 춤을 추고	松風은 和答ᄒ다
無爲自性 진공낙은	그 中에 갓촛더라 (하략)

이는 유가들이 지은 것으로 여겨지는 〈處士歌〉 등과 근사한 내용이지만 끝 부분에 가서 역시 불교적 색채가 드러나 있다. '千經萬論 眞法說은 耳邊에 昭昭ᄒ고, 百域刹土 眞佛面은 眼前에 顯顯ᄒ다'고 함은 과연 불도를 깨달아 즐겨하는 심정이 나타나 있다. 모두 35행 70구에 불과한 단편가사지만 불교적인 은둔사상이 짙은 작품이다. 그 내용은 세상만사가 몽환이니 세상락^{世上樂}만 탐착하지 말고 진세를 떠나 만학천산에서 청풍명월을 벗 삼고 정진하는 무상락^{無常樂}을 읊었으니, 이는 뒤에 유학자들의 은둔취향에도 영합되어 율곡 이이의 〈樂貧歌〉 등에 많은 영향을 끼쳤다고 볼 수 있다.

〈승원가^{僧元歌}〉는 김종우(『나옹화상승원가』, 1971)에 의하여 최근에 소개된 매우 귀중한 자료로서 〈懶翁和尙僧元歌〉라고 제목이 붙어 있어 나옹화상의 작품으로 보았다. 가사의 표기가 이두로 되어 있는 것이 주목된다. 그 처음과 끝을 소개하면 다음과 같다.

主人公主人公我	世事貪着 其萬何古 (주인공 주인공아 세사탐착 그만하고)
漸愧心乙而臥多西	一層念佛何等何曉 (참괴심을 이와다서 일층염불 어떠하뇨)
昨一少年乙奴	今日白髮惶恐何多 (어젯날 소년으로 금일백발 황공하다)

朝積耶殘無病陀可	夕力羅절未多去西 (아적나잘 무병타가 저녁나잘 못다가서)
手足接古 死難人生	目前厓頗多何多 (손발접고 죽난인생 목전에 파다하다)
耳寶世上長老信來	于耳道其心遣心多婆而古 (이보세상어르신네 우리도이맘저맘다버리고)
信心矣奴念佛何也	先亡父母薦道何古 (진심으로 염불하야 선망부모 천도하고)
	…(중략)…
今日以士無事早達	明朝乙定爲孫可 (금일이사 무사한달 명조를 정할손가)
困困以拾我會我	幾百年生羅何古 (고생고생이 주어모아 몇백년 살라하고)
財物不足心隱	天子羅道無殘難而 (재물부족심은 천자라도 없잔나니)
貪欲心乙 揮耳冶古	精神乙 振體出餘 (탐욕심을 물리치고 정신을 떨쳐내어)
奇妙旱 山水間厓	物外人而道汝文多 (기묘한 산수간애 물외인이 되려문다)
一切衆生 濟渡何也	世上事多婆而古 (일체중생 제도하야 세상사 다버리고)
蓮花船乙 得加乘古	極樂矣 於書去自 (연화선을 얻어타고 극락으로 어서가자)
極樂世界 好歡言乙	僧浴男女多知去乙 (극락세계 좋단말을 승속남녀 다알거늘)
於西於西 底極樂厓	速耳速耳受耳可自 (어서어서 저극락애 속히속히 수이가자)
南無阿彌咜佛 成佛	(나무아미 타불성불)

이상은 〈승원가〉의 처음과 끝을 보인 것인데, 이두표기지만 어렵지 않게 해독할 수 있는 것으로, 이는 〈서왕가〉와 내용이 크게 다르지 않은 불교 선전의 노래인 405구 6연으로 된 가사다. 그 내용은 세상일에 너무 탐착하지 말고, 공수래공수거의 허무한 인생사에서 부귀와 공명은 하루아침의 티끌임을 깨우쳐서 일심으로 선근을 닦아 염불수도함으로써 극락정토로 가자는 뜻이 담겨 있다.

1연에서는 포교를 하면서 흔히 하는 말을 했다면, 그 다음 2연에서는 구체적이고도 비근한 사실을 들어서 인생이 무상하다는 것을 실감 있게 나타냈다. 병이 들어 죽게 되면 누가 대신할 수 없으며, 재산이고 무엇이고 소용이 없다고 하고, 마침내 저승에 끌려가서 심판을 받는다는 것을 차례대로 그렸다. 3연은 절정에 해당하는 것으로서 지옥과 극락의 모습을 절간의 벽화에서 볼 수 있는 바와 같이 자세하게 묘사했다. 5연에서는 불법을 열심히 닦을 것을 권고했고, 6연에서는 전체의 내용을 총괄했다.

또 〈승원가〉의 작자가 나옹화상이 아니라는 시각이 있어 수용하지 않으려는 강전섭, 정재호 등의 주장도 만만치 않으나, 김종우는 이에 대해 꾸준히 연구한 바, 용어나 조사법, 분위기나 인상으로 보아 〈서왕가〉와 동일인 작이고, 『나옹집』의 기록으로 보아 〈승원가〉의 작자는 고려 말 고승 나옹화상으로 단정하였다, 그리고 이두자의 표기였다는 점에서 〈서왕가〉 등 국문표기 가사보다 그 원형을 상당히 보전하고 있다고 하였다.

〈원앙서왕가鴛鴦西往歌〉는 수양대군首陽大君(1417~1468)의 작품으로서 『月印釋譜』제8 상절부중의 '鴛鴦夫人極樂往生緣'에 부합되어 있는 월인부月印部를 가칭한 것인데, 이는 정형을 완성하지 못한 채 가사의 초기 형태를 지니는 것으로 가사의 원류이거나 가사에의 교량적 존재는 넘어선 것이라 하겠다. 이것들은 부족한 대로 가사문학의 형성단계에 올라선 작품들로, 사재동(『원앙서왕가연구』, 1966)은 이 시기를 가사문학의 형성기라고 하였다. 작품 내용이 극락왕생을 비원하는 불교적 권선징악을 주제로 하였으되 그 내용이 장중하고 감격적이어서 족히 거편 비극시를 이룬다, 또한 이 작품은 소설적 이야기를 노래로 읊고 있는 터이므로, 이것은 '노래조의 이야기'라거나 '이야기체의 노래'라고 불리워질 수 있다. 이는 일언하여 '가사'라고 이름붙일 수도 있는 것이다. 이 작품은 비연시형으로 수미일관된 통일적 구조를 지니고 있는데, 이 점은 가사의 기본구조와 그대로 통하는 것이다.

이 작품은 시종 양장대구兩章對句의 형식으로 자유롭게 엮어져 있는데, 이 점은 가사형태의 기본 요건인 대구형식과 그대로 상통하는 것이다. 또한 이 작품의 음보율과 자수율 등은 정형을 형성하지 못한 채로 조선 시가가 지니는 음보율, 자수율적 전형을 지향하고 있는데, 이 점은 연대가 올라가는 가사 작품들의 그것을 상통하고 있는 것이므로 이는 국문학 장르상 가사로 규정될 수밖에 없는 것이다. 따라서 가사 형태의 발생기에 처해서 발전기로 연결시켜주는 중간적 역할을 담당함으로써 가사문학의 전개발전에 있어 적잖은 공헌을 하였을 것이다. 이것이 부인할 수 없는 사실이라면, 종래 학계가 가사문학의 사적 고찰에서 얻은 몇 가지 결론은 재검토를 요하게 될지도 모른다고 사재동은 결론을 지었다.

다음에서 〈원앙서왕가〉의 일부를 살펴보겠다.

勝熱婆羅門이 王宮에 또 나샤 　　　　錫杖알 후느더시니
鴛鴦夫人이 王말로 또 나샤 　　　　　蕎米를 받줍더시니
蕎米를 마다커시늘 王이 親히 나샤 　婆羅門을 마자 드르시니
　　　　　　　…(중략)…
維那를 삼ㅅ보리라 王을 請ㅎ습노이다 님금이 ㄱ장 깃그시니
四百夫人을 여희오 가노라 ㅎ샤 　　　눉믈을 흘리시니
鴛鴦夫人이 여희ㅅ봄 슬ㅎ샤 　　　　뫼 ㅅ보믈 請ㅎ시니
세 分이 길 녀샤 竹林國 디나싫 제 　夫人이 몯 뮈더시니
兩分긔 술ㅸ샤ᄃᆡ 사람이 지블어다 　내 몸을 ᄑᆞ라지이다.

이 작품은 부운浮雲같은 부귀영화를 버리고 오직 선심과 자비·희생으로써 無上道를 구하면 생사고해를 밟고 넘어서 극락정토에 이르게 된다는 불교 정토교적淨土敎的 인생역정을 그려내고 있는 것이라 하겠다. 이 점은 〈서왕가〉나 〈회심곡〉 등의 불계작품과 상통하는 바가 있는 것이다. 이런 점에서 이 작품의 주제는 종교적 권선징악의 테두리를 벗어나지는 못한다 하지만, 이것은 고대소설이나 시가 일반에서 흔히 볼 수 있는 그런 권선징악보다는 좀 심각하고 고차적인 멋이 있

다고 보아진다.

다. 회고서사가사

〈역대전리가歷代轉理歌〉는 신득청(1332~1392)이 지은 작품으로『華海師佺』과『盈寧勝覽』에 수록되었다. 그의 호는 이유헌이며 문휜공 신용희의 2남이다. 그는 27세에 쌍둥이형 백청과 더불어 동방급제하여 36세에 한림학사에 오르고, 40세 된 1351년 겨울에 이 노래를 지어서 공민왕에게 바쳤다.

신득청은 41세에 영덕군 봉정산 아래 인량촌에 퇴귀했다가 47세(우왕 4년)에 조정에 나아가 이부상서, 대국첨의 당상판사, 평산부원군을 역임하였고, 51세 때 고려가 망하자 동향통곡東向痛哭하고 동해에 투신자살하였다. 후에 두문동서원에 배향되었으며, 후손들은 관향을 평산 신씨에서 영해 신씨로 바꾸고, 영해 신씨 판사공파의 파조派祖가 되었다. 경북 영덕군 영덕읍 창포리에 〈역대전리가〉의 가사문학비가 건립되었다.

〈역대전리가〉는 왕건을 도와 개국공신이 된 신숭겸의 13세손 불원제 신현의 유적을 실은『華海師佺』(하)에 '愍朝莘亥冬 理猷軒 做歷代轉理歌 諷獻'이라 하여 실려 있고, 범승락의『曾王考伏岩話東記』에도 전한다. 즉 공민왕 20년(신해 1371년 겨울)에 이유헌 신득청(신현의 손자)이 〈역대전리가〉를 지어 공민왕께 바친다는 제목에서 이 노래가 고려 공민왕조에 창작되었음을 알 수 있다. 왕이 정사가 어려운 것을 알고 중국 역대 제왕들의 정치적 잘못을 들어 풍간한 것이며, '역대전리'란 역대 치란흥망이 변전무상變轉無常하는 것으로 이는 천리라는 뜻이다.

이 작품은 내력이 분명하지 않은 후대의 문헌에만 실려 있어서 신빙성이 부족하다고 하나, 중요한 말은 모두 한문으로 적은 다음에 우리말로 어미와 토를 이두표기로 남긴 점이 특이하여, 가사문학의 초창기 성립되는 과정을 엿 볼 수 있는 소중한 작품이라 는데 의미가 있다. 이는 중국 역대 제왕의 치란을 노래한 것으로, 고조의 쟁연鉦然함이 담겨 있는 의취는 당시 사류의 사상과 풍절風節의 역사적 실경을 잘 나타낸 작품으로, 뒤에 성삼문, 박팽년 등이 한문어구에 토를 달았다고 한다.

첫 부분을 들어보면 다음과 같다.

貪虐無道 夏傑伊難 (탐학무도 하걸이는)
丹朱商均 不肖爲也 (단주상균 불초ᄒ야)
堯舜禹矣 禪位相傳 (요순우의 선위상전)
於以他可 不知爲古 (어이타ᄀ 부지ᄒ고)
妹喜女色 大惑爲也 (말희여색 대혹ᄒ야)
可憐割史 龍逢忠臣 (가련홀사 용봉충신)
一朝殺之 無三日高 (일조살지 무삼일고)
淫虐尤甚 帝辛伊難 (음악우심 제신이는)
所見無識 自疾爲多 (소견무식 ᄌ질ᄒ득)
夏桀爲鑑 全昧爲高 (하걸이감 전매ᄒ고)
妲己冶容 狂惑爲也 (달기야용 미쳐빠져)
又亡國 自甘爲尼 (또만국이 절로되니)
六七聖人 先王廟乙 (육칠성인 선왕묘를)
保存何里 (보존하리)

이는 하나라 임금 걸이라는 자는 어진 이에게 임금 자리를 물려주는 아름다운 풍속은 어째서 모르는지, 풍속대로 임금 자리 잇지 않고 여색에만 빠져 간하는 신하들을 해치는 것을 일삼으니 안타까운 노릇이라는 내용이다. 위에서 방점을 찍은 문자는 이두표기다.

〈역대전리가〉에 대한 찬반논의는 분분한 바, 최익한(「고려가사 역대전리가를 소개함」, 1938)이 처음 소개한 것으로 어학적 조명은 박병채(「역대전리가에 나타난 구절에 대하여」, 1977), 최범훈(「역대전리가에 보이는 차용표기에 대하여」, 1980)의 업적이 있고, 진위여부에 관한 논의는 이상보(「자료권학가 · 역대전리가」, 1975), 이임수(「역대전리가 및 초기가사에 대한 연구」, 1985), 정병욱(『한국고전시가론』, 1979), 최강현(『가사문학론』, 1986), 조동일(『한국문학통사 2』, 1983) 등이 긍정적으로 본 반면에 정재호(『역대전리가 진위고』, 1983)는 후세인의 위작이라고 부정적인 견해를 피력하였다. 그러나 이상보는 작품의 율격에 있어서는 4 · 4조 연속체로 4음보를 취하고 있어 후속하는 가사문학의 선두에 놓일 수 있다고 했다.

5. 문학사적 의의

조선시대 시가문학의 양대 장르의 하나인 가사는 고려 말 나옹화상의 〈西往歌〉에서 비롯되어 정극인의 〈賞春曲〉에서 그 정제된 형식을 보인이래 조선시대 사대부들에 의해 창작 향유되면서 크게 발전되었다.

가사의 발생에 관하여 정극인의 〈상춘곡〉을 그 시초라고 하는 견해도 있으나, 그러한 정제된 작품이 나오기까지에는 오랜 역사와 많은 작자들의 선행된 노력이 있었을 것이므로 당연히 발생에 대한 원형과 효시작품은 전대에서 찾는 것이 당연한 일일 것이다.

따라서 가사의 발생적 형태를 경기체가나 시조 등에서 찾고나 했으나, 이들을 계승했다는 데는 그 형성 시기로 보아 거의 동시대이기 때문에 이를 수긍하기에는 문제가 되어서, 결국 고려 중엽 이규보의 〈東明王篇〉, 이승휴의 〈帝王韻紀〉, 오세문의 〈歷代歌〉 등에서 가사의 연원을 찾게 되었다.

시조나 가사가 발생초기에는 한문 시구에 우리말 토만 단 한문체의 시가에 불과하였으나, 거기에는 국어체를 혼용한 것이 차차 익숙해져서 영롱한 우리말을 자연스럽게 쓰게 되면서 가사의 형태들이 완성된 것으로 보았다.

가사가 고려 말에 발생하였다는 생각을 굳히게 된 자료로는 해인사 장판 중 『念佛普勸文』과 『新編普勸文』에 고려의 명승 나옹화상이 지었다는 〈西往歌〉·〈樂道歌〉와 최근에 발견된 〈僧元歌〉가 있어 학계의 주목을 끌게 되었다. 물론 이 노래들은 구전되다가 영조(1741) 때 문자화되었으니 전사하는 과정에서 약간의 개찬도 있었겠지만, 이는 종교적인 포교문으로 엄숙미를 지닌 노래이기 때문에 거의 그 원형을 지녔을 것이라 생각된다.

또 단종 때 범승락이 기록한 「曾王考伏岩話東記」에 이유헌 신득청의 「歷代轉理歌」가 전하고 있는데, 이는 중국역대의 무도無道한 제왕의 사적을 내용으로 하여 지은 가사로 공민왕께 올린 것이다. 뒤에 성삼문과 박팽년이 이두 부분에 한글로 토를 달았다고 전한다.

이상의 가사들은 그 원형 그대로를 지녔다고는 생각하지 않으나 고려 말에 이미 가사체가 형성되었다는 증거로서 충분하다, 이 가운데 〈서왕가〉는 극락왕생을 위한 염불을 권면한 노래로써 나옹의 저술에 나타난 어휘를 대비한 결과 그의 사상과 시상이 일치한 것으로 보아, 신라의 범패가 발전되어 고려 말에 불교가사가 형성되었으리라 생각된다.

또한 나옹의 〈승원가〉도 세사에 너무 탐착하지 말고 선근을 닦아 염불수도함으로써 극락정토에 가자는 내용으로 〈서왕가〉와 크게 다르지는 않는 불교선전의 노래이다. 〈승원가〉를 보면 그 용어나 조사법도 그렇지만, 그보다도 전체의 분위기나 인상이 동일한 것으로 미루어 〈서왕가〉 등과 동일인 작품으로 보아진다. 여기에서 김종우는 후세에 내려오면서 그 내용이 상당히 변모된 것으로 보았지만 이두글자로 기록되었다는 점에서 〈승원가〉는 국문으로 표기된 〈서왕가〉보다는 그 원형을 상당히 보전한 것으로 보았다.

그리고 김기탁(「나옹화상의 작품과 가사 발생 연원 고찰」, 1976)은 〈승원가〉와 〈서왕가〉는 모두 불교적 내용의 작품으로 일반민중의 교화와 포교의 수단으로 창작된 구비문학의 원형이라 하여, 〈서왕가〉보다 〈승원가〉가 이두표기로 보아 가사의 효시 작으로 보았다.

또 성종 때 불우헌 정극인의 〈상춘곡〉이 정제된 가사문학의 완성된 형체를 보여줌으로써 우리의 시가문학사상 금자탑을 이루었다. 작품의 내용은 제목 그대로 춘경을 탄상한 노래로 봄의 경치를 안전에 완연하게 전개시켰으며, 형식에 있어서도 3·4조나 4·4조의 음절율과 4음보의 전형적 가사형식을 갖춘 작품이다. 조윤제(『조선시가사강』, 1937)는 〈상춘곡〉에 대하여 다음과 같이 말했다.

봄은 年年歲歲 때가 되면 돌아오고, 坊坊谷谷에 찾아가는 봄은 분명 다름없는 그 봄이지마는, 사람마다 보는 봄은 각각 다른 봄을 보고 울고 웃는 것이니, 불우헌도 또한 자기의 봄을 보고 웃었다. …… 전체에 흐르는 시상은 窈窈織織하여 정말 따뜻한 春和에 명주바람을 스친 듯한 감이 있다.

실로 〈상춘곡〉은 가사체의 완전한 형식을 이루었고, 차기에 크게 발달한 가사의 선구 작품이 되었으며, 내용과 형식이 치밀하게 구성된 가사다.

또 〈梅窓月歌〉도 비록 단편가사이지만 강호에서 한거하는 풍정을 노래한, 격조 높은 은일군자의 노래다.

이상의 가사작품들은 다 같이 여러 가지 문제점을 가지고 있다. 나옹의 〈서왕가〉는 300여 년 동안 구비전승 되었기 때문에 창작되기까지의 과정을 밝힐 수 없을 뿐 아니라, 원작과 현전하는 작품과 어느 정도 차이가 나는지를 알 수가 없다. 또 나옹과 같은 고승이 과연 대중적인 포교용 가사를 지었겠느냐는 논의에 대하여, 최강현은 〈서왕가〉의 작자는 무자화두撫字話頭를 즐겨 쓴 가화선看話禪의 오도悟道가 높은 고승대덕이 틀림없다고 하였으나 분명한 논증이 요구된다.

〈상춘곡〉도 몇 가지 문제점을 내포하고 있는데, 이 노래 역시 300여 년 뒤에 후손에 의해 간행되었기에 표기법이나 어휘가 임란 전 당시의 모습을 전혀 볼 수 없으며, 그 내용도 작자의 생애와 비교해 볼 때 상당한 차이가 있다는 것이다. 그런데 정재호는 이 작품이 그 때에 나올 만한 충분한 소지가 있어서 〈江湖四時歌〉와 같은 강호생활을 노래할 가사가 있을 만하고, 오히려 〈상춘곡〉이 최초의 작이 아니라 그 이전 고려 말과 조선 초에 가사가 있었으리라 생각되는데 그런 가사가 현전하지 아니 할 뿐이다 라고 하였다.

이런 논의들 가운데서도 〈서왕가〉와 〈상춘곡〉은 발생기 가사의 효시작품으로 학계에 거론되었다. 시간적으로 1세기를 앞서서 발생된 〈서왕가〉는 고려 말 불교가사의 모습을 지녔고, 〈상춘곡〉은 조선 초 사대부가사의 모습을 지녔다는 점과 이들 작품의 창작을 계기로 가사문학의 발생과 발전될 미래를 예고하는 듯한 역사적 작품으로 볼 수 있다는 점에서 문학사적 의의를 찾을 수 있다.

제3장 발전기(연산 조~임진왜란)의 가사문학

1. 시대적 배경

연산 조(1495)부터 임란 전(1592)까지 약 100년간을 가사문학의 발전기라 하였다. 이 시기는 조위의 〈만분가〉를 필두로 가사가 본격적으로 창작·향유되었으며, 가사문학의 최고봉인 정철에 이르러서는 그 절정에 달했다.

조선은 건국 후 밖으로는 명나라와 친교를 맺고, 안으로는 문란해진 전제田制의 정비로 기강을 확립하여 강력한 중앙집권적 체제를 완성하였으며, 고려중엽 이후 깨어난 민족의식은 조선에 와서 더욱 확대되어 모든 방면의 발전의 원동력이 되었다. 이는 민족의 전체 역량이 집약된 훈민정음 창제에서도 볼 수 있다. 따라서 세종 조 이후 성종 조에 걸쳐 불교·유교의 경전류經典類를 우리말로 번역하게 됨으로써 문화향상에 지대한 영향을 주었다.

그리고 사상적으로는 건국 때부터 척불숭유책斥佛崇儒策을 확립하여 고려 말에 들어 성리학을 국민정신의 기반으로 하였으며, 문화운동의 중추로 삼았다. 성리학은 사단칠정이기설四端七情理氣說을 중심으로 주자가 체계화한 관념철학인데, 조선건국 후 정도전에 의해 정치이념화되었다. 이에 따라서 강력한 도학정치道學政治가 실시되었고, 교육기관으로 중앙에는 대학과 문묘文廟를 두고, 지방에는 향교를 세워 유교진흥에 성과를 올렸다. 또한 세종은 집현전을 설치하여 많은 문사를 등용하니 경학經學과 문학의 양면에서 미증유未曾有의 발달을 보았다. 그러

74

나 성종부터 선조에 이르는 근 백 년간은 도학파(조광조일파^{趙光祖一派})
와 사장파(남곤일파^{南袞一派})의 대립이 심각하였다. 여기서 사장파의 주
장은 문학의 독자적 가치를 인정하는 문학사적 의의를 지닌다.

이 시대는 고려조에 발생된 시조와 가사문학이 난숙하여 가는 시
기로도 볼 수 있다. 훈민정음이 창제되자 〈龍飛御天歌〉를 지어 궁전연
향^{宮廷宴享}에서 불리었고, 세종은 손수 〈月印千江之曲〉을 지어 불타의
은총을 찬미하였다. 한편 고려부터 내려온 경기체가는 사대부 간에
널리 불리어졌으나 그 후 기반을 확충하지 못하고 소멸되었다.

이에 비하여 가사와 시조는 향유층이 훨씬 광범위해졌다. 그 이유
로는 먼저 이들 노래가 국민의 호흡에 합치된 시가형태라는 것이다.
즉 시조는 간명하고 소박한 것을 좋아하는 유가의 서정을 펴기에 알
맞은 것이고, 가사는 현실적이고 설복적^{說伏的}인 유교이념을 표현하기
에 가장 적당한 형태라는 점에서 이상적이었다.

또, 가사와 시조가 크게 흥성하게 된 동기를 정치·사회적인 측면
에서도 찾을 수가 있다. 성종 대에는 모든 제도가 정비되어, 밖으로는
평화로운 시대였으나 안으로는 사화와 당쟁의 씨가 움트고 있었다.
벌써 건국정신이 문란해졌을 뿐만 아니라 양반의 수는 증가되어 관직
다툼이 일게 되고 과전^{科田}과 공신전의 확대로 훈구파와 사림파의 대
립이 심각하였다.

훈구파는 건국공신·충신·어용학자 등 관직에 등용되어 공신전
을 받고 막대한 농장^{農莊}을 소유한 실권을 가진 귀족관료들이고, 사림
파는 전원에서 공부하던 유학자 들이다. 사림파는 길재의 제자들로
영남유학이 주류를 이루었으며, 성종 때는 관직에 대거 진출하여 유
교정치를 실현하려 했으나 기존 훈구파와 대립함으로써 사화를 유발
시켰다.

연산군 4년(1498)에 임오사화가 일어난 후, 반세기 동안 계속된 4대
사화는 후기 당쟁으로 발전하였다. 결국 동인·서인의 당쟁은 학파대

립으로 계승하였고, 여기에 동족과 인척이 가담하여 자손 대대로 당파가 세습되었다. 그들은 거대한 농장을 근거지로 하여 그 곳에 서원을 짓고 자손을 교육하고, 동족 간 파당의 결집을 공고히 하였다.

당쟁에서 이기면 국권을 잡아 일문일족이 번영을 누릴 수 있겠지만, 잘못하여 당쟁에 패하면 정치적 권력을 잃고 벽지배소僻地配所에서 운명을 기다리는 처지로 전락되었다. 따라서 보신에 밝은 사람이나, 한번 풍파에 놀란 사람은 환로宦路에서 벗어나 산야에 묻혀 독서삼매로 유유자적하려 하였다. 퇴계도 일찍이 과거에 급제하여 잠시 환로에 나갔으나 향리(陶山)에 파묻히고 말았다. 이렇게 하여 조선의 산림파가 생긴 것이다. 이들은 세상속의 환해풍파는 잊어버리고 산간수변에서 책과 술과 자연을 벗하여 태평한 생활을 하였다. 이것은 당쟁 사회의 이면에 흐르는 새로운 사회상이었다. 여기에서 자연은 인생에 접근되어 이해되었고, 문학적 자연미의 발견으로 당시의 국문학의 폭을 넓혀 발전할 수 있게 되었다. 이는 단순한 당쟁의 부산물로만 볼 것이 아니라 조선 창업기를 넘기면서 안정된 사회에서 노재상들이 치사 후 향리에 살면서 산수의 樂을 누리는 가운데 사회와 유리된 정적靜的 사회가 형성되었다. 이처럼 물아일체의 자연에 몰입하여 자연을 완상한 강호산림 문학의 본격적 전개는 연산조로부터라고 할 수 있다. 이는 안명보신安命保身이 어려운 사회상에서 야기된 은일사상을 배경으로 한다.

위에서 강호산림 문학의 생성동기로서 시대적 배경을 살펴보았거니와 이제 사상적 연원을 찾아보고자 한다. 조선전기의 이른바 강호산림 문학은 고려 말부터 도연명 문학의 영향에서 싹트기 시작하여 연산 조 이후에 급격히 전파되었다. 도연명은 진실하고 근면하며 탈속脫俗한 시인으로 최고의 시적 경지를 개척한 사람이다. 그의 시는 숭고하고 평이담백하였으며, 유ㆍ도가 융합된 사상으로 〈桃花源記幷詩〉에서도 그런 점을 찾아볼 수 있다.

도연명 작품에서 강호·산림·한정의 영향을 받은 시가들을 살펴보면, 이현보의 〈漁父歌〉, 이황의 〈陶山十二曲〉·〈還山別曲〉, 정철의 〈星山別曲〉, 차천로의 〈江村別曲〉, 박인로의 〈獨樂堂〉·〈嶺南歌〉, 남도진의 〈樂隱別曲〉 등에서 그 전형을 볼 수 있다.

이처럼 도연명의 시상과 조사措辭는 조선시대에 들어오면서 가사·시조에 문학적 심도를 더하였고, 자연은 이상화되고 상징화되었다. 즉 청풍·명월은 퇴휴의 한정을, 강산·백운은 인생과 세사의 무상을, 백구·백로는 순결과 탈속을, 낚시·그물·水는 은자의 청사淸事를 상징한 것이다.

결과적으로 발전기의 가사는 도연명의 사상과 문학에서 큰 영향을 받았으며, 특히 연산 조에서 선조 조 사이에는 풍파에 거세된 사류나 노재상들이 자연을 치사 후에 퇴휴·은둔의 이상향으로 추구하였다. 곧 강호와 산림은 유자에게 있어 하나의 이상향으로 동경되기도 하였다. 이처럼, 백성들에게는 민족의식이 뚜렷하게 각성되었고, 문학에 있어서는 자연미가 깊이 이해된 것이 이 시대의 특징이라 하겠다.

2. 작품의 내용 분류

가사는 고려 말에 발생되어 현대에 이르기까지 오랫동안 민족문학으로 향유되었으며, 시조와 함께 우리의 시가문학을 이끌어 온 양대지주兩大支柱로서 알찬 국문학을 형성하였다. 따라서 가사는 향유기간이나 작품의 질량에 있어서 우리 문학의 빛난 유산이 아닐 수 없다. 그러나 지금까지 이에 대한 연구는 작품의 발굴, 작품론, 그리고 부분적인 사적연구史的研究에 그친 감이 없지 않다.

이 분야의 연구성과를 기대하기에는 많은 난제가 있다. 가사의 발생기원, 발생시기, 효시작품론, 작가론, 명칭론, 장르론, 형식론, 내용론, 작품들의 문학성, 시대구분론, 문학사 등 가사문학의 본격적인 여구가 마무리되기에는 많은 시간과 노력이 요청된다.

이러한 과제 중에서 작품의 내용을 고찰하려면 우선 가사의 내용적 분류가 요청되는데, 이에 대하여는 학계의 다양한 설들이 있는 바, 거기에는 시대별, 작가계층별, 내용별 등의 분류방법이 있다. 문학에 있어서 내용이란 그 작품을 구성하는 사회적 · 시대적 · 개성적 · 사상적 요소들이 혼합되어 이루어지는, 작품이 나타내려고 하는 사상이나 감정을 말하는 것이다. 따라서 여기에서는 작품에 내포된 의미를 분명히 하고, 선인들의 생각과 삶의 모습이 담겨 있는 작품들의 주제를 파악하는 것이 더 큰 의미가 있다고 보아 가사문학의 내용적 분류를 시도하였다.

그러나 가사의 내용적 분류는 그 명칭, 항목, 수효 및 작품의 구분이 다양하여 동일한 견해를 얻기란 매우 어렵다. 즉 '강호한정江湖閒情'과 '안빈낙도安貧樂道', '은일隱逸'과 '강호자연江湖自然' 그리고 '상사연정相思戀情', '연정戀情', '연모상사戀慕相思', '相思' 등의 용어차이와 내용항목의 수효도 최소 7종에서 최다 53종으로 분류되어 큰 차이가 있을 뿐만 아니라, 내용을 분류해 보면 한계가 모호한 경우가 많다. 또한 가사의 종류도 다양하여, 불교의 포교를 위한 것, 유림들의 한정閒情과 기행紀行, 그리고 교훈敎訓을 노래한 것, 규녀閨女들의 술회述懷를 위한 것, 천주교와 동학의 포교를 위한 것, 그리고 개화기 지식인들과 항일의병들의 애국 · 독립의 고심을 노래한 것 등으로 수많은 가사가 창작되었다.

이처럼 다양하고 복합적인 작품의 내용을 몇 종으로 분류한다는 것은 참드로 어려운 일이다. 그렇다고 유사한 내용을 잡다하게 많은 종류로 나열할 수도 없다. 따라서 여기에서도, 가사의 내용을 분류함에 있어서 그 다양한 내용 중에서 가장 비중이 큰 것을 중심으로, 유명씨작품有名氏作品 370여 편을 14종으로 분류하여 고찰하기로 하였다.

이에 다음과 같은 과정을 밟아 분류하고자 한다.

1) 내용적으로 분류한 기왕^{旣往}의 제설^{諸說}을 검토하고,

2) 필자 나름의 내용적 분류를 시도한 다음에,

3) 유명씨^{有名氏}의 가사작품을 2)에 따라 분류하였다.

위의 기준에 따라 가사의 내용적 분류를 표로 보면 다음과 같다.

〈표3〉 가사의 내용적 분류

분류자 내용	정형용	김기동	정재호	박성의	서원섭	유우선	조윤재	김준영	이상보	임성철	윤석창	필자의 내용 분류
江湖閑情	○	(風流)	○		○	○	○	○				① 江湖閑情
隱 逸		○				○	○			○	○	
安 貧				○		○	○					
戀 君	○				○			○		○		② 戀主忠君
流 配	(귀양)	○		○	○			○	○	○		
道德敎訓	(倫理)	○	(警世)	○	○	○	○	○	○	○	○	③ 道德敎訓
遊覽紀行	○	○	○	○	○	○	○	○	○	○	○	④ 遊覽紀行
深 訪			○			○						
戰 爭			○	○							○	⑤ 丈夫豪氣
豪 氣				○						○		
敍 景	(風景)	○	○					○				⑥ 風物敍景
景 物				○								
戀慕相思	○	(愛情)	○	○	○			○	○	○	○	⑦ 戀慕相思
風俗勤勉	(月令)	(農民)	(農民)	○	○					(月令)		⑧ 風俗勤勉
懷古敍事		○	○	○	(회고)	○	○	○				⑨ 懷古敍事
布敎信仰		○	○	○	○			○	○	○	○	⑩ 布敎信仰
頌祝追慕		○	(찬양)	(慕賢)	○	(찬양)						⑪ 頌祝追慕
寓言諷刺					○	○						⑫ 寓言諷刺
遊戲遊興			○	○	○	○	○			○		⑬ 憂國啓蒙
無 常			○	○	○	○	○			○		
離 別			○	○		○	○					
思 親			○	○		○		○				
思 弟			○	○				○				
思 友			○	○								
憂國啓蒙												
其 他	花草, 嘆老, 怨恨, 地名, 夢遊, 慨嘆, 懷鄕, 自嘆, 撫兒											⑭그 밖의 가사

위의 〈표 3〉에 나타난 바와 같이 가사의 내용적 분류는 분류명칭과 항목수효, 그리고 작품분류가 다양하여 동일한 견해를 얻기란 매우 어렵다. 즉 강호한정과 안빈낙도, 은일과 강호자연, 그리고 상사연정, 연정, 연모상사, 상사 등의 용어 차이와 내용 항목의 수효도 최소 7종에서 최다 53종으로 분류하여 큰 차이가 있을 뿐 아니라, 가사를 분석해 보면 내용의 한계가 모호한 경우가 많다. 예를 들면 〈관동별곡關東別曲〉의 내용도 논자에 따라서는 은일, 충군, 서사, 서경, 도덕, 경물, 몽유, 풍류 등 다양한 내용으로 보고 있어서, 이처럼 복합적인 내용을 담고 있는 가사문학을 분류하는 데 있어서 몇 종류로 묶는다는 것은 참으로 곤란한 일이다. 그렇다고 무한정 많은 종류를 나열할 수는 없다.

따라서 여기서는 가사의 내용을 분류함에 있어서, 그 다양한 내용 중에서 가장 비중이 큰 것을 중심으로 유명씨작품 350여 편을 14종으로 분류하였다. 그리고 내용 가운데 유희, 유흥, 무상, 이별, 사친, 사제, 사우 등은 분류에서 제외하였는데, 이 내용들은 서민가사와 내방가사에 주로 나타난 것들로 무명씨작품이 대부분이어서, 이 분류에서는 작자·연대가 분명한 작품만을 논의하였기 때문이다. 그리고 旣분류에 없는 우국계몽을 설정한 것은 갑오경장 이후에 우국이나 계몽을 내용으로 한 작품이 많이 나타났기 때문이다.

가. 작품 분류

앞에서 내용적 분류의 입장을 밝혔듯이 무엇보다 작품에 내포된 내용과 주제를 확실히 검토하여 정확한 내용분류를 고찰함이 요구되는데, 이러한 요건에 따라 내용적 분류를 시도한 바로는, ① 강호한정가사, ② 연주충군가사, ③ 도덕교훈가사, ④ 유람기행가사, ⑤ 장부호기가사, ⑥ 풍물서경가사, ⑦ 연모상사가사, ⑧ 풍속권면가사, ⑨ 회고서사가사, ⑩ 포교신앙가사, ⑪ 송축추모가사, ⑫ 우언풍자가사, ⑬ 우국계몽가사, ⑭ 그 밖의 가사 등 14종으로 분류하였다.

이처럼 분류된 작품을 시기에 따라 나누어 보면 다음 〈표 4〉와 같다.

〈표 4〉 시기별 가사 내용과 작품 수

번호	내용	발생기	발전기	흥성기	전환기	변전기	계
1	丈夫豪氣歌辭		1	4	3	6	14편
2	寓言諷刺歌辭			2	4	2	8
3	風俗勤逸歌辭		1	2	6	5	14
4	江湖閑情歌辭	2	7	17	10	2	38
5	遊覽紀行歌辭		2	5	19	7	33
6	戀主忠君歌辭		3	3	9	3	18
7	風物敍景歌辭		1	7	4	3	15
8	頌祝追慕歌辭			5	14	10	29
9	憂國啓蒙歌辭			4		17	21
10	布教信仰歌辭	4		5	26	50	85
11	懷古敍事歌辭	1	1	1	8	16	27
12	道德敎訓歌辭		6	2	19	4	31
13	戀慕相思歌辭		2		6		8
14	그 밖의 가사			2	9	23	34
	계	7	24	59	137	148	375편

가사문학은 고려 말에 발아하여 조선 전기에 꽃피우고 후기에 이르러 결실을 보았으며, 갑오경장 이후에도 상당수의 작품이 창작되었으나, 그 형식이나 내용면에서 가사의 전통적·본질적 성격이 결국 쇠퇴하였으며, 초기의 개화가사를 제외하고는 復古的 성향에서 지어진 작품들이 최근까지 계속되었다. 이처럼 700년간에 걸쳐 창작된 유명씨 가사작품 가운데서 다음에 논의한 375편의 작품을 내용별로 분류하였다.

그리고 본고에서 논의한 작품의 내용과 작품 편수는 전원田園의 한가로운 생활과 천도天道를 지키며 살고자 하는 강호한정가사江湖閑情歌辭가 38편이고, 군왕君王에게 일편단심으로 충성하는 연주충군가사戀主忠

君歌辭가 18편이며, 사람이 지켜야 할 오륜五倫과 오상五常을 노래할 도덕
교훈가사도 31편이 있다. 그리고 유람과 기행 중의 견문·체험·감상
을 주제로 한 유람기행가사가 33편이 있고, 장부丈夫의 호탕한 기상과
장졸將卒들의 기개를 노래한 장부호기가사가 14편이 있으며, 수려한
산천풍물을 노래한 풍물서경가사는 15편이 있다.

또한 남녀 간의 사랑과 이별의 그리움을 노래한 연모상사가사는 8
편이고, 풍속·농사·학문 등을 권장하는 풍속권면가사風俗勸勉歌辭가 14
편이며, 역사적 인물과 사물들을 노래한 회고서사가사도 27편이 있
다. 그리고 가사의 발생기부터 가사가 쇠퇴하기까지 계속적으로 이
어온 포교신앙가사는 85편으로 가장 많으며, 경사스런 일을 축하하고
인물의 덕행을 기리는 송축하고 인물의 덕행을 기리는 송축추모가사
는 29편이고, 현실비판을 우회적으로 완곡하게 노래한 우언풍가사가
도 8편이 전한다. 그리고 국난을 당하여 국가의 안위를 염려하여 민
중들에게 계몽정신을 고취한 우국계몽가사가 21편이고, 이상의 어느
분류에도 포함되지 않는 그 밖의 가사가 34편이다. 이처럼 논의된 가
사작품은 총 375편이다.

3. 작가와 작품

이 시기의 유명씨 가사로서 현전한 것은 모두 14명의 작가에 작품
수가 24편이다. 해당 작품을 내용별로 분류해 보면, ㉮ 丈夫豪氣가사
㉯ 風俗勸勉가사 ㉰ 江湖閑情가사 ㉱ 遊覽紀行가사 ㉲ 戀主忠君가사
㉳ 風物叙景가사 ㉴ 懷古敍事가사 ㉵ 道德敎訓가사 ㉶戀慕相思가사 등
9종이다. 발전기 가사작품 총람표를 보면 다음 〈표 5〉와 같다.

〈표 5〉 발전기 가사작품 총람표

번호	작품명	지은이	지은 때	내용	출전 및 참고문헌	비고
1	萬憤歌	조위(1454~1503)	1503	유배	잡동산이(안정복)	
2	樂志歌	이서(1484~?)	1520경	은일	몽한영고(목, 1912)	
3	退溪歌	이황(1501~1570)	1545	한정	잡가 청구영언	일명 환산별곡, 귀전가, 은군자가
4	琴譜歌	〃	1570전	교훈	속기아	일명 금부가
5	道德歌	〃	〃	〃	잡가(나손장)	일설 조식작. 일설 공부자궐리가
6	相杵歌	〃	〃	〃	교주가곡. 잡가 고금가곡	일명 용저가
7	孝友歌	〃	〃	〃	〃	
8	關西別曲	백광홍(1522~1556)	1555	기행	잡가 기봉집	
9	南征歌	양사준(명종대)	〃	전쟁	남파윤유사(목)	
10	俛仰亭歌	송순(1493~1583)	1562~83	한정	잡가(나손장)	일명 무등산가
11	歷代歌	진복창(1506~1567)	1565	역사	필사본	일명 만고가
12	美人別曲	양사언(1517~1584)	1565~84	연정	봉래유묵(필)	
13	西湖別曲	허강(1520~1592)	1570~72	한정	선조영언(필)	일명 서호곡
14	星山別曲	정철(1536~1593)	1560	서경	송강가사(이선본)(목)	
15	關東別曲	〃	1580	기행	〃	
16	思美人曲	〃	1587~88	연군	성주본(목)	
17	續美人曲	〃	〃	〃	이선본(목)	
18	勸善[義]指路歌	조식(1501~1572)	1572전	교훈	잡가(나손장)	
19	自警別曲	이이(1536~1584)	1576경	〃	〃	
20	樂貧歌	〃	1584전	은일	〃	
21	樂志歌	〃	〃	〃	가사(가람문고, 필)	
22	處士歌	〃	〃	한정	필사본	일명 어부사
23	閨怨歌	허난설헌(1563~1589)	1589전	연모	고금가곡, 상사별곡첩	일명 원부가, 일설 무옥작
24	鳳仙花歌	〃	〃	풍속	정일당잡식	일설 강정일당작

가. 장부호기가사 丈夫豪氣歌辭

장부호기가사는 의지가 굳세고 호탕한 남자를 장부라 하고, 이러한 호기로운 기상을 주제로 한 가사이다. 소위 말하는 전쟁을 제재로 한 가사도 이에 포함된다. 우리에게 진정한 전쟁가사란 별로 없다. 전투 장면의 묘사보다는 적과 싸우는 장졸들의 장한 기개가 더욱 부각되어 있으므로 장부호기가사라고 함이 더 타당한 것이다.

〈남정가南征歌〉는 양사언의 아우 풍고 양사준이 명종 10년(1555) 을묘왜란이 일어나자 김경석의 막하에 들어가 남정군과 함께 전남 영암에서 왜구를 토벌하고 지은 장부호기가사로 이는 『南判尹遺事』(1699)에 수록되어 전한다.

〈남정가〉가 처음 소개되면서 작자를 양사언이라 했으나, 이상보의 고증으로 작자가 양사준임이 밝혀졌다. 또 형사준兄士俊 제사언弟士彦이란 착오가 『淸州楊氏世譜』에 의하여 형사언 제사준이란 것도 밝혔다. 또 〈남정가〉의 작자를 봉래 양사언으로 오인한 것은 양사준의 행적이 미미한 반면에 양사언은 문명을 떨치었기 때문에 남판윤공의 후손들이 잘못 구전한 것을 그대로 기록한 것이라 하였다.

이 노래는 을묘왜란이 일어나자 일개 서생의 신분으로 종군하여 왜구를 격파한 광경을 묘사한 전승가로서 뒤에 임란을 소재로 한 박인로의 〈太平詞〉·〈船上嘆〉과 더불어 장부호기가사가 된다.

이는 작자가 직접 전쟁에 투신하여 적과 생사를 겨룬 후에 승전의 장쾌한 기쁨을 노래한 것이므로, 음풍농월吟風弄月하는 가냘픈 서정가사와는 성격이 다르며, 역사 현장을 충실히 기록한 것이기 때문에 당시의 상황을 생생히 나타낸 사실주의적인 경향의 작품이다. 작품의 내용은 기사, 본사, 결사의 3단계로 구성되었는데, 을묘왜변의 발발과 10성의 함락, 영암의 승첩과 그 기쁨, 백성들에 대한 경계와 충효의 권면 등을 묘사하고 있다. 그 처음을 보면 다음과 같다.

나라히 무ᄉᆞᄒᆞ야	이빅년이 너머드니
文恬 武嬉 ᄒᆞ야	兵革을 니젓다가
時維 乙卯ㅣ오	歲屬 三夏애
島寇 雲翔ᄒᆞ니	빗수를 뉘 혜려오
혜음업슨 뎌兵使야	네 딘(陣)을 어듸 두고
達道로 드러간다.	

　이렇게 을묘 삼하에 왜구가 운상하여 십성이 연함되니 전남 일대의 참경이 대단하므로 서울에서 영암까지 순식간에 왔다고 하였다 2문단에서는 싸움터의 생생한 모습을 아군진영의 모습과 향교에서 이윤경이 분전한 광경 등 왜군과 교전 광경을 다음과 같이 묘사하였다.

칼 마자 사더냐	살 마자 사더냐
千兵四羅 ᄒᆞᄃᆡ	내ᄃᆞ라 어듸 갈다
春蒐夏苗와	秋獮冬狩를
龍眠妙手로	山行圖를 그려내다
이 ᄀᆞᄐᆞ미 쉬오랴	
金鼓爭擊ᄒᆞ니	勝氣塡城이오
猛士飛楊ᄒᆞ야	執訊獲醜로다
旌旗를 보와ᄒᆞ니	들니니 賊首ㅣ오
東城을 도라보니	짜히니 賊屍로다

　우리 쪽 군사를 천병이라 하고, 왜적을 무찌르는 것을 사냥에다 비했다. 춘수하묘와 추렵동수는 사철의 사냥이다. 용면은 송나라 화가 이공린을 일컫는다. 전투장면이 이공린의 묘한 솜씨로 사냥하는 광경을 그려낸 것과 같다고 했다. 징과 북을 울리며 승리의 기운이 성을 억누르고, 사나운 군사가 날아올라 적을 사로잡는다고 했다. 그래서

정기를 보아하니 달리는 것마다 적의 머리요, 동쪽 성벽을 돌아보니 쌓이는 것마다 적의 시체라고 했다. 싸움의 절정을 묘사하면서 수렵도를 끌어온 것은 기존의 관념에 의거하지 않을 수 없었기 때문이지만, 왜적을 짐승으로 몰아붙일 수 있게 하는 표현 효과를 갖는다. 작품의 결말에서는 삶을 다시 찾아 즐거워하는 백성들의 거동을 말하고 나라를 튼튼하게 지켜야 하겠다는 애국적인 생각을 나타냈다. 그리고 승공을 임금의 덕으로 돌렸다. 끝에 가서는 '安不忘危'할 것을 당부하고, 병농兵農을 겸리兼理하여 군정을 밝히되 예의로 하도록 권유하였다.

나. 풍속권면가사 風俗勸勉歌辭

풍속권면가사는 예로부터 전해오는 생활상의 여러 습속이나 농사짓는 일과 학문하는 일에 부지런히 힘쓸 것을 권려하는 가사이다.

이에 해당된 〈봉선화가鳳仙花歌〉는 허난설헌(1563~1589)의 가사로서 여자들의 정서적 표현인 꽃물들이는 고유한 풍속과 봉선화를 자세히 관찰해서 묘사하고 여성다운 꿈과 소망을 그린 내방가사다. 그의 작품은 모두 213수로 그 중 일부를 허균이 명나라 주지번에 주어 중국에서 『난설헌집』이 간행되어 격찬을 받았고, 1711년 일본에서도 문태옥차랑文台屋次郎이 간행하여 널리 애송되었다.

〈봉선화가〉는 〈규원가閨怨歌〉와 함께 허난설헌의 작품으로 추정하고 있는데, 이는 원래 사본『貞一堂雜識』에 기록되어 있을 뿐, 작자에 관해서는 언급이 없으나 이 가사를 처음 소개한 이병기가 허난설헌의 한시와 유사성이 있다는 점에서 허씨소작으로 단정하였다. 즉 내용에서 〈봉선화가〉는 난설헌의 칠언고시 〈染指鳳仙花歌〉, 〈洞仙謠〉, 〈望仙詞〉, 〈廣寒殿白玉樓上樑文〉 등의 일부 구절과 같고, 또 이 가사의 사상이나 시경詩境이 서로 비슷하다는 것이다. 먼저 〈염지봉선화가〉를 살펴보면 다음과 같다.

金盆夕露凝紅房	좋은 화분에 내린 저녁 이슬은 봉선화에 엉기고
佳人十指纖纖長	아름다운 사람의 열 손가락은 곱고 고우며 길도다.
竹碾搗出捲菘葉	대절굿공이로 봉선화를 찌어 내어 숭채잎으로 처매니
燈前勤護雙鳴璫	등불 앞에서 조심스럽게 쌍귀걸이 장식을 살핀다.
粧樓曉起簾初捲	아름다운 누대에 일찍 일어나 먼저 발을 거두니
喜看火星抛鏡面	기쁨으로 거울면에 울린 화성(물든 것)을 보도다.
拾草疑飛紅峽蝶	풀을 뽑을 때에는 붉은 호랑나비가 나는 듯하고
彈箏驚落桃花片	쟁을 퉁길 때에는 도화 조각이 놀라 떨어지는 듯하다.
徐勻粉頰整羅鬢	천천히 골고루 분화장을 하고 비단같은 고운 머리를 빗으면
湘竹臨江淚血斑	소상강가의 대나무에 피눈물 흔적이 어린 듯하다.
時把彩毫描却月	때로 채필을 잡고 지는 달을 그리니
只疑紅雨過春山	마치 붉은 비가 봄 동산을 지나가는 듯하다.

〈봉선화가〉의 처음을 소개하면 다음과 같다.

香閨의 일이 업셔	빅화보(百花譜)를 혀쳐 보니
鳳仙花 이 일홈을	뉘라셔 지어낸고
眞游의 玉簫소뢰	紫煙으로 힝흔 후의
閨中의 남은 因緣	一枝花의 며므르니
柔弱흔 프른 입흔	봉의 꼬리 넘노는 듯
ᄌ약히 붉은 꼿춘	ᄌ하군(紫霞裙)을 혜쳐는 듯
白玉 셤 조흔 흙의	종종이 심어 ᄂ니
츈숨월이 지는 후의	향긔 업다 웃지 마소
취헌 나븨 밋친 벌이	ᄊᆞ라올가 겨허ᄒᆞᄂᆡ
졍졍흔 져 긔샹을	녀ᄌᆞ밧긔 뉘 벗홀고

이상 서사는 봉선화의 명칭이 붙게 된 유래로부터 시작하여 본사에서는 봉선화로 손톱에 물들이는 모습과 그 과정을 노래하고 옥경대앞에서 눈썹을 그리려 하니 거울에 꽃이 만발한 듯하다고 하였다. 결사에서는 규수와 봉선화가 인연을 맺으니, 온갖 꽃은 다 떨어지고 말지만 봉선화만은 여자의 손톱에 오래오래 남아서 그 절조를 나타낸다고 하였다.

또 〈규원가〉 같은 신세타령과 〈봉선화가〉 같은 꽃노래는 민요에도 나란히 존재한 것으로 여성의 관심사를 나타내고 조선후기에 이르러서 출현한 규방가사에서는 자탄가류와 화전가류로 계승되었다.

다. 강호한정가사 江湖閑情歌辭

'강호도가江湖歌道'는 조윤제가 처음 사용한 말로써 자연에의 침잠과 무위자연의 생활관을 읊은 일련의 시적 태도를 가리킨다. 이러한 시가도詩歌道의 배경은 세종 조 이후 새 나라의 기틀이 확고히 잡혀서, 관록을 먹던 사람들이 노년에는 정사를 떠나서 자기 고향으로 돌아가 전원에 파묻혀 사는 일을 삶의 흥취로 여긴 데서 비롯된 것이다. 이러한 강호의 한정을 노래한 전대의 시조로는 맹사성의 〈강호사시가江湖四時歌〉가 있고, 가사로는 정극인의 〈상춘곡〉이 있다.

그러나 시대가 바뀌어 연산군 이후에 벌어진 당쟁과 사화로 인하여 풍파 많은 정계를 벗어나 강호에 묻혀 음풍농월을 일삼고 자연에 침잠해 버리는 일이 많아졌다. 이처럼 강호생활을 즐기며 유유자적하는 생활 속에서 자연을 노래하고 산수를 찬양하는 문인들이 늘어갔다. 그 주창자의 대표는 이현보와 송순이었다. 즉 이현보는 경상도 향리에서 명농당 · 애일당을 지어 시가로 흥을 돋우었고, 송순은 전라도 고향에서 석림정사와 면앙정을 짓고 음풍농월했다. 농암은 〈어부가漁父歌〉를 지어 분천상汾川上에서 부르고, 면앙정은 〈면앙정가俛仰亭歌〉를 지어 면앙정상에서 불렀다.

이처럼 조선 초·중기에 걸쳐서 강호 자연 속에 묻혀 시가를 벗삼고 살던 이들의 시풍을 강호가도의 흐름으로 보는 것이다. 농암과 면앙정에 의해 수립된 강호가도는 직접 간접으로 많은 영향을 후세 작자에게 끼쳐서 퇴계가사, 율곡가사, 송강가사 등에 그런 정신과 영향이 흘러 넘치고 있다. 이러한 흐름은 〈낙지가〉, 〈낙빈가〉, 〈퇴계가〉, 〈서호별곡〉 등의 작품을 거쳐, 〈누항사〉, 〈수남방옹가〉, 〈지수정가〉, 〈백마강가〉, 〈도선가〉, 〈소유정가〉, 〈매호별곡〉, 〈강촌별곡〉, 〈낙은별곡〉 등의 가사문학에 계승되었고, 또 〈강촌만조가〉, 〈초당춘수가〉, 〈석촌별곡〉 등에 이르는 전환기가사에까지 이어져 조선시대 전체에 흐르는 시가의 큰 물결을 이루었다.

이 시기의 강호한정가사로는 이서의 〈낙지가〉, 이황의 〈퇴계가〉, 송순의 〈면앙정가〉, 허강의 〈서호별곡〉, 이이의 〈낙빈가〉·〈낙지가〉·〈처사가〉 등 7편에 대하여 살펴보기로 한다.

〈낙지가樂志歌〉는 이서(1484~?)가 중종 15년(1520)에 담양에 은거하면서 쓴 강호한정가사인데 목판본 『夢漢零稿』에 전한다. 추성수 이서는 태종의 현손으로 중형이 이과를 추대하여 모반했다는 무고로 백형(綿)은 영남(草溪郡)으로 유배가고, 자기는 중종 2년(1507)에 전라도 창평으로 귀양 가게 되었다. 그 후 1520년에 사환賜還되었으나 귀경하지 않고 담양 대덕면 등갈리에서 염정자수恬靜自守로 독서하면서 제자를 가르치다가 작고하였는데, 한시 〈述懷歌〉 1수와 가사 〈낙지가〉가 오늘날 전한다. 이는 152구의 순한문투 가사로 이현의 〈백상루별곡〉과 왕손계 가사로 쌍벽을 이룬다. 가사의 내용을 살피면 다음과 같다.

崑崙一脈 쑥 썰어져　　小中華로 드러올 제
唐堯曾祝 華山으로　　夫子昔登 泰山되야
七百洞庭 나려오며　　十二巫山 얼풋짓고
秦始皇帝 萬里城을　　天開地裂 헥터리며

乘彼白雲 구름속의　　海東朝鮮 도라보니
天府金城 터이로다　　萬世基業 지여보식
漢陽江水 멀리둘너　　終南山이 되어셔라

　조선은 성자신손聖子神孫이 무궁토록 계승한다고 하였다. 노래의 소
재나 시상이 중국에 치우친 흠이 있으나 당시 유학자로 순정한 시풍
과 우아한 품위를 지닌다고 하겠다. 승사나 전사에서는 기행가사와
교훈가사의 성격을 담으면서 명산을 노래하거나 중국 성현들의 교훈
을 본받고자 하였다. 그리고 결사에서 자기의 의지가 보이는데, 제갈
량과 도연명은 때를 가려 진퇴한 사람으로 황금을 부러워하지 않고
정명도의 탄금방화彈琴訪花를 따르겠다고 하여 자기의 심정을 몰라 줘
도 개의치 않고 중장통의 〈樂志論〉을 높이 산다고 하였다.
　이 작품은 은일사상과 도학사상의 색채가 농후하여 후대의 많은
작품에 영향을 주었는데, 이상보는 임유휴(1601~1673)의 〈목동가〉와
김경흠(1815~1880)의 〈城隱歌辭〉 등은 내용이 같은 계열에 속하며, 지
연적으로 보면 창평을 중심으로 전남 일대에 구송되었으리라고 보아
송순과 정철, 그리고 백광홍과 위규백에게도 무엇인가 영향관계가 있
으리라 생각된다고 하였다.
　퇴계 이황(1501~1570)은 중종 때 성균관에 수학하고 식년문과에 급
제하여 명종 때 판서를 거쳐 우찬성과 대제학을 역임한 후, 69세(1569)
에 향리인 도산에 은퇴하여, 후학을 양성하다가 선조 3년(1570)에 卒
하니 영의정에 추증되었다. 이황이 지었다는 가사는 〈퇴계가〉, 〈금보
가〉, 〈상저가〉, 〈도덕가〉, 〈효우가〉 등이 있다.
　〈퇴계가〉는 이수광(1563~1628)의 『芝峯類說』에 처음 소개되었으
며, 『靑丘永言』 대학 본에서는 '還山別曲退溪著二十四句'라고 했는데,
이는 일행을 일구로 계산한 것이니 모두 24행 49구로 된 것이다. 그리
고 필사본에 따라서는 〈귀전가〉, 〈환산별곡〉, 〈낙빈가〉, 〈은군자가〉

등의 명칭으로 불리우나 내용은 대동소이하다. 그 첫 부분을 보면 다음과 같다.

어제 올타 헌 일을	오늘수 왼 줄 알고
角巾布衣로	故園의 도라오니
山川은 녯빗치오	松竹에 싀닙낫다
數間茅屋을	집디 즈리 흔 닙 실고
木枕을 츄혀 벼고	일 업시 누어시니
半畝黃稻ᄂᆞ	西風의 밀녀 잇고
一池紅蓮이	山雨에 ᄯᅳ 잇다.
아춤의 긔 즈즈니	고기 풀 사름이오
나조희 새 놀라니	밤 주을 아히로다

면앙정 송순(1493~1583)은 사간으로 있을 때 김안로 등이 집권하여 어진 사람들을 질시한 이유를 빌미로 벼슬에서 물러나 귀향하여 41세 때(1533) 면앙정을 짓고 자연을 즐기면서 유유자적하던 심정을 〈俛仰亭歌〉에 담았다.

이 노래의 창작시기에 대해서는 아직껏 분명히 밝혀지지 못하고 있으나 송순의 나이 40대, 60대, 치사 후 만년 창작설이 있으며, 김성기 교수는 그 중 60대가 가장 타당하다고 하였다. 이는 60대에 쓴 한시의 시상과 〈면앙정가〉에 '藍輿를 빗야 타고' '다만 흔 靑藜杖이 다므디어 가노믜라' '神仙이 엇더턴지 이몸이야 긔로고야' 등의 구절에서 작자의 안착된 생활에 탐닉되어 술과 벗으로 더불어 자족자락의 정황으로 보아, 세사를 잊고 오직 자연에 몰입하여 은일생활을 즐기는 모습들에서 60대(1553) 노년의 특징을 잘 나타내는 것으로 보았다.

그동안 가사의 원가는 없이 한역가만 『企村集』에 전했으나 근래 필사본 자료집 『雜歌』가 발견됨으로 그 모습을 드러냈다. 그 내용은 면앙정 주변의 산수와 아름다운 사계절 경물의 흥겨움, 그에 몰입하여 유상하는 전가田家에서 한가로운 정을 읊었다. 특히 이 작품은 정철의 〈星山別曲〉에 직접 영향을 끼친 것으로 평가되어, 강호가도의 대표적 작품으로 문학사상 중요한 위치를 접하고 있다.

〈면앙정가〉는 『잡가』에서 79구라 했으나 실제로는 145구이며, 3문단으로 구성되었다. 서사는 면앙정 위치와 조망의 경치가 중심이고, 본사는 작자의 풍류생활과 사계의 경관을 노래하고, 결사는 작자의 멋스런 삶은 바로 임금님의 은혜임을 밝히고 한거취락閑居醉樂과 호탕자락浩蕩自樂하는 자연미를 다음과 같이 읊어서 은일가사의 극치를 보여 준다.

草木 다 진후의	江山이 매몰커늘
造物리 헌ᄉᆞᄒᆞ야	氷雪노 쑤며내니
瓊宮瑤臺와 玉海銀山이	眼底에 버러셰라
乾坤도 가음 열샤	간대마다 경이로다
人間을 써나 와도	내 몸이 겨를업다
ᄇᆞ람도 혀려ᄒᆞ고	둘도 마즈려코
봄으란 언제 줍고	고기란 언제 낙고
柴扉란 뉘 다드며	딘 곳츠란 뉘 쓸려료
아ᄎᆞᆷ이 낫브거니	나조히라 슬흘소냐
오늘리 不足거니	來日리라 有餘ᄒᆞ랴
이뫼히 안ᄌᆞ보고	져뫼히 거러보니
煩勞ᄒᆞᆫ ᄆᆞᄋᆞᆷ의	ᄇᆞ릴 일리 아조업다
쉴ᄉᆞ이 업거든	길히나 젼ᄒᆞ리야
다만 ᄒᆞᆫ 靑黎杖이	다 뫼되여 가노민라

이 노래에 나타난 자연은 한가롭게 멈추어 있지 않고 바쁘게 움직

이며 생동한다. 자연의 움직임을 받아들이고, 그 생동감에 동참하여 풍류를 즐기노라니 괴로움도 쓸쓸함도 없다. 그런 경지에 이르렀으니 더 바랄 것이 없다. 이 작품에 이르러서 자연의 흥취를 즐기는 정서가 본격적인 표현을 얻어, 그 뒤에 두고두고 모범이 되며 많은 영향을 미쳤다. 그러나 신선이 된 듯이 행세하고 마는 것은 유가의 도리가 아니라는 점을 잊지 않아, '이 몸이 이렁굼도 亦君恩이샷다'는 말로 마무리를 삼았다. 자신의 취흥을 임금의 은총으로 여김으로써 조정의 신하된 자세를 견지하였다.

〈서호별곡西湖別曲〉은 송호 허강(1520~1592)이 지은 가사로 필사본 『先祖永言』에 수록된 작품이다. 작자는 어려서부터 학문을 즐기고 영달을 원하지 않았으며 성품이 고결했다. 을사사화(1545)때 아버지가 이기의 모함으로 홍원으로 귀양 가서 죽자 벼슬을 단념하고 40년 동안 방랑생활을 하면서 학문에 전념했다. 〈서호별곡〉은 작자가 한강의 서빙고 부근에서 배를 타고 마포의 서강까지 내려오는 동안 한강의 풍경과 운치를 노래한 선유가사인데 중국의 고사를 인용하여 그곳의 풍물에 비겨서 표현하였다. 실제로는 한강에 머물면서 중국 고전속의 이름난 곳을 두루 거쳐 지나는 것처럼 색다른 풍류를 즐겼다. 그 일부를 보면 다음과 같다.

聖代예 逸民이 되어	湖海예 누어이셔.
時序를 니젼닷다	三月이 져므도다
角巾 春服으로	세네 번 드리고
檜楫松舟로	蒼梧灘 건너
軟沙閑汀의 안즈며 닐며	오며가며 ᄒ며 이셔
一點 蓬島ᄂ	눌 위ᄒ여 떠오뇨
春日이 載陽ᄒ야	有鳴鶬鶊이어든
女執懿筐ᄒ야	爰求柔桑이로다.

이렇게 시작된 가사는 태평성대의 일민逸民으로 춘삼월 저문 날 아름다운 풍치 속에 한가롭게 노니는 즐거움을 노래한 것으로 처음부터 끝까지 배안에서 詩友들과 함께 기녀를 거느리고 주연을 베풀면서 탄금영시彈琴詠詩하며 한강을 흘러 내려오는 강호한정을 노래한 가사이다.

율곡 이이(1536~1584)는 〈자경별곡自警別曲〉, 〈낙빈가樂貧歌〉, 〈낙지가樂志歌〉, 〈처사가處士歌〉 등 4편의 가사를 지었다. 율곡은 문과에 급제하여 벼슬이 판서에 이르렀으며, 병으로 관직을 사퇴하고 우계 성혼 (1535~1598)과 함께 이기사단칠정理氣四端七情과 인심도심人心道心에 대하여 논하는 등 선조 때 유학의 대표자로서 『四書諺解』를 마무리하는 등 원숙한 학문의 경지에 도달했다.

〈낙빈가樂貧歌〉는 일찍이 『증보본청구영언』에서는 '樂貧歌退溪或云 栗谷四十六句'라고 기록되어 작자가 누구인지 갈피를 잡지 못하였다. 그 후에 김동욱이 처음으로 소개한 『잡가』에 '樂貧歌 五十四句 此栗谷 先生之所製也 安貧樂道之意 山人風流之勝 寓於詞氣之間而幽雅單極矣'라는 평어가 기록되어 있어서 작자가 율곡임이 확인되었다. 처음과 끝을 살펴보면 다음과 같다.

此身이 쓸 뒤 업서	聖上이 ㅂ리시니
富貴를 하직ᄒ고	貧賤을 樂을 삼아
一間 茅屋을	山水間에 지어 두고
三旬 九食을	먹으나 못먹으나
十年 一冠을	쓰거나 못쓰거나
分別이 업서거니	시름인들 이실소냐
萬事를 다 니즈니	一身이 閑暇ᄒ다 (중략)
皇扉의 벗님ᄂ야	이 ᄂ 柴扉 웃지 마라
靑雲은 네 즐겨도	白雲은 ᄂ 죠해라
竹杖 芒鞋를	본 뒤로 집고 신고

天山 萬水間에   슬토록 오며 가며

이시면 듁이오   업스면 굴믈망뎡

갑업순 江山風月과   흠쯰 늙쟈 ᄒ노라

이처럼 〈낙빈가〉는 벼슬에서 물러나 산수에 묻혀서 비록 가난하게 지내더라도 원망을 말고 풍월이나 즐기며 늙어가자는 내용인데 『잡가』에서는 안빈낙도의 뜻과 山人의 풍류를 노래하여 그윽하고 우아함이 그지없다고 하였다. 이는 작가가 관계에서 물러나 파주의 율곡이나 해주의 석담에서 지내면서 자연을 벗하며 자신의 처지와 분수에 만족하는 안빈낙도의 생활신념을 노래한 은일가사이기도 하다.

그리고 〈낙지가樂志歌〉는 중종 때 이서가 지은 〈樂志歌〉와 제목이 동일하나 내용이 다른 강호한정가사이다. 〈낙지가〉의 이본은 안춘근 소장인 〈栗谷先生樂志歌〉와 서울大의 가람 문고본인 『歌詞』에 수록된 〈낙디가〉인데, 이상보는 두 사본이 율곡작으로 명시되어서 작자를 율곡으로 단정하였다.

결국 〈낙지가〉는 이이가 파주 율곡이거나, 해주 석담에 은거할 때 전원의 사시 풍경을 묘사한 것인데, 서사 · 결사에 춘하추동의 본사가 있어 모두 6단락 313구로 이룩된 가사이다.

太極이 됴판(肇判)ᄒ여   兩儀가 시싱(始生)ᄒ니

乾坤이 셜워ᄒ고   日月이 光明ᄒ다

陰陽이 빈틱(胚胎)ᄒ여   萬物을 화싱(化生)ᄒ니

名山 대쳔(大川)은   텬디(天地)에 죵긔(鐘氣)ᄒ고

곤튱(昆蟲) 쵸목(草木)은   雨露의 여틱(餘澤)이라

츈딕(春臺) 슈역(壽域)에   物物이 鼓舞ᄒ니

그 듕의 貴ᄒ 거시   사름밧긔 ᄯ 잇ᄂ가

산중에 한거한 은자의 즐거움을 노래하였다. 결국에는 연군지정으로 성은을 축수하여 충성을 그리면서 다른 한편으로는 독서삼매경에 들어서 학문하는 과정을 노래하였다.

또 〈처사가處士歌〉는 64구의 필사본인데, '栗谷先生 漁父辭'라는 부제가 붙어 전한다. 내용이 대동소이한 작자미상의 〈처사가〉가 8종이 현존하고 있으나, 율곡의 〈처사가〉는 작자의 기명도 틀림없거니와 〈낙빈가〉와 〈낙지가〉의 내용과도 유사할 뿐 아니라, 다른 〈처사가〉들에 비해 시상이 일출逸出하기 때문에, 율곡이 관계를 물러난 은퇴기에 파주에서가 아니면, 해주의 석담에서 안빈낙도하는 생활신념을 나타낸 은일가사임이 분명하다.

이는 4단으로 구성되었는데, 기사는 벼슬에서 멀리 떠나 자연을 벗삼고 살아가는 은둔군자의 모습을 그렸다. 그 일부를 보면 다음과 같다.

天生我才 쓸디업셔　　　世上名利 ㅎ즉ㅎ고
商山風景 바라보니　　　四皓遺跡 쓰로리라 (중략)
烟深澗北 市朝멀고　　　溪流山南 塵事적다
有山有水 ㅎ온고딕　　　仁義禮智 ㅎ오리라.

그리고 승사는 일엽여주一葉漁舟를 타고 낚시를 즐기는 것으로 '銀鱗玉尺 씌노난딕 野水江天 한빗치라, 巨口細鱗 락거니 松江鱸魚 비길셰라'고 하여 부귀보다 자연 속에서 어옹생활의 즐거움을 노래하였다. 전사의 내용은 〈낙빈가〉와 유사한 것이 특이할 만한데, '有酒盈樽 ㅎ엿도다', '松壇紫芝 노릭ㅎ고', '葛天民氓 나뿐이로다' 등 탈속한 세계를 노래하였다. 또한 결사에서는 '塵間榮辱 다버리고 物外江山 오며가며 千歲萬歲 億萬歲의 如此如此 늘그리라' 하여 산중에서 홀로 강산풍월을 벗삼아 늙으리라는 처사의 심정을 노래하였다.

라. 유람기행가사 遊覽紀行歌辭

유람기행가사는 이곳저곳을 돌아다니면서 놀고 구경하는 여행 중의 견문, 체험, 감상 등을 주제로 한 가사이다. 이는 유람의 성격을 띤가사와 기행의 성격을 띤 가사로 나눌 수 있는데, 전자는 주로 국내를 유람한 것이 되겠고, 후자는 외국을 기행 한 것이 되겠다. 여기에는 〈관서별곡〉, 〈관동별곡〉 등 2편이 있다.

먼저 〈관서별곡關西別曲〉은 유람기행가사의 효시로 기봉 백광홍(1522~1556)이 33세 때 평안도의 병마평사로 갔다가 멀리 북쪽의 국경에 이르기까지 평안도 지방을 순행한 경험을 가지고 이 작품을 지었다. 백광홍은 중종 때 전라도 장흥에서 태어나 아우 광안·광훈 그리고 종제인 광성과 더불어 사형제가 문장으로 칭송을 받았다. 또한 일제 이항에게서 배우고 김인후, 이이, 신잠, 기대승, 임억령, 정철 등과 도의지교를 맺어 덕업을 닦음으로써 이른바 8문장의 일인이었다. 명종 때 평안도 평사가 되어 〈관서별곡〉을 지었으나 병환으로 귀성 도중 졸하니 향년 35세였다. 너무나 짧은 생애에다 후손마저 미미하여 초야에 묻혀 버림으로 작품이 세상에 알려지지 않았다. 이 작품은 이주홍에 의해 문제가 제기되었고 이상보가 『岐峰集』의 자료를 소개하면서 학계의 관심을 끌게 되었으며, 김동욱이 『雜歌』에서 새 자료를 소개함으로 분명한 위치가 판명되었다.

〈관서별곡〉은 총 179구로 문단은 양장식兩章式의 댓구를 이루었다. 내용은 『기봉집』에서 '以西愛君廬邊之忠'이라 했고, 『旬五志』에서는 '關西佳麗寫出於一詞'라고 하여 겉으로는 아름다운 경치를 노래한 것이나, 속으로는 임금을 그리워하며 변방을 염려하는 심정이 포함되었다.

關西 名勝地예   王命으로 보니실식
行裝을 다사리니   칼 흔느 쑨이로다
延詔門 니달아   모화고기 너머 드니

歸心이 샌르거니	故鄕을 思念ᄒ랴
碧蹄에 말가라	臨津에 빈 건너
天水院 도라드니	松京은 故國이라
滿月臺도 보기 슬타	黃岡은 戰場이라
歸鞭을 다시 쌔와	九硯을 너머 드니
生陽館 기슭에	버들죠차 프르럿다

　이렇게 시작되어 서도관방西道關防에서 정사를 보면서 그곳의 자연풍
물을 두루 편력하고 그 아름다움을 노래하였다. 명승지마다 한시에
서 흔히 볼 수 있는 문구를 동원하여 자기 감회를 표현하였으며, 자세
한 사정을 사실적으로 묘사하기보다는 기존의 개념으로 정형화된 모
습을 보여 주었다.

　이제까지 학계에 알려진 유람기행가사로 〈관서별곡〉이 최초인 만
큼, 이보다 25년 뒤에 나온 송강의 〈관동별곡〉(1580)에 직접 영향을
주었으리라 평가되고 있으며, 계속하여 조우인의 〈관동속별곡〉(1623)
등으로 이어지는 계보 관계를 생각할 수 있다. 그 영향의 이유는 뒤에
지어진 작품들의 내용 구조와 표현의 조사措辭가 앞의 작품을 닮은 곳
이 너무 많다는 사실을 들 수 있다.

　〈관동별곡關東別曲〉은 송강 정철(1536~1593)이 45세 때 강원도 관찰
사에 제수되어 관동팔경을 보고 노래한 것인데, 이는 백광홍의 〈관서
별곡〉의 영향에서 비롯된 것이다. 가사의 표현이 아름다워 악보의 절
조라 일컬어졌고, 후대의 유람기행가사인 조우인의 〈관동속별곡〉과
박순우의 〈금강별곡〉 등에 많은 영향을 주었다.

　〈관동별곡〉은 총 293구이며 4단으로 구성되었다. 기사에서는 관찰
사에 제수되어 여행에 오르는 동기를 밝힌 바, 강호에 병이 깊어 죽림
에 누었다가 '關東八百里에 方面을 맛디시니, 어와 성은이야 가디록
罔極ᄒ다' 하며 벌떡 일어났다. 임지로 떠나는 거동이 가볍고 걸음마

다 흥이 난다. 가는 곳마다 경치를 노래하면서 아주 득의한 심정으로 현란한 수식을 거침없이 하였다. 승사에서는 임지인 원주에 이른 뒤에 다시 관내를 순행하기 위해 길을 떠나 내외 금강산을 구경한 노정과 견문을 읊고, 전자에서는 관동팔경을 구경한 내용을 노래하였다. 백광홍의 〈관서별곡〉과는 이름에서부터 대조를 이루면서 송강은 국토를 놀이터로 삼고 나라를 생각하는 마음을 풍류에 도취하는 기백으로 바꾸어 놓았다. 그 일부를 보면 다음과 같다.

毗盧峰 上上頭의	올라보니 긔 뉘신고
東山 泰山이	어ᄂ야 놉돗던고
魯國 조븐 줄도	우리ᄂ 모ᄅ거든
넙거나 넙은 天下	엇씨ᄒ야 젹닷말고
어와 뎌 디위를	어이ᄒ면 알 거이고
오ᄅ디 못ᄒ거니	ᄂ려가미 고이ᄒᆯ가
圓通골 ᄀᄂ길로	獅子峰을 ᄎᆞ자가니
그 알픠 너러바희	火龍쇠 되어셰라
千年 老龍이	구비구비 서려이셔
晝夜의 흘려 내여	滄海예 니어시니
風雲을 언제 어더	三日雨를 디련ᄂ다
隱崖예 이온 플을	다 살와 내여ᄉ라

이렇게 묘사한 바위에서는 아득히 높은 것을 지향하는 불굴의 정신을 느끼게 하지만, 그런 주제를 내세우지는 않았다. 부드럽고도 기괴하고, 예사롭지만 놀랍고, 섬세하다가 엄청나게 커지는 것을 뒤섞어 말로 쌓아 올린 금강산을 이룩했는데도, 인공이라고는 가하지 않고 자연이 저절로 그렇게 된 것처럼 느끼게 한다. 전에 볼 수 없었던 국토 예찬이요, 능란한 수법의 진경산수화라는 점에서도 대단한 의의

를 가진다.

그리고 결사는 몽중선연夢中仙緣과 왕화승선王化承宣으로 나눌 수 있는데, 뒷부분은 송강이 관찰사의 책무를 자각하고 만백성의 一心丹을 나타낸 것이고, 낙구에서의 명월은 자연과 성은의 중의적 표현이다. 이는 〈관서별곡〉의 낙구에서 군왕에게 시점을 귀착시킨 것과 같은 것이다.

마. 연주충군가사 戀主忠君歌辭

유교사회는 오륜 가운데 충을 특별히 중시한 만큼, 임금을 사모하여 충성을 다하는 것을 주제로 한 작품을 연주충군가사라고 한다. 유배가사도 내용면에서는 유배지에서는 유배지에서 겪은 온갖 고초와 고독감 속에서도 향주일편단심向主一片丹心은 불변이어서 한결같이 충신연주지사의 성격을 지닌다고 하겠으며, 따라서 논척유배가사論斥流配歌辭를 보면 유배지에서 겪은 고초와 유배생활을 기록하고 있기는 하지만 그것보다도 군주에 대한 일편단심의 충정을 더 강하게 나타내고 있어, 주제 면에서 볼 때 이들 가사를 연주충군의 가사라고 하는 것이 보다 더 정확성이 있는 명칭이라고 봄이 옳을 것이다.

그리고 우국이나 충의(愛國)라는 주제 분류도 있다. 옛날에는 충군이고 연군이지만 근대로 오면서는 우국이고, 애국이란 용어의 표현이 합당하다고 보아, 유배, 연군, 우국, 애국을 내용으로 한 가사를 모두 연주충군가사로 묶어 볼 수도 있다. 여기에는 〈만분가〉, 〈사미인곡〉, 〈속미인곡〉 등 3편이 있다.

〈만분가萬憤歌〉는 매계 조위(1454~1503)가 유배지에서 지은 것으로 유배가사의 효시가 된다. 매계는 점필재 김종직의 처남이자 문인이었으며, 성종 때(1474) 식년문과에 급제하여 영안도경차관이 되기까지 시제詩製에서 누차 장원하여 문명을 떨치어 유호인과 함께 성종의 총애를 받았으며, 성종 12년에 승문원교검이 되어 『分類杜工部詩

諺』의 서문을 쓰고, 『佔畢齋文集』을 간행하였다. 그리고 연산군 1년 (1495)에는 지춘추관사로 『成宗實錄』을 편찬하였다. 그러나 연산군 4년(1498)에 성절사로 명나라를 다녀오다가 무오사화를 만나 점필재 계통의 학자들을 학살 유배당할 때에, 조위는 의주에서 잡혀 장류杖流 되었다. 그 후에 순천으로 이배되어 연산군 9년(1503) 49세로 적소에 서 병사하여 고향인 금산에 반장하였으나, 이듬해에 연산군은 그의 전죄를 추록追錄하여 부관참시를 시켰다.

조위는 5년간의 적소생활에서도 한묵翰墨을 놓지 않으므로 문장력 이 증가 됐으며, 〈만분가〉를 지어 요고腰鼓와 현금玄琴과 무답舞踏으로 곡조에 맞춰 노래하였다. 이 가사는 이가원이 안정복의 『잡동산이』 제44책에서 발견한 것으로 작품의 내용상 조위의 제작설이 타당하다.

〈만분가〉는 유배지에서 누구에게도 호소할 길 없는 비분을 옥황 (성종)에게 하소연하는 심정을 펼친 것으로 마치 초나라 굴원이 〈天 問〉을 지어 그의 원통하고 안타까움을 풀렸던 것과 흡사한 작품으로 248구로 된 유배가사에 속한다.

天上 白玉京	十二樓 어듸매오
五色雲 깁픈 곳의	紫淸殿이 マ려시니
天門 九萬里를	쑴이라도 갈동말동
ᄎ라리 싀여지여	億萬번 變化ᄒ여
南山 늣즌 봄의	杜鵑의 넉시 되어
梨花 가디 우희	밤낫즐 못 울거든
三淸洞裡의	졈은 한닐 구름 되어
ᄇ람의 흘리 ᄂ라	紫微宮의 ᄂ라 올라 (중략)
輪回 萬劫ᄒ여	金剛山 학이 되어
一萬 二天峯의	ᄆᆞᆷ곳 소사 올나
ᄀ을 둘 불근 밤의	두어 소릭 슬피 우러

님의 귀의 들니기도 　　玉皇上帝 處分일다

　이렇게 시작된 서사는 도교사상이 주류를 이루어 적소(순천)에서 옥황상제에게로 가서 흉중에 쌓인 말씀을 실컷 호소하고 싶은 심정이다. 그리고 본사에서는 사화士禍로 당한 지금의 유배생활은 모두가 천명이니 오직 옥황상제의 처분만을 바란다고 애소하면서 자기 자신을 초객(屈原)에게 견주었다. 따라서 〈楚辭〉의 어귀를 많이 인용하였다. 결사에서는 원한에 쌓인 자기의 뜻을 알아만 준다면 평생을 함께 하겠다고 하여 충성으로 섬겼던 옥황에 등을 돌렸다.

　그런데 필자는 〈萬憤歌만분가〉를 '戀君歌연군가'가 아닌 '怨憤歌원분가'로 보아야 한다는 논의를 전개하였다. 모든 작품은 그 내용과 작가의식을 면밀히 살펴보면 그 작품만의 특수성을 가진다. 사대부의 유배생활을 그린 것이라 하여 충신연군가라는 일반성에 머물러서는 문제가 있다. 〈만분가〉의 창작배경은 작가가 인생의 결실기에 황당한 무오사화라는 사건에 연루되어 억울하게 유배생활을 하는데서 이루어진다고 주장하였다.

　조위는 김종직 문하에서 문명이 뛰어났으며, 뛰어난 문재로 인하여 성종의 총애를 한 몸에 받았다. 사화가 일자 조위가 간행한 『점필재문집』에 〈조의제문〉을 책머리에 둔 것이 화근이 되어 하정사로 연경에 간 조위를 압록강을 넘어 오거든 참수하라는 왕명이 내려졌으나 이극균이 선왕의 총신이라 간청하여 죽음을 면하고 유배길에 오르게 된다. 의주를 거쳐 순천에서 5년여의 세월을 보내면서 철천의 원한을 삭이며 끝없는 인생의 벼랑에서 중병으로 최후를 맞았다. 조위는 연약한 사림파의 한 사람으로 막강한 훈구파의 권력 앞에 느낀 막막한 좌절감이 분노와 체념으로 나타나게 되었고, 이런 원분이 〈만분가〉라는 유배문학을 생산하게 되었다. 따라서 지금까지 〈만분가〉를 일반 유배가사와 동일시해서 충신연군가라고 하는 입장에서 작품이 가

진 자체의 특이성을 고려된 원분가怨憤歌라는 시각으로 바꿔야 한다 라
고 하였다.

이후 〈만분가〉는 유배자들에게 큰 영향을 주었던 바, 이상보는 다
음과 같은 영향 관계를 계보로 제시하였다. 특히 〈만분가〉는 송강의
전후사미인곡과 〈관동별곡〉에 큰 영향을 미쳤으며, 54행부터 58행까
지 10구는 〈사미인곡〉에 그대로 사상이 녹아들었다고 했다.

1503	→	1523	→	1536	→	1588	→	1708	→	1727	→	1777~1799
(연산9)		(중종15)		(중종31)		(선조21)		(숙종34)		(영조3)		(정조)
만분가		낙지가		(원분가)		사미인곡		별사미인		속사미		만언사
						속미인곡		곡		인곡		

송강 정철(1536~1593)은 가사의 대가로 〈성산별곡〉, 〈관동별곡〉,
〈사미인곡〉, 〈속미인곡〉 등 4편을 남겼다. 이 가운데 〈관동별곡〉은
45세 때 강원도 관찰사로 부임하여 관동팔경을 노래한 것인데, 이는
백광홍의 〈관서별곡〉의 영향으로 이룩된 것이고, 〈사미인곡〉과 〈속
미인곡〉은 작자가 50세 때(1585) 동인의 탄핵을 받고 조정에서 물러
나와 4년간 고양을 거쳐 창평에서 우거하는 불우한 처지에 있을 때
(1588) 지은 것으로 추측된다.

〈사미인곡〉은 임금을 사모하는 정성을 한 여인이 그 남편을 이별
하여 연모하는 형식으로 읊었는데, 고신연주孤臣戀主의 갸륵한 충정이
유려한 필치로 묘사되어 있다. 이는 연군의 정을 노래하되 한 여인이
낭군과 이별하여 사모하는 처지에서 쓴 충신연주지사인데 3문단 126
구로 구성되었다. 그 일부를 다음에서 보기로 한다.

이몸 삼기실 제　　　님을 조차 삼기시니
혼싱 緣分이며　　　하늘 모롤 일이런가
나 ㅎ나 졈어 잇고　　님 ㅎ나 날 괴시니

이 무음 이 스랑   견졸 듸 노여 업다
平生에 願호요듸   흔듸 녜쟈 호얏더니
늙거야 므스 일로   외오 두고 그리는고 (중략)
흐르밤 서리김의   기러기 우러 녈 제
危樓에 혼자 올라   水晶簾을 거든마리
東山의 들이 나고   北極의 별이 뵈니
님인가 반기니   눈물이 절로 난다 (중략)
져근덧 싱각마라   이 시름 닛쟈호니
무 음의 미쳐이셔   골수의 쎄텨시니
편작이 열히오다   이 병을 엇디호리
어와 내 병이야   이 님의 탓시로다
출하리 싀어디여   범나븨 되오리라
곳나모 가지마다   간듸족족 안니다가
향 므틴 놀애로   님의 오시 올므리라
님이야 날인 줄 모르도   내 님 조추려 호노라

　이처럼 작자 자신을 여인에 비유했기에 여성적 정조와 심리, 어투, 행위로써 시상을 펼쳐 나갔으며, 버림받은 여인의 애절한 심정을 절실하게 하소연하여 표현의 효과를 가일층 높였다. 또한 비단결처럼 곱게 다듬어간 시어의 구사력이 뛰어남을 보여줌으로 한글 시가의 가능성을 제시하여 우리말의 표현미를 과시하였다. 春·秋詞에서는 매화와 청광을 임금에게 보내고 싶다 했으며, 夏·冬詞에서는 화사한 독수공방의 외로움을 노래하였다. 그리고 마지막 결사에서는 임을 그리워한 나머지 죽어서 범나비가 되어 임께 꽃향기를 옮기겠다는 내용으로 하는 충신연주의 가사로 주목된다.

　또 정철의 〈속미인곡續美人曲〉은 〈사미인곡〉에 이어서 더 보충하여 선조 임금에 대한 애틋한 정을 진술하게 노래한 연군가사로, 두 선녀

가 등장하여 대화체로 엮어간 것이 특징인데, 제1화자는 작품내용을 이끌어 가는 설명역이고, 제2화자는 길가는 각시님으로 설정된 주인공으로 송강 자신이 자문자답하는 심정을 두 여자로 분장 객관화하였다. 서포는 특히 이 〈속미인곡〉을 '우고尤高'라 하여 가장 뛰어난 작품으로 다루고 있다.

정재호는 〈사미인곡〉은 평서체인데 비해 〈속미인곡〉은 대화체로 입체적, 극적 효과가 더욱 크며, 전자는 외향적, 사치적, 과장적인 연주지사라면, 후자는 내향적 겸허와 소박한 진실을 표현한 연주지사라고 하였다. 또 〈속미인곡〉이 사마상여의 〈장문부長門賦〉의 구성을 따랐다고 하면서 지금까지 작품의 대화 구분이 甲 → 乙 → 甲의 순으로 보았던 것을 甲 → 乙 → 甲 → 乙 → 甲의 순으로 구성되었다고 하였다.

(甲女)	뎨 가는 뎌 각시	본 듯도 흔뎌이고
	天上 白玉京을	엇디 ᄒ야 離別ᄒ고
	히 다 뎌 져믄 날의	눌은 보라 가시ᄂᆞ고
(乙女)	어와 네여이고	이 내 ᄉ뎔 드러 보오
	내 얼굴 이 거동이	님 괴얌즉 흔가마ᄂᆞ
	엇딘디 날 보시고	네로다 녀기실ᄉ
	나도 님을미더	군ᄡ디 전혀없어
	이릭야 교틱야	어즈러이 구돗썬지
	반기시는 ᄂᆞᆺ비치	녀와엇디 다ᄅᆞ신고 (중략)
	셜워 플뎌 혜니	造物의 타시로다
(甲女)	글란 싱각마오	미친 일이 이셔이다
(乙女)	님을 뫼셔 이셔	님의 일을 내 알거니
	믈ᄀᆞᆺ튼 얼굴이	편ᄒ실 적 몃날일고
	春寒苦熱은	엇디ᄒ야 디내시며 (중략)
	어와 허ᄉ로다	이 님이 어듸간고

결의 니러 안자   창을 열고 브라보니

어엿븐 그림재   날 조출 뿐이로다.

츨 하리 싀여디여   落月이나 되야이셔

님 겨신 窓 안히   번드시 비최리라

(甲女) 각시님 둘이야 코니와 구즌 비나 되쇼셔

　이처럼 서사는 임의 총애를 받게 된 경위와 버림받은 연유를 말하였고, 본사에서는 과거의 회상과 임의 기거를 염려하였다. 따라서 임의 소식을 알고자, 임이 보낸 사람이 올까 기다리며 산에 올라보고 물가에 가서 뱃길을 보려 해도 불가능하니, 꿈에나마 만나고자 했으나 닭소리에 깨고 나니 이제는 죽어서 낙월이나 되어 임께 바치겠다는 불굴의 의지와 무한한 연군우국의 뜻이 담겨 있다. 이 작품은 작자의 입장에서는 임금을 사모하는 내용이지만 표현 자체는 일반 백성의 순박한 마음씨를 나타낸 노래로, 사대부의 국문가사로서 기념할 만한 충군연주가사이다.

바. 풍물서경가사 風物叙景歌辭

　풍물서경가사는 풍경의 아름다움을 보고 글로 그려 나타내는 것을 주제로 한 가사이다. 예로부터 우리나라를 금수강산이라 하여 산천이 수려하고 사계절 풍광의 변화가 뚜렷하여 많은 시인묵객을 배출한 나라로서 천하절승인 자기 고장의 산천풍물을 두고 노래하지 않을 수가 없었다.

　〈성산별곡星山別曲〉의 작자 정철(1536~1593)은 서울 출신으로 을사사화(1545) 때 부친의 귀향길을 따라 다니다가 16세에 부친의 유배가 풀리니 담양 창평으로 가서 하서 김인후에게 수학하였다. 뒤에 고봉 기대승, 송천 양응정 등에게 사사하면서 성산에서 10년간 수학한 뒤 장원 급제하여 벼슬이 좌의정에 이르렀고, 당시 집권 세력으로 등장한 사림파가 동인과 서인으로 분열된 시기에 서인의 영수가 되었다. 그의 정치적인 활동에는 시비가 있으나, 시조와 가사에서 이룬 문학적 업적은 탁월하다. 송순의 영향을 깊이 받으면서 호남의 명사들과 교류하는 동안에 호남 가단의 기풍과 전통을 두루 계승하고 발전시켜 시조와 가사를 대단한 경지로 올려 놓았다. 특히 가사문학에 있어서는 최고의 수준에 도달한 작가로 손꼽히고 있다. 〈星山別曲〉은 성산의 四仙으로 일컬어지고 있던 석천 임억령(1496~1568), 서하당 김성원(1525~1597), 제봉 고경명(1538~1592), 정철 등이 한데 어울려 교유 또는 수학하면서 학문을 서로 논하고, 경치가 아름다운 성산을 배경으로 하여 속세를 떠나 유유자적하는 생활을 즐기는 모습을 담고 있다.

내용은 서사에서 김성원과 성산에 대하여 읊고, 본사에서는 사계절에 따른 아름다운 경치를 노래하였으며, 결사에서는 독서, 음주와 탄금 등 주인 김성원의 풍류생활을 부러워하는 것으로 짜여 있다. 그 일부를 보면 다음과 같다.

엇던 디날 손이	星山의 머믈며서
棲霞堂 息影亭	主人아 내 말 듯소
人生 世間의	됴흔 일 하건마ᄂᆞᆫ
엇디 흔 江山을	가디록 나이 녀겨
寂寞 山中의	들고 아니 나시ᄂᆞᆫ고 (중략)
世事ᄂᆞᆫ 구롬이라	머흐도 머흘시고
엊그제 비즌 술이	어도록 니건ᄂᆞ니
잡거니 밀거니	슬ᄏᆞ장 거후로니
ᄆᆞ음의 미친 시름	져그나 ᄒᆞ리ᄂᆞ다
거믄고 시욹 언저	風入松 이야고야
손인동 主人인동	다니저 ᄇᆞ려셔라
長空의 ᄯᅥᆺᄂᆞᆫ 鶴이	이 골의 眞仙이라

瑤臺月下의 　　　　　힝혀 아니 만나신가
손이셔 主人ᄃ려 니로디 그디 권가 ᄒ노라

위의 인용은 서두와 끝부분으로, 서하당 김성원이 식영정에서 노니는데, 그곳을 찾아간 작자가 주인의 생활을 흠모하면서 적막한 강산에 묻혔어도 모든 시름을 잊을 만한 즐거움이 있다고 하였다. 즉 청산의 사시사철 변화하는 자연의 아름다움, 자연을 배경으로 하여 세속을 벗어나 선경에 몰입하여 유상하는 정취, 그리고 그 속에서 술을 마시고 거문고를 타는 여유있는 선비들의 취향 등을 화려한 문체로 나타냈다. 송순의 〈俛仰亭歌〉를 계승하면서도, 계절마다 새롭게 펼쳐지는 경치를 묘사하며 자연과 더불어 느끼는 흥취를 표현하는 수법이 더욱 뛰어났다.

〈성산별곡星山別曲〉의 작자와 제작연대에 대한 이설로는, 작자를 석천 임억령이라고도 하였으나 아직은 설득력이 부족한 주장이다. 또한 제작연대도 『서하당유고棲霞堂遺稿』가 발견되어서 김사엽이 25세설을 처음으로 제기한 바도 있으나, 송강의 등과출사한 후에 네 차례나 성산에 머무른 적이 있어서, 그 연대가 20대설, 30세전후설, 40대설, 50대설 등 다양하게 논의되었으나, 이설을 검토한 최한선 교수는 〈성산별곡〉의 내용, 문체, 진술상황, 분위기, 정치현실 등을 감안하여 볼 때, 송강의 50~54세 사이 창평에 퇴거하고 있을 당시에 제작되었을 것이라 하였다.

김학성 교수(『오늘의 가사문학』 21~23호, 2019)는 〈성산별곡〉의 손과 주인은 별개의 존재가 아니라 사대부로서 출과 처를 반복해야 했던 송강의 두 자아 곧 '사회 속의 자아'와 '자연 속의 자아'의 처지를 문학적으로 형상화한 동일인으로 보았으며, 결론적으로 송강은 기존의 서술미학을 문학전통으로 받아들이면서도 그 형상화 방식이나 구조적 측면에서 한층 고도화된 서술기법을 보임으로써 강호가사의 수준을 최고 정점에 이르게 했다고 하였다. 순전히 서술기법적 측면으로만 평가한다면 '손'과 '주인', '진선'의 설정이 모두 송강 자신을 지칭한다는 사실을 쉽사리 눈치 채지 못하게 할 정도로 고도의 서술전략을 짜놓은 〈성산별곡〉이야말로 해동의 진문장으로 평가 받는 송강의 3별곡을 넘어서는 걸작 중의 걸작이라 할 만하다고 높이 평가하였다.

사. 회고서사가사 懷古敍事歌辭

회고서사가사는 옛 일과 옛 생각을 돌이켜 생각하는 것을 주제로 한 가사인데, 한 국가의 흥망성쇠(역사)를 돌이켜 역대 인물과 사물을 회고한다든지, 한 개인의 파란만장한 일생을 회고하는 것 등을 내용으로 한 것이다. 특히 학동들에게 역사를 쉽게 가르치고 암송하기 위하여 가사문학 장르가 널리 성행했다.

진복창(1506~1567)의 〈역대가歷代歌〉에 대하여 『旬五志』하권에 이르기를 '歷代歌 陳復昌所製述 歷代帝王之治亂, 記聖賢君子之否泰 足爲鑑古之一史'라고 하였고, 당시 진복창의 〈역대가〉 외에도 이런 노래가 성행하였다고 기록하였다.

사본에는 사재동이 수집한 총 832구의 장편가사와 수종의 이본이 『歷代歌辭文學全集』에 작가 연대 미상인 〈역대가〉들이 7편이나 수록되었다. 그 내용이 역대의 치란治亂과 성현군자의 부태否泰를 노래한 것으로 보아 이 작품은 현전 역대가류와 대동소이할 것으로 보이며, 창작동기 역시 '足爲鑑古之一史'라 평한 것으로 보아 역사적 사건을 알리려 한 것으로 미루어 동일 작품으로 보아도 큰 무리는 아닐 것으로 보인다. 앞으로 진씨 가문에 전하고 있을 지도 모를 이본과 각종 사본을 대조하는 철저한 검토 작업이 필요하다. 그 이본들의 작품 일부를 보면 다음과 같다.

이본1 : 어와 셰상 사람드라   역뒤셩쇠 드러보소

티극이 조판허니	음양이 싱긴후에
천지는 하날이요	탁지는 싸히로다
일월성신 버려시니	동새 남북 난와시여
풍우한새 왕릭허니	영허 소식 쏟이로다.

이본2 : 어와 셰상 빈판후의	역디 흥망 드러보소
티극이 조판ᄒ니	음양이 싱겨셰라
일월성신 버렷스니	동서남북 나노여셔
슈미산이 중천ᄒ니	텨하는 오디 쥬라
일국 명산 분빅ᄒ니	중원은 구쥬로다.

아. 도덕교훈가사 道德敎訓歌辭

도덕은 오륜과 오상을 말하고, 교훈은 학예상과 도의상의 가르침을 말한다. 그동안 우리 사회는 유교를 국시로 하였기 때문에 유교적인 도덕생활을 강조하였다. 따라서 도덕교훈가사는 사람으로 지켜야 할 도리를 잘 가르쳐서 타이르는 것을 주제로 한 가사이다. 이처럼 조선사회가 도덕을 중시 갈구하였기 때문에 도덕과 교훈을 주제로 한 가사는 대단히 많다. 발전기 도덕가사로는 이황의 〈금보가〉, 〈도덕가〉, 〈상저가〉, 〈효우가〉, 조식의 〈권선지로가〉, 이이의 〈자경별곡〉 등 6편이 있다.

먼저 이황의 〈금보가琴譜歌〉는 『속기아』에 수록된 121구의 가사인데, 『長篇歌集』에는 이본으로 130구의 〈琴譜歌〉가 현전하고 있고, 이용기의 『악부』에는 〈琴賦辭〉라는 이름으로 전한다.

가사의 내용은 태평성대의 음악이던 정성正聲인 순금(순임금이 만든 거문고)을 찬양하고 거문고의 갖춤새와 성률을 도덕적인 견지에서 부연·설명하였다. 그러나 이제는 세상이 어지러워 남녀상열의 변성變聲만이 성행함을 탄식하였다. 처음과 끝부분을 보이면 다음과 같다.

玉樓紗窓 花柳中의	白馬金鞭 少年들아
平生聞見 七絃琴을	알고 져리 질기는야
知音을 못 ᄒ거던	音律을 어이 알며
博物을 못 ᄒ거던	體法을 어리 알리
知音과 體法을	날다려 뭇거드면
窮天地理을	大綱이나 일으일라
太平代 聖帝王	堯舜밧긔 또 잇ᄂᆞ냐 (중략)
未來에 女樂되야	淫亂을 일사마셔
靑樓酒肆에	갑 밧ᄂᆞ 物件되여
離別曲 長短調로	가ᄂᆞᆫ 님을 挽留ᄒᆞ다
가거나 오거나	一天下 雷同이로다
엇지타 大聖 遺譜을	誤傳할 줄 잇슬는가

또, 이황의 〈도덕가道德歌〉는 〈귈리가〉, 〈안택가〉, 〈인택가〉, 〈도산지로가〉, 〈공부자귈리가〉, 〈권선가〉, 〈등루가〉 등으로 다양하게 불려지고 있으며, 필사본마다 내용은 약간 다르나 주제는 동일하다. 이 가사는 70여구의 단형가사로, 공자의 집을 찾아가 집 구경을 하자는 것으로 유학의 이치를 설명하였다. 그 일부를 보면 다음과 같다.

어와 벗님ᄂᆞ야	집 求景 가자셔라
집이ᄉ 만체마는	ᄎᆞᄌᆞ갈 집 다르도다
黃鶴樓 岳陽樓ᄂᆞᆫ	俗客의 求景處요
鳳凰臺 落星臺ᄂᆞᆫ	騷士의 求景處라
宇宙에 비겨셔서	ᄎᆞᄌᆞ갈 집 생각ᄒᆞ니
아마도 죠흔 집은	孔夫子님 집이로다

이처럼 시상을 일으켜 팔조목·삼강령 등 『大學』의 덕목을 읊었으

며, 공자님 집에 모인 제자들을 노래하였다.

〈상저가相杵歌〉는『古今歌曲』에 수록된 58구의 단편가사이다.『잡가』에는 〈春杵歌〉라 하여 52구로 필사되어 퇴계 작으로 전한다. 작자 미상으로 보는 설도 있다. 가사의 내용은 '방아노래' 형식을 취하여 임금에서 서민에 이르기까지 각자가 행할 도리를 열거한 경세교훈적 가사이다. 이 〈상저가〉는『時用鄕樂譜』에 전한 고려가요 〈相杵歌〉와 동일한 제목으로, 여기에는 농부가 힘써서 일해 어버이를 섬기는 것을 가장 보람으로 한다는 효도심을 내용으로 하였다. 이 가사 〈상저가〉도 방아노래를 부른다고 시작하여 '우리도 이방하 씨허내야 부모공양 ᄒ리라'고 끝맺음으로써 양가가 공통적으로 부모공양을 노래하고 있음을 볼 수 있다. 이는 근세 방아타령의 원형이라 할 수 있는 백결선생의 〈대악碓樂〉에서 출발한 구전민요 〈방아타령〉이 부녀들의 효도를 노래한 고려가요 〈相杵歌〉로 발전하였고, 조선시대에 와서는 유학의 대가인 이황이 여기에 충을 더하여 유학의 근본 사상인 충효를 중심 내용으로 한 도덕 교훈 가사로 발전시켰으리라 믿어진다.

먹고 노닐소냐　홀일은 다 잇ᄂ니
治國安民은　聖上의 홀일이오
燮理陰陽은　帝相의 홀일이오 (중략)
勸農興學은　守令의 홀일이오
入孝出悌ᄂ　션비의 홀일이오
務本力穡은　百姓의 홀일이오
紡績住食은　婦女의 홀일이오
親上死長은　軍士의 홀일이라
우리도 이 방하 씨허내야 父母供養 ᄒ리라

이렇게 끝맺은 〈상저가〉의 주제는 무본안분務本安分으로 각자 할 일에 대하여 가르침을 주는 도덕교훈가사이다.

그리고 〈효우가孝友歌〉는 '李退溪先生 孝友歌'란 표제 하에 전해오는 도덕 교훈 가사로 188구이다. 내용은 효성과 우애를 권장한 평범한 사연이다. 그 일부를 보면 다음과 같다.

너희를 길러내여	무슴 일 ㅎ라 ㅎ리
人間의 홀일이야	수없이 만타마는
다흔 일 다ㅂ리고	孝義나 ㅎ여스라
孝友 곳 못ㅎ오면	禽獸의 갓가오리
너희곳 ㅎ랴 ㅎ면	仔細히 이 드리라
어버이 子息의게	恩情을 比케 되면
天地와 갓튼지라	갑플 주리 ㄱ이 업다
열 쌀을 비실어서	세 ㅎ곰 품의 품고
오좀똥 밧내면서	안고 지고 키우실 제
어르며 우이시며	구슬갓치 너기시샤
울면 비곱플가	치오면 버슨는가
償홀가 몬져 보고	病들가 도라 보고
단줌 덜자고	낫분 밥 덜 먹고
千辛萬苦ㅎ야	게우 구러 키워내여
男子는 學問ㅎ고	女子는 질슴ㅎ야
다라며 쑤지즈며	사름을 믄드라셔
男婚女嫁 ㅎ야	사도록 ㅎ시거든
子息은 사나와	거의가 不孝로다

〈권선[의]지로가勸善義指路歌〉는 남명 조식(1501~1572)의 작품이다. 그는 연산군 때 경남에서 출생하여 지리산에 들어가 학문에 몰두한 대유학자로 추앙되었다. 명종 때 여러 번 관직에 임명되었으나 거절하

고 두류산 덕산동에서 일생동안 후진을 양성하다가 72세로 죽자 대사
간과 영의정에 추증되었다.

〈권선지로가〉는 『잡가』와 『순오지』에서 조식의 작이라고 하였고,
이상보에 의하여 조식의 〈권선지로가〉와 이황의 〈도산지로가〉(一名
〈도덕가〉)는 각기 다른 작품임이 확인되었다. 숙종 때 홍만종의 『旬
五志』의 기록에도 〈권선지로가〉는 조남명이 지은 것이다. 성리학의
근원을 나타내었고, 도학을 닦는 길을 가리켰으니 실로 이것은 유학
의 지침이었다. 그 일부를 보면 다음과 같다.

이보쇼 사롬드라	이 닉 말솜 드러보쇼
한길란 어딕두고	小路로 드러시며
낫즈란 어딕두고	밤으로 단니는다.
堯舜적 닥근 길이	네붓터 닐러거늘
너희는 무슴 닐노	小路로 드러시며
仲尼적 놉픈 날리	이제 ㄱ지 블갓거늘
너희는 무슴 닐노	밤으로 단니슨다
仁義로 길흘 슴고	五輪으로 집을 슴아
이 길흘 닐치 말고	져 집으로 니거시라 (중략)
문압을 모르 거든	먼 딕을 엇지 알리
物慾이 거치실위	군뜻을 마라스라
酒色의 沈醉ᄒ야	스듯지 마라스라
行裝을 고쳐 출혀	새 마음 먹어스라
銘心ᄒ야 싱각ᄒ고	刻骨ᄒ야 잇지 마라
잘 가노라 돗지 말고	못 가노라 中止마라

이렇게 시작된 서사에서는 지로가指路歌를 짓게 된 연유를 밝히고,
본사에서는 요순이 닦아 놓은 길을 공자가 밝혀주었으니 인의로 길을

114

삼고 오륜으로 집을 삼아야 하며, 결사에서는 요순과 공맹도 오륜안의 존재임을 알고 그들을 만나보기 위해 조심스럽게 가라고 하여 오륜이 유교의 최고 윤리임을 노래했다.

〈자경별곡自警別曲〉은 율곡 이이(1536~1584)가 지은 가사로, 이 작품이 처음 소개된 것은 정익섭의 「栗谷先生自警別曲」이 발표됨으로 빛을 보게 된 것이며, 이는 율곡이 42세 때(1577) 해주 석담으로 가 고산에 청허당聽虛堂을 짓고 있을 때 향민의 순화를 위해 쓴 도덕교훈가사로 지나치게 도덕성이 강조되었다.

그 내용은 〈序曲〉을 비롯하여 〈奉親〉, 〈君臣〉, 〈兄弟〉, 〈男女〉, 〈敬老〉, 〈師事〉, 〈交友〉, 〈睦族〉, 〈喪葬〉, 〈祭祀〉, 〈婚禮〉, 〈婚家儀式〉, 〈接賓〉, 〈交隣〉 등 15곡과 〈寓接〉, 〈愼言〉, 〈居家〉, 〈窒慾〉, 〈讀書〉 등 5절이 있어 모두 20개 조목으로 분단하여 노래하였다. 〈서곡〉에서는 사람 구실을 하기에는 학문과 학식이 있어야 함을 가르치고 군신유의君臣有義를 교훈하였다. 그 일부를 보면 다음과 같다.

痛憤ᄒ다 痛憤ᄒ다   不學無識 痛憤ᄒ다
天性으로 삼긴 心性   物慾으로 變탄 말가
離婁가치 밝근 눈의   보난 거시 錢穀이오
師曠가치 聰ᄒ 손의   듯는 거시 酒色이오
公輸가치 巧혼 손의   棋博沽酒 汩沒ᄒ고
夸夫가치 것는 발은   財利上의 奔走ᄒ다
興戌出好 ᄒ난 입의   言語操心 아니ᄒ며
惰基四肢 이 사람이   不顧父母 大不孝라.

이어서 〈奉親〉을 노래한 제 일곡을 보면 다음과 같다.

爲先第一 몬져 홀 닐   至誠으로 奉親ᄒ시

大舜으로 法乙삼고	曾子로 스승 ᄒ여
養口體로 ᄒ려니와	心志乙 順히 ᄒ식
痛則致憂 不離側은	子息道理 例事로다
昏定晨省 못홀 後의	日用三牲 處事로다
人間孝子 되올 일이	誠之一字 關重ᄒ다

또 〈愼言〉을 노래한 제이절은 '平生立身行己要는 自不妄語口舌이라 三寸舌端 그리치면 百年身勢 坎坷ᄒ늬'라 하여 다음과 같이 교훈하였다.

靑山流水 疊疊ᄒ다	말 가는 길 못 마그며
바람 구름 지다 흔달	말처로 빨니 갈가
言無足而 行千里니	無根之說 擧論마식
春雉自鳴 證實이요	桑龜愼言 殷鑑이라
非禮勿言 非禮勿听	先聖이 날 소길가
言必忠信 刻骨不忘	明哲保身 ᄒ리로다

자. 연모상사가사 戀慕相思歌辭

연모상사가사는 남녀가 서로 사랑하며 그리워하고 생각하는 것을 주제로 한 가사다. 사람은 희노애락애오욕과 우사비경공구증憂思悲警恐懼을 느끼고 있기 때문에 이성간에 감정이 일어나고 그것을 사랑으로 승화시킬 수도 있다. 이러한 가사는 두 가지로 나눌 수 있는데, 하나는 서로 생각하며 그리워하는 심정을 노래한 연모상사계戀慕相思系의 가사로 양사언의 〈미인별곡〉을 들 수 있고, 다른 하나는 임과 이별한 후 떠나간 임을 원망하면서도 그 님을 못잊어 사모의 정을 노래한 원모상사계怨慕相思系의 가사를 말한 것인데, 여기에는 난설헌의 〈규원가〉를 들 수 있다.

116

〈미인별곡〉은 봉래 양사언(1517~1584)의 연모상사가사다. 그는 명필로 유명하고 시문에도 뛰어나 형 사준, 아우 사기와 더불어 세인들이 중국의 삼소三蘇에 비겼다. 양사언은 명종 원년에 식년문과에 급제한 뒤 함흥현감으로 있다가 병으로 철령에서 여러 해 동안 정양을 하였다. 이 가사는 김동욱이 〈美人別曲〉이란 가제假題를 붙여 처음으로 소개한 것인데, 내용은 서사에서 한 미인을 속세에 하강한 신녀로 지칭하고, 본사에서는 직유법에 의하여 미인을 형상화하여 찬미하였으며, 결사에서는 그 미인과 더불어 즐기고 싶은 심정을 그리고 있다. 따라서 미인의 모습을 온갖 수식을 동원해서 아름답게 묘사한 노래이다. 미인이 임금이 아니고 여인일 따름이다. 양사언은 벼슬살이를 얼마간 했으면서도 세상의 구속을 벗어나고자 한 사람이다. 금강산에 들어가서 많은 시를 지었으며, 전설에서는 신선이 되었다고 한다. 그런 기풍을 이 작품에다 나타내며 도가적인 상상력을 발휘했다.

그 딕들 내 모르랴	巫山의 神女로다.
塵實을 내이너겨	눌 위히여 ᄂ려온다.
양ᄌᄂ 梨花一技예	둜비치 절로 흘러드ᄂ 듯
白沙長汀의 海棠春栢이	흐터디여 픠연ᄂ 듯
눈서븐 淸溪鶴 튼 道士이	靑鶴洞으로 ᄂ라드ᄂ 듯 (중략)
林處士 西湖雪夜의	梅花가지 이어ᄂ 듯
嬌態를 계워 白沙閣畔의	오먀 가먀 ᄒᄂ 양은
瑤臺예 宴罷ᄒ고	梁王宮女 ᄂ리ᄂ 듯
七月七日 烏鵲橋의	躊躇 更躊躇 織女星이론 듯
謝安石 携妓東山을	볼랴 말랴 ᄒ노라

이렇게 시작된 가사는 기녀가 자기 앞에 나오는 모습을 무산신녀가 선계를 버리고 속세를 좋게 여겨 찾아온 것이라 미화하고 그 미녀

의 온갖 가태와 동작을 미사여구로 묘사하였다. 끝에서는 진나라 사안석이 젊어서 벼슬하지 않고 동산에 은거하면서 기녀와 어울려 지내던 풍류를 끌어다가 자기의 심정과 비교하였다.

그리고 〈규원가閨怨歌〉는 난설헌 허초희(1563~1589)가 지은 가사다. 난설헌은 이달에게서 시를 배워 한시에 뛰어난 재주를 보였고, 김성립과 결혼했으나 금실은 좋지 않았다. 27세로 요절하기까지 한시를 통하여 번민을 하소연하고 선계의 환상을 찾는 독특한 작품 세계를 이룩하는 한편, 봉건사회에서 독수공방의 고독한 연정을 가사로 표현하여 여성 작가의 등장 계기를 만들었다.

〈閨怨歌〉는 일명 〈원부가怨夫歌〉, 〈원부사怨婦辭〉라 하였고, 『古今歌曲』이나 『校註歌曲集』에는 허초희의 작품임을 분명히 하였으며, 가사의 내용이나 그의 시집에 있는 〈少年行〉, 〈閨怨〉 등의 한시들과 같다는 점에서 난설헌의 작품으로 보고 있다. 이들 한시를 소개하면 다음과 같다.

〈少年行〉
少年重然諾　소년은 그렇다 하는 것을 중시하고
結交遊俠人　의협심이 있는 사람을 사귀어 맺는다.
腰間玉轆轤　허리 사이에는 옥 녹로를 차고
錦袍雙麒麟　비단 옷에는 쌍기린을 그렸다.
朝辭明光宮　아침에는 명광궁을 나와서
馳馬長樂坂　장락이란 언덕에서 말을 달린다.
沽得渭城酒　위성 술을 사 얻어 마시고
花間日將晚　꽃 사이에서 날이 저문다.
金鞭宿娼家　금채찍을 차고서 창녀의 집에 자고
行樂爭留連　향락을 다투어 연연히 머무른다.
誰憐揚子雲　누가 양자운의 문을 닫고

閉門草太玄 태현경을 초하는 것을 불쌍히 여기랴.

〈閨怨一〉

錦帶羅裙積淚痕 비단 띠 비단 치마 눈물 자국 쌓였는데

一年芳草恨王孫 한해 풀이 우거져도 왕손은 한스럽다.

瑤箏彈盡江南曲 구슬 비파를 들고 강남곡을 타 보았네.

雨打梨花晝掩門 비에 지는 이화는 낮에 문에 부딪히네.

〈閨怨二〉

月樓秋盡玉屛空 월루에 가을겨도 옥병풍은 비어 있네.

霜打蘆洲下暮鴻 서리 찬 갈잎에 외기러기가 날고

瑤瑟一彈人不見 구슬 비파 한번 타도 사람은 없고

藕花零落野塘中 연못 속에 연꽃 조차 떨어져 가네.

이제 〈규원가〉의 일부를 소개하면 다음과 같다.

父生母育 辛苦ᄒ야   이 내 몸 길러낼 제

公侯配匹 못ᄇ라도   君子好逑 願ᄒ더니

三生의 宿業이오   月下의 緣分으로

長安遊俠 輕薄子를   숨ᄌᆞ히 맛나이셔

常時예 用心ᄒ기   살어름 드듸ᄂᆞ 듯

三五二八 겨우디나   天然麗質 절노이니

이 얼굴 이 態度   百年期約 ᄒ얏더니

年光이 倏忽ᄒ고   造物이 多猜ᄒ야

봄ᄇ롬 ᄀᆞᄋᆞᆯ들이   뵈오리예 북 디나듯

雪膚花顔 어듸가고   面目可憎 되거고나

내 얼굴 내 보거니   어느 님이 날 필소냐

스스로 慙愧ᄒ니   누구를 怨望ᄒ랴

이렇게 기사에서는 읊었으나, 승사에는 정처 없이 집을 나가 소식도 없는 지아비를 원망하면서도 연모하는 - 비록 야유원에서 방탕하게 놀면서 집에 돌아올 줄 모르는 풍류아요 경박자인 남편일지라도 귀뚜라미가 울어대는 밤이면 애타게 기다려지는 젊은 아내의 - 심정을 노래하고 있는데, 버림받고 헤어짐이 모두 자기 허물이라고 했던 일반 노래와는 달리 〈규원가〉에서는 반대의 입장에서 한탄을 숨길 필요가 없이 원망할 일을 원망하였다. 이렇게 삶의 고난을 그대로 나타내는 가사가 출현함으로써 후기 문학정신이 싹을 보였다고 하겠다. 전사에서는 심기일전하여 다시금 임을 생각하고 그리운 심정을 거문고에 의지하여 구슬프게 타면서 박명홍안(작자)이 임 때문에 죽을 지경임을 원망하며 다음 결사를 읊었다.

우리 님 가신 後는   므슴 弱水 ᄀ렷관대
오거니 가거니   消息조차 그첫는고
欄干의 비겨 셔셔   님 가신ᄃᆡ ᄇᆞ라보니
草露는 ᄆᆡ쳐 잇고   暮雲이 디나갈 제
竹林 프른 곳의   새 소ᄅᆡ 더욱 셟다
世上의 셜운 사름   數업다 ᄒᆞ려니와
薄命ᄒᆞᆫ 紅顔이야   날 ᄀᆞᆺᄒᆞ니 ᄯᅩ 이실가
아마도 이 님의 지위로 살동 말동 ᄒᆞ여라

이는 조선 봉건사회제도 아래서 외롭게 공규空閨를 지키며 눈물로 세월을 보내는 여인의 한정을 노래한 100구로 된 규방가사다. 애석하게도 작가는 27세의 나이로 떨어진 꽃이 되었다. 그의 운명 시로 〈夢遊廣桑山詩〉를 남겼는데, 그 내용은 다음과 같다.

碧海侵瑤海　푸른 바닷물이 구슬 바다에 스며들고
青鸞倚彩鸞　파란 난새 채색 난새와 어울렸구나
芙蓉三九朶　스물 일곱송이 아름다운 연꽃 늘어져
紅墮月霜寒　달빛 찬서리에 붉게 떨어지누나

라고 읊어 스스로의 죽음을 내다보았던 것이다. 그리하여 허균은 이 시의 해제에서 '姉氏於己丑春 捐世 時年二十七 基三九 紅墮之語 乃驗'라고 말하였다. 누이가 기축년에 돌아가셨는데, 그때 나이가 27세였다. 그의 시에 삼구홍타三九紅墮는 이를 증험함이라 하였다.

4. 문학사적 의의

이 시기는 가사가 문학사에 등장하여 본격적으로 창작되고 향유된 가사의 발전기다. 연산군 때부터 사화가 일어났고 당쟁의 실마리를 보이면서 사회 정치적으로는 혼란기에 접어들었으나 정제된 시형을 갖춘 〈賞春曲〉에 이어서 서서히 발달한 가사문학은 송강 정철에 이르러 가사의 최고봉에 달하는 등 가사의 송영시대誦詠時代를 맞아 많은 가사가 창작되었다. 따라서 가사는 학자들 간에 널리 애용된 시대적 문학이 되었다. 송순은 치사 후 만년에 석림정사와 면앙정을 구축하고, 그곳에 은거하여 독서하면서 〈俛仰亭歌〉를 지어, 술이 취하면 가아무녀들로 하여금 부르게 하였다.

이 시기의 중요한 작품으로는 송강 작품을 비롯하여 조위의 〈만분가〉, 조식의 〈勸善指路歌〉, 송순의 〈俛仰亭歌〉, 이서의 〈樂志歌〉, 백광홍의 〈關西別曲〉, 양사언의 〈美人別曲〉, 그리고 이황과 이이의 도덕 교훈가사 등이 있다.

이 시기는 부전不傳된 작품도 많지마는 다른 각종 시가의 홍성과 더불어 가사문학이 크게 발전한 것은 위에 열거한 작품을 보아서도 알 수 있다. 특히 이 시기의 마지막을 장식하고 빛내준 송강 정철은 작품의 량이나 질로 보아서 가사문학의 정상에 해당된 작가다.

송강의 일생은 요약하여 관계생활, 배소생활, 은거생활 등으로 나눌 수 있는데, 그는 정치가로서 일생을 마쳤으나 정치인이라기보다 차라리 위대한 서정 시인이었다. 그의 가사 4편, 즉 〈성산별곡〉, 〈관동별곡〉, 〈사미인곡〉, 〈속미인곡〉 등에서 그의 문학사적 위치를 확인할 수 있다.

김만중은 『西浦漫筆』에서 〈關東別曲〉과 전후미인곡을 아동의 이소라 하면서 자고로 좌해 진문장은 오직 이 3편뿐이라고 높이 평가하였다. 이처럼 정철은 가사문학의 최고봉으로 숭앙을 받게 되었으며, 가사문학 또한 국문학의 중요 영역을 점유하면서 꾸준히 발전하였다.

〈관동별곡〉은 미사여구를 늘어놓아 쇄락청랑灑落淸朗한 득의를 노래한 작품이라 하겠고, 만년에 지은 〈사미인곡〉에서는 기분을 바꾸어 선조 임금을 사모하는 이른바 연군지사로, 버림받은 여인이 남편을 그리워하는 애정과 설움에 얽힌 처량한 율조로 읊어나간 것은 그의 불우한 생활에서 우러나온 것이라 하겠다.

실로 시인 정철을 맞음으로써 한국 언어 예술은 거의 신기원을 갖게 되었다. 그의 탁월한 시들은 우리 언어에 대한 인식을 새롭게 했으며, 시를 시예술로 논할 수 있는 막중한 대 전기를 제공하였다. 따라서 우리는 정철의 가사를 통해 고유 언어의 존재와 그 언어로 이룩한 예술의 가능성을 다시 신뢰할 수 있게 되었다고 하겠다.

한편 이 시기에 나타난 새로운 경향으로는 유람 기행가사, 연주충군가사, 그리고 도덕 교훈가 등인데, 유람기행가사는 관료생활의 즐거움을 노래한 것으로 〈관서별곡〉과 〈관동별곡〉이 있고, 연주충군가사에는 유배를 소재로 한 〈만분가〉와 실세 낙향하여 연군을 노래한 것으로 정철의 양미인곡이 있다. 도덕 교훈 가사에는 이황의 〈도덕가〉〈금보가〉〈효우가〉, 이이의 〈자경별곡〉 등이 있는데, 이들은 개인의 체험이나 느낌을 표현한 것이 아니라 일반적인 유교적 교훈을 가사체 율문양식으로 전환한 것들이다.

그리고 전대를 계승한 강호한정가사는 중요한 위치를 차지하여 많은 작품을 남겼으며 이후에도 계속 창작되었다. 이는 가사문학을 주도한 사대부생활과 밀접한 관계가 있기 때문이다. 강호생활을 노래한 것으로는 〈낙지가〉, 〈면앙정가〉, 〈서호별곡〉, 〈귀전가〉, 〈성산별곡〉, 〈낙빈가〉, 〈처사가〉 등 여러 편이 있다.

이 시기의 작자의 특성은 첫째, 서민들의 가사는 아직 나타나지 않아 가사문학을 향유한 계층은 사대부들인 점이다. 둘째는 조위, 송순, 백광홍, 정철 등 뛰어난 작가가 많이 배출되어 훌륭한 작품을 남기었다. 셋째, 지역적으로 보아 호남지방에서 성장하였거나 복거(卜居)한 인물로, 정극인, 이서, 송순, 백광홍, 정철 등으로, 호남지방의 작자가 주종을 이루었다. 넷째, 최초의 여류가사 작가인 난설헌의 등장을 들 수 있겠다.

이상에서 살펴본 바, 이 시기의 가사는 크게 발전하여 많은 작품을 남기었다. 따라서 가사는 시조와 더불어 양대 시가의 자리를 굳히었고, 한글창제이후 우리말의 아름다움을 시가에 반영함으로써 민족문학의 기틀을 수립하였다. 이러한 문학적 성과는 다음에도 계속되었으며, 임진란을 당한 국민적 자각과 더불어 가사문학은 새로운 양상으로 발전할 기반을 수립하였다.

제4장 흥성기(임진왜란~경종 조)의 가사문학

1. 시대적 배경

임진왜란이 일어난 선조 25(1592)년부터 경종(1724)에 이르는 약 130년간을 가사의 흥성기興盛期라 하였다. 이 시기는 후기가사가 등장하여 전기가사와는 사뭇 다른 형식과 내용의 가사가 다양한 작가 층에서 창작·향유되었으며, 그 가운데서도 박인로의 활동이 주목된다.

조선 초기에는 민족의식의 각성으로 훈민정음이 반포되고, 자연미의 발견으로 시가문학이 크게 발전하였으나, 당쟁으로 조정이 분열된 가운데 임진왜란이 일어나니, 이는 민족사에 처음 있는 큰 사건으로 전국토가 왜적에게 무참히 유린되었다. 그들은 상륙한 지 불과 10여 일만에 한양을 점령하고 임금은 의주로 몽진蒙塵하니 나라의 피해는 엄청나고, 7년의 전란에 국민의 시련 또한 막심하였다. 그리하여 백성들은 의식주은 고사하고 생명과 재산을 보전할 수 없는 풍전등화에 이르렀다. 다행히 원병과 의병 및 충무공의 활약으로 왜적을 물리쳤으나 물질적 정신적 피해와 충격은 참으로 큰 것이었다. 국민들은 위정자와 양반계층의 무력함을 깨닫게 되고, 그들에 대한 불신과 불만이 고조되었다. 뿐만 아니라 왜적에 대한 적개심을 자기반성과 자기비판으로 돌렸다. 이에 자기를 인식하고자 하는 백성들의 각성이 촉구되었다.

그러나 임진왜란 중 잠시 멈췄던 당쟁이 다시 일어나고, 광해군의 실정이 연속되어 인조반정과 이괄의 난으로 이어졌다. 더구나 임진란을 겪은 지 40여 년만인 인조 14년(1636)에 병자호란^{丙子胡亂}이 일어나 남한산성에서 굴욕적인 강화를 맺게 되니, 그 결과 배청사상^{背淸思想}이 싹트기 시작하였으며, 병자호란은 정신적인 면에서 임진왜란보다 더 큰 타격이었다.

또한 이 시기는 성리학^{性理學}이 점차 쇠퇴해 가는 시기였고, 대신 실학^{實學}이 들어와 차차 이론적 정립을 보여주던 시기였다. 성리학은 조선 건국 이래 일관되게 국가를 지배해 온 사상으로 , 그 영향은 실로 큰 것이었다. 그러나 임진왜란을 고비로 그 사상은 쇠퇴하기 시작하였다. 이는 성리학에 밀착했던 양반계층에 대한 불신과 회의, 그리고 학문의 내적 모순도 크게 작용한 것으로 생각된다. 이에 따라 성리학은 차차 그 세력을 잃게 될 뿐만 아니라, 이는 공리공론에만 치우쳐 개념화되었고, 실생활과 유리된 형식만을 치중한 모순을 노출하므로 또 다른 쇠퇴의 원인을 안고 있었다.

그런데 17세기에 이르면 성리학의 쇠퇴와는 달리, 서학(天主敎), 고증학, 서구과학 등의 영향으로 일어난 실학이 점차 고개를 들어 활발히 움직이게 된다. 실학은 병자호란 이후 우리나라에 들어와 유형원(1622~1673)을 비조^{鼻祖}로 하고, 이익(1681~1763)이 그 학문적 체계를 세웠다. 이들 실학파들은 재래의 학풍에 비판의 눈을 돌렸고, 퇴폐한 사회, 경제, 정치를 바로 잡아 이상적인 사회와 국가를 건설하는 것이 그들의 꿈이었다. 이러한 사상은 영·정 시대에 이르면 크게 번창하여 정약용, 안정복, 이긍익, 한치윤 등 실학의 대가들을 배출하고, 조선후기의 문운^{文運}을 크게 떨치었다.

따라서 이 시기에 서민대중의 생활감정과 의식을 반영한 근대적 문학운동의 기반이 구축되었다. 이런 서민의 문학의식이 성장함과 더불어 전대의 문학과는 다른 성격을 띠게 된다. 소설은 지금까지 양반계층의 전유물인 한문소설에서 벗어나 서민정신이 발로된 최초의 국문소설인 〈洪吉童傳〉이 대두되었고, 시조는 유가들의 간명하고 소박한 형식에서 산문화의 경향으로 길어지고, 내용에서도 서민의 감정이 표출되는 새로운 사설시조가 등장하게 되었다.

그리고 가사에서도 전대의 양반가사가 내용면에서 생활의 구체적인 것을 다루는 방향으로 나아감에 따라, 노계의 가사들은 전대의 안빈낙도하는 생활과는 달리 전란으로 인한 구차한 생활상이 비참하게 드러나니, 현실적인 생활을 반영하는 '비판적인 지성'을 엿볼 수 있다. 형식적인 면에서는 구속을 벗어난 자유로운 의사표시의 의욕과, 또 가사의 산문화 경향에서 어느 정도 형식적 파격을 이루었다. 서민가사는 대부분이 작자미상이기 때문에 그 대두 시기가 분명하지 않지만, 내용이나 형식으로 보아 17C 말엽에 나타나게 되었다. 김문기가 이렇게 보는 첫째 이유는 『靑丘永言』 끝에 〈상사별곡〉, 〈춘면곡〉, 〈관등가〉 등의 서민가사가 실려 있기 때문이다. 『청구영언』은 주지하다시피 김천택이 1727년(영조 3)까지 전해오던 시조를 수집하여 초고를 만든 후 이듬해에 편찬한 것이다. 이 가사들이 시조집의 부록으로 실릴 정도라면 그 당시에 상당히 유행했다고 볼 수 있으므로 그 대두 시기는 한 세대 정도 앞당겨 보는 것이 옳다고 생각하기 때문이다. 둘째 이유는 평민가객인 김천택, 김수장, 김성기, 주의식 등이 모두 숙종(1674~1720)조에 출생하여 영·정조 때에 활약한 인물들로서, 서민가사를 즐겨 불렀다고 볼 때, 서민가사는 늦어도 17C 말엽에 대두되었다고 하였다.

근대정신의 발로로 이 시기의 가사문학은 주관적 서정성에서 객관적 사실성으로 전환되었다. 이런 가사의 변용變容은 과거의 문학을 반성하고 비판하는 역사적 사명을 다하는 동시에 산문성이 강조된 근대문학으로 발전하는 계기가 되었다.

이 시기에 달라진 가사문학의 특징을 살펴본다면 조선전기가사의 영탄적, 주관적, 서정적 정서가 서술적, 객관적, 산문적으로 변하였고, 귀족 양반의 작자층이 평민 서민으로까지 확장되었으며, 3·4조

128

위주의 단형 정격가사의 형식에서 4·4조 위주의 장형 변격가사로의 변화를 보여준다.

또한 이 시기에는 나타난 중요한 작자와 작품은 조우인의 〈매호별곡〉, 임유후의 〈목동가〉, 채득기의 〈봉산곡〉, 신계영의 〈월선헌십육경가〉, 침굉스님의 〈귀산곡〉, 김춘택의 〈별사미인곡〉, 홍계영의 〈희설가〉 등 많은 작자와 다양한 작품이 창작되어 가사문학의 흥성기를 이루었으며, 가장 특기할 만한 중요한 사실은 노계 박인로의 출현이다.

가사문학의 발전기를 정철이 대표한다면, 박인로는 흥성기를 대표한 작자이다. 그는 근세 삼대시가인으로 꼽히지만 송강이나 고산처럼 문벌도 없고 높은 벼슬도 못하였다. 생애의 전반을 무부武夫로 보내다가 40대에 유학을 닦기 시작했으며, 성품이 청렴결백하고 충효심이 두터웠다. 산수를 사랑하는 자연애의 사상과 안빈낙도하는 도학사상을 간직하였으니, 이러한 사상들이 그가 지은 9편의 가사작품 속에 그대로 반영되어 있다.

2. 작가와 작품

조윤제는 임란에서 경종 조까지의 시기를 가사의 발달사적 견지에서 소휴시대小休時代라 했지만, 이때는 오히려 가사문학의 보편화 내지는 일반화되어가는 발전시대發展時代라고 하겠다. 이에 대해서 정익섭은 융성기(임란 전후~숙종 조)라고 하였고, 필자도 이 시기를 흥성기(임란 이후~경종 조)로 보았다. 또한 박성의는 발전기(선조임란 이후부터 숙종 조까지 약 120년간), 전규태는 성숙기(임진 란 이후~영정조 직후)라고 하였다.

이 시기에는 전대의 가사문학보다 더 많은 작품이 다양하게 창작되었을 뿐만 아니라, 작자층과 내용면에서 한층 다른 면모를 보여 주었다. 특히 이상보는 17세기를 '열매 맺는 시절'이라 하였다. 이 시기에 창작된 유명씨 가사작품은 총 63편이고 작자는 모두 38명이다. 이를 내용적으로 분류해 보면, 가) 장부호기, 나) 우언풍자, 다) 풍속근면, 라) 강호한정, 마) 유람기행, 바) 연주충군, 사) 풍물서경, 아) 송축추모, 자) 우국계몽, 차) 포교신앙, 카) 회고서사, 타) 도덕교훈, 파) 그밖의 가사 등 13종으로 나누었다. 그리고 연모상사에는 해당된 작품이 없기 때문에 분류에서 제외하였다. 이 시기의 유명씨 가사작품을 총람해 보면 다음 〈표6〉과 같다.

〈표6〉 홍성기 가사작품 총람표

번호	작품명	지은이	지은 때	내용	출전 및 참고문헌	비고
1	回心曲	서산대사 (1520-1604)	1592	불교	염불보권문 (해인사판)	일명 회심곡, 별회심곡, 특별회심곡, 속회심곡 198 230
2	陶山歌	고응척(1531-1606)	〃	한정	후사류집(강전섭장)	
3	雇工歌	허 전(선조대)	1592후	풍자	잡가(라손장)	(286)일설 선조우 이원익 작
4	雇工答歌	이원익(1547-1634)	〃	〃	〃	
5	龍蛇吟	최 현(1563-1640)	1594-97	창의	인제속집(필)	(287)일명 고공답주인가
6	明月吟	〃	〃	연군		
7	百祥樓別曲	이 현(1540-1618)	1595	서경	교취당집(석)	
8	太平詞	박인로(1561-1642)	1598	전쟁	노계집(목)	(82)
9	船上歎	〃	1605	〃	〃	(215)975
10	陋巷詞	〃	1611	은일	〃	(102)
11	莎堤曲	〃	〃	〃		(432)49, 433
12	小有亭歌	〃	1617	한정	필사본(계명대장)	(94)611, 612일설 이덕경 작
13	獨樂堂	〃	1619	모현	노계집(목)	
14	立巖別曲	〃	1629	서경	필사본	(59) 475
15	嶺南歌	〃	1635	송덕	노계집(목)	
16	蘆溪歌	〃	1636	은일	노계집(목)	(156) 773
17	在日本長歌	백수회(1574-1642)	1600경	회향	송담집	
18	安仁壽歌	안인수(선조대)	〃	〃	〃	(156) 773
19	出關詞	조우인(1561-1625)	1606	기행	이제집	(46) 393

20	出塞曲	〃	1617	〃	이제영언(필)	
21	自悼詞	〃	1621-22	연군	〃	
22	關東續別曲	〃	1621-24	기행	〃	
23	梅湖別曲	〃	1623-24	한정	〃	일명 속관동별곡
24	江村別曲	차천로(1556-1615)	1615전	〃	고금가곡, 잡가(필)	
						(239)240 이본〈별어부사〉
25	止水亭歌	김득연(1555-1637)	1615	은일	갈봉유고	〈운림처사가〉
26	聖主中興歌	정 훈(1563-1640)	1623	송축	수남방옹유고	
27	水南放翁歌	〃	1640전	은일	〃	(숭전대장필)
28	憂喜國事歌	〃	〃	우국	〃	
29	龍湫遊詠歌	〃	〃	서경	〃	
30	迂闊歌	〃	〃	안빈	〃	
31	嘆窮歌	〃	〃	〃	〃	
32	白馬江歌	황일호	1625	은일	창원황씨가승	
33	鳳山歌	채득기(1605-1646)	1638	우국	우담별집	
34	先山恢復歌	강복중(1563-1639)	1638-39	송축	청계가사	一名 천대별곡
35	爲君爲親痛哭歌	〃	1639	충효	〃	一名 분산회복사은가
36	慕夏堂述懷歌	김충선(1572-1642)	1640	자전	모하당실기(필)	
37	花柳詞	김현중	仁祖·孝宗	한정	치암집(필)	
38	月先軒十六景歌	신계영(1577-1669)	1655	서경	선석공가사(필)	(845)
39	歸山曲	침굉(윤현변)	1660전	불교	침굉집(목)	(36)
		(1616-1684)				
40	太平曲	〃	〃	〃	〃	(214)
41	靑鶴洞歌	〃	〃	〃	〃	(197)
42	牧童歌	임유후(1601-1673)	1662경	권면	잡가(라손장 필)	(504)505, 일명 목우가
43	南草歌	박사형(1635-1706)	1666경	충의	청광집(필)	
44	北關曲	송주석(1650-1692)	1675	유배	은보집략	
45	商山別曲	〃	1692전	한정	필사본	강촌별곡의 이본
46	靑淮別曲	이 옥(1641-1698)	1677	은일	황각록, 서원록(필)	
47	採薇歌	김기홍(1635-1701)	1680	한정	관곡선생실기	
48	農夫詞	〃	〃	권농	〃	
49	燕行別曲	침 방(숙종代)	1693	기행	고려대장「가사선」	국문연행가사 효시
50	西征別曲	박 권(1658-1715)	1694	〃	서정별곡점(박영구장)	
51	蓬萊曲	김성달(1642-1696)	1695	〃	선고사실록	
52	天風歌	노명선(1647-1715)	1698경	서경	삼족당가첩(필)	
53	逸民歌	윤이후(1636-1699)	1698	은일	지암일기(필)	

54	喜雪歌	홍계영(1687-1705)	1704	서경	관수제유고(목)	(233)
55	寧三別曲	권 섭(1671-1759)	〃	은일	옥소고(박요순장 필)	
56	道統歌	〃	1748	모현	〃	
57	金塘別曲	위세직(1655-1721)	1707전	기행	삼족당가첩(필)	
58	別思美人曲	김춘택(1670-1717)	1708	유배	해동가곡(필)	
59	勸善懲惡歌	곽시미(1644-1713)	1708	교훈	(필)	
60	五倫歌	〃	1713전	〃	(필)	
61	香山別曲	정시숙(1890-1714)	1712	서경	석계서(필)감응편(하	일설 작자미상
62	三淵先生念佛歌	김창흡(1653-1722)	1722전	불교	성래장, 필)롱환제집	
63	樂隱別曲	남도진(1674-1735)	1722경	한정		

※ 비고란의 번호는 임기중 편, 『역대가사문학전집』에 수록된 작품번호로, ( )속의
번호는 작품명란의 번호이고, 그 이외의 번호는 함께 수록된 이본들의 번호이다.

가. 장부호기가사 丈夫豪氣歌辭

장부호기가사는 국란을 당하여 전쟁의 실체보다는 적은 물리친 장
졸의 장한 기개와 우국의 충정을 내용으로 한 가사로, 여기에는 〈태
평사〉, 〈선상탄〉, 〈명월음〉, 〈용사음〉 등 4편이 있다.

노계蘆溪 박인로朴仁老(1561~1642)는 임란 때 수군에 가담했으며, 좌병
사 성윤문 밑에서 왜적 섬멸에 진력했으며, 선조 32년(1599)에 무과에
급제하여 벼슬이 조라포 수군만호에 이르렀다. 작품으로는 〈태평
사〉, 〈선상탄〉, 〈사제곡〉, 〈누항사〉, 〈독락당〉, 〈영남가〉, 〈노계가〉,
〈소유정가〉, 〈입암별곡〉 등 9 편의 가사와 68 수의 시조가 전한다. 그
의 가사중 장부호기가사는 〈태평사〉와 〈선상탄〉이 있다.

〈태평사太平詞〉는 선조 31년(1598) 겨울에 지은 가사로, 경상 좌수군
절도사 성윤문의 막하에서 왜적을 막고 있을 때 적이 밤을 타서 달아
나자 본영으로 돌아와 이 작품을 지어 수군을 위로하였다.

가사의 내용은 우리의 찬란한 옛 문화를 기리고, 임란으로 인한 혼
돈의 상태와 아군의 활약, 전승의 모습을 개선가로 부르며 돌아오는
환희의 태평성대를 구가한 노래이다. '나라히 偏小ᄒ야 海東애 ᄇ려
셔도 箕子遺風이 古今업시 淳厚ᄒ야'로 시작되어 '찬란한 禮義文物을

島夷百萬이 一朝에 침범하여 平原에 쌓인 뼈가 산보다 더 높고 雄都巨邑은 豺狐窟이 되었다'고 하면서 마지막에 이르러서는 '於萬斯年에 兵革을 그치소셔 耕田鑿井에 격양가를 불니소셔 우리도 聖主를 뫼읍고 同樂太平 ᄒ오리다'라고 전란과 근심이 없는 호시절에 충효일념으로 오륜을 밝히면서 동락할 것을 축원하였다. 노래의 끝부분을 보면 다음과 같다.

爰居爰處에	즐거옴이 엇더ᄒ뇨
孑遺生靈들아	聖恩인 줄 아ᄂᆞᆫ다
聖恩이 기픈 아릐	五倫을 발켜스라
敎訓生聚ㅣ라	졀로 아니 닐어가랴
天運循環을	아옵게다 하ᄂᆞ님아
佑我邦國ᄒ샤	萬歲無疆 눌리소셔
唐虞天地예	三代日月비최소셔
於萬斯年에	兵革을 그치소셔
耕田鑿井에	擊壤歌(격양가)를 불니소셔
우리도 聖主에 뫼읍고	同樂太平 ᄒ오리라

〈선상탄船上歎〉은 선조 38년(1605)에 노계가 통주사統舟師로 선임되어 부산에 내려가서 지은 것으로, 전쟁의 비애와 평화를 추구하면서 감상에 흐르지 않고 투지만만한 기개를 담은 건실한 작품이다. 그 내용은 서사에서 배의 유래를 중국의 고사와 관련지어 노래하고, 본사에서는 선유의 즐거움을 노래하였다. 그리고 결사에서는 왜적들의 항복을 받아 태평시대가 되면 뱃놀이를 하면서 즐겁게 살고 싶다고 노래하였다. 모두 144구로 그 처음을 보면 다음과 같다.

늘고 病든 몸을	舟師로 보ᄂᆡ실ᄉᆡ

乙巳 三夏애	鎭東營 ㄴ려오니
關防重地예	病이 깁다 안자실랴
一長劍 비기츠고	兵船에 구테올나
勵氣瞋目ㅎ야	對馬島을 구어보니
ㅂ람 조친 黃雲은	遠近에 사혀잇고
아득흔 滄波ᄂ	긴 하늘과 흔빗칠쇠
船上에 徘徊ㅎ며	古今을 思憶ㅎ고
어리미친 懷抱애	軒轅氏를 애ᄃ노라

늙고 병든 몸이지만 일장검 차고서 대마도를 굽어보며 준피도이 蠢彼島夷들의 항복과 태평천하가 돌아와 어주魚舟에 창만唱晩하고 성대를 누리고 싶다고 읊었다.

이재訒齋 최현崔晛(1563~1640)의 〈용사음龍蛇吟〉, 〈명월음明月吟〉 등도 임 란을 소재로 하여 지은 장부호기가사다. 작자는 37세 때에 임란이 일 어나자 향리에서 의병에 가담하고 나라를 근심한 마음을 〈명월음〉과 〈용사음〉에 담았다. 그는 왜란이 끝난 뒤 44세 때에 문과에 급제하였 으며, 인조반정 후에는 대사성 겸 승문원 부제조를 지냈으며, 69세에 는 고향에 풍천정을 짓고 만년을 보냈다.

〈명월음〉은 〈용사음〉과 같이 선조 27년(1594)에서 선조 30년(1597) 사이에 지어진 단형가사로, 임금을 달에다 비하고 달빛이 사방을 밝 게 비추어야 할 터인데 왜적의 침략으로 어두운 구름이 하늘을 덮음 을 한탄하였다. 그리고 풍운의 변화는 달빛이 다시 나타날 것을 염원 하는 데까지 시상을 전개하였으나 추상적인 생각에 머물고 말았다. 즉 기사에서는 밝은 달을 찬미하고, 승사에서는 달이 밝게 천하를 비 추니 어두운 곳이 없다고 하였으며 전사에서는 달님께 가슴속의 하소 연을 하기에 구름을 씻어버렸으면 하는 염원을 노래하였다. 그리고 결사에서는 단심^{丹心}을 지켜 밝은 달을 볼 때까지 기다리겠다는 내용이다. 처음과 끝부분을 소개하면 다음과 같다.

> 둘아 블근 둘아 靑天의 썻는 둘아
> 얼굴은 언제 나며 븕기는 뉘 삼기뇨
> 西山의 히숨고 긴 밤이 沈沈 흔제
> 靑奩을 여러 노코 寶鏡을 닷가 내니
> 一片 光輝예 八方이 다 붉거다 (중략)
> 굿득 시름 한 되 긴 밤이 어도록고
> 輾轉反側흐여 다시곰 싱각흐니
> 盈虛消長이 天地도 無窮흐니
> 風雲이 變化흔들 本色이 어되 가료
> 우리도 丹心을 직희여 明月볼 날 기드리노라

〈용사음〉의 용사^{龍蛇}는 임진^{壬辰}(용:1592)과 계사^{癸巳}(뱀:1593)의 두 해를 가리킨 말이며, 이 가사는 필사본 『이재속집^{訒齋續集}』에 수록되었다. 가사의 내용은 전란의 경과와 책임을 밝히고 왜적이 물러갔으니 복구를 위하여 노력하자는 것으로, 기사에서는 전란으로 옛날의 예악문물을 볼 수 없게 되었고, 승사에서는 왜적으로 온 나라가 전쟁터가 되었으니 우리 장상들은 옳게 할 것을 주문하였으며, 전사는 전쟁 중에 전염병으로 많은 사람이 희생되었음을 애석해 하고, 결사에서는 비분한 마음으로 전쟁이 끝나기를 기다리는 소극적인 태도로 끝맺었다. 작품의 중간 부분을 보면 다음과 같다.

> 어릴샤 金晬야 븬 城을 뉘 딕희료
> 우울샤 申砬아 背水陣은 므亽 일고
> 嶺을 놉다 흐랴 漢江을 깁다 흐랴

人謀 不臧ᄒ니　　하ᄂᆞᆯ히라 엇디ᄒ료
하나 한 百官도　　수치올 ᄲᅮᆫ이롸다
一夕에 奔竄ᄒ니　　이 시름 뉘 맛들고
三京이 覆沒ᄒ고　　列郡이 瓦解ᄒ니
百年 宛洛애　　　　누릴샤 버릴샤
關西를 도라보니　　鴨綠江이 어드메요
日月이 無光ᄒ니　　갈 길흘 모를노다.

나. 우언풍자가사 寓言諷刺歌辭

우언풍자가사는 개인이나 사회에 존재한 부조리를 정면으로 표현하기가 곤란하여 완곡하게 빗대어 그 말속에 뜻을 품어서 나무라면서 가르쳐 주는 노래이다.

〈고공가雇工歌〉는 〈고공답주인가雇工答主人歌〉와 함께 『잡가雜歌』에 수록된 것으로 작자는 선조설과 허전설許墺說이 있는데, 『잡가』의 발문에 '此宣祖御製 壬辰之後作'이라 하였고, 이수광의 『지봉유설芝峰類說』에는 허전으로 소개한 바, 이상보는 이수광의 고증이 신빙성이 있어 허전 작으로 보았다. 한편, 강전섭은 〈고공가〉와 〈고공답주인가〉는 前後曲으로서 통일된 시상과 양가의 결구를 살펴본 바, 동일인의 제작으로 이원익의 작품이라고 하였다.

〈고공가〉는 임란 직후 지은 것으로 '머슴노래'에 가탁假託하여 우국경세憂國警世한 교훈을 담은 우언풍자가사다. '李太祖(어른)가 건국한 이래 여드레갈이(八日耕 : 八道象徵)의 살림을 차리고 국초國初의 백관百官들은 밥사발(祿)의 크고 작기와 동옷(胴衣)의 좋고 궂은 것이나 서로 다툴 뿐이지, 엊그제 화강도火强盜(倭賊)가 쳐들어와 가산을 탕진하였는데도 합심협력하여 농사(國事)를 짓고 뚝 쌓는 일은 생각도 않고, 화살을 얹어두고 옷밥만 다투'고 시국을 개탄한 노래이다. 즉 국사를 농사에 비겨 왕을 농가 주인으로, 백관들을 머슴으로 가탁하여 탐

욕과 무능을 꾸짖으며 근검할 것을 훈계하는 내용이다. 그 일부를 소
개하면 다음과 같다.

엊그직 火强盜에	家産이 蕩盡ᄒ니
집ᄒ나 불타 붓고	먹을 껏시 전혀 업다
큰나 큰셰ᄉ을	엇지ᄒ여 니로려료
金哥李哥 雇工들아	싀 ᄆᆞᆷ 먹어슬라
너희ᄂᆡ 절머ᄂᆞ다	혬혈나 아니ᄉᆞ다
ᄒᆞᆫ소틱 밥 먹으며	매양의 恢恢ᄒ랴
ᄒᆞᆫ ᄆᆞᆷ ᄒᆞᆫ뜻으로	티름을 지어스라
ᄒᆞᆫ집이 가음열면	옷밥을 分別ᄒ랴
누고ᄂᆞᆫ 장기 잡고	누고ᄂᆞᆫ 쇼을 몰니
밧 갈고 논 살마	벼 세워 더져 두고
늘 됴혼 호믹로	기음을 믹야스라
山田도 것츠럿고	무논도 기워간다

〈고공답주인가〉는 오리 이원익(1547~1634)이 종친의 후예로서 군
왕을 풍자하기 위하여 조정朝廷을 일농가로 비유하여 지은 것으로 〈고
공가〉에 화답한 우언풍자가사인 바, 〈고공답가〉라고도 한다. 이원익
은 임란 시 평안도 순찰사로 왕의 피란을 선도하는 등 전공이 많아 호
성공신扈聖功臣으로 완평부원군에 봉해졌다. 그는 세 차례나 영의정을
지냈고, 정묘호란 시 도체찰사로 세자를 전주에 시종하였다.

작자는 임진왜란 후 집권층이 정사보다는 당파싸움에 힘을 쓰자
'어른종'(領議政)의 처지에서 '종'(臣下)을 나무래고 '마나님'(上典, 王)
을 경계시키려는 의도로 일가의 전작(農事)에 비유해서 지은 작품이
다. 그는 당쟁의 피해를 개탄한 끝에 영상領相의 직책을 네 번이나 사
양하자 왕이 그의 충정을 이해할 정도로 신망이 두터웠으며, 또 막중

한 책임을 진 재상으로서 광해군 원년에 대동법을 건의하여 조세제도가 시정되니 국민들은 부담을 덜게 되었으며, 청백리에 녹선되었다는 것을 보아서도 〈고공답주인가〉를 지을 만한 동기가 충분하다. 그 노래의 일부를 보면 다음과 같다.

비 시여 셔근 집을	뉘라셔 곳쳐 이며
옷 버서 문허진 담	뉘라셔 곳쳐 쓸고
불한당 구모 도적(穴賊:倭賊)	아니 멀니 단이거든
화살촌 誰何上直	뉘라서 심써홀고
큰나큰 기운 집의	마누라 혼주 안자
긔걸(命令)을 뉘 드르며	論議을 눌라 홀고
낫시름 밤근심	혼자 맛다 계시거니
옥굿튼 얼굴리	편ᄒ실 적 면날이리
이 집 이리 되기	뉘 타시라 홀셔이고
헴 업는 종의 일은	뭇도 아니 ᄒ려니와
도로혀 혜여ᄒ니	마누라(上典) 타시로다

이처럼 황폐한 이 땅에 국사를 등한하고 붕당 싸움에 골몰하는 실정을 개탄하면서 어지러진 집일(國事)을 고치려면 신하들을 휘어잡고, 그들에게 신상필벌을 밝혀주어야 하며, 상벌을 밝히려면 어른종(領相들)을 믿어 주고, 그렇게 하면 국세가 저절로 일어날 것이라고 하였다.

다. 풍속권면가사 風俗勸勉歌辭

이는 예로부터 전해 오는 습속, 농사, 학업 등을 권장하는 가사다. 여기에는 〈목동가〉와 〈농부가〉가 전하고 있다.

〈목동가牧童歌〉는 〈목동답가牧童問答歌〉라고도 하는데, 휴와休窩 임유후

任有後(1601~1673)가 현종 때(1662) 울진에서 쓴 가사다. 현재 '잡가본', '임창순본', '이가원본' 등 6종의 이본이 전한다. 〈목동가〉에 대한 언급은 숙종 때 홍만종의 『순오지旬五志』에 최초로 소개된 바, '牧童歌 休窩任有後所製'라고 작가를 밝혔다. 김사엽도 이를 따랐다. 이가원은 '退溪先生原作 牧童問答歌'라고 문제를 제기하였다. 그 후 〈목동문답가〉는 실전失傳으로 여겼던 〈목동가〉가 틀림없으므로 작품명은 〈목동가〉로, 제작연대는 작가의 가계, 생애, 사우, 저술 등을 배경으로 그의 노령기(61세경)임이 강전섭에 의해 입증되었다.

그 내용은, 전반은 목동에게 묻는 말이요, 후반은 목동이 대답하는 노래로서 문답체를 이루었다. 문가問歌에서는 '綠陽 芳草岸의 쇼먹이는 아해들아 世間榮辱을 아는다 모라는다' 하여 인생의 궁달窮達에는 귀천이 상관없으니 방명芳名을 떨치라고 권면하였다. 현신과 명장이 될 것을 권고하고 농사꾼 이윤伊尹이나, 낚시꾼 여상呂尙, 그리고 영척寧戚과 백리해百里奚는 원래 목동이었으나 현신국상賢臣國相이 되었음을 열거하였다.

繼天立極은	高聖人의 事業이오
流芳百歲는	大丈夫의 홀일이라
生涯ᄒᆞᆫ 有限ᄒᆞ고	死日이 無窮하니
有限한 生涯로셔	석지 아닐 芳名을
傳之永久ᄒᆞ여	興天地 無窮ᄒᆞ려
詩書 百家語을	字字히 외와 내여
孔孟顏曾을	일일마다 法 바다셔
稷契노 期約ᄒᆞ고	堯舜을 비저 내여
八荒四海를	壽域의 올녀 두고
鰥寡孤獨이	德澤이 빗엿거나
孫吳 아히보듯	衛霍인들 혜아리랴

그러나 후반에서는 목동이 대답하되 '어와 긔 뉘신고 귀 어데 사름 인고'라고 응수하여 반전되었다. 처음에는 비록 부귀를 누리다가 후에 불운을 맞으니, 문신과 무장들의 사실을 들면서 속세의 명리는 아랑곳할 바 아니라고 하면서 다음과 같이 노래하였다.

人生이 꿈이어니　　일홈인들 關係ᄒ랴
醉ᄒ야 사랏다가　　꿈속의 죽어지면
滔滔萬古의　　　　씌여나리 몃 낫치리
箕山의 귀 씻기와　　上流의 쇼 먹이기 긔 엇더 ᄒ닷말고
내 노래 들어보소　　ᄒᆫ 曲調 부ᄅ리라
長安이 어듸매요　　구름이 씨여셰라
山光이 어두오니　　夕陽이 거의로다
功名을 내 아더냐　　富貴도 내 몰내라
되롱이 취혀 매고　　洞蕭 빗기 들고
쇠등의 것구로 안자　　杏花村으로 가노라

〈농부가農夫詞〉는 관곡寬谷 김기홍金起泓(1635~1701)의 작품으로『관곡 선생실기』에 〈채미가〉와 함께 수록되었다. 그는 의릉참봉에 천거되 었을 뿐 평생을 청빈한 생활로 관곡에서 음풍농월을 하면서 살았다.
가사의 내용은 하늘땅이 열린 후에 백곡종자가 없어 금수의 피와 나무 열매를 먹고 살다가로 시작하여 다음으로 이어진다.

盤古王 나시며셔　　燧人氏여 니ᄅ도록
禽獸의 피 마시며　　나모 여름 머글 제사
일홈이 飮食인닷　　므슴 마슬 알다시리
神農氏 님금되여　　밧 갈기 ᄀᆞᄅ치니
飮食의 됴흔 마슬　　이제야 처엄 아라

時時로 제亽호들	恩惠를 다 가플가
天下의 살음들흘	四民에 논화시니
學問을 홀쟉시면	立身揚名 호려니와
農事논 本業이라	仰事俯育 호리로다

라고 하면서 대순大舜의 경역산耕歷山과 후직后稷의 경종耕種, 신야莘野의 이 윤伊尹과 남양南陽의 제갈량諸葛亮이 모두 농사를 지었음을 강조하여 주 경야독하고 충효를 본을 삼아 구족이 화목하게 격양가擊壤歌를 부르며 늙겠다는 권농하는 가사다.

라. 강호한정가사 江湖閑情歌辭

이는 강호의 한가한 정과 천도天道를 지키며 편안히 살고자 하는 심 정을 노래한 가사로, 여기에는 〈누항사〉, 〈사제곡〉, 〈노계가〉, 〈소유 정가〉, 〈지수정가〉, 〈수암방옹가〉, 〈우활가〉, 〈탄궁가〉, 〈백마강가〉, 〈청회별곡〉, 〈일민가〉, 〈영삼별곡〉, 〈도산가〉, 〈매호별곡〉, 〈강촌별 곡〉, 〈채미가〉, 〈낙은별곡〉 등 17편이 있다.

노계蘆溪 박일로朴仁老(1561~1642)는 임병양란을 겪으면서, 선조 31년 에는 〈태평사〉를 짓고, 선조 38년 통주사로 종군하여 〈선상탄〉을 지었 다. 그 후에 전란이 그치고 전원생활을 하던 노계는 광해군 때(1611) 용진에 은퇴하여 있는 한음漢陰 이덕형李德馨을 찾아가 놀면서 〈사제곡〉 과 〈누항사〉를 지었다. 그 후에도 계속해서 〈소유정가〉, 〈독락당〉, 〈입암별곡〉, 〈영남가〉, 〈노계가〉 등의 가사를 남김으로써 가사문학 사를 화려하게 장식했다.

〈누항사陋巷詞〉는 박인로가 51세(1611)에 경기도 용지면 별서촌 사제 에 은거하던 한음을 찾았을 때, 한음이 노계에게 산거궁고山居窮苦의 생 활을 물으니, 이에 답하여 빈이무원貧而無怨하고 안빈락도安貧樂道하는 심회와 생활상을 읊은 157구의 강호한정가사다.

　작품내용은 임진란 후 곤궁한 생활을 노래하고 가난하지만 그것을
원망하지 않고 도를 즐기는 장부의 뜻은 변화가 없다는 것과 이웃에
농우農牛를 얻으러 갔다가 뜻대로 되지 못하자 세상일에 대한 체념적
인 심회를 읊었다. 이는 현실생활을 실감 있게 나타낸 작품으로서 이
시기 가사의 특징을 대변하였다. 끝에서는 청풍명월을 벗삼아 자연
과 더불어 늙기를 바라며, 가난한 생활이라도 만족하게 여기고 충효
와 우애에 힘쓸 것을 노래했다. 그 일부를 소개하면 다음과 같다.

어리고 迂闊홀 산	이닉우히 더니업다
吉凶禍福을	하날긔 부쳐두고
陋巷 깁푼곳의	草幕을 지어두고
風潮雨夕에	석은 딥히 셥이되야
셔홉밥 닷홉粥에	烟氣도 하도할샤(중략)
설데인 熱冷애	뷘빈쇠길 쑨이로다
生涯 이러ᄒ다	丈夫뜻을 옴길넌가
安貧一念을	적을망졍 품고이셔
隨宜로 살려ᄒ니	날로조차 齟齬ᄒ다.
ᄀ을히 不足거든	봄이라 有餘ᄒ며
주머니 뷔엿거든	甁으라 담겨시랴

　이 작품은 〈상춘곡〉의 여유 있는 생활태도나 〈사미인곡〉의 속세적
인 출세에 연연한 불우한 심정도 찾을 수 없다. 다만 안빈낙도하는 높
은 뜻과는 달리 구차한 생활만이 비참할 정도로 드러나 있다. 이는 전
기가사에 흔한 상투적 기법과는 달리 훨씬 사실적인 현실성을 띠고
있다. 작자는 곤궁한 생활을 견디고 참는 척하는 청빈고고淸貧孤高한 선
비가 아니고, 현실적인 생활을 바탕으로 하여 반성하고 비판하는 눈

을 가졌다. 이러한 비판적 지성은 현실주의적 사고와 서민문학의 대두를 의미하고 있으며, 이러한 태도는 시대사조와 결부되어 전시대의 가사와는 다른 성격의 작품을 생산하게 되었다.

〈사제곡莎堤曲〉도 광해군 3년(1611)에 쓴 박인로의 작품인데, 이는 이덕형(1561~1613)의 작품이라는 설도 있다. 친구인 한음 이덕형이 벼슬에서 물러나 휴양처인 용진의 사제에 있을 때 그의 불우함을 동정하여 친히 찾아가서 그곳의 아름다움과 한가히 노닐며 지내는 한음의 모습을 그린 작품이다. 내용은 기사起詞에서 치사致仕하고 사제莎堤에서 자연에 몰입함을, 승사에서는 아름다운 자연 속에 초옥을 짓고 자연의 주인됨을, 전사에는 부귀와 세사를 버리고 청풍명월을 소유한 채 아픔다운 경치를 즐김을, 결사는 극진한 효성으로 부모를 봉양하는데 힘쓰겠음을 노래하였다. 그 일부를 보면 다음과 같다.

尸位伴食을	몃 히나 지내연고
늘고 病이 드러	骸骨를 빌리실시
漢水東 싸흐로	訪水尋山ᄒ야
龍津江 디내올나	莎堤 안 도라 드니
第一江山이	임직업시 브려ᄂ다
平生夢想이	오라ᄒ야 그러턴지
水光山色이	녯ᄂ츨 다시 본듯
無情흔 山水도	有情ᄒ야 보이ᄂ다

〈노계가蘆溪歌〉는 작자가 76세인 인조 14년(1636)에 지은 것으로, 자신의 은거지인 노계의 절경을 그리면서 그에 몰입하는 심회를 읊은 것으로 다음과 같이 시작된다.

白首에 訪水尋山	太晚흔 줄 알건마는
平生素地를	벱고야 말랴 너겨
赤鼠三春에	春服을 새로 닙고
竹杖芒鞋로 蘆溪 깁흔 골이	힝혀 마참 차즈오니
第一江山이	님직업시 브려느다
古往今來에 幽人處士들이	만히도 잇것마는
天慳地秘ᄒ야	느를 주랴 남겨 씻다

이 가사의 내용은 서사에서는 늙은 몸으로 노계를 찾아와서 모든 자연에 몰입하여 사니 산수를 즐기고 세상의 명리를 뜬 구름같이 보고 느낀 심정을 읊었으며, 본사에서는 자연에 동화되어 부족함이 없으니 자손에게도 청풍명월을 나누어 주겠다는 심정을 밝혔고, 그리고 결사에서는 자연 속에서 유유자적한 생활을 하는 것도 임금의 은혜로 성주만세聖主萬歲를 기원하였다. 이곳에서도 노계의 물외생활을 엿볼 수 있는 작품이다.

〈소유정가所有亭歌〉는 박인로(1561~1642)의 가사로 1980년 영천에서 김문기가 발굴한 가사다. 작자는 안빈낙도하는 도학사상과 우국지정에 넘치는 충효사상이 지배적인 사람으로, 산수명승을 즐기는 자연애 사상을 엿볼 수 있다. 이 가사는 광해군 때(1617) 정구(1543~1620)와 더불어 소유정에 올랐을 때 소유정의 승경과 더불어 요산요수하고 안빈낙도하는 유자의 모습을 읊은 239구의 한정가사이다. 작품중에 선비의 기상과 흥취를 노래한 부분을 소개하면 다음과 같다.

琴湖江 느린물이	十里밧씌 구비지어
之玄 乙字로	白沙의 빗씌흘러
千丈 絶壁下의	萬族淵藪 되얏거든

琵瑟山 혼 할기	東다히로 버더ᄂ려
가던 龍이 머무ᄂ듯	江頭에 두렷거늘
小有亭 두세 間을	바회 지켜 여러내니
逢萊 仙閣을	새로 옴겨 내려온둣
龍眠 妙手인들	이ᄀᆺ치 그릴런가
岳陽樓의 비췬들이	혼비츠로 불가시니
其兄 其弟를	아미 권 줄 모ᄅ노라

이렇게 시작된 가사는 내용을 5문단으로 나누었는데, 제1문단은 소유정 주변 경치와 내력, 제2단은 요산요수의 삶과 낚시질, 제3단과 제4단은 봄 흥취와 가을의 재미, 그리고 제5단은 태평성대와 성주만세의 바램으로 구성된 239구의 한정가사다. 특히 '비슬산 혼 할기 東다히도 버더ᄂ려'는 〈俛仰亭歌〉의 첫행인 '无等山 혼 활기 뫼히 동다히로 버더이셔'와 흡사하고 용龍의 이미지를 도입한 것으로 보아 두 작품의 영향관계가 있음직하다.

〈지수정가止水亭歌〉는 김득연金得硏(1555~1637)이 그의 향리인 안동의 와룡산록臥龍山麓에 조상을 받들고 효성을 다하고자 지수정止水亭을 짓고 주변의 자연경관과 사시 감흥 및 사친지정과 교우환락을 노래한 은일 가사로 내용은 사친위국하며 안빈지족하는 도학자적 품모를 잘 표현하였다. 그 일부를 보면 다음과 같다.

平生애 비흔 거시	忠孝을 願ᄒ더니
비록 窮達이 有時혼들	ᄆ음잇든 쏘 다ᄅ랴
북녁 臺예 오라가	隴雲을 ᄇ라보니
思親淚 절로나고	斗星을 瞻仰ᄒ니
戀闕情 못 츰을다	ᄒ글며 樂山樂水ᄂ

仁智의 일이오	登高自卑은
聖賢의 訓이라	臺일홈 도라보고
階梯을 ᄎ자가니	臨鏡 小心ᄒ야
養性樂天이	이 내의 功業이로다

정훈鄭勳(1563~1640)은 노계와 같은 때에 태어나 임진왜란, 병자호란, 인조반정 등을 겪으면서 〈성주중흥가〉, 〈우희국사가〉, 〈탄궁가〉, 〈우활가〉, 〈용추유영가〉, 〈수남방옹가〉 등 6편의 가사와 〈월곡답가月谷答歌〉, 〈곡처哭妻〉 등 20수의 시조를 남기었는데, 이는 모두 『수남방옹유고水南放翁遺稿』에 수록되어 있느 것을 하성래가 발굴하여 발표하였다. 〈우희국사가〉는 임진왜란, 병자호란, 인조반정 등 작자가 겪은 역사적 대사건들을 시대순으로 읊은 장편 한역가사다. 본래 한글로 지은 것인데, 현재 한역본만 전한다. 이 가사는 우리나라 전쟁가사의 백미다.

먼저 〈수남방옹가水南放翁歌〉는 뒷부분이 망실되어 현재 92구만 남았다. 이는 〈용추유영가〉와 같이 자연 속에서 한가롭게 지내는 즐거움을 노래한 것이다. 첫 문단에서 '生事는 豊치 않아도 풍경이 아름다워 뜰조차 요족하니 簞瓢屢空인들 설운줄 모른다'고 읊고 있다. 그 짜임새가 사계절 순으로 되어, 송순의 〈면앙정가〉와 정철의 〈성산별곡〉을 연결 지어 생각할 수 있다. 춘사의 일부를 보면 다음과 같다.

東窓 日晏ᄒ고	北郊 風和커늘
靑藜를뷔와 집고	東皐애 비겨 셔니
金孫은 柳影이오	雪色은 梅花로다
山鳥는 봄을 마자	노래ᄒ는 소릭어늘
林花는 비를 지나	우음을 머금엇다

또 〈우활가迂闊歌〉와 〈탄궁가嘆窮歌〉는 안빈낙도를 노래한 가사로, 이

가운데 전자가 더 초탈한 심정으로 안분지족을 노래했다. 노계의 〈누항사〉에 '어리고 迂闊홀산 이닉 우희 더니없다'고 했는데, 정훈의 〈우활가〉에서는 '一生事業이 迂闊 아닌 일 없뇌와라'라 하여 모두 가난함이 밑바닥에 도사린 작품들로 〈탄궁가〉와 궤를 같이 하고 있다. 그러나 〈탄궁가〉가 가난을 저주하고 원망한 것인데 비하여, 〈우활가〉는 시정이 한결 높다. 조석으로 끓일 것이 없어도 근심을 아니하며 비새는 지붕 아래 누더기를 걸치고도 부끄러움이 없이 살아가는 의연함을 지니고 있다. 〈우활가〉의 일부를 보면 다음과 같다.

春山의 꼿을 보고　　　돌아올 줄 어이알며
夏亭에 줌을 드러　　　꿈낄줄 어이 알며
秋天에 둘 맞아　　　　밤드는 줄 어이알며
冬雪의 詩興계워　　　치움을 어이 알리

이처럼 사시가경에 심취하여 가난을 잊으려 하였다. 뿐만 아니라 가난 속에서 요순공맹堯舜孔孟을 그리워하며 '周公은 어디가고 꿈에도 뵈잖는고' 하며 탄식하였다. 특히 '人間에 혼자 깨어 눌다려 말을 할고'라고 하여 큰 고뇌와 각성을 하였다.

그리고 〈탄궁가〉는 곤궁한 생애를 탄식하는 85구의 노래이다. 이는 생활 체험에서 우러나온 뼈 맺힌 하소연으로 그만큼 심금을 울린다. 다음에 그 노래의 첫 부분을 소개한다.

하늘이 삼기시믈　　　一定 고로 ᄒ련마ᄂᆞᆫ
엇지 흔 人生이　　　　이대도록 苦楚흔고
三旬九食을　　　　　엇거나 못 엇거나
十年一冠을　　　　　쓰거나 못 쓰거나
顏瓢屢空인들　　　　날마치 뷔여시며

原憲艱難인들	날フ치 已甚홀가
春日이 遲遲ᄒ야	布穀이 빗야거늘
東隣에 짜보엇고	西舍에 호믜 엇고
집 안희 드러가	ᄡᅵ갓슬 마련ᄒ니
올벼ᄡᅵ 흔 말은	半나마 쥐 먹엇고
기장피 조 픗튼	서너 되 부터거늘
寒餓한 食口	일이ᄒ야 어이 살리

위에서 마음이 숙연해 진다. '죽은 물 샹체먹고 거니 건져 종을 주니 눈우희 바늘졋고 코흐로 ᄑᆞ람분다.' 죽 한 그릇을 놓고 건더기는 건져 종을 주고 자기는 묽은 물만 마신다는 것이니 이처럼 혹심한 가난을 이기기 위해 '이 원수 궁귀를 어이ᄒ야 녀희려노'라고 탄신한 뒤 궁귀窮鬼를 수레에 태워 전송하려 했으나, 궁귀 가로되 '喜怒憂樂을 너와로 흠씌ᄒ야 죽거나 살거나 여일 줄이 없었거늘, 어디가 뉘말 듣고 가라하며 이르느랴'고 꾸짖으니 궁귀를 달랜 뒤 '貧賤도 내 分이어이 설워 무엇하리'라고 체념한다. 이 가사에서 주목되는 것은 가난을 대하는 작가의 태도가 익살스럽고 가사의 구성이 희극적으로 전개되었다.

〈백마강가白馬江歌〉를 쓴 황일호黃一皓(1588~1641)는 병자호란 중에 청나라에 항거하다가 순절하여 충열공忠烈公 시호를 받았다. 역사적 격동기에 선비정신을 굴하지 않고 신하로서 소임을 다했으며, 문집『지소집芝所集』과 가사 〈백마강가〉를 남겼다. 가사의 내용은 벼슬살이를 회고하면서 고향에 살기를 맹세하고, 고향에 이르러 한가롭게 지냄을 읊었다.

五馬를 썰쳐 닉고	印싣을 풀쳐닉니
山陰의 父老들은	가지말나 ᄒ건만은

秋天의 외로온 빅	浩然이 도라온이
山川은 漸近흔듸	風景은 새롭고야
어와 아희들라	빅모다 져허셔라 (3장)

이처럼 한가롭게 지냄을 읊었고, 중국고사를 들어 백마강놀이가 낫다고 하면서 '興盡悲來흐니 이마음 둘듸업다' 하여 백제의 멸망을 회상하였다. 이어서 '人生이 얼마치리 물우희 萍草로다', '一身이 無恙함도 이 또흔 聖恩이라' 하여 예로부터 내려 온 어부사 계통의 강호한 정의 시가류에 들어갈 만한 작품으로, 이상보는 이 작품을 윤선도의 시조 〈어부사시사〉와도 겨룰 만한 작품이라고 하였다. 全 9장으로 구성된 분절체 가사로 각장은 4행에 여음 '어와 아희들아 빅모다 져 허셔라'라는 1행이 붙어서 된 것으로 이른바 가어옹假漁翁의 삶을 읊은 노래라 할 수 있다.

〈청회별곡淸淮別曲〉은 박천博泉 이옥李沃(1641~1698)의 가사로서 필사본『황각록』과『서원록』을 묶은 소책자 속에 수록된 76구의 국한문 혼용체 가사다. 이는 금강산의 경치를 읊은다기보다는 작가가 회양부사로 있으면서 그 곳의 겨울 경치와 자기의 심회를 펴낸 은일서정 가사다.

그 내용을 보면, 기사는 회양부사로 명을 받고, 중국의 회양태수였던 급장유汲長孺를 연상하였고, 승사는 회양을 선경이라고 노래하였으며, 전사에서는 금강산의 취병대, 원화동 등의 겨울 경치를 노래하였다. 그리고 결사는 회양이 서울에서 380여 리이니 임금이 더욱 그리워지고 어버이를 잊지 못함이 간절하다고 하면서 다음과 같이 끝을 맺었다.

南道 어듸믜오	北關이 머려시니

耿耿 一念의　　　　　君親을 이길손가,

忠孝無二致는　　　　옛글의 비와느니

우리도 竭忠盡孝ᄒ여 옛 ᄉ람을 따려이라.

〈일민가逸民家〉는 윤선도의 손자 윤이후尹爾厚(1636~1699)의 작품이다. 그의 호는 지암支庵이며 인조 14년(1636)에 전남 해남 연동에서 태어났다. 54세로 승광문과에 급제하여 벼슬이 사간원정언에 이르렀다. 56세 때에는 위친걸외爲親乞外하여 함평현감으로 내려와서 1년 만에 서인의 발호로, 벼슬을 그만두고 향리로 돌아왔다. 숙종 19년(1693)에 병조정랑, 이어 지평에 임명을 받았으나 출사하지 않고, 향리에서 한가로이 지내면서 '玉泉田家之樂'과 '竹島江湖之勝'을 노래한 가사다.

이는 친필본 『지암일기』에 적혀 있는 술회가인데, 숙종 24년(1698) 6월 26일조에 "逸民歌 六十二句"라는 표제 밑에 소서小序와 같이 적어 놓은 것이다. 작품의 일부를 보면,

ᄀᆞᆺ드기 여룬 宦情　　一朝의 ᄭᅵ되거다

저즌 옷 버서노코　　黃冠을 ᄀᆞ라 쓰고

채ᄒᆞ나 ᄹᅥ텨 쥐고　　浩然히 도라오니

山川이 依舊ᄒᆞ고　　松竹이 반기ᄂᆞᆫ듯

柴扉를 ᄎᆞ자드러　　三逕을 다스리니

琴書 一室이　　　이 아니 내 分인가

압 내히 고기낫고　　뒷 뫼히 藥을 ᄏᆞ야

手業을 일노사마　　餘年을 보내오니

人生 至樂이　　　이 밧긔 또 업돗데

라고 하여, 관계에서 물러나서 강호에 묻혀 사는 초야일민의 심회를 노래한 은일가사다.

옥소玉所 권섭權燮(1671~1759)의 작품이다. 박요순은, 권섭은 학문과 여행으로 일생을 보냈으며 작품으로는 한시 567수, 시조 65수, 가사로는 〈영삼별곡〉, 〈도통가〉 등을 남기어 주목된다.

〈영삼별곡寧三別曲〉은 山寺의 승려가 봄 구경을 하고 가라는 초청에 따라 강원도 영월, 삼척 일대를 돌아보고서 지은 가사다. 그 일부를 보면 다음과 같다.

雪離村 뫼밋무을	일흠도 됴홀시고,
山家의 손이업서	개와 둙뿐이로다.
귀오리 데친밥의	픗ᄂᆞ믈 슬마내며
표단펴 안쳐노코	슬토록 勸ᄒᆞᆫ다.
이와 이빅셩들	奇特도 ᄒᆞ져이고
십니 쟝곡의	絶壁은 됴커니와
서덜길 머흔 곳의	兩峽이 다하시니
머리우 조각하늘	뵈락말락 ᄒᆞᄂᆞ고야

이처럼 산촌 마을에서 머문 하루의 정경을 핍진하게 그려서 진경산수와 상통하는 경지에 이르고 풍속도도 조금씩 곁들였다.

고응척高應陟(1531~1605)의 〈도산가〉는 『두곡선생가사』와 『후사류집候謝類輯』에 수록된 것으로, 임진왜란이 일어나자 난을 피하여 심산궁곡인 안동의 도산으로 피난을 갔다가 그 곳의 자연 속에 은거하면서 읊은 것으로 선조 25년 가을에 지은 것이다. 강전섭은 이 시는 퇴계시의 영향을 받았으며, 특히 전쟁을 배경으로 하면서도 애이불상하려는 유교적인 자세를 잃지 않아 강호가도에 그 맥락을 이어준다고 하였다.

고응척의 호는 두곡杜谷 또는 취병翠屛으로 12세에 상주에서 살다가 17세에 안동(화산)으로 가서 살았다. 31세 때 식년문과에 급제하여 함홍교수로 나갔다가 2년 뒤에 사임하고 『대학』 여러 편을 26수의 시조로 읊었다.

가사의 내용은 도화류수 떠오는데 심산궁곡 찾아가서 삼간초옥을 이루어 소식채갱蔬食菜羹으로 끼니를 잇고 상봉하육上奉下育하면 세상만사를 잊고 유연히 지내려는 뜻을 노래한 것이다. '성진일석腥塵一夕'은 임진년 4월에 왜구가 침입하여 온 백성들이 분산하게 되니 작자도 전가족을 거느리고 도산으로 피난하여 어려운 처지이지만 평안하다고 하였으나, 결사에서는 취하여 잠든 사이에 세상만사 다 잊으며 지낸다고 하여 이곳으로 다른 사람들이 찾아올까 두려워했다. 그 일부를 살펴보면 다음과 같다.

呼童烹鷄 按酒ㅎ야	一盃를 마신 後의
高枕松根 줌이 드러	萬事茫然 닛몰닉라
魚釣忘機 인난 듀를	貿貿俗客 긔 뉘 알니
短笛行吹 져 아히야	爛傳世上 마라소라
幸혀나 魚舟子 알면	ᄎᄌ올가 ㅎ노라

이재頤齋 조우인曹友仁(1561~1625)은 경북 예천생으로 광해군 때 이이첨 일파의 무함으로 3년간 투옥되었다. 인조반정 때 풀려나서 상주군 사벌면 매호리에 은거하며 여생을 보냈다. 그의 가사에는 〈매호별곡梅湖別曲〉을 비롯한 5편이 전하는데, 이 밖에도 〈출새곡〉, 〈속관동별곡〉, 〈자도사〉, 〈출관사〉 등이 있다. 그 가운데 〈매호별곡〉은 상주 매호의 승경을 묘사한 92구의 가사인데, 그 서두를 보면,

明時예 ᄇ린몸이	物外예 누엇더니
갑업슨 風月과	임자업슨 江山을
造物이 許賜ㅎ야	날을 맛겨 ᄇ리시니

닉라 ᄉ양ᄒ며	닷토리 뉘이시리
商山 東畔과	洛水 西涯예
烟霞을 헤치고	洞天을 ᄎᄌᄃ러
竹杖 芒鞋로	處處의 도라보니
澄潭(징담) 깊흔곳의	노프니ᄂ 絶壁이오
옥ᄀᄐ 여흘은	깁 편 듯 흘러 잇다.

라고 하여, 만년 벼슬을 버리고 강호에 묻혀 전원생활을 하는 무욕의
경지를 노래한 가사다. 고경식에 따르면, 이 가사는 정극인의 〈상춘
곡〉과 정철의 〈성산별곡〉의 영향을 받은 강호한정을 읊어낸 우수한
작품이다.

　五山 차천로車天輅(1556~1615)의 〈강촌별곡江村別曲〉은 『청구영언』에
는 무명씨 작으로 수록되었고, 홍만종의 『순오지』에는 '江村別曲 五山
車天輅 所製'라고 작자를 밝혔다. 오산은 부친 식軾과 형 운로雲輅와 더
불어 문명이 높았다. 또한 그는 통신사로 황윤길을 따라 일본에 갔으
며, 대명외교對明外交에서 동방문사란 칭호를 얻었다. 특히 한시에 뛰어
나 한호의 글씨, 최립의 문장과 함께 송도삼절松都三絶이라 일컬어졌으
며, 문집으로 『오산집』, 『오산설림』 등이 전한다. 그 가사의 내용을
살펴보면,

平生我才 쓸듸업서	世上功名 下直ᄒ고
商山風景 ᄇ라보며	四晧遺跡 ᄯ로다라
人間富貴 절노두고	靑蘿煙月 대ᄉ립의
白雲深處 다다두니	寂寂松林 개즈즌들
寥寥雲壑제 뉘알니	松珊紫芝 노래ᄒ고
石田春雨 밧츨가니	唐虞天地 이아닌가

라고 하여, 늙은 몸으로 벼슬을 내놓고 물러난 뒤에 전원생활의 한가
로움을 노래하였다.

곽곡寬谷 김기홍金起泓(1635~1701)이 지은 가사에는 〈채미가〉와 〈농부
사〉가 있다. 〈채미가採薇歌〉는 40세 이후에 함경북도 웅기와 나진 사이
의 소읍인 관곡에서 전원생활을 하면서 지은 가사이다. 이는 『관곡선
생실기』에 그의 또 다른 가사 〈농부사農夫詞〉와 시조 〈관곡팔경〉 8수가
함께 실려 전한다. 처음 일부를 살펴보면 다음과 같다.

烟霞의 을안 病이   泉石을 벋으 삼아
芳草 小溪邊의   數椽茅屋 지어두고
朝暮의 듣는 솔롤   새 울음 쑌이로다
詩書롤 지혀 누워   柴門을 다다시니
溪山이 새로온   雲烟만 즘겨 잇다
落落흔 플솔은   늘글 줄롤 몰ㅇ거놀
湞湞흔 시냇물은   晝夜롤 흘러간다
靑蘿 기픈 고딕   츳즈리 뉘 이시며
風雨人間의   聞達을 내 몰내라

〈낙은별곡樂隱別曲〉의 작자 농환재弄丸齋 남도진南道振(1674~1735)은 24
세의 젊은 나이에 금강산을 세 번이나 올랐으며, 벼슬이 싫어 용문산
아래 은거하여 평생을 저술에 전념하며 일생을 마쳤다.
〈낙은별곡〉은 경종 2년(1722)에 경기도 용문산 북록일대에 자리한
낙은암樂隱岩 주변의 경치(逸谷八景)를 완상하면서 한거한 은자의 담박
한 회포를 표백한 184구의 한정가사다. 강전섭은 이 가사를, 송강가
사의 철저한 영향 아래 사대부가사의 전형을 형상화한 가장 빼어난
작품으로 정격가사의 마지막을 장식한 작품이라고 하였다. 전해진

사본들을 토대로 복원된 작품의 일부를 보면 다음과 같다.

冬至 밤 눈온 後의	더운방의 니불덥고
木枕을 도도괴와	히돋도록 좀을즈니
便흠도 便홀시고	잇부미 이실소냐?
三公이 貴타ᄒ나	나ᄂᆞᆫ 아니 밧고리라
갑슬처 비기라면	萬金인들 當홀손가?
보리밥 맛드리니	八珍味를 부러ᄒ랴?
헌뵈옷 맛거즈니	綺紈ᄒ여 무엇홀고?

이처럼 작자는 조선 사류사회士類社會에 처해 있던 '빈이무원貧而無怨'의 은사가 영욕榮辱이 반반인 환로와 당론의 와중에서 벗어나 '낙천단명樂天短命'의 분수대로 살려는 실의失意의 유자儒者가 인생을 달관한 경지를 표현한 것이라고도 볼 수 있다.

마. 유람기행가사 遊覽紀行歌辭

유람기행가사는 국내외를 여기저기 다니면서 견문을 읊은 가사를 말한다. 여기에는 〈출새곡〉, 〈관동속별곡〉, 〈연행별곡〉, 〈서정별곡〉, 〈금당별곡〉 등 5편이 있다.

조우인曺友仁(1561~1625)은 광해군 때(1616)에 경성판관으로 부임하여 〈출새곡〉을 지었고, 만년에는 〈속관동별곡〉과 〈자도사〉를 지었으며, 또 매호에 은거하면서 여생을 즐기는 정회를 담은 〈매호별곡〉을 창작하였다. 그리고 선조 39년(1606) 용만의 가경을 돌아보고 지은 〈출관사出關詞〉가 있으나 아직 발굴되지 못하고 있다.

〈출새곡出塞曲〉은 함북 경성판관으로 부임하려고 서울을 떠나 한 달 남짓 여행 끝에 임지에 이르기까지의 인정풍물과 그곳에서 5년간의 생활 및 울적한 심회를 읊은 가사로 은연중 조정간신들을 미워하는 뜻을 담고 있다. 제작 동기는 어느 날 치재^{恥齋} 조탁^{曹倬}(1552~1621)을 찾아 갔다가 백광홍의 〈관서별곡〉과 정철의 〈관동별곡〉처럼 북방에 대해 한편의 노래를 지어오라는 말을 듣고 짓게 된 것이다. 이 노래의 일부분을 보면,

城津 設鎭이   形勢난 됴커니와
亂後邊民이   膏血이 몰나시니
廟堂肉食은   아는가 모르는가
白頭山 一脈이   長白山 되여이셔
千里롤 限隔ᄒ야   彊域을 는홧거든
鎭堡 星羅ᄒ고   郡色이 碁布ᄒ니
表裏 天險은   壯호미 그지업다.

라고 하여 전반부에서는 백두산에서 뻗어 내린 산맥의 장엄함을 바라보며, 변방 백성들의 고혈이 마른 것을 조정에서 육식하는 사람들이 알기나 하는가고 기백을 보였으나, 목적지에 도착한 후반부에서는 한가할 때 봄놀이하는 모습도 그리고 있다.

〈관동속별곡^{關東續別曲}〉은 조우인이 만년(1623경)에 송강의 〈관동별곡〉을 읽고 느낀 바 있어 젊은 시절 관동지방에 유람하던 추억을 살려 쓴 기행가사이다. 〈관동별곡〉의 속편으로 송강이 답사하지 않은 백천동, 비로봉, 구룡폭포 등을 자상하게 묘사한 것으로, 송강의 작품에서 언급한 곳과는 중복을 피하기도 하였다. 다음에서 작품의 일부를 본다.

四仙의 노던 짜흘   關東이 긔라 호디
塵埃 半生애   歲月이 거의러니
物外烟霞애   遠興이 뵈와나니

尋眞 行李는	전나귓 샌이로다
武安寺 디나 올라	乘鶴橋 건너 드러
塵寰이 점점 머러	仙境이 갓갑건가
三釜暴 積禾潭도	긔특다 ᄒᆞ려니와
漆潭 高石亭을	비길듸 ᄯᅩ인ᄂᆞᆫ가

이 가사의 서문에는 제작경위와 함께 〈관동속별곡〉이라 하였고, 정철의 〈관동별곡〉에 대한 찬사가 적혀 있다. 따라서 〈관동별곡〉의 영향이 큰 것으로 보인다.

심방沈枋의 〈연행별곡燕行別曲〉은 박권朴權의 〈서정별곡西征別曲〉(1694)보다 1년 앞서 1693년에 발표된 기행가사로, 고대도서관소장의 『가사선歌辭選』에 수록된 사본인데, 그 동안 작자·연대가 미상으로 전해오던 것을 심재완沈載完이 이를 확증하여 밝혔다. 〈연행별곡〉은 총 99구로 지금까지 전한 연행가중 가장 간략하다. 육삭六朔 중 40일을 연경에 머물렀으며 왕복도중 견문한바 많겠지만 산삼구적山三舊蹟을 나열하다 보니 주마간산 격이 되었다. 그런 중에도 촌사단상寸思斷想의 예리한 관찰과 묘사를 곳곳에서 찾을 수 있다. 또한 〈연행별곡〉은 국문연행가사 중 가장 오래된 작품으로 그 의의가 크다 하겠다. 이 가사의 끝부분을 살펴보면 다음과 같다.

甲戌年 上元日에	皇極殿의 朝參ᄒᆞ니
明朝썩 制作인가	宏麗홈도 宏麗ᄒᆞ다
方物을 準賜ᄒᆞ고	文書를 계유ᄆᆞ차
무건지 四十日에	오던길노 도라드니
前路가 비록 머나	行役을 니즐노다
九連城 다시와서	統軍亭 ᄇᆞ라보니

紅粉을 ㄱ독시러   彩船은 빗겨잇고

家國이 泰平ㅎ니   太平曲을 말닐소냐

아희야 盞ㄱ득 부어라 長日醉를 ㅎ리라

귀암歸菴 박권朴權(1658~1715)은 숙종 20년(1694)에 동지사冬至使 서장 관으로 서울을 출발하여 연경에 도착하기까지의 노정과 느낌을 읊은 〈서정별곡西征別曲〉을 지었다. 국내 기행가사는 백광홍의 〈관서별곡〉 이 효시이고, 이어서 정철의 〈관동별곡〉, 이현의 〈백상루별곡〉 등이 있으며, 대표적인 외국기행가사에는 영조 29년(1753) 김인겸의 〈일동 장유가〉와 고종 때(1866) 홍순학의 〈연행가〉를 들 수 있다. 본 〈서정 별곡〉은 〈연행별곡〉과 함께 연행가류의 선구적 작품으로, 홍순학의 〈연행가〉보다 172년이나 앞서니 가사문학의 문학사적 의의가 크다고 하겠다. 다음에서 자상한 출발 광경을 살필 수가 있다.

玉署 金華의   鵁鶄를 ㅼ로더니

燕京 萬里길을   使价로 命ㅎ시니

龍樓의 下直ㅎ고   馹騎를 이모라

延恩門 지나드라   弘濟院 다드라니

故舊 親戚이   숀줍고 일은 말이

風霜塞外의   됴히 드녀 도라오쇼

〈금당별곡金塘別曲〉은 위세직魏世稷(1655~1721)의 작품으로『삼족당가 첩』에 수록되었다. 이 작품은 처음 소개되면서 위세보(1669~1707)의 작품이라 하였으나, 뒤에 이종출에 의하여 위세보의 삼종형인 수우옹 위세직의 작이라고 정정하였다.

이 가사는 완도군 금당도와 만화도를 주유하고 돌아오기까지의 자 연경물을 서경적으로 읊은 기행가사다. 〈관서별곡〉과 〈관동별곡〉이

북쪽지방의 자연경관을 노래한데 반하여, 〈금당별곡〉은 남쪽지방의 해양풍경을 노래하였으며, 표현수법이 정철의 〈관동별곡〉과 상당히 유사하여 영향관계를 짐작하게 한다. '一身이 병이드러 만사애 興況 업셔'라고 시작하여 애당초 입신양명에 뜻이 없어 세사를 멀리하고 古人詩와 죽림의 원학猿鶴을 벗삼아 반평생을 살다가 '앞산 아춤비애 봄빛이 빼어나니' 만리 연파에 일엽편주를 띄워 산형수세山形水勢와 엽서화담葉嶼花潭의 승경을 무릉도원과 삼신산에 비기면서 금당도에 이르러서는 석로石路에 올라 기화요초와 기암절벽의 자연 속에서 우화등선하는 선경을 연상하였다. 그리고 만화도로 가는 동안의 야경과 아침 경치를 노래하면서 이렇듯 아름다운 산수간에 영락永樂을 누려보지 못하고 돌아옴을 안타까워하면서 끝을 맺었다. 모두 9단으로 구성된 노래로 제8단의 일부를 보면 다음과 같다.

어와 恍惚ᄒ야　　　　내 아이 神仙인가
一盃酒 ᄌ로부어　　　醉토록 머근후의
三花樓 비겨안저　　　물밋틀 굼버보이
越溪의 싯던비단　　　어늬물의 밀려오며
洛浦의 ᄂ던 仙女　　　어이ᄒ야 쟘긴게뇨
水色도 竒異ᄒ다　　　다시곰 살펴보이
湖山의 픠온고시　　　물아레 빗츨셔라

이 가사는 장흥지방의 노래로 백광홍(16C, 관서별곡) 노명선(17C, 천풍가), 위세직(17C), 위백규(18C, 자회가, 권학가), 이상계(18C말, 초당가, 인일가) 등으로 계승된 바, 이 고장 가사발전의 맥을 살필 수 있다.

바. 연주충군가사 戀主忠君歌辭

연군과 애국의 내용을 노래한 가사로는 옛날에는 유배가사와 연주충군가사로, 근래에는 우국가사와 애국(忠義)가사 등에 나타나 있다. 여기에는 〈북관곡〉, 〈자도사〉, 〈별사미인곡〉 등 3편이 있다.

〈북관곡北關曲〉은 봉곡 송주석(1649~1692)의 작품이다. 그는 자기 할아버지 우암 송시열이 숙종 원년(1675)에 덕원으로 귀양갈 때 함께 동행하면서 유배의 부당성과 가는 도중의 고난을 서술하였다. 그 첫 부분을 살펴보면 다음과 같다.

어와 설운지고　　　　　　이 힝츳(行次) 므스일고
쟝수(長沙) 쳔일이(天一涯)에　賈太傳 힝식(行色)인가
됴쥬(潮州) 팔쳔니(八千里)에　한니부(韓吏部) 길히런가
북관(北關) 쳔니(千里) 밧긔　어딕라고 가시는고
평싱을 도라보니　　　　　　지은 죄 업건마는
늣게야 언쩐일노　　　　　　이런 禍 만나신고
무긔연간ᄉ(戊己年間事)를　싱각거든 목이멘다

이 작품은 유배자가 아닌 손자가 썼다는 데 이채異彩가 있으나, 유배자 자신의 입장에서 주관적으로 표현한 데 흥미가 있다. 또 젊은 나이(25세)에 쓴 것이기에 당사자 못지않은 애절한 느낌과 정적에 대한 복수심이 강하게 나타나 있다.

〈자도가自悼歌〉는 이재 조우인(1561~1625)이 광해군 때(1621~1623) 필화를 입어 옥중고초를 당하던 때에 지은 연군가사이다. 이는 간신들 때문에 정사가 어지러움을 한탄하여 지은 것인데, 송강의 〈사미인곡〉의 영향으로 쓰여진 연주충군가사다. 노래의 일부분을 살펴보면 다음과 같다.

임 향한 一片丹心	하늘씌 틱나시니
三生結綠이오	지은 마음 안녀이다
닉얼골 닉못 보니	보옴 즉다 흘가모는
밋늣치 곱고 밉고	삼긴 디로 진혀 이셔
嚥脂白粉도	쓸 쥴을 모르거든
皓齒丹脣을	두엇노라 흐리잇가

〈별사미인곡別思美人曲〉은 북헌 김춘택(1670~1717)의 가사다. 그는 김만기(인경왕후의 親父)의 손자요, 서포 김만중의 종손이다. 숙종 때(1689) 기사환국(인현왕후 폐위와 남인집권)으로 서인이 제거되자 그는 크게 화를 당해 다섯 차례의 유배와 세 차례의 투옥으로 30여 년을 보냈다. 이 가사는 그 중 제주 유배 시(1708, 세자 모해의 무고로 귀양감)에 지은 것이다.

이는 유배지에서 자기의 결백한 심정과 충성심을 호소하며 임금의 총애를 회복하려는 의도에서 쓰여진 가사다. 따라서 간절한 애원의 내용으로 표현되고 왕명에 의한 귀양이지만 유배자는 왕을 원망하지 않고 그 왕을 가리고 있는 흑운과 같은 간신을 원망할 뿐 군주에 대해서는 오로지 충성과 연모의 정을 구가할 뿐이다. 자탄과 애소, 연모와 정한이 결집된 고백풍의 가사로 연모의 대상은 속종대왕이다. 노래의 모습을 다음과 같다.

어려서 이러흔가	미쳐서 이러흔가
무암이 졀노나니	뉘라서 금(禁)홀손고
뫼서서 이리흐니	각시님 갓도던들
서룸이 이러흐면	싱각인들 이러흘까
此生의 이러커든	後生을 어이알고
추하리 싀여져	그름이느 되여이셔

祥光五色이	님계신디 덥헛고져
그도 무소흐면	바람이누 되야이서
夏日淸音의	님계신디 부리고져

〈별사미인곡〉은 송강의 〈속미인곡〉처럼 두 여인의 대화체로 되었고, 문체나 수사에서 닮은 점이 많다. 작품 전체로 보아 한문투가 적고 평이한 우리말이 자유롭게 구사된 점이 돋보인다.

사. 풍물서경가사 風物敍景歌辭

우리나라는 금수강산이라 불려진 만큼 산천이 수려하고 사계절이 분명한 풍광을 가져서, 예로부터 많은 시인묵객들이 고장의 산천풍물을 노래했으니, 이는 풍경의 아름다움을 펼쳐 그린 가사다. 여기에는 〈백상루별곡〉, 〈입암별곡〉, 〈용추유영가〉, 〈월선헌십유경가〉, 〈희설가〉, 〈향산별곡〉, 〈청풍가〉 등 7편이 있다.

〈백상루별곡百祥樓別曲〉은 세종대왕의 증손인 한음군 문취당 이현(1540~1618)이 선조 때(1595) 명나라 구원병의 영위사迎慰使로 평북 안주에 머무는 동안에 지은 135구의 서경가사다. 이는 곡을 붙여 전파하고자 하는 지방민의 요청으로 조망이 가장 좋은 백상루에서 바라본 청천강의 아름다운 경치와 자기의 술회를 함께 묘사한 작품이다.

내용은 백상루의 아름다운 건물 칭송을 시작으로 누에서 보는 산들의 형상과 낙산동대 그리고 향로봉의 운치를 읊었다. 이어서 청천강과 채릉동자采菱童子 및 완서아녀浣少兒女를 노래하였고, 안주의 치안이 유지된 것과 작자가 영위사로 오게 된 사연을 말하였다. 끝에 가서는 백일몽을 통하여 왜란이 평정되고 사직이 평안하여 서울로 돌아갈 꿈을 꾼다. 이현은 중종 때 〈낙지가〉를 지은 이서처럼 왕족출신의 작자인 점이 특이하고, 이 가사는 기봉의 〈관서별곡〉의 영향을 받았으며,

송강가사와도 관계가 있다고 하여 주목된다. 노래의 일부를 보면 다음과 같다.

낙순동딕(樂山東臺)예	느즌 구룸 채 것고
향노봉(香爐峯) 엇게예	즈연(紫煙)이 빗겻는 제
슈창을(繡窓)열티고	玉忱를 비겨시니
번거흔 모음에	눈이조차 겨롤 업다
두 가래 누린 믈리	누 압픠 와 모다져
슴츠형셰(三叉形勢) 되어	섯거 도로 감도니
쌍용(雙龍)이 뜨도러	如意珠를 다토다가
善性을 굴프러	가라나는 즈시로다
海門이 가까워	늦음을 채쳐미니
平沙沒痕하고	島嶼가 半露하여
岸芝汀蘭이	새 잎이 흗부칠 때
隔江蘆花에	엷은 연기 가득한데
덮었는 것 雁鶩이오	섯도는 것 白鷗로다

〈입암별곡立岩別曲〉은 노계 박인로가 인조 때(1629)에 여헌 장현광과 함께 노닐면서 입암 28경과 그의 벗들을 칭송한 가사로, 고향인 영천 도천리 주위의 아름답고 빼어난 경물을 읊었다. 그 처음을 보면 다음과 같다.

塵世上 살암들아	立岩風景 보앗는다
武陵이 좃타흔들	이예서 나을쇼냐
峯頭애 쓴 白鶴은	雲間애 춤을 츄고
深源의 숨은 杜鵑	月下의 슬피 운다
蓬萊가 어듸메오	瀛洲가 여긔로다

日躋堂 올나 안즈　　　二十八景 도라보니

卓立巖 두렷ᄒ야　　　淸川의 砥柱되고

起予巖 삼겨나셔　　　戒懼臺 도여시니

臨危戒懼 ᄒ신 말ᄉᆞᆷ　잇째예 뫼완는 덧

九仞峯 놉흔 봉이　　　功虧一簣(공휴일궤) 죠심ᄒ쇼

〈용추유영가龍秋游詠歌〉는 정훈(1563~1640)이 지리산 용추동 용추폭 포하에 은거하던 수남방옹 자신을 그린 것으로, '物外예 ᄇ린 몸이 山 水에 病이 되어' '數間 茅屋을 雲水間의 얼거믹고' 등 용추의 사시가경 을 완상하며 노래하였다. 이는 송순이 면앙정을 짓고, 그곳을 오르내 리며 그 주변의 승경을 노래한 〈면앙정가〉와 그 시정이나 표현이 흡 사하여 〈면앙정가〉의 영향을 받은 듯하다.

　내용은 용추의 풍물을 읊고 그곳의 춘하추동의 경치를 차례로 노 래한 뒤, 소부·허유의 기산영천이나 엄자릉의 칠리탄에 비기고 산수 에 자오하는 그의 선계생활을 다음과 같이 읊고 있다.

山鳥山花를　　　　　　내 버즐 삼아 두고

一區風烟에　　　　　　삼긴대로 노는몸이

功名을 思念ᄒ며　　　貧賤을 셜워ᄒᆞᆯ가

簞食瓢飮으로　　　　　내 分만 안 과ᄒ니

日月도 閑暇ᄒᆞᆯ샤　　이 溪山景物을 슬토록 거ᄂ리고

百年光陰을　　　　　　노리다가 마로리라

아희야 松關을 ᄀ리와라　世上알가 ᄒ노라

　이런 결사의 표현에서는 〈면앙정가〉를 읽는 듯한 호남가도의 전통 적 시정을 느끼게 한다.

선석仙石 신계영(1577~1669)의 〈월선헌십육경가月先軒十六景歌〉는 효종
6년(1655)에 치사환향한 뒤 례산 오리지에서 지은 풍물서경가사다.
그 일부를 보면 다음과 같다.

芽齋예 빗친 빗치	玉樓라 다를소냐
淸樽을 밧비 열고	큰 잔의 フ득부어
竹葉 フ는술를	들빗조차 거후로니
瓢然흔 逸興이	져기면 늘리로다
李謫仙 이러호야	들을 보고 밋치돗다
春夏秋冬애	景物이 아름답고
晝夜朝暮애	翫賞이 새로오니
몸이 閑暇호나	귀 눈은 겨룰 업다
餘生이 언마치리	白髮이 날로 기니
世上 功名은	鷄肋이나 다를소냐

이상에서 살펴보면 귀농 퇴관인의 한거향락 생활이 솔직히 나타났
으며, 마지막에는 전원한정과 탄로, 그리고 '亦君恩이샷다'로 끝맺어
연군지정을 표현하였다.

〈천풍가天風歌〉는 청사 노명선(1647~1715)이 지은 풍물서경가사다.
그 내용은 전남 장흥군 관산읍에 있는 천풍산(현 天冠山)의 자연경치
를 노래한 것이다. 모두 331구로 순 한글 필사본 『삼족당가첩』에 수
록되어 있다. '功名의 薄命호고 富貴예 緣分업셔'라고 시작된 이 노래
의 첫 부분을 보면 다음과 같다.

功名의 薄命호고	富貴예 緣分업셔
卓犖흔 文章이	白屋의 虛老호니

忠孝 兩節을	願대로 못할 망졍
仙風 道骨이	世俗애 마즐소야
烟霞예 痼疾되고	泉石의 膏肓되여
三山의 期約 못ᄒ고	五湖水예 못갓신 졔
千萬二十 이 江山을	일곱으로 다 보리라
浮游 物表ᄒ야	노난 듸도 하건만ᄂ
天風山 八萬峯은	各別흔 天地로다
갓 업슨 風景을	大槪만 니로리라

특히 호남지방에서는 사대부들이 자기 고장 명승지를 찾아보고 가사를 짓는 것이 유행이어서, 숙종 때(1691) 노명선의 〈천풍가〉, 위세직(1655~1721)의 〈금당별곡〉, 황전(1704~1771)의 〈피역가〉 등이 계속되었다.

〈희설가喜雪歌〉는 관수재 홍계영(1687~1705)이 지은 가사로 『관수재유고』에 수록되었다. 숙종 30년 겨울 중신들이 기설제祈雪祭를 지낸 바 있는데, 작자는 병중에 있으면서 〈희설가〉를 지어 눈이 많이 내린 경치를 묘사하여, 이 세상의 더러움과 괴로움을 벗어나기를 바라는 마음을 나타냈는데 표현이 무척 신선하다. 내용을 보면 성상이 예관을 불러 빌게 한 결과 옥황이 감동하여 백설을 내려주니 강설후의 결백한 풍경, 선동과 직녀의 조화, 원근의 무궁 황홀한 선경, 그리고 희설이 왕후평복을 기약한다고 읊었다. 그 일부(春雪)를 보면 다음과 같다.

君山酒롤 ᄀ득붓고	王母桃로 안쥬ᄒ여
北斗仙을 勸흔 후의	나 흔盞 부어먹어
禦寒을 ᄒ쟈고나	禦寒만 ᄒ쟌말가
不老人이 되쟈고나	어와 이 내몸이

天地의 壯遊를 아니하고	무어슬 하쟌말고
이러구러 轉輾ᄒ야	夢寐가 바히 업ᄂᆡ
東窓이 旭旭ᄒ며	太陽이 추미ᄅ니
家家簷下의	비소ᄅᆡᄂ 무ᄉ일고
내 흔 말 가져다가	눈ᄃ려 니로ᄂ니
네 時節 언매치리	三冬이 거의로다

이처럼 선계에서 불노인이 되어 장유하고 싶음과 처마 끝 낙수 소리에 녹아드는 백설을 서러워하면서 세모심기를 창송에 의탁하고 청시의 높은 격조를 백설에 비긴 것으로 맺었다. 18세의 소년작으로는 너무 완숙 화려하여 작자의 정연한 정서적 표현이 돋보이면 눈(雪)을 작품의 소재로 했다는 점과 낙구가 탈락되어 있는 점이 특이하다.

〈향산별곡香山別曲〉은 어천 정시숙(1680~1714)이 숙종 때(1712) 묘향산을 유람하고 지은 기행가사다. 이는 이주홍이 발굴할 때는 백광홍의 〈관서별곡〉이 아닌가 했으나, 그 후 이상보에 의해 〈관서별곡〉의 진본이 발표됨으로 분명해졌다.

〈향산별곡〉은 330구의 장편가사로 짜임새와 담담한 서술이 돋보이며, 묘향산의 승경은 물론 사찰, 암자, 사적 등을 두루 살피고 경개의 수려함을 구가한 바, 풍부한 내용, 세련된 조사법, 어휘구사, 도도한 흐름과 율조 등에서 가사의 운치를 더해 준다. 작품의 일부를 보면 다음과 같다.

匹馬를 채을쳐서	月林江 다다로니
젹막한 荒江우의	물쇼래 뿐이로다
부르고 또 불너서	빈 배를 재촉하니
靑山 一孤舟로	蓑笠쓴 져 舟子야

滄浪曲 白石歌의	一生의 일이 읍다
白沙亭 다 디나셔	九松臺 너머 가니
千萬疊 구름뫼히	갈기를 막아이다 (중략)
龍角石 놉흔 돌의	몃몃치 題名하고
큰글자 쟈근획이	빈틈이 전여 읍다
君子난 긔 언마며	小人은 몃사람고
돌우해 삭인 일흠	後人의 거우리라

아. 송축추모가사 頌祝追慕歌辭

이는 경사스런 일을 축하하거나 인물(生死間)들의 덕행을 흠모 찬미하는 내용의 가사로 송축, 송양, 찬양, 추모, 조애, 모현, 송덕 등을 포함시켰다. 여기에는 〈성주중흥가〉, 〈선산회복가〉, 〈독락당〉, 〈영남가〉, 〈도통가〉 등 5편이 있다.

〈성주증흥가聖主中興歌〉는 수남방옹 정훈(1563~1640)이 지은 가사다. 그는 남원에 살았던 사람인데 孝子로 널리 알려졌다. 늙어서는 우국충정으로 세태를 강개하여 시가로 울분을 터트리고, 이괄의 난 때는 62세의 노구로 의병을 모집하여 출정했다.

그의 사상은 빈이무원과 안빈낙도하는 도학사상과 우국지성에 넘치는 충효사상, 그리고 산수지락을 즐기는 자연애사상으로 나눌 수 있는데, 이들은 그의 시가 속에 승화되어 있다. 그는 명종 18년에 태어나 임진왜란, 정묘호란, 인조반정, 병자호란 등 역사적 대사건들을 문학의 제재로 취했다. 따라서 정훈은 6편의 가사와 20수나 되는 시조를 남겼는데, 작품 내용이 단순한 충효나 풍물을 떠나서 생활과 시대를 반영함으로 문학적인 본질을 유감없이 드러낸 작품들이다. 또 문학사적으로 주목되는 점은 시조에 제목을 달아 무제시의 불확실성을 탈피함으로 문학적 지평을 확대하였다. 이와 같은 경지로 보아 정훈은 송강에는 따르지 못했으나 노계보다 표현이나 기교면에서 월등

한 수준을 나타냈다. 따라서 호남가단의 계보를, 하성래는 정극인-송순-송강-수남방옹-고산으로 보아야 할 것이다.

〈성주중흥가〉는 인조 때(1623)에 계해반정 소식을 듣고 '늙은 몸이 다시 밝은 하늘을 보았도다'라고 기쁜 마음을 노래한 것이다. 곧 광해군의 학정에 시달리다가 인조반정의 소식을 듣고 '復見天日之明'의 기쁨으로 광해군의 폭정과 관리의 부패를 신랄하게 비판 공격하고 인조의 어진 덕을 찬양한 다음, 민정을 살피고 충언을 잘 들어 선정을 베풀어 줄 것을 축원하였다. 노래의 처음을 소개하면 다음과 같다.

갓고로 돌렷다가	글러나 니러셔셔
春風에 숨내쉬어	北極을 바라보니
陰雲이 消盡ㅎ고	白日이 中天ㅎ샤
人間 冤枉을	곳고지 다 빗최니
어와 살앗다가	이 時節 보관지고
北向 再拜ㅎ니	눈물이 절로 난다
人倫을 볼키시니	萬姓이 咸服ㅎ고
舊人을 쓰시니	녯 法이 새롭도다

이어서 '여으슭 虎狼이 城闕의 ㄱ특ㅎ니' '無辜흔 窮民을 그대도록 보챌셰고' '벼슬파라 銀뇌화 어듸두고 싸하시며' 등 국정을 직설적으로 고발 증언함은 문학사에 이런 노골적인 표현은 가히 없는 일이다. '江湖애 브려신들 社稷을 니즌손가'에서 진솔한 우국의 모습을 볼 수 있으며 '어와 살았다가 이 時節 보관지고 北向 再拜ㅎ니 눈물이 절로 난다' 하여 인조반정의 기쁨과 더불어 선정을 바라는 간절한 마음이 나타나 있다.

〈분산(선산)회복사은가墳山先山恢復謝恩歌〉는 〈위군위친통곡가爲君爲親痛

哭歌〉와 함께 필사본『청계망사공유사가사』에 수록되어 있는 청계淸溪 강복중姜復中(1563~1639)의 가사이다. 〈분산회복사은가〉는 〈선산회복 가〉라고도 하는데, 이 작품은 청계가 16세에 선산의 투장을 해결하기 위하여 응송應訟한 뒤로 60년간 불계청우不計晴雨하고 관문을 드나들다 가 충청감사 동악 이안눌(1571~1637)의 성원으로, 드디어 굴금堀禁에 성공하여 선현의 분산을 회복하게 된 반가움과 고마움을 노래한 작품 이다. 그 괴로운 심정의 일부를 다음에서 볼 수 있다.

鼠竊 狗偸(구투)는	곳곳의 싸혀이셔
朝生 暮惡ㅎ야	僞造文記 밍그라
先賢의 器物과	우리 墳山을
드쓰러 却奪하고	乘時 用術ㅎ야
無窮 作亂ㅎ니	墳山이 兀兀ㅎ고,
先賢 壯跡은	어드러로 가돗썬고

〈동락당獨樂堂〉은 박인로(1561~1642)가 만년에 회재 이언적(1491~1553) 의 경주 옥산서원의 독락당을 찾아 도학자로서의 회재를 사모하는 심 회와 옥산서원의 경치를 읊은 가사다. 이는 노계 가사 중 최장편으로 총 255구이며 선현을 사모하고 추앙하는 점이 잘 나타나 있다. 그 일 부를 보면 다음과 같다.

先生 文集을	仔細히 살펴 보니
千言萬語	다 聖賢의 말삼이라
어드운 밤길히	明燭잡고 옌덧ㅎ다
진실로 이 遺訓을	腔子裏예 가득담아
誠意 正心ㅎ야	修誠을 넙게ㅎ면
言忠行篤ㅎ야	사름마다 어질로다.

| 先生遺化 | 至極홈이 엇더ᄒ뇨 |

이상의 끝 부분에 나타난 바처럼 그의 유훈을 길이 받들 것을 권면한 것이다.

또 노계의 작으로 〈영남가^{嶺南歌}〉가 있는데, 이가 75세 때(1635) 지은 가사다. 이근원이 영남순찰사로 부임하여 선정을 베풀다가 돌아가게 됨으로 백성들이 모두 유임을 원하자 이에 작자가 이 노래를 지어 그의 덕을 찬양하였다. 황춘기는 이근원이 아닌 이명을 찬미하기 위해 지은 것이라 하였다. 끝 부분을 소개하면 다음과 같다.

뭇노라 布穀이	이쏜히 어딕오
어즈버 이몸이	周界예 드러온 듯
相國 風化	아믹도 그지업닉
召公의 德化늣겨	寇君一年 빌고제라
嶺南 士民들아	이내말삼 仔細듯소
相國恩德을	못니즐 흔닐 ᄒ식
齊紈을 만히사고	眞彩를 가초 어더
相國風度를 司馬溫公 畫像갓치 無限無限 그려닉야	
嶺南 千萬家애	壁上의 부쳐두고
中心에 그리온 적이어든	보읍고쟈 ᄒ노라.

임진왜란으로 황폐한 고장에 이순상이 와서 선정을 펴니 온 고을이 무릉도원처럼 되었음을 말하고, 영남 백성들은 그의 은덕을 길이 우러러 보자고 권면하였다.

〈도통가^{道統歌}〉는 옥소 권섭(1671~1759)의 문집에 〈영삼별곡〉과 함께 실린 112구의 단편가사다. 그 내용은 중국의 도맥과 우리나라의 도학계보를 밝히되 특히 이율곡을 거쳐 송시열과 백부 권상하에 이르기까지 발전 양상을 노래함으로써 우암 송시열의 학풍을 드높이고자 한 것이다. 그 일부를 소개하면 다음과 같다.

名目도 奇特하고　　　　次序도 됴흘시고
그숫희 늙은 先生　　　　私淑ᄒ여 나닷 말가
一百券 지은 글이　　　　篇篇이 朱子ㅣ로다
罔極혼 大禍根이　　　　門屛에 니러날샤
天地間 一直字를　　　　後學의 맛지거다
華陽 萬東廟를　　　　　쏫바다 지으시니
萬古綱常이　　　　　　떠러질 적 이실손가

자. 우국계몽가사 憂國啓蒙歌辭

이는 국란을 당하여 국가의 안위를 염려하여, 이를 극복하기 위하여 민중을 계몽하고, 그들에게 위기의식과 문명의식을 고취하는 선진 지식인들의 노래들로서 외세를 막고 애국하자는 것이 주요한 내용이었다. 여기에는 〈우희국사가〉, 〈봉산곡〉, 〈남초가〉, 〈위군위친통곡가〉 등 4편이 있다.

〈우희국사가憂喜國事歌〉는 수남방옹 정훈(1563~1640)이 말년에 나라 일을 근심하고 통곡한 나머지 지은 것으로 원가는 현전되지 못하고 한역본이 전하는데, 그 일부를 번역해 보이면 다음과 같다.

전란이 일어나니　　　　時運이 險阰하여
尼湯과 介栗이　　　　　北녁에서 요동하니
李萬戶 忠節로써　　　　東倭를 쳐죽이네
본디 옛날엔　　　　　　東西가 없었는데

172

어느 누가 만들어내   당기듯 미는 듯
나라 근본 어지럽히니 天變인들 아니일랴.

이처럼 임진·정묘·병자년의 역사적 대사건을 서사적으로 읊은 우
국가사로서 비록 원문은 전하지 않지만 그의 대표적 작품이라 하겠다.

〈봉산가鳳山曲〉은 우담 채득기(1605~1646)의 작으로 일명 〈천대별곡〉
이라고도 하는데, 병자호란이 끝나고 소현세자, 봉림대군 등이 인질
로 끌려가니(1638) 호종하여 심양으로 떠나면서 군은의 망극함을 노
래한 가사다. 그 첫 부분을 보면 다음과 같다.

가노라 玉柱峯아   잇거라 擎天臺야
遼陽 萬里길이   머다야 얼마 믈며
北關 一周年이   오리다 하랴마는
翔鳳山 別乾坤을   쳐음의 드러올졔
魯連의 憤을 계위   塵世을 아조 쓴코
발 읍신 동솟하나   젼나귀의 시러 내여
秋風 石逕斜의   臥龍崗 차자와셔
天柱峯 巖穴下의   茅屋數間 지어두고
鼓瑟壇 杏花坊의   亭子터을 손조 닥가
나졔나 이러나고   싀달이 도다올 졔
기둥 읍신 거져문과   울 읍신 가시삽작
寂寞흔 山谷間의   自作村이 더욱 좃타.

이렇게 시작하여 소명으로 심도에 오르며, 은거지의 자연경물을
잊지 못하는 마음과 안빈낙도, 천연적 기경, 유유자적한 생활, 그리고
우국연군의 지정을 노래하였다.

〈남초가南草歌〉는 청광자 박사형(1635~1706)의 『청광집』에 실린 소재가 특이한 가사다. 그는 선조 때부터 받은 청백리의 유풍으로 일생을 초야(보성, 고흥, 장흥)에 은거하면서 청빈중에 독서하고, 작시하는 선비로서 청렴결백한 충효의 사람이며, 호학문달한 문재요, 숭의 근학하는 지조의 인물이었다. 다음에 작품의 끝부분을 살펴본다.

이몸이 貧賤ᄒ야	草野의 뭇쳐시니
藜藿羹을 못 免ᄒ되	葵藿忱은 혼자잇셔
너갓튼 마슬 보니	獻芹誠이 보야날제
兩腋에 깃을 돋쳐	九天의 ᄂ라올나
閶闔門 드리달나	玉皇ᄭᅴ 進上ᄒ면
香案에 노아보고	우리 東皇(我國) 常給ᄒ야
千千萬萬歲를	거의 疾病 업사실까
그졔야 太平烟月에	壽民丹을 삼으리라.

비록 소재를 남초(담배)에서 취한 것이라 해도 그 주제는 애군충정을 노래한 것으로 평소의 연군충의지정이 그대로 나타난 것을 볼 수 있다. 또 현종 때(1666) 우리 조상들의 남초에 대한 자세를 볼 수 있는데, 남초를 일종의 영이한 효험이 있는 약초로 보았다.

〈위군위친통곡가爲君爲親痛哭歌〉는 청계 강복중(1563~1639)의 작으로 임병양란 뒤에 폐허된 사회상을 바라본 지은이가 연군 충분의 감개와 우국경세의 생각을 읊었다. 작가가 인조 때(1639) 늙은 몸으로 걸어서 장안을 구경하고 고향에 돌아와 청병이 침입하여도 신로미부身老未赴함을 한탄하고 고달프게 살아온 자신의 회포를 노래하였다. 그 처음을 소개하면 다음과 같다.

平生의 慷慨만 품고	天下를 두돌면서
굴므락 머그락	이리 가며 져리 가며
晝夜의 헵쓰드가	天運이 不幸ᄒ야
朝鮮 國家도	亦有不達이로ᄃ
星火ᄀ튼 兵燹急亂이	不意에 突入ᄒ니
穆穆聖主와 有斐大君이	遑遑 奔竄ᄒ야
蜀道를 닐어시고	各散 東西로다

이렇게 시작된 바, 사대부가 합심해서 복구를 해야 한다고 하면서 새로운 상황에 맞는 질서가 요구되니, 먼저 사대부들은 보수적인 의식을 회복하고 성현의 도리를 돈독하게 따라야 한다고 하였다.

차. 포교신앙가사 布敎信仰歌辭

포교신앙가사는 종교의 교리를 세상에 널리 펴는 것을 주제로 한 가사다. 이는 종교적 내용을 다룬 것으로 각 종교의 경전을 소개하거나, 종교적 정신에 입각하여 창작하거나 교리의 전도를 위하여 지은 가사를 말한다. 이 시기의 불교가사로는 휴정의 〈회심곡〉, 침굉 선사의 〈귀산곡〉, 〈태평곡〉, 〈청학동가〉, 김창흡의 〈삼연선생염불가〉 등 5편이 전한다.

〈회심곡回心曲〉의 작가 최휴정(1520~1604)은 호가 청허 또는 서산대사로서, 성균관에서 유학을 공부하다가 싫증이 나서 동료와 함께 지리산에 들어가 불법을 공부한 바, 숭인에 의해 중이 되었다. 명종 때 승과에 급제하여 보우의 후임으로 봉은사 주지가 되었다. 그는 임란이 일어나자 의승병 5천 명을 거느리고 수도회복에 공을 세웠다. 휴정은 유·불·도가 궁극적으로 일치한다고 하여 삼교통합론의 기원을 수립하였으며 원적암에서 여생을 보냈다.

〈회심곡〉이 수록된 문헌은 1776년 해인사에서 개간한 『念佛普勸文』인데 나옹의 〈서왕가〉와 함께 '회심가곡'이라 하여 순한글로 표기되어 있다. 『조선가요집성』의 해제에는 '淸虛尊者卽西山大師 休靜作'이라 했다. 그는 나옹화상의 뒤를 이어 불교 가사를 계승하였으며, 〈별회심곡〉, 〈특별회심곡〉, 〈속회심곡〉 등 4종의 이본이 있으나 내용은 대동소이하다.

가사의 내용은 인과응보사상을 고취하면서 열심히 염불하여 극락왕생하여 태평곡을 부르자고 권면한 불교 가사이다. 그러나 유교 사상과도 자연스럽게 융합시켜서 임병양란에 흉흉한 불도들의 신앙심 고취에 큰 영향을 주었다. 그 일부를 보면 다음과 같다.

念佛誹謗 罪롤 보소   牛馬蛇身 뎌 아닌가
善行닷근 德을 보소   國王大臣 뎌 아닌가
八萬大藏 니른 말과   百年論疏 사긴 말숨
禁흔 거시 貪慾이오   勸흔 거시 念佛이니
이리 貴흔 사름인제   뎌리 됴흔 眞妙法을
못듯고는 말녀니와   듯고 춤아 아니홀가
淨土門을 求景흔니   信心으로 念佛흐면
極樂導師 阿彌陀佛   今年으로 드러가면
칠보連臺 玉毫光에   無上快樂 受홀쌔예
萬歲만세 디나가되   半日 곳다 니르시니
人間苦초 하 셜우니   뎌 眞樂에 어셔가새

이는 모두 116행 232구의 가사인데, 그 요지는 말세적 풍속에 물들어 충효신행을 망각한 골육상쟁으로 멸망하지 말고, 자기의 봉심을 바로하여 일념으로 염불 득도하여 극락 연화대에 올라 태평곡을 부르자는 것이다.

침굉枕肱(1616~1684)은 속성이 윤이요, 법휘는 현변, 호는 침굉이다. 그는 나주에서 탄생, 13세에 출가하여 서산대사의 수제자 소요화상을 지리산으로 찾아가 제자가 되었다. 그 뒤에 오도의 선승이란 말을 들었으며 문학과 서예에 능하고 유교와 도교에 대한 교리도 밝았다. 행장에 의하면 침굉은 19세 때 해남 백련동에 거주하고 있는 고산 윤선도를 만났으며, 그곳에서 얼마간 묵었던 일이 있었다. 고산은 그에게 족장(29세 연장)이 되니 섬기는 점이 두터웠을 뿐만 아니라 감화도 컸으리라 보아 고산의 시가적 영향이 있었으리라 짐작된다.

침굉가사는 『침굉집』에 수록된 것을 발굴하여 소개한 것인데, 이는 고려 말 나옹화상이 지은 〈서왕가〉 등에서 비롯된 불교가사가 서산대사의 〈회심곡〉을 거쳐 그 계통이 계승된 것이지만 침굉의 가사에서는 한낱 관념적인 수준을 뛰어넘어 문학적 흥취가 담긴 점이 특이하다. 그의 작품으로 〈귀산곡〉, 〈태평곡〉, 〈청학동가〉 등 3편이 있다.

〈귀산곡歸山曲〉은 단순한 찬불이 아니고 작자의 자전적 주관적 작품으로 속세의 명리를 버리고 자연에 돌아와 청빈으로 도를 닦는 즐거움을 향유하는 내용이다. 가사의 첫머리가 나옹화상 작이라는 〈참선곡〉과 같이 '阿阿阿' 하는 웃음소리로 시작한 것이 유사하다. 이 웃음소리가 예로부터 사원가사의 전통형이 아닌가 한다. 작품의 일부를 보면 다음과 같다.

阿阿阿 錯錯子야	네 엇지 錯錯흔다.
浮生이 一夢이오	萬富도 如雲이다.
부귀공명 榮利財貨	엿보아 어딕쓸다
十二예 出家ᄒ야	十三애 爲僧ᄒ야
畵閣高堂의	恣意히 안닐며

玉軸金文 주어보딕   說食飢夫 기리도여
念佛參禪 우이너겨   外事만 쓰로는다

이렇게 시작된 가사의 내용은 세속의 영화가 헛됨을 깨닫고 중이
되어 산중에 들어와 살아가는 즐거움을 노래한 불교가사로 88구의 정
형 가사다.

〈태평곡太平曲〉은 사이비 승려에 대한 질책과 승려의 사명인 중생에
대한 교육의 염원을 읊은 것으로 한문투에 불교 술어와 불교적 내용
을 많이 담은 것이 특색이다. 승려로 무위도식과 잡스런 행위로 불법
을 망치는 것을 꾸짖으며, 자기 자신의 올바른 자세를 다짐하는 것으
로, 주목되는 내용을 보면 다음과 같다.

惡知惡覺 殘糞數般   雜知見을 주어빈화
禪門도 내알고   敎門도 내 아노라
無知흔 首座드려   매도록 샤와리되
七識자리 이러ᄒ고   八識자리 져러ᄒ다 (중략)
쥐쏭이 니러쎄   비븨ᄂ니 손이로다
어와 져것들히   무슨 福德 심것관듸
高峯大惠 後에 나셔   末世眼을 머로ᄂ고
高峯大惠 계시더면   머리 쌔쳐 개주리라

이 노래는 형식이 산만하여 정확한 해독은 어려우나 잡스러운 지
식으로 불법을 다 아는 척하면서 함부로 지껄이는 승려를 꾸짖고 있
다. 높은 스님들이 계셨더라면 머리를 깨서 개를 주리라는 말까지 했
다. 개탄하고 꾸짖은 의도는 물론 출가한 본뜻을 살려 제대로 수행을
하자는 데 있고, 자기는 그런 잘못을 저지르지 않고 물외장부로서 태

평곡을 부른다고 했다.

〈청학동가^{青鶴洞歌}〉는 55구의 짧은 가사로, 지리산에 있는 산수 좋고 청학이 산다는 절승지 청학동을 답사하면서 그곳의 승경과 심덕을 읊은 불교가사다. 표현은 한문투를 많이 써서 딱딱하나 자연 속에 침잠하는 작자의 선흥을 잘 편 작품이다. 다음에 그 일부를 소개한다.

智異山 靑鶴洞을	녜 듯고 이제보니
崔孤雲 蹤跡이	處處의 宛然ᄒ다
香爐峯 束聳호매	奇巖은 競秀ᄒ고
怪石이 崢嶸ᄒ야	松栢조차 蒼蒼흔디
三千尺 玉流ᄂ	九天의셔 듯듯ᄂ듯 (중략)
百衲閑僧은	禪興을 못내겨워
玉爐에 香을 곳고	一聲 金磬을 萬壑風의 울리노매
아희야 撓舌을 말고라	探勝騷人 알려다.

〈삼연선생념불가^{三淵先生念佛歌}〉는 삼연 김창흡(1653~1722)이 지은 22구의 단편불교가사다. 그는 성리학자로 유명하나 도가에도 뜻을 두었으며, 부친상을 치르고는 불심에 잠기어 슬픔을 잊는 등 유불도에 정통하였다. 첫 부분을 소개하면,

國王님게 下直ᄒ고	父母님게 下直ᄒ고
名山을 ᄎᄎ들어	念佛修行 들어가니
雲霞는 滋滋잇고	시ᄂ물은 말갓ᄂ디
杜鵑이ᄂ 슬피울고	春風明月 ᄲᆜ이로다

라고 하여 필사본에는 2구마다 '나무아미타불'을 되풀이 하고 있다.

카. 회고서사가사 懷古敍事歌辭

이는 역대인물과 사물을 회고하는 역사적 자전적인 내용을 노래하였다. 여기에는 〈모하당술회가〉가 있다.

〈모하당술회가 慕夏堂述懷歌〉는 인조 때(1640)에 김충선(1571~1642)이 자기의 생애 중 50년간의 행적을 읊은 자서전적 가사로 전쟁문학이며 귀화인 문학이다. 임진란 때 가등청정의 우선봉장이 되어 임진년(1592) 4월 13일 울산에 상륙하여 동국의 문물이 소중화임을 보고 평소부터 소원하던 모화의 꿈을 실현하고자 우리나라에 투항하여 공을 세운 강왜장이다.

그는 임란, 이괄란, 병자호란에 혁혁한 무공을 세웠고, 자원하여 북새를 10년간 지킨 공으로 정헌대부에 이르렀고, 우록김씨의 시조가 되었다. 이 노래의 처음은 다음과 같다.

어와 이닉 平生	凶險도 홀셔이고
널으고 널은 天下	이여ᄒ여 마다ᄒ고
南蠻 左袵鄕에	駃舌風에 生長ᄒ여
中夏의 죠흔 文物	一見이 願닐러니
明天이 잇쯧알고	鬼神이 感動ᄒ여
긔 어인 淸正이	東伐朝鮮 ᄒ올적에
年少無識 이닉몸을	先鋒將을 슉여단닉 (중략)
誓不復還 ᄒ량으로	意中에 決斷ᄒ고
先墳에 ᄒ직ᄒ고	親戚을 離別ᄒ며
七兄弟 두 안히을	一時에 다써나니
슬푼 마음 셜은 쯧지	업다ᄒ면 빈말이라

이렇게 시작된 가사는 모화에 뜻을 두고 있다가 임진왜란이 일어나자, 투항할 결심을 은밀히 하고, 동토에 상륙하기까지의 내력과 귀화의 감회, 임란 동안의 경험, 그 후의 전공, 우록동에서의 한가한 생

활을, 그리고 끝으로 향수와 한탄의 감정을 나타내고 있다. 이는 귀화인이 국어로 창작한 가사로 『모하당실기』에 시조와 함께 전한다.

타. 도덕교훈가사 道德敎訓歌辭

이는 사람이 지켜야 할 도덕을 교훈하는 오륜과 오상을 주로 노래한 가사인데, 여기에는 〈권선징악가〉, 〈오륜가〉 등 2편이 있다.

경한재 곽시징(1644~1713)이 지은 가사로 〈권선징악가勸善懲惡歌〉, 〈오륜가五倫歌〉 등 2편이 전한다.

〈권선징악가〉는 작자가 이인도찰방 재임 중 숙종 때(1708)에 제작한 작품으로 오륜의 덕목인 효제지도로써 풍속과 기강을 바로잡으려는 유학가사 훈민가사로 백성을 교화하기 위해 지은 222구의 교훈가사다. 그 첫 부분을 소개하면 다음과 같다.

어화 빅셩들아 　　　 이닉 말 드러보소
오흡다 皇흔上帝 　　 下民을 降衷ᄒᆞ샤
五常에 根本ᄒᆞ야 　　 四端이 萌動ᄒᆞ니
四端 五常의 　　　　 스랑홈이 어버이라
이러무로 옛적 聖賢 　 孝道로써 먼져ᄒᆞ니
曾子의 養志홈과 　　 老萊子의 舞彩홈을
녜 가고 이졔 오며 　 뉘 아니 欽歎ᄒᆞ리

〈오륜가〉도 곽시징의 작품인데 오륜의 덕목을 알기 쉽게 풀이해서 노래한 것이다. 강전섭은 필사본 '곽사부오륜가'(550구)를 중심으로 다른 이본들과 대조하여 616구의 교합본을 만들어 소개하고는 원작자를 곽시징으로 보았으며, 이른바 유영무의 〈오륜가〉는 이를 개작한 이본이라 했다. 교합본의 끝부분을 보면 다음과 같다.

父母에게 孝子되고	나라의 忠臣이요
和兄弟 樂妻子ᄒ여	朋友有信 ᄒ오면은
當代의 福祿이요	千秋遺傳 ᄒ리로다
이러ᄒ 사람들은	거록ᄒ고 어질도다
聖人君子 절노되여	血食千秋 ᄒ리로다
어와 世上 사람들아	이ᄂᆡ말ᄉᆞᆷ 들어보소
평ᄉᆡᆼ의 ᄒᆞᆯ 일이	五倫밧긔 ᄯᅩ 잇는가
銘心不忘 ᄒ야셔라	삼가고 삼가셔라

파. 그 밖의 가사

이는 내용분류상 작품수효가 작거나 관련된 작품이 없는 것들을 한데 묶은 것들로 여기에는 백수회의 〈재일본장가〉, 안인수의 〈화경도인안인수가〉 등 2편이 있다.

〈재일본장가在日本長歌〉는 송담 백수회(1574~1642)가 지은 가사로『송담집』에 전한다. 그는 선조 25년(1592) 4월 임란이 일어나자 19세의 나이로 왜적의 포로가 되어 일본으로 끌려 가서 1600년 귀국할 당시까지의 충절과 회향의 심정을 노래한 내용이다.

그는 일본으로 끌려가 옥고를 치른 중에 회유하는 왜적에게 '寧爲李氏鬼 不作大羊臣'이라 팔뚝에 새겨 항거했으며, 9년 만에 석방되어 귀국하니 새긴 글자가 오히려 완연하여 사람들이 백의사라 칭송하였다 한다. 총 39구의 단형가사로 그 끝부분을 보면 다음과 같다.

枕上의 ᄭᅮᆷᄭᅢ어	故國의 도라오니
宮室이 如前ᄒ고	松菊이 荒蕪로다
父母의 절ᄒ고	二弟를 더위 잡고
中年 不見ᄒ며	兩生 相悲
니ᄅ며 무르며서	涕淚를 相揮ᄒ고

積積 前情을　　　　못내 베폰 스이예
夷謠 亂耳ᄒ니　　　遠蝶驚廻ᄒ도다

　위의 내용은 꿈속에서나마 고국에 돌아와 부모, 형제를 다시 만나 서로가 다 살아 있는 사정을 하소연하고 싶다고 했으나 그런 꿈마저 미진하고, 오랑캐 땅의 낯선 노래 소리만 귀에 요란하다는 말로 끝은 맺었다.

　『송담집松潭集』에는 〈재일본장가〉 외에도 〈화경도인안인수가和京都人安仁壽歌〉가 수록되었는데, 이는 안인수가 선조 25년(1592)에서 33년(1600)까지 사이에 지은 가사로, 같이 포로로 끌려갔던 백수회가 경도에서 전한 것이다. 이 노래는 17구의 단편가사로 그 전편을 보면 다음과 같다.

　　어와 셜온지고　　　싱각ᄒ니 더옥 슬픠
　　萬里外이어　　　　이 어듸라 혼자 와셔
　　ᄆᆞ음의 미친 님을　꿈의나 보려ᄒ여 客窓을 지혀시니
　　헌스로온 淸風은　　碧海를 지내 불고
　　외로운 明月은　　　板屋이 빗겨시니
　　ᄆᆞ음이 閑暇ᄒ여　줌이조차 아니 온다
　　아니 오ᄂᆞ 님은 ᄏᆞ니와 오던줌은 어듸 간고
　　줌조차 無情히 되니　더욱 슬퍼 ᄒ노라

　위에서 보면 잠조차 무정히 오지 않으니 더욱 슬프다는 이국에 끌려간 포로의 서글픈 마음을 절절히 토로하였다.

3. 문학사적 의의

조선건국 후 성종 조까지 200여 년간은 태평세월이었으나 연산 조부터 심화된 사화가 선조 조에 이르러서는 당쟁으로 격화되니, 결국 국난을 초래하게 되었다. 그 결과 임진왜란을 막지 못하고, 결국 7년간의 전란에서 국민들의 시련과 고통은 미증유의 큰 것이었으며, 생명과 재산을 보전할 수 없는 풍전등화의 처지가 되었다. 이런 상처가 아물기도 전에 일어난 병자호란(1636)은 국민들에게 정신적으로 큰 충격을 주었다. 이러한 외적의 침략으로 위정자와 양반은 무력함을 드러냈고, 자기반성과 자아각성이 촉구되었다.

그 결과 성리학의 공리공론보다는 실학의 실사구시의 학풍을 환영하게 되었고, 관념론적 세계관으로 표현된 양반 귀족문학에 반대하고, 현실을 소재로 한 경험적 세계관을 표현하는 근대서민문학이 고개를 들기 시작하여 기존가사의 형태와 내용에 많은 변화를 초래하였다. 따라서 도덕교훈적인 것과 자연애호적인 경향의 작품은 급격히 감소되고 소재를 일상생활적인 것에서 채택하여 사회를 비판하고 나라를 근심하는 작품들이 급격히 증가하였다.

전대에는 송강가사가 완전한 정격을 갖추고 가사문학의 절정을 이룬데 대하여, 이 시기의 가사는 좀 더 형식적 구속을 벗어난 자유로운 의사표시의 의욕과 산문화의 경향으로 형식적 파격을 이루면서 발전하였다. 사회적으로 보면 임진왜란과 병자호란을 겪음으로 국민들은 만신창이가 되었고, 경제적 도탄에 빠졌다. 반면에 서민계층의 자각과 함께 서민문학시대가 대두되어 숙종 조에는 소설과 시가에서 괄목할 만한 성장을 이룩하였다.

이 시기의 중요한 작품으로는 차천로의 〈강촌별곡〉, 채득기의 〈봉산곡〉, 신계영의 〈월선헌십육경가〉, 임유후의 〈목동가〉, 침굉의 〈귀산곡〉, 송주석의 〈북관곡〉 등 현전한 유명씨 작품만도 63편으로 발전기 24편에 비하여 많은 작품이 창작되었으며, 특히 이 기간에는 다작한 작자가 나오는데, 박인로는 〈태평사〉 외 8편을 지었으며, 조우인이 〈매호별곡〉 외 4편, 정훈이 〈수남방옹가〉 외 5편을 지었다.

그런데 이 시기에 있어서 가장 특기할 작자로는 노계 박인로의 출현이다. 그는 젊은 시절에 농촌산야에서 평민적 생활을 하였으며, 31세에 임진란이 일어나니 의병으로 활약하였다. 그는 38세 때에 무과에 등과하여 거제도 조라포의 만호로 부임하여 덕을 쌓으니 주민들은 그의 덕을 칭송하여 비석을 세워 주었다. 그의 전반생을 무부요, 후반생은 유부로서 만년에는 도의를 논란하였고, 때로는 산수를 찾아 시작생활을 하니 조선조 삼대시 가인으로 손꼽히게 되었다.

박인로는 유교적 교훈주의적 시관을 가지고 있었는데, 이는 조선초부터 지속된 시문학관을 계승한 것이다. 특히 그는 선의 실현을 목표로 하는 성리학적 시관이 강했다. 그러나 그의 작품에는 그러한 전통적 성격과는 다른 모습이 그의 시가에 나타났으며, 서민대중과의 호흡하는 정신이 자연스럽게 반영되었다. 박인로 이전의 작가들은 왕권과 밀착된 인물이 대부분이었으나 노계는 서민 속에 살며 시가가 선심을 발동시키는 최고의 도구라고 생각했다. 이것은 바로 그가 우리 시에 대한 끈질긴 추적을 보였던 중요한 명분이었다. 박인로도 현실적 생활을 위해서는 벼슬을 지향했고, 의도적으로 성리학을 추구했던 사실을 확인할 수 있지만, 그의 시문학의 진면목을 보여주고 있는 바는 자신의 체험에 기초한 서민정신의 구현에 나타나 있다.

박인로는 유교적 안빈낙도도 말했지만, 배고픔과 배부름에 울고웃는 서민대중의 애환을 노래할 때 비로소 시로써 성공할 수 있었다. 그는 역시 성리학적 경지를 동경했고, 유교적 겸손과 겸양을 몸소 갖추었다. 그러나 그의 성공적인 가사문학은 유교적 교리에 얽매이지 않는 상태에서 쓰여진 것들이다. 이에 대하여 정상균은 한국시문학사의 전개는 박인로를 통하여 본격적으로 서민대중과 호흡을 같이 하기 시작했다고 하였다. 이러한 시문학적 특징을 부인하면 박인로 문학의 본령을 상실한 것이라 하겠다.

이 시기에 나타난 두드러진 경향의 작품에는 전쟁을 내용으로 한 장부호기가사가 있으며, 전대를 계승한 것으로는 강호한정가사, 풍물서경가사 등이 있다. 이 시기를 주도한 가사문학의 작가는 사대부들이지만 수도의 과정을 노래한 승려의 가사도 창작되었으며, 금충선은 임진난시 왜병으로 조선에 귀화한 사람인데 이런 경우는 문학사상 특이한 일이다.

그리고 가사의 작자 간 영향 관계를 살펴본다면, 전대 송강의 〈관동별곡〉과 〈사미인곡〉이 조우인의 〈관동속별곡〉, 〈출새곡〉, 〈자도사〉 등에 영향을 주었고, 이황의 가사들은 박인로의 가사들에 계승되어 영남가사의 한 지맥을 형성하였다.

발전기의 가사문학을 대표하는 송강과 홍성기를 대표한 노계의 작품과는 그 형식면에서 차이점을 발견할 수 있다. 송강의 가사형식이 정격임에 반하여, 노계의 작품은 음절율, 음보율 그리고 종장형식 등 여러 면에서 파격을 이루고 있다. 특히 송강가사는 정연한 4음보의 율격을 지니고 있는데 반하여, 노계의 작품은 6음보의 리듬에 3 3조, 2 4조, 2 3조, 4 3조 등이 송강가사보다 훨씬 많이 쓰고 있으며, 송강의 작품을 영탄적이라 한다면 노계의 작품은 서술적이라 할 수 있다. 이런 점은 노계가 율격의 리듬보다 사상의 표현을 더 중히 여긴 것과, 복잡화해 가는 시대성과 아울러 자유로운 의사표현을 하려는 의욕에서 우러난 산문화 경향의 일단을 여기서 볼 수 있는 것이다.

이처럼 이 시대는 발전기에 비하여 가사의 형식과 내용 그리고 작자군에 있어서 다양한 변화가 시도되었다. 아무튼 임병양란과 실학의 대두로 인한 사회의 변화는 민중들의 마음에 큰 충격을 주었고, 그에 따라서 시가문학의 전개에 있어서도 전환점이 마련되었다는 점에 의의가 있다. 또한 작가와 작품이 다양하고 폭이 넓어졌으며, 그 표현상 기법 역시 많은 변화를 가져왔던 시기임에 분명하다.

제5장 전환기(영조 조~갑오경장)의 가사문학

1. 시대적 배경

영조 조(1725)부터 갑오경장(1894) 이전까지를, 가사가 형식적으로
또는 내용적으로 크게 변화한 시기로 보아 전환기라 이름하였다. 이
시기에는 임병양란 이후 민족적 위기를 극복하기 위한 구체적인 노력
과 새로운 방향을 촉구하는 민중들의 요구가 강렬하였다.

당시까지의 사상적 배경인 공리적 유교이념이 쇠퇴하고 淸으로부
터 들어온 새로운 지도이념인 실학사상이 대두되었다. 이는 당시 경
제시책 등의 모순과 비현실적인 것에 대한 새로운 비판과 실천을 구
명하는 학문으로 볼 수 있다.

실학의 연원은 이수광(1563~1628)의 『지봉유설』에서 비롯되었고,
이는 반계 유형원(1622~1673)에 의해 창도되었다. 조윤제는 실학이
하나의 학풍으로 일세를 풍미하게 된 것은 영조 이후라고 하였다. 그
리고 이는 사변적인 성리학을 배격하면서 3단계로 발전되었으며, 제1
단계는 18C 전반 성호 이익을 중심으로 한 경세치용학파들에 의한 토
지제도, 행정기구 등에 대한 제도상의 개혁이고, 제2단계는 18C 후반
연암 박지원을 중심으로 한 이용후생학파에 의한 상공업의 유통 및
생산기구에 대한 일반 기술면의 혁신이다. 제3단계는19C 전반 완당
金正喜를 중심으로 한 실사구시학파에 의한 경서, 금석, 전고 등의 고
증을 주로 하는 근대 과학적 태도로 발전되었다고 이우성(실학연구
서설)이 주장하였다.

이처럼 실학이 흥성된 것은 시대적 요구요, 청조의 영향이라 하겠지만, 西學의 영향도 컸으리라 본다. 천주교가 우리나라에 본격적으로 전파된 것은 이승훈이 1783년 동지사의 서장관인 부친을 따라 북경에 가서 영세를 받고 귀국함으로 시작되었다. 새로운 종교에 접한 이승훈은 자기 인척인 이가환, 정약종, 정약용 등에게 선교를 시작함으로 천주교는 점차 전파되었다.

천주교는 종교만의 전래가 아니고, 서양의 과학문명도 함께 들어오니, 이를 서학이라 하였다. 이 서학은 조선에 충격을 주었고, 그들의 새로운 사상과 학문은 조선의 관념적 학문에 새로운 변화의 당위성을 제시하였다. 따라서 실학과 서학은 서민들을 각성시켰고, 과거의 관념적·허식적 생활을 청산하고 진실성 있는 참다운 인간적인 생활을 요구하였다.

이러한 시대적 상황에 대한 김현의『한국문학사』논의를 보면, 새로운 변화를 모색한 정약용은 주자주의朱子主義의 여러 전범에 의거하여 고법에 맞는 이상국가를 상상적으로 구축하려고 했다. 그는 서학적 분위기 속에서 자랐음에도 불구하고 배교행위背敎行爲를 하고 주자주의의 원칙에 의거하여 조선말기의 사회적 혼란을 극복하려는, 지배계층에 속한 귀족으로 마지막 노력을 보여 주었다. 그의『牧民心書』에 토론되어 있는 농민의 궁핍에 대한 분노가 그로 하여금 이상국가 건설에 대한 상상적 저작을 가능케 한 것이다. 이는 고인들이 생각한 이상국가를 건설하려는 노력의 결과라 할 수 있다.

정약용이 고인들이 생각한 이상국가를 건설하려는 노력을 보여 주었다면, 동학東學은 조선후기의 사회적 모순을 뚜렷이 바라보고 그 모순을 해결하기 위해 새로운 이념을 제시한 서민계급의 집단무의식을 대표한 것이다. 동학의 요지는 민족주의적 측면으로 알려져 있는 인내천사상人乃天思想이다. 이는 인간의 존엄성과 평등성 위에 세워져 있으며, 그런 의미에서 서학의 영향 밑에서 형성된 것이라 하겠다. 기독교의 애인 평등사상과 동학의 인내천사상은 인간을 하나님 섬기듯 섬긴다는 점에서 매우 비슷하다. 농민과 같은 하층민에게는 인내천사상과 종교감정(소도사상)으로 호소하고, 지식층에게는 민족 자주의식으로 호소한 데서 동학의 세력이 확장됐다고 하겠다.

1860년경 최제우의『용담유사』가 이루어진 그 시기에는 민족의 각성이나 시민의 성장이 더욱 결정적인 단계에 들어섰으며, 중세적인 지배체제를 넘어뜨리려는 운동이 문학을 통해서 적극적으로 표현되기 시작했고, 또 한편으로는 외세의 침략에 맞서서 민족을 수호하려는 근대적인 민족의식이 형성되었다. 동학의 종교적 민족주의는 동학혁명(농민혁명)을 거쳐, 식민지 치하의 우파 민족주의세력의 큰 기둥을 이루어 식민지 사회에 비만해가는 반민족운동에 큰 타격을 가했다.

또한 조선 후기로 오면 신분제도의 혼란을 일으키는데, 양반이 상민常民으로 전락하고, 상민이 양반으로 승격하기도 한다. 이런 신분계층의 이동이 주목된 것은 역관계급의 성장과 경영형 부농의 출현에서 볼 수 있다. 신분제의 변화가 격화된 것은 영·정조 이후이며, 상민층의 급격한 변화는 정조 조 이후다. 이런 신분제 동요의 계기는 임진란 이후 국가 기구를 재건 유지하기 위해서 매관매직을 국가가 공식적으로 인정한 것에서 찾을 수 있다.

이러한 신분이동의 격화는 조선후기 사회구성원들에게 지대한 영향을 주었고, 이러한 의식이 예술계에도 첨예하게 드러났다. 추사秋史의 사대부 예술론에도 불구하고 단원 김홍도(1745~1806?), 혜원 신윤복(1758~?) 등은 그때까지 전통 산수도·신선도의 모방에서 벗어나 서민정신을 반영한 신흥예술인, 사실성에 기초를 둔 색정적인 풍속도와 진경산수도를 개척함으로 한국의 정취와 감정을 담은 화풍이 화단을 지배했다. 음악에 있어서도 전통적인 전문적 가객의 가곡창이 여기적餘技的 대중음악인 시조창으로 바뀌었고, 무가巫歌에서 기원(통설)했다는 판소리는 표현기교가 다기로운 사실적인 음악으로 완성되어

서민예술의 특징을 이루었다. 국문학에서 보면 광해군 때에 비롯된 국문소설은 숙·영·정조 때에 이르러 〈춘향전〉을 비롯한 많은 고대 소설이 나와 전성기를 이루었으며, 중국의 『三國志』, 『水滸傳』 등이 번역되어 서민사회의 독서물이 되었다.

시가詩歌에서는 서민작가의 진출과 영조 조 가객 이세춘에 의한 전통적인 가곡창을 극복한 시조의 창곡화는 문화의 대중성을 가져왔다. 또 영정시대에 이르러 사설시조가 서민가객들에 의하여 번성하였고 고금시가를 정리한 가집이 많이 나오게 되었으며, 시가적 양식으로 그 역사적 기능을 다했던 가사도 다분히 산문적인 경향을 띠고 장형화되었다. 그리고 내용도 기행·유배의 생활을 그린 것이 많았다. 한편 서민가사로 주목되는 작자미상의 〈愚夫歌〉, 〈庸婦歌〉 등에서는 패륜, 불의, 불선을 일삼는 악인을 풍자하는 비판정신, 곧 대중적 희극미가 가미된 내용의 작품이 양산되어 기존관념을 파괴하고 새로운 가치관을 제시하게 되었다. 또 섬세한 여성들의 희비애락을 표출한 규방가사는 주로 접빈객, 봉제사 등에 관한 예의범절, 현모양처의 도리 등 부녀자들의 심정과 생활을 노래한 것이 많다.

이렇듯 이 시기에는 문학의 산문화, 즉 문학의 근대화가 시작되었다. 환언하면 실학사상의 대두로 국문학은 지금까지의 양반중심 시가문학에서 서민중심의 산문문학으로 그 왕좌를 넘겨주게 되었다. 따라서 홍성기 박인로의 가사로부터 파격이 나타나기 시작하여 이 시기에 와서는 더욱 적극적인 변화를 하였다. 즉 가사의 형식과 내용면에서 보면, 일부는 산문에 가까워지고 다른 일부는 민요의 영향으로 창사唱詞로 변질되어 갔다.

2. 작가와 작품

이 시기는 새로운 문예부흥을 맞게 되니, 가사문학도 양적인 면에서는 풍성한 수확을 얻었으나 질적인 면에서는 큰 성과를 기대할 수가 없었다. 현전 유명씨 가사로는 113명의 작가에 작품 수는 186편이다. 그리고 그 주제도 다양하여 이를 내용적으로 분류해 보면, (가) 장부호기가사, (나) 우언풍자가사, (다) 풍속근면가사, (라) 강호한정가사, (마) 유람기행가사, (바) 연주충군가사, (사) 풍물서경가사, (아) 송축추모가사, (자) 포교신앙가사, (차) 회고서사가사, (카) 도덕교훈가사, (타) 연모상사가사, (파) 그 밖의 가사 등 13종으로 나누고, 우국계몽가사는 이 시기에는 해당 작품이 없다. 이 시기의 유명씨의 가사작품을 총람해 보면 다음 〈표 7〉과 같다.

〈표 7〉 전환기가사 작품총람표

번호	작품명	지은이	지은 때	내용	출전 및 참고문헌	비고
1	東國歷代歌	홍만종(1643-1725)	1725전	역사	필사본	
2	쇽ᄉ미인곡	이진유(1669-1728)	1727경	유배	가사(가람문고)(필)	(704)
3	避疫歌	황토전(1704-1771)	1727	기행	만은집	
4	金剛別曲	박순우(1686-1759)	1739	〃	명촌선생유고(필)	(339)
5	命道自嘆辭	공인남원윤씨(?-1741)	1741전	자탄	필사본	
6	嘲花煎歌	안동권씨(남)	1746	조소	잡록(필)	
7	反嘲花煎歌	안동권씨(여)(1718-1789)	〃	〃	〃	이중실의 처
8	名分說歌	안창후(1687-1771)	1747	교훈	한설당유고	
9	絕命詞	전의이씨(1723-1748)	1748	연모	전의이씨행록	
10	탐라별곡	정언유(1687-1764)	1750	기행	우헌집	
11	龍兵歌	정우양(1692-1754)	1750경	애도	필사본	
12	新基別曲	회룡정사주인	1753	은일	회룡정사운화답(필)	
13	續新基別曲	회룡정사주인아들	〃	〃	〃	
14	霞明洞歌	이귀서(1727-1799)	1758	서경	하명일기초고	
15	戊寅立春祝聖歌	이광사(1705-1777)	〃	유배	가사(가람문고 필)	(523)
16	吉夢歌	한석지(1709-1791)	1759	교훈	명선록온고록(필)	

17	竹片恩曲	이긍익(1736-1806)	1763경	연군	가사(가람본 필)	(479)
18	日東壯遊歌	김인겸(1707-1772)	1764	기행	일동장유첩(필)	(850)
19	警蒙歌	정치업(1692-1764)	1764전	교훈	경몽가(필)	
20	丹山別曲	신광수(1712-1775)	1772	기행	필사본	
21	北竄歌	이광명(1701-1778)	1776전	유배	증참의 공적소시가	
22	北征歌	이용(영조대)	1776	기행	적의(국립도서관 본)	
23	金縷辭	민우용(1732-1801)	〃	연정	제주재방일기(필)	
24	天主恭敬歌	이벽(1754-1786)	1779	기독	만천유고(이승훈)	
25	十誡命歌	정약전(1758-1816)	〃	〃	〃	
26	警世歌	이가환(1742-1801)	〃	〃	〃	
27	孝子歌	정방(1707-1789)	1780경	도덕	산음세고(필)	
28	訓歌俚談	배이도(1706-1786)	1781	교훈	훈가리담	
29	朗湖新詞	박리화(1739-1783)	1783전	〃	귀계집	
30	萬古歌	〃	〃	역사	함양박씨세보(필)	
31	鴻罹歌	이방익(정조대)	1783	유배	안춘근장(필)	
32	自悔歌	위백규(1727-1798)	1787전	도덕	삼족당가첩(필)	
33	勸學歌	〃	1789	권학	〃	
34	合江亭船遊歌	〃	1797	풍자	〃	일명 합강정가
35	石門亭九曲棹歌	채헌(1715-1795)	1788경	한정	석문정심진동유록	(필) 홍재걸장
36	石門亭歌	〃	〃	〃	〃	
37	庚戌歌	유도관(1741-1813)	1790	송양	곤파유고	
38	思美人曲	〃	〃	연군	〃	
39	甲民歌	갑산민	1792	송양	해동가곡(가람본필)	(236)
40	四餘齊歌	이천섭(1730-1807)	1793	은일	필사본	
41	鑿井歌	이운영(1722-1794)	1794전	서사	언사(필)	
42	淳昌歌	〃	〃	풍자	〃	
43	水路朝天行船曲	〃	〃	기행	〃	
44	招魂詞	〃	〃	추모	〃	
45	說場歌	〃	〃	자탄	〃	
46	林川別曲	〃	〃	연정	〃	
47	雙壁歌	연안이씨(1727-1815)	1794	송축	권영철장(필)	
48	扶餘路禾呈記	〃	〃	기행	가사집(필)	(572)일명 경신 신유노정기
49	參禪曲	지형(영조대)	〃	불교	지경령험전 석문의범	(191)일명 심우 가, 마설가
50	冀說因果曲	〃	〃	〃	〃	

51	勸善(禪)曲	〃		〃	〃	불설천지팔양경신축경부록	
52	修善曲	〃		〃	〃	지경령험전(목)	불암사장판
53	尋眞曲	이기경(1756-1819)		〃	기독	국문가요집(필)	
54	浪有詞	〃		〃	〃	〃	
55	武豪歌	강용환(1735-1795)	1795전	기개	물기제집	
56	善政歌	고령진민(정조대)		송덕	〃	
57	箕城別曲	김재찬(1746-1827)	1795	기행	필사본	
58	思美人歌	장현경(1730-1805)	1796	연군	독이차기(필)	
59	漂海歌	이방익(1756-?)	1797	기행	아락부가집(가람문고)	악부(고대장)
60	鄕飮酒禮歌	남극엽(1736-1804)	14797	교훈	애경당유고	
61	忠孝歌	〃	1803	송양	〃	
62	勸農歌	김익(1746-1809)	1798	권면	정일당유고	
63	萬言詞	안조원[환](1765-?)	〃	유배	만언ᄉ帖(가람본)	(489)490,491
64	萬言詞答	〃	〃	〃	〃	(492)
65	사부모	〃	〃	사부모	〃	(604)
66	사백부	〃	〃	사백부	〃	(619)
67	사자	〃	〃	사자	〃	(610)
68	사처	〃	〃	사처	샤고향(필)	(622)
69	마천별곡	이처사	1799전	은일	필사본	
70	답샤향곡	광산김씨부인	1800경	교훈	사향곡(필)	(450)
71	思君恩歌	이사겸(1761-1845)	1801	연군	철성경람원	
72	皆岩亭歌	조성신(1765-1835)	〃	서경	설와유고(필)	일명 개암가
73	陶山別曲	〃	1806	모현	노계집	(54)일명 도산가
74	連庵曲	〃	1835전	〃	설와유고(필)	
75	四時風景歌	〃	〃	서경	권영철장(필)	
76	愁州曲	조두산	1804	역사	북관지(국사편찬위원장)	
77	八域歌	서충보	1804경	기행	권영철장(필)	(991)일명 졉역가
78	草堂曲	이상계(1758-1822)	1808경	한정	가사초록지지제유고	(923)삼족당가첩
79	人日歌	〃	〃	교훈		
80	黃南別曲	이관빈(1759-?)	正祖代	서경	학정집(필)	
81	北塞曲	구 강(순조대)	1810경	기행	가사집	
82	江村晩灼歌	이양오(1737-1811)	1811전	은일	필사본	

83	思鄕歌	김상직(1750-1815)	1815전	사향	죽국헌유고	
84	戒子詞	〃	〃	교훈	〃	
85	思恩歌	천형복(순조대)	1815경	추모	〃	
86	西湖別曲	김상성(1768-1827)	1816	한정	확은유고곤(필)	일명 어부사
87	華陽別曲	정재문(1756-1819)	1819전	모현	아락부가집(一)(가람본 필)	(1034)
88	頌[邦]慶舞踏詞	이휘영(1788-1861)	1819	송축	명힝디졀록(이가원본)(필)	일명 연경무답사
89	金剛中庸圖歌	김리익(1743-1830)	1821	교훈	필사본(김영한장)	
90	草堂春睡曲	남석하(1773-1853)	1822	은일	추담일고(필)	
91	思親曲	〃	1822	교훈	〃	
92	願遊歌	〃	1822	한정	〃	
93	白髮歌	〃	1830	탄노	〃	
94	愛慶堂忠孝歌	〃	〃	충효	〃	
95	纖車歌	윤효관(1745-1823)	1823전	찬양	죽록유고(1977刊)	
96	定州歌	이희현(1765-1828)	1823경	역사	언사(필)	
97	大明復讐歌	조우각(1765-1839)	1824	창의	창헌집	
98	天君復位歌		〃	〃	동음(서동필본)	
99	셔행록	김지수(순조대)	1828	기행	필사본(임기중藏)	서행록
100	肅宗大王慶宴歌	냥관찬	1829	송축	궁중잡록(필)	
101	金陵別曲	문도갑(순조대)	1832	송축	곡운공기행록(필)	
102	訓民歌	순원왕후김씨(1789-1857)	순조대	훈민	필사본	
103	이부인기행가스	광주이씨	〃	기행	〃	(847)
104	夢幻歌	용암스님(1783-?)	〃	불교	악부(하)증도가	(521)(황패강장)(필)
105	草庵歌	〃	〃	〃	〃	
106	叠慶歌	이용구	1837	송축	〃	
107	어우공녕당셩조가	류영무(1788-1871)	〃	역사	필사본(류구상장)	어우공영당성조가
108	行世難歌	〃	1857	교훈	양파집	
109	五倫歌	〃	1871전	〃	필사본(류구상장)	
110	上宰相書	정하상(1760-1839)	1839전	기독	〃	
111	農家月令歌	정학유(1786-1855)	1843	풍속	악부(하)(필)	(403)일명 고상안작
112	太平詞	효현왕후김씨(1828-1843)	〃	송축		
113	僧歌	남 철(헌종대)	1843전	불교	전가보장(필)(박영돈장)	

114	漢陽歌	한산거사	1844경	서사	〃	(988)일명 한양 태평가
115	畜養歌	은진송씨(1803-1860)	1845	무아	금행일기(필)	
116	금행일긔	〃		기행	〃	
117	勸往歌	동화축전	1848	불교	석문의범(건봉사장) (본)	(33)
118	애 덕	최양업(1821-1861)	1850	기독	문화비평1970여름	애 덕
119	견 진	〃		〃	〃	견 진
120	고 해	〃		〃	〃	고 해
121	삼세대의	최양업(1821-1861)	1850-60	기독	문화비평1970여름	삼세대의
122	십계강론	〃		〃	〃	십성강론
123	영 세	〃		〃	〃	영 세
124	칠 극	〃		〃	〃	칠 극
125	지옥강론	〃		〃	〃	지옥강론
126	행 선	〃		〃	〃	행 선
127	천당강론	〃		〃	인문과학1960 21집	천당강론
128	思鄕歌	〃		〃	〃	
129	선종가	〃		〃	박동헌본 가첩	선종가
130	公審判歌	〃		〃	〃	
131	私審判歌	〃		〃	〃	
132	제 성	〃		〃	스향가(필)	제 성
133	성 체	〃		〃	〃	(681)성 체
134	신 품	〃		〃	〃	(724)신 품
135	옥중제성가	〃		〃	〃	(803)옥중제성 가
136	종 부	〃		〃	〃	(876)종 전
137	혼 빈	〃		〃	필사본	(1020)혼 배
138	망덕가	〃		〃	〃	망덕가
139	신덕가	〃		〃	〃	신덕가
140	北遷歌	김진형(1801-1865)	1853	유배	필사본(최강현장)	
141	金剛別曲	이상수(1820-1882)	1856	기행	어당집,금강별곡첩	
142	完山歌	민주현(1808-1882)	〃	풍물	사애집	
143	車城歌	김은후(철종대)	1860	〃	차성가(김하득장)(필)	
144	룡담가	최제우(1824-1864)		동학	룡담유사(석)	(64) 812 용담가
145	安心歌	〃		〃	용담유사(필)	(735)
146	교훈가	〃		〃	용담유사(석)	(24) 306 교훈가

196

147	도수사	〃	1861	〃	〃	(57)도수사
148	권학가	〃	〃	〃	〃	(35)권학가
149	劒訣	〃	〃	〃	〃	
150	몽중노쇼문답가	〃	1862	〃	용담유사(필)	(519)77,518몽중노소문답가
151	도덕가	〃	1863	〃	룡담유사(석)	(53)도덕가
152	흥비가	〃	〃	〃	룡담유사(목)	(232)흥비가
153	근농가	〃	1864전	〃	룡담유사(석)	(38)근농가
154	海東漫話	안치묵(1826-1867)	〃	서경	악부(하)(필)	(1005)1006일명 팔역봉강해동만화
155	景福宮營建歌	조두순(1796-1870)	1865	송축	필사본	일명 경복궁가 일설 심순택작
156	장주교분부말삼	장경일	1865전	기독	교회와 역사	1980,64호
157	남종삼노래	남종삼(1817-1866)	〃	〃	문화비평 1970여름호	일명 경작가 묵상가
158	自歌	〃	〃	〃	〃	〃
159	燕行歌	홍순학(1842-1892)	1866	기행	악부(하), 연행가첩	(771)일명 병인연행록
160	北行歌	유인목(1839-1900)	〃	〃	북행가첩(이동영장)(필)	
161	八道邑誌歌	학초	1867	역사	필사본	
162	경세가	남상교	1869	기독	경향잡지27권	(990)
163	蓬萊別曲	정현덕(1810-1883)	〃	기행	이주홍(장)	(263)
164	桃李花歌	신재효(1812-1884)	1870	연정	신재효판소리사설집	
165	烏贍歌	〃	1884전	〃	〃	
166	廣大歌	〃	〃	교훈	〃	
167	治産歌	〃	〃	〃	〃	
168	勸遊歌	〃	〃	〃	〃	
169	相思別曲	이세보(1832-1895)	1871전	연정	풍 아(대)	
170	도ᄒᆞ가	조희백(1825-1900)	1875	기행	관동장유가(필)	(474)도해가
171	함라별곡	조희일(1838-1904)	1875경	경물		(1001)
172	長恨歌	이중전(1825-1893)	1876	교훈	우곡집	
173	不孝嘆	김경흠(1815-1880)	1880전	〃	성은처사김공유고(필)	(582)
174	三才道歌	〃	〃	〃		(626)
175	警心歌	〃	〃	〃	〃	

176	農夫歌	윤우병(1853-1920)	1881	권농	농부가첩 여항풍요	
177	避惡修善歌	李바오로	1882	이별	필사본	
178	憫農歌	정해정(1850-1923)	1884	권농	석촌별곡	
179	石村別曲	〃	〃	은일	〃	
180	女孫訓辭	유중교(1832-1893)	1885	교훈	필사본	
181	銅店別曲	이용식(1854-1943)	1885경	노동	필사본	
182	訥峯道德歌	배우정(1836-1893)	1890	교훈	필사본(김근수장)	
183	農家月令	이기원(1809-1890)	1890전	권농	농가월령 帖	
184	정쳐사슐회가	정래기(1835-1896)	1891	자전	필사본	鄭處士述懷歌
185	自擎別曲	문석용(1834-1929)	1894전	교훈	교경제사고	
186	관동신곡	조윤희(1854-?)	1894	기행	진동혁장	

※ 비고란의 번호는 임기중 편, 『역대가사문학전집』에 수록된 작품번호로, ( )속의 번호는 작품명란의 번호이고, 그 이외의 번호는 함께 수록된 이본들의 번호이다.

가. 장부호기가사 丈夫豪氣歌辭

이는 장부들의 호방한 기상과 전장戰場에서 적을 무찌른 장졸들의 장한 기개를 노래한 전쟁·창의가사를 말하는데, 여기에는 〈무호가〉, 〈대명복수가〉, 〈천군복위가〉 등 3편이 있다.

〈무호가武豪歌〉는 물기제 강응환(1735~1795)의 가사다. 그는 전북 고창 출신으로 무과에 올라 고령진첨사, 창성부사 등을 역임하였다. 고령진첨사로 있을 때는 그의 덕을 기리는 〈선정가〉를 백성들이 지어 불렀다. 〈무호가〉에서는 무장이 되어 국경을 지키는 것이 무엇보다 자랑스럽다고 했다. 노래의 뒷부분을 보면 다음과 같다.

青龍旗 白虎旗는　　좌우의 나열ᄒ고,
朱雀旗 玄武旗는　　전후에 벌어잇다 (중략)
南京을 ᄇ라보니　　눈물이 졀로 ᄂᆞ듯,
大明의 正統님군　　몟 百年을 업단말고 (중략)
齊襄公 九世讐를　　뉘라셔 갑풀쇼냐,

198

우리도 일엉셩ᄒᆞ야　　갑퍼볼ᄼᆞ ᄒᆞ노ᄅᆞ

처음부터 씩씩한 무사 대장부이 용기로 척청숭명厂淸崇明의 대의를 이루지 못함을 한탄하였다. 궁사弓士로 수련한 후 향시경시鄕試京試를 보아 급제출사의 큰 뜻을 노래하고 병조판서, 어영대장, 승승장군의 기개를 노래하다 대명의 정통을 그리워하며 사대사상을 노래하였다. 즉 효종과 송우암의 북벌책의 좌절을 슬퍼한 것이다.

그는 우국충정의 지사였기에 소년 시부터 복받치는 감회와 기상을 가사로 읊었으며, 서술상 중국역사를 많이 인용했으나 매우 실제적인 묘사가 많아서 실사구시의 실학사상이 대입되려는 새로운 경향을 보여준 시대적 산물을 이 작품에서 찾을 수가 있다.

창헌 조우각(1765~1839)은 〈대명복수가〉와 〈천군복위가〉를 지어 모든 불행은 명나라가 멸망하자 질서의 근본이 흔들린 데서 시작되었다고 보고, 명나라를 위해 복수를 하고 질서의 상징인 天君을 다시 세워야 한다고 극력 주장하였다. 이는 병자호란 후 배청사상의 팽배와 관련이 깊다. 표현면에서 보수적인 의식의 한계를 드러내고 있다.

〈대명복수가大明復讐歌〉는 널리 전송된 장편가사로 316구로 이룩되었다. 작가는 가사의 제작동기를 '偶發匪風下泉之思 作大明復讐歌'라고 하였다. 이처럼 명의 쇄망을 비탄하고 또한 호란이 끼친 민족적 치욕을 설분치 못하는 유분과 통한을 격렬한 언어로 도도히 엮어가며 화신和臣을 통격하고 중국과 동국역대의 충의열사를 모두 모두어 명실을 회복하고 병자년의 성하맹城下盟을 설치雪恥하는 쾌재를 노래로 불렀던 것이다.

가사문학상으로 볼 때 채득기의 〈봉산곡〉, 물기제의 〈무호가〉 등의 작품을 계승한 것이라 하겠으나, 통렬한 어조로 구사한 구체적 사실

史實의 서사는 남다른 일면이 있으며, 그의 기개를 잘 드러낸 작품이라 할 수 있다. 작품의 일부를 보면 다음과 같다.

壬辰年 再造恩德	神宗皇帝 이질소냐
南漢山城 痛哭하신	우리大王 忠憤이라
斥和하는 三學士ᄂ	犬戎을 庭叱ᄒ고
自決ᄒ신 桐溪先生	社稷同亡 ᄒ자더니
丁卯年의 死節ᄒ니	昌城府使 金時苦이
錦州驛의 虛銃놋흔	星州義士 李士龍이
洪杜谷은 집이업고	李石溪ᄂ 뫼여드니
갓한義理 臥龍草堂	瓢隱處士 風節이라

〈천군복위가天君復位歌〉는 존심존양尊心尊養하는 도성을 기르는 자경自警의 사詞로 제작된 가사로 퇴계, 남명, 율곡 등의 도학적 가풍을 계승한 것이라 하겠다. 또한 이 노래는 가사의 일반적 형식을 파격한 구절이 많아 구수의 혼동이 많다. 작품의 일부를 소개하면 다음과 같다.

그르나 자늬 몸이 當흔 일이	또한그심 적잔토다
唯皇上帝 降衷흘제	자네天君 赫赫ᄒ다.
堯舜갓흔 本性이요	禹湯갓흔 明命이라
그듸로 保養ᄒ고	그듸로 尊奉ᄒ면
一身天地 位찬으며	一身萬物 育찬으랴
어이ᄒ여 커ᄂ면서	자네天明 간듸업다.
氣質로 그리된가	物慾으로 그리된가
師傳敎訓 업단말가	左右疆輔 업단말가
口舌官의 말을 듯고	江南播越 가이업다.

나. 우언풍자가사 寓言諷刺歌辭

이는 현실을 비판하는 풍자적인 가사로서, 정면으로 부조리를 표현하기 곤란할 때, 자기의 소견이나 감상, 그리고 교훈을 다른 사물에 비겨 완곡하게 지적하여 가르쳐 주는 내용을 담고 있다. 여기에는 〈조화전가〉, 〈반조화전가〉, 〈순창가〉, 〈합강정선유가〉 등 4편이 현재 전하고 있다.

화전花煎은 부녀자들이 생활 가운데서 가장 큰 기쁨과 즐거움을 두었던 놀이로, 〈花煎歌〉는 3월 중순경 일기가 청명한 날에 상춘상화賞春賞花를 하면서 부르는 노래이다. '花煎'의 煎은 '지진다'의 뜻으로, 찹쌀가루 반죽으로 둥근 떡을 만들고 그 위에 진달래꽃을 얹어 기름에 지진 것이 화전병이다. 이미 이런 화전놀이를 하고 가사를 짓는 풍속이 자리잡혔기 때문에 흥미로운 시비가 일어난 것이다. 여기에 〈조화전가嘲花煎歌〉와 〈반조화전가反嘲花煎歌〉가 그것이다.

〈조화전가〉와 〈반조화전가〉는 이중실의 아내 안동권씨(1718~1789)가 친필로 쓴 『雜錄』에 전한다. 〈조화전가〉는 안동권씨와 친정으로 육촌 되는 남자가 여자들의 화전놀이를 비양거리느라고 지었고, 〈반조화전가〉는 이에 응답해서 반박하기 위해 안동권씨가 지은 풍자가사다. 그 당대에는 화전놀이를 하고 가사를 짓는 풍속이 자리 잡고 있었기에 이를 시비하는 내용을 길게 펼쳐 흥미 있게 표현하였다. 그 일부를 보면 다음과 같다.

하늘이 무디ᄒᆞ여	녀신으로 마련ᄒᆞ니
아모리 애둘은들	고쳐다시 되일손가
심규의 드러안자	옥미로 붕위되어
녀힝을 ᄆᆞᆰ게닷고	방적을 힘쓰더니
동군이 유정ᄒᆞ여	삼ᄉᆞ월을 모라오니

원근 암애예는   홍금당을 둘어 잇고
촌변의 도리화는   가디마다 싁을씌여,
사창안 부녀 흥을   제 혼자 도도는디

이렇게 동류들끼리 노는 즐거움을 노래한 〈화전가〉는 놀이의 전체적인 과정을 차례대로 다루는 것을 격식으로 삼으면서 봄날에 대한 찬미를 듬북 담고 있다.

옥국제 이운영(1722~1794)은 〈순창가淳昌歌〉를 지은 바, 이는 순창하리淳昌下吏 최윤재가 사또에게 자신이 경험한 사실을 고발하는 형태를 빌어 당시 관리들의 잘못을 꼬집고, 억울하게 죄를 입게 된 기생들의 참담한 생활상을 폭로하였다. 그 작품의 일부를 보면 다음과 같다.

곰곰안자 생각ᄒᆞ니   이거시 뉘탓인고
將廳셔 陪行ᄒᆞ던   妓生들의 탓시로다.
네 쇠쌀이 아니던들   늬 담이 문허지랴
俗談의 니른말슴   예부터 이러ᄒᆞ니
소인의 죽는목슘   그 아니 불샹ᄒᆞᆫ가
소인이 죽습거든   져년들을 償命ᄒᆞᄉ
불샹이 죽는넉슬   위로ᄒᆞ야 쥬옵실가
실낫ᄀᆞ치 남은 목슘   하늘갓치 ᄇᆞ라늬다.

이 작품은 최윤재를 통해 원님들의 호화호색하는 삶과 당시 기생들의 고달픈 삶을 단편적으로 풍자한 작품으로 시대성이 강하게 나타난 서민가사의 일품이다.

〈합강정선유가合江亭船遊歌〉는 위백규(1727~1798)의 작으로『三足堂歌

帖』에 수록된 가사이다. '귀경가자 귀경가자 합강정 귀경가자, 時維九月 念二日 吉日인가 佳節인가'로 시작하여 정조 16년(1792)에 전라감사 정시민이 민심을 살핀다고 지방순찰에 나섰는데, 합강정이란 정자 앞 적석강에 배를 띄워 호화로운 선유를 할 때 감사를 위한 뱃놀이 행사에 사방 십리 안의 계견鷄犬이 멸종되고 유흥비의 충당을 위해 방아품 팔아 논곡식까지 탈취해가니 '만민의 원수'이며 '民怨이 徹天한다'고 했다. 가렴주구로 인한 백성들의 고충과 그런 가운데서 순상巡相에게 아첨하는 비굴한 수령들을 신랄하게 풍자하였다. 이처럼 사실적이고 적나라한 서술은 사회 현실을 과감하게 비판하는 가사로 국문학사상 의의를 지닌다 하겠다. 그 일부를 보면 다음과 같다.

銀鱗玉尺 쥬어닉여	舟中의 膾烹하니
인간의 남은 厄運	水國의 미는고나
五里밧 酒幕의	狼藉흔 져 酒肉은
別邑官人 적기로다	浚民膏澤 안이런가
茶啖床 水波蓮은	鄕谷愚民 初見이라
奇異ᄒ고 燦爛ᄒ다	白金物價 드단말가
民怨이 徹天ᄒ고	風樂이 動地로다.
終日 놀임 不足ᄒ야	秉燭夜遊 ᄒ단말가

다. 풍속권면가사 風俗勸勉歌辭

이는 예로부터 전해오는 습속習俗, 농사, 학업 등을 권장하는 가사다. 여기에는 〈권학가〉, 〈권농가〉, 〈농가월령가〉, 〈농부가〉, 〈민농가〉, 〈농가월령〉 등 6편이 있다.

〈권학가勸學歌〉는 존제 위백규(1727~1798)의 가사다. 그는 만년에 옥과현감으로 1년간 재직했을 뿐 시종 향리(장흥)에서 학문에만 전념하였다. 〈자회가自悔歌〉라는 활자본첩에 '存齊 魏先生伯珪所著'라 명기함으로써 작가가 분명히 밝혀졌다. 그의 다른 노래 〈自悔歌〉, 〈합강정선유가合江亭船遊歌〉와는 다르게 한문투 용어가 많은 것이 단점이라는 평을 받고 있다. 현재 68구만 남고, 그 뒤는 낙장이 되어 전모를 알 수 없다. 이는 권학하는 노래로서 그 서두를 소개하면 다음과 같다.

無事閑遊 아희들아	이닉말삼 드러스라
不學無識 此禽獸을	너의 일정 모로는다.
皇天皇帝 사람늘제	各援其職 호였써늘
무삼일로 너희들은	遊戲度日 無念호야
本然心性 放失호고	自爆自棄 즐기난가 (중략)
放蕩흔 너의마암	一其閑遊 용열타
嗜酒沈色 죠아호야	遊戲度日 호거이와
人間의 萬萬事을	歷歷키 색각호되
사람 호올닐이	文筆밧긔 쪼잇는가

〈권농가勸農歌〉는 정일精― 김익(1746~1809)이 지은 가사로, 전북 부안군 김종규의 소장인 『精―遺藁』에 수록된 것이다. 김익은 51세(1798)되는 여름에 요파리에서 〈권농가〉를 지었으며, 맏아들 상성은 가사 〈서호별곡〉을 짓기도 했다. 그 내용이 농사에 힘쓰기를 권하는 노래로 중국의 사적을 많이 인용하였다. 그 일부를 소개하면 다음과 같다.

農者는 大本이오	근력은 농본이란
옛 사름 일온 말슴	開論後世 깁고 깁다 (중략)
農功 남은날의	학문일들 아니홀가
冬夏의 詩書 읽고	春秋의 禮樂 니겨

집의 드러 孝悌ㅎ고   밧긔나셔 恭順ㅎ라

이처럼 위로는 성왕의 치적을 밝히고, 아래로는 자식으로 효양과
의식이 족해야 예절을 안다는 뜻을 가르쳤다.

〈농가월령가農家月令歌〉는 운포 정학유(1786~1855)가 헌종 때 지은 풍
속을 권면한 월령체의 대표적인 가사인데, 광해군 때 고상안(1553~
1623)이 지었다는 설도 있다. 작자를 정학유로 본 것은 경기도 양주에
서 일생동안 농사를 지었을 뿐만 아니라, 부친 정약용의 정신적 영향
이 컸을 것으로 보아 제작 배경이 충분하기 때문이다.

내용은 농사와 세시풍속에 대한 실천 사항을 달(月)마다 읊고, 또
철따라 다가오는 풍속과 지켜야 할 범절을 노래하였다. 다소 교훈적
인 면이 강하나 한 폭의 그림을 대하듯 생활의 정황을 잘 묘사하였다.
주색잡기를 경계하고 착실하게 살 것을 권유하는 등 농민들에 대한
교훈적 내용을 다루고 있으며, 품삯이나 곗돈, 장리벼 등 농민들을 피
폐하게 하는 농촌사회의 여러 문제점을 드러내고는 있지만 전체적으
로는 기존질서가 유지되기를 바라는 심정이다.

이 작품은 형식상 분연체 형식을 취하고 있는데, 서사와 12연의 본
사로 구성된 1,000여 구의 장편가사다. 그리고 매연마다 그 첫 행에
'正月은 孟春이라 立春雨水 節氣로다' 하여 명칭과 절후를 노래하는 형
식을 취하였다. 농촌 일은 1년 12달 절기에 따라 심고 가꾸며 거두는,
부지런한 활동의 연속임을 구체적인 사례를 들어 실감 있게 나타냈
다. 구월령의 첫 부분을 보면 다음과 같다.

九月이라 季秋되니   寒露霜降 節氣로다
졔비는 도라가고   쎼기러기 언졔왓노
碧空의 우는 쇼릭   찬이슬 지촉ㅎ다.

滿山楓葉은   臙脂를 물드리고
올밋히 黃菊花는   秋光을 ス랑ᄒ다.
九月九日 가절이라   花煎ᄒ야 麗新ᄒ시
節序를 ᄯ라가며   追遠報本 닛지마소
物色은 조커니와   秋收가 時急ᄒ다.
들마당 집마당의   개샹의 틔돌이라
무논은 뷔여ᄉᆯ고   乾畓은 뷔여드려
오날은 정근베오   ᄂᆡ일은 ᄉᆞ발베라
밀ᄯᅡ리 되쵸베와   드토기 경상베라
들의는 조피덤이   집近處 콩팟갈이
볘打作 맛츤後의   틈나거든 두다리ᄉ

〈농가월령가〉는 자연의 순환에 따라서 가을걷이를 하고 다시 땅을 갈아야 하니 이렇게 다그쳐야 하는 데는 급박한 율동이 필요하다. 이는 공간이 아닌 시간에 따라 작품이 구성되어 있기에 길게 늘어놓고 있을 겨를이 없다. 또한 계절에 따라 풍속을 지키며 살아가는 농가의 모습을 노래한 권면을 강조하는 가사이기 때문에 국문학 민속학 역사학 농학적 면에서 중요한 의의를 지닌다. 또한 월령체로서 가장 규모가 큰 대표작이고 조선시대의 농촌생활사 및 풍속사의 자료로서 가치가 있다고 하겠다.

〈농부가農夫歌〉를 지은 근제 윤우병(1853~1920)은 영농을 하는 가난한 선비로서 29세(188)에 시국의 불안정과 농부를 천시함을 통탄한 나머지 농부의 신고와 아울러 농사가 매우 소중함에도 농사를 소홀히 하는 농민들을 위해 계몽하고자 쓴 작품으로 교훈성이 강하다.
이 노래는 필사본『閭巷風謠』에 수록된 작품으로 농가의 곤궁한 생활상을 그린 549구의 권면가사다. 그 일부를 보면 다음과 같다.

近來 時態 野俗ᄒᆞ야　　　ᄆᆞ양 농부 賤待ᄒᆞᆫ다.
만셰 만셰 蒼生덜아　　　農夫쳔대 부대마소
만일 농부 업ᄉᆞ오면　　　나라 宗廟 엇지ᄒᆞ며
草野野人 업ᄉᆞ오면　　　君子을 길은 손야
野人君子 相資되기　　　重言復言 바라노라

이처럼 생산자인 농부가 없는 나라는 국가(宗廟)가 위태로움을 강조하면서 시속의 천농사상을 경고하였다.

〈민농가憫農歌〉는 석촌 정해정(1850~1923)이 지은 110구의 권농가사다. 그는 호남가도의 마지막 가사 작가로 〈石村別曲〉과 더불어 가사 2편을 남겼다. 가사 내용은 4단락으로 나누었으며 '크거나 더 큰 사업 天下大本 이쌴이라', '喝力勸耕 슬어말쇼 一家之風 淳厚터라' 하여 농무가 국가의 대본이니 실농하지 말고 고쳐 힘써 하자고 권려하였다. 그 일부를 보면 다음과 같다.

어와 農夫덜아　　　失農곳 ᄒᆞ여두면
이ᄂᆡ 重稅 어이ᄒᆞᆯ고　　　勤勞타 ᄉᆞ양말쇼
이ᄉᆡ내 져새이예　　　셧거셧난 뎌 惡草를
엇디ᄒᆞ야 容舒ᄒᆞᆯ가　　　一切이 去根ᄒᆞ식
못除ᄒᆞ면 어이ᄒᆞᆯ리　　　宋人揠苗 이탓시라
傷苗도 ᄒᆞᆯ여이와　　　種下生種 苛政이라
今年의 못다ᄒᆞ면　　　明年鋤草 뉘나ᄒᆞᆯ가
苗而不秀 秀不實은　　　이풀ᄐᆞᆺ시 긔아닌가

〈농가월령農家月令〉은 진사인 나수 이기원(1809~1890)의 가사로 정학유의 〈農家月令歌〉와 마찬가지로 월령체이다. 전체 735구의 장편가

사로 공주지방의 농촌생활의 풍모를 월별로 노래하되, 농촌과 농부를
제재로 삼았으면서도 표현기교가 소박할 뿐만 아니라 농민을 아끼고
위하는 마음으로 그들의 아픔과 가려움을 사실대로 표백한 농민진정
문학農民陳情文學의 백미라 하겠다. 12월령 끝부분을 들어 본다.

어와 광음 훌훌ᄒ다   지닉간 일 싱각ᄒ니
작연의 놀던 웃을   올의도 쏘 놀것네
전년의 먹던슐을   올의도 쏘 먹건네
지난 봄의 갈던논을   올봄인들 아니갈ㄱ
지난 여름 미던지음   올여름의 쏘 미것네
갈고미고 도로ᄒ니   농부신셰 뇌록ᄒ다.
청츈의 비운싱일   빅발이 종종토록
진의즁의 츌몰ᄒ여   셰월을 다 보닉니
그 안이 가련ᄒ며   그 안이 불상ᄒ가
죠문 귀딕 이걸보아   농부를 악기시읍

특히 오월령에는 선후창으로 된 6음보격 22행의 〈農夫歌〉가 있고,
11월령에는 6음보격 19행의 〈방아打令〉이 삽입되어 있는 특이한 형식
이다. 운포 정학유(1786~1855)의 〈농가월령가〉의 영향아래 이 〈농가
월령〉이 지어졌으며, 바로 다음 근재 윤우병(1853~1920)의 〈농부가〉
에 영향을 미쳤을 것으로 생각된다. 이렇게 볼 때 이 작품은 전환기의
삼대 권농가사라 하겠다.

라. 강호한정가사 江湖閑情歌辭

강호의 한가한 정을 노래한 〈신기별곡〉, 〈속신기별곡〉, 〈석문정구
곡도가〉, 〈사여제가〉, 〈마천별곡〉, 〈초당곡〉, 〈서호별곡〉, 〈초당춘수
곡〉, 〈원유가〉, 〈석정별곡〉 등 10편이 있다.

〈신기별곡新基別曲〉은 필사본 『회룡정사운화답』에 〈중자속음〉이라고 하는 가사와 함께 실려 있으며, 모두 74구의 단형가사다. 이는 지은이를 구체적으로 밝히지 못하고 '회룡정사주인'임을 말하고 있다. 이 작품은 1753년(영조 29) 지은이 82세가 되어서, 임실군 회룡동 새터에 회룡정사를 짓고 많은 글벗들과 시회를 자주 열며 은일자적한 가사다. 그 처음을 보면 다음과 같다.

> 늙게야 移徙ᄒ야   新基乙 創開ᄒ고
> 數間茅屋 지어내니   三光을 應ᄒᄂ듯
> 넌ᄌ시 지은집이   五福이 ᄀᄌ인니
> 灑掃乙 힘뼈ᄒ고   살기를 삼가ᄒ니
> 家産이 절노되고   萬事가 大吉ᄒ다.

또한 〈속신기별곡續新基別曲〉은 『회룡정사운화답』에 부친의 〈신기별곡〉과 함께 '중자속음'이란 제목으로 실린 은일가사다. 이는 66구의 짧은 가사지만 새로이 집을 짓고, 노친을 모시며 많은 자손들과 한가로이 살아가는 즐거움을 노래한 것이니, 전형적인 사대부의 은일가사로, 그 끝부분을 소개하면 다음과 같다.

> 五鳳山 鳳凰들과   別鶴臺 白鶴들은
> 飛去飛來 ᄒ외면셔   三山壽 들이ᄂ듯
> 千災ᄂ 消滅ᄒ고   萬福은 雲集ᄒ다
> 이 아니 樂事런가   世間의 듬을 법이
> 아희야 잔 ᄀ득부어라   玩月長 히올이라

근품재 채헌(1715~1795)이 만년에 문경 산북 이화리의 석문정에서 여생을 보내면서 〈석문정가石門亭歌〉와 〈석문정구곡도가石門亭九曲棹歌〉를 지었는데, 그 내용은 석문적 주변의 아름다운 경치 속에 살면서 물외한정을 노래한 은일가사다.

특히 〈석문정구곡도가〉는 주희의 〈武夷九曲歌〉를 모방하여 지은 것이데, 도가權歌의 형식을 지닌 것으로, 전래되던 어부사를 비롯하여 이농암(1467~1733)의 〈漁父詞〉, 윤고산(1587~1671)의 〈漁父四時詞〉, 이병와(1653~1733)의 〈倡夫詞〉, 이경산의 〈續漁父詞〉와 같은 유형에 속한다. 그 마지막 부분을 소개하면 다음과 같다.

어위야 桃花쯔라 가자스라	九曲石門 가지스라
金鷄峯 브리보니	큰길이 널러셔라
觀瀾臺 나린물은	晝夜로 洋洋ᄒ니
亞聖의 ᄒ신말슴	긔아니 올토턴야
渭川漁父 노던뎬가	釣臺도 완연홀샤
滿山紅綠 자자ᄂ듸	光風霽月 그지업다.
觀魚石 비긴후의	무어시 즈미런고
기푼못 쒸ᄂ고기	靑天의 ᄂ난쇼록
任意로 노ᄂ양은	自然性 그러커든
하물며 사름이야	本ᄆᆞᆷ 일흘손가

〈사여재가四餘齋歌〉는 죽하 이천섭(1730~1807)의 가사인데, 필사본으로 전하며 그가 경북 예천군 용궁면 무이리에 있는 '사여재'에서 은일생활을 하며 후학을 가르치고 학문에 힘쓰던 1793년에 지은 316구의 가사다. 끝부분을 보면 다음과 같다.

迂拙ᄒᆞᆫ 이ᄂᆡ 말슴	웃지마소 世上사름
五儒의 喫緊功用	이밧기 또이실가
四餘齋 역다마소	寒暑의 俱便ᄒ니

處地쏘호 高明ᄒ야　　虛室의 生白ᄒ니
ᄋ마도 四餘齋ᄂ　　나와 終始 ᄒ오리라

〈마천별곡馬川別曲〉은 이처사라는 사람의 작품으로, 내용은 3년간 병중에 앓다가 상춘행을 떠나며, 병자호란 시절을 한탄하고 산림처사의 심정을 그린 146구의 은일가사다. 결사는 김상헌의 시조 '가노라 삼각산아'의 영향을 받았다. 그 처음 부분을 다음에 소개한다.

三年은 병이 드러　　一室에 누엇더니
村童 牧笛聲에　　　　竹窓을 미닷말가
봄 온줄 몰나더니　　　경개도 됴흘시고
鹿冠을 떨쳐쓰고　　　竹杖을 빗기집허
竹林을 ᄇ라보며　　　仙洞에 드러가니
山花는 보불이오　　　谷鳥는 笙篁이라

지지재 이상계(1758~1822)의 〈草堂曲〉과 〈人日歌〉는 이종출이 발굴하여 처음 소개되었는데, 필사본『止止齋遺稿』에 전한다.

〈초상곡草堂曲〉은 69구의 단편가사로 세진世塵을 벗어나 임천의 낙을 영위코자 제작된 것이다. 그 내용은 초당에서 늦은 날에 깊이 든 잠을 놀라 깨어, 취기에 어린 감회를 말한다면서 부귀를 구하려고 공맹의 글을 읽고 학이시습學而時習했으나 세사영위世事營爲는 허사되고 백발만 늘어 가는데, 초당을 짓고 속세를 멀리하여 심신이 쇄락하니 무릉이 연상된다는 것이다. 자신을 이태백과 도연명에 비기면서 문하생들을 청의동자靑衣童子로 연상하고, '한가한 저 노인'이라 하여 영주산의 늙은 신선으로 비유하여 노래하였다. 결국 부귀공명은 뜬 구름이요 옥백이 다 진구이니 천지무궁한 이 강산을 삼공과도 안 바꾸며, 자자손손 안빈낙도할 것을 노래한 은일가사다. 그 일부를 보면 다음과 같다.

武陵源이 어딕매요	別乾坤이 여기로다
桃花流水 흘너간들	어닉漁舟 차자올가
雲深不知 깁퍼거든	松下問童 뉘알손야
林泉애 손을 싯고	藥爐에 香을 웃고
山巾野服으로	구름빗겨 안자시니
들니ᄂ니 물소래오	보이ᄂ니 묏빗시다

〈서호별곡西湖別曲〉은 김상성(1768~1827)의 필사본 『確隱遺藁』에 전한다. 김상성은 그의 부친 정일공 김익(〈권농가〉 지음)과 더불어 2대에 걸쳐 국문시가를 남겼다. 그가 전북 고부 서호西湖(정읍)에서 살 때 지은 가사다.

가사의 내용에서 '光陰이 荏苒ᄒ야 五十이 거의로다'한 것으로 보아 49세경(1816)에 지은 것으로 추정하며, 일명 〈漁父辭〉라고도 한다. '이리 혜고 져리 혜니 人間이 無用이다, 飽食暖衣 날노ᄒ니 衣架飯囊 내 아닌가, 도리혀 싱가ᄒ니 貧富窮達 可笑로다' 하여 인간이 쓸모없이 옷걸이와 밥주머니에 불과하며, 빈부와 궁달도 가소롭다고 하여 중국 역대의 사실을 들어 허무함을 노래하였다.

'桑田이 碧海되기 一瞬間의 쉽다커든, ᄒ믈며 人生이야 닐러 무엇 ᄒ사리요, 물우히 버큼이오 풀긋틱 이슬이니' 하다가 마지막에 가서는 세상과 등진 몸이 강산풍월과 함께 늙을까 한다고 농촌에서 은일 생활을 보냈던 사대부의 한정을 마음껏 노래하였다. 뒷부분을 소개하면 다음과 같다.

江湖의 늙ᄂ 몸이	漁父나 되오리라
낙대롤 드러메고	靑蒻笠 綠簑衣로

빈빈를 흘니저어	禪雲浦로 向ᄒ 올제
十里平沙 눈굿 트며	海棠花 깁흔 곳의
白鷗야 ᄂ지마라	네 버시 나쑨이다
渭水의 姜子牙와	桐江의 嚴子陵은
낙ᄂ거시 무어신고	일흠이 붓그럽다

추담 남석하(1773~1835)는 〈초당춘수가草堂春睡曲〉 등 5편의 가사를 지었던 바, 그의 시문집 『秋潭逸稿』에 수록되었다. 담양은 추성수 이 서가 〈낙지가〉를 지은 곳이다. 또한 면앙정 송순이 〈면앙정가〉를 지어 이른 바 면앙정가단을 형성한 이래로 송강 정철의 〈성산별곡〉, 〈사미인곡〉, 〈속미인곡〉 등에서 끊기지 않으니, 이런 전통은 추담가 사로 계승되었으리라 본다.

〈초당춘수곡〉은 모두 172구로 '四十의 已云老를 어제 날의 들이던 이, 五十의 知天命을 오늘늘의 當ᄒ거나'에서 50세경에 지은 것임을 알 수 있다. '내집치례 볼작시면 草屋一間 얼거내어' '萬壑千峰 깁픈곳 제 千思萬念 다 이즈니'라는 표현에서 그의 초가집에서 봄철의 자연을 벗삼고 즐기는 생활을 노래한 것임을 알 수 있다. 또한 끝에 가서는 '이내 溪山 조흠 경을 任意로 主張ᄒ야, 秋月春風 벗슬 섬어 百年終老 홀리로다'고 하여 은일군자의 모습을 잘 드러내 주었다.

〈원유가顯遊歌〉도 남석하가 지은 풍류가사인데, 중국의 역대 은일군 자들이 놀던 자취를 말하면서,

疏廣의 千鎰金을	秋城府에 훗터두고
感君恩 혼 曲調로	太平酒 비저신이
兄오소 ᄋ의오쇼	栗里情話 더욱조타

그도 글러 ㅎ건이와　　左右班列 보라보니

勝友는 如雲ㅎ고　　高朋은 滿座로다.

라고 하여 음악과 음주를 나누며 벗들과 함께 노는 즐거움을 노래하였다.

석촌 정해정(1850~1923)은 호남가도의 마지막 작자로서 〈石村別曲〉과 〈민농가閔農歌〉를 남겼다. 그는 가사의 요람지요 전승처인 담양 창평에서 출생하여 평생동안 그곳에서 시우들과 자연을 애송하며 살았다. 그의 〈민농가〉는 정학유의 〈농가월령가〉나 향간의 〈농부가〉와도 같이 권농가사인 것이 특징이다.

〈석촌별곡〉은 전남 담양군 창평의 서석산중 종산하鍾山下에서 고종 21년(1884) 음력 7월 29일에 지은 은일가사로 작자는 선배의 가사를 통하여 느낀 바 있어, 자신도 국문학 가사를 지어서 정회를 펴보고자 하는 심정에서 쓴 것으로서, 정철의 〈성산별곡〉의 서술양식과 조사가 비슷한 점이 많아서 호남가사의 전통을 계승한 작품으로 주목된다.

가사의 내용은 창평의 자연을 사랑하며 살아가는 은일생활을 그린 282구의 가사로서, 자신의 처지를 중국의 역대 인물과 대비하여 순정한 아취를 노래하였다. 그 일부를 소개하면 다음과 같다.

披閱古蹟 ㅎ온후의　　져景槪 글를 지여

거문고로 틋아니여　　琵琶의 올니고져

神仙臺 추즈고져　　泉石을 길을 사마

次第로 발바올나　　樹陰으로 가즈ㅎ니

巫峽가튼 뎌 絶頂의　　三聲猿 슬을 씨고

긔아이 石壁우의　　누골조 놀닉는다

마. 유람기행가사 遊覽紀行歌辭

유람과 기행을 하면서 얻은 견문 체험 및 감상을 적은 가사로는 먼저 〈피역가〉, 박순우의 〈금강별곡〉, 〈탐라별곡〉, 〈일동장유가〉, 〈단산별곡〉, 〈북정가〉, 〈수로조천행선가〉, 〈부여로정기〉, 〈기성별곡〉, 〈표해가〉, 〈팔역가〉, 〈서행록〉, 〈금행일기〉, 이상수의 〈금강별곡〉, 〈연행가〉, 〈북행가〉, 〈봉래별곡〉, 〈도해가〉, 〈관동신곡〉 등 19편이 있다.

〈피역가避疫歌〉는 만은 황전(1704~1771)이 24세(1727)에 호남지방을 유람하고 지은 가사다. 류재영의 연구(원광문화 7호)에 따르면, 뒷부분은 실전되어 불완전하지만 현전 부분의 노정을 살펴보면, 고창→시산(現 정읍)→고현→신동→동촌→영천으로 이어 진다.

만은은 과거시험에 몇 번 떨어졌으나 부끄럼을 씻고 다시 어머니의 뜻에 따라 시산지방으로 오른다. '이 初試 져 初試 이내가슴 다 녹는 듯, 이 及弟 저 及弟 이내가슴 다 타는 듯, 독서만권 무엇흐리 堯舜郡民 부질없다.'라고 유학적 經世治民의 이상 실현이 자기 능력으로는 가망 없음을 솔직히 고백하면서도 어머니의 엄한 뜻을 어기지 못하여 공부할 곳을 찾아 길을 떠난다. 그러나 그는 노중에서 '淸歌一曲 碧空소리 玉手纖纖 佳人이라, 戲蝶狂心 없건만은 男兒身에 不關할까?'라고 인간세계를 노류장화의 풍류장으로 생각했을 뿐 아니라, 뜻에 없는 공부를 하기보다는 풍류를 즐기며 놀고 싶은 충동이 더 컸음을 실감나게 읊었다.

〈금강별곡金剛別曲〉은 명촌 박순우(1686~1759)의 『明村遺稿』에 수록되었다. 명촌은 전남 영암 태생으로 문필로 명성이 높았으나 벼슬에는 오르지 못하다가 영조 15년(1739) 과거에 실패하고 금강산 구경을 가서 내금강 외금강을 비롯하여 해금강과 동해의 풍경을 편답하면서 신비롭고 장엄한 경치를 노래한 기행가사를 남겼다.

　금강산을 주제로 한 가사 중 작자 연대가 뚜렷한 〈금강별곡〉의 출현은 가사문학의 귀중한 자료이다. 지금까지 금강산을 기행한 순수한 가사로는 정철의 〈관동별곡〉과 작자미상의 〈觀東海歌〉·〈금강산유산록부팔경〉·〈금강산왕상록〉과 명촌의 〈금강별곡〉 등 다섯 편이 현전하고 있다. 〈금강별곡〉의 처음과 끝을 소개하면 다음과 같다.

　　此身이 悠悠ㅎ야　　山水의 癖이 잇셔
　　名山을 遍踏흠이　　一生의 素計로다,
　　江原道 金剛山이　　三山中 一山이라.
　　東方의 第一이요　　天下의 無雙이다. (중략)
　　내집이 靈岩이라.　　月出山 아래로다
　　小金剛 名稱이　　善刑容ㅎ단 말이
　　이 아릭 卜居ㅎ니　　네 顔面을 차리로다.
　　戀戀한 깁픈 情을　　片夢中의 부치리라.
　아마도 此生未死前의 다시갈가 하노라.

　이는 50평생 등과를 위해 서적에 파묻혔으나 여의치 않아 유유자적 산수와 더불어 소리하던 중 숙원이던 금강산 일대를 두루 답사하고 돌아와서 지은 가사다.

　〈탐라별곡耽羅別曲〉은 우헌 정언유(1687~1764)가 제주목사 재직 시 지은 것으로 그의 문집 『迂軒集』에 전한다. 이는 240구의 실학사상을 바탕으로 한 교훈가사라 하였으나 주제상으로는 기행가사에 속한다. 다음에 그 일부를 소개한다.

　　孤身의 슘은근심　　到處에 밋첫시니

어나씩 順風만나   險海를 利涉하여
이곳에 物情民憂   細細히 알외고져
黙黙히 혼자안져   百가지로 思量하니
슐이나 盡醉하여   한씩나 이즈리라.

〈일동장유가^{日東壯遊歌}〉는 퇴석 김인겸(1707~1772)이 지은 8천여구의
장편으로 홍순학의 〈燕行歌〉와 더불어 기행가사의 백미다. 그는 영조
39년(1763)에 조엄을 정사로 한 일본 통신사의 삼방서기로 수행하여,
약 1년간 일본 경도를 다녀와서 보고 느낀 바를 예리한 관찰력으로
노래하였다.

일본의 풍속, 제도, 인정 등을 개성적인 판단을 삽입하면서 실감있
게 서술했다. 임란의 적대감이 아직도 남아서 조선 문물의 우수성을
입증한 것이 중요하고, 국서를 전할 때는 동행하지 않아 선비의 기개
를 보였으며, 재주가 뛰어나 시를 얻으려 몰려드는 문사들을 감탄케
했다. 행로에서 일어난 일을 자세하게 묘사하고, 공식적인 외교의 이
면에서 벌어지는 갈등을 섬세하게 다룬 솜씨가 탁월하다. '민대가리
발건 다리로 칼이나 차고 나서는 풍속이라 염치가 전혀 없다'고 한 것
은 이미 알고 있던 바와 같은데, 도시가 번성하고 집이 화려한 모습은
상상했던 것 이상이라 충격을 받았다. 실속 없이 꾸미기를 좋아하는
그곳 풍속을 예리하게 간파한 대목도 여럿 있는데, 한 예를 들어보면
다음과 같다.

음식을 드리는딩   無比奇怪 詭譎ᄒ다
전복 문어 온갖 거슬   흔딩무쳐 아르삭여
과즐 괴둣 둥그러킈   자(尺)하나 괴여시니
오식으로 어러히오   모양이 韓菓ᄀᆞ다
쎠혀 먹어 보랴ᄒ니   쎠러지지 아니ᄒ니

물가의 도요새를	죽은 거슬 갓다가셔
두 늘개의 금을 올녀	버릭지버 노화시니
잡힌디 오랜디라	구린니 참혹ᄒ다
가지라 ᄒᄂ거슬	싱으로 노화시듸
모양은 大鰕ᄀ고	크기는 무이크다

　시각적인 효과를 돋구려고 온갖 장식을 하고 찬란하게 꾸몄지만 맛은 돌보지 않았을 뿐만 아니라 구린내까지 나서 도무지 먹을 수 없는 음식이라는 말이다. 서두에서 이미 기괴하고 궤휼詭譎하기가 비할 데 없다고 전제해 놓고서 세부까지 자세하게 묘사했다. 이렇게까지 치밀한 관찰과 묘사는 전례를 찾기 어려운 것이다. 구경하러 모여든 왜인들의 거동을 분석하기까지 한것도 흥미롭다. '발(簾)도 것고 문도 열고 난간도 의디ᄒ며, 마루의 안잣ᄂ니 집안히 ᄀ득ᄒ고', '어린 아히 혹 울면 손으로 막아 못 울게 ᄒᄂ 거동 법녕도 엄ᄒ도다'라고 한데서 그 좋은 예를 찾을 수 있다. 이처럼 관념에서 실장으로, 설명에서 묘사로 관심과 수법을 바꾸어 놓았다.

　〈단산별곡丹山別曲〉은 석북 신광수(1712~1775)가 영조 때(1772) 영월 부사로 부임해서 지은 198구의 관유가다. 그의 호는 석북 이외에도, 오악산인, 회우제라 하며, 그의 저서로는 제주를 다녀와 쓴 기행록인 『浮海錄』과 문집으로 『石北集』이 있다.
　丹山은 단양의 별칭으로, 이는 유명한 단양팔경을 노래한 것인데, 그 처음을 소개하면 다음과 같다.

人生至樂 ᄒ여보니	山水밧긔 ᄯᅩ잇ᄂ가
烟霞 痼疾이오	泉石 膏肓이라
淸福이 잇돗던지	聖恩이 至極ᄒ샤

領運使 湖南빈의	海山風景 다흔후에
碧水 丹山의	墨綬를 빌리시니
景槪도 죠커니와	水土도 淸涼 한다.

이 작품의 문헌적 가치로는 정철의 〈관동별곡〉과 쌍벽을 이루는 유람기행가사^{遊覽紀行歌辭}이며, 200여 년 전의 단양팔경을 재현하는 한글 작품으로 석북문학의 차원을 높이고 있다.

〈북정가^{北征歌}〉는 정조 때 이용이 지은 가사로, 왕족 무부수령으로서 33년간 이태조의 역사적 자취를 찾아 양문역, 회양, 설운령, 고산덕원, 성진, 길주, 칠보산, 경성, 온성, 알동 등의 아름다운 경치와 유적을 두루 살피고 집에 돌아와, 영조 52년(1776)에 어머니를 위해서 지은 가사다. 이 가사는 작가연대가 분명하여 영정시대 가사형식과 어법을 고찰하는데 귀중한 자료이며, 백광홍의 〈관서별곡〉, 정철의 〈관동별곡〉 등에 비하여 '관북별곡'이라 할 수 있는 관북지방의 유람기행가사다. 그 일부를 보면 다음과 같다.

平生에 아는 바는	하늘 따히 궃다터니
이제야 씨닷과라	하늘이 너르도다
너른 하늘 그여올라	四海를 구버보면
싸히 현마 너른고지	업슬 줄이 아니로되
泰山에 오른말이	좁거니 좁은 海東
天下도 역엇느니	容納홀듸 專혀업다.

〈수로조천행선곡^{水路朝天行船曲}〉은 옥국재 이운영(1722~1794)이 지은 '배따라기' 노래다. 이는 『諺詞』에 수록되었는데, 옥국재가 세자 익위사에 있었던 공으로 통정대부 돈녕부 도정에 오른 바 있어 '都正公歌

辭라 하여 〈착정가鑿井歌〉, 〈순창가淳昌歌〉, 〈초혼사招魂詞〉, 〈세장가說場歌〉, 〈임천별곡林川別曲〉 등과 함께 전한다.

어긔쨔 지국총	지국총 어긔쨔
닷들고 돗츨달고	비쯰우고 노져허라.
비쯰여라 비쯰여라	이빈타고 어디갈고
陸路란 어듸두고	木島를 죠츠는고
도산의 집유홀졔	이빈를 탓돗던가
白馬로 漕舟홀졔	이길노 녜엿던가.

이렇게 처음이 '漁父辭'로 비롯되었으며, 오래 묵은 나무로 배를 지어, 돛을 달아 순풍을 헤치며 봉명사신으로 중국을 향한 상황을 노래하였다. 톱, 도끼, 자귀, 대패, 바디, 북, 가위, 자 등 노동과 관련된 순우리말의 아름다움이 특이하게 돋보인다.

〈부여노정기扶餘路程記〉는 연안이씨(1737~1815)의 작품이다. 정조 24년(1800)에 부여현감인 아들(유태좌)을 보살피러 안동 하회를 떠나 부여까지 간 노정을 흥겹게 서술한 것으로 여류기행가사의 대표적 작품이다. 이본이 많은 것을 보면 널리 읽혔음을 알 수 있다. 그 일부를 보면 다음과 같다.

충암 벽계를	몃 곳이나 지나거니
쥬렴을 잠간들고	원근을 쳠망ᄒ니
산쳔도 수려ᄒ고	지셰도 활연ᄒ다
사십년 막힌 흉금	이제야 틔이거다. (중략)
년산에 말을 가라	금편을 다시치니
채석강 뱃머리가	녀흘을 맛내난 듯

진애에 뭇은 씌를   백마강에 업시ᄒ니
금회가 탁락 ᄒ야   선분이 적을소냐

쌍교를 높이 타고 청풍을 선배삼고 명월을 후배삼아 행렬이 10리
인데 좌우 위풍이 볼 만하고, 40년 막힌 흉금을 비로소 열어 제치고는
줄줄이 흘러나오는 풍류심을 멋스럽고 흥겹게 노래하였다.

〈기성별곡箕成別曲〉은 해석 이재찬(1746~1827)이 평안도 관찰사로 부
임했던 때에(1795) 지은 것이다. 나손 소장의 가사집인 『향산별곡가
첩』 등 5종의 이본이 전한다. 이는 평양성 주변의 승지와 자연경관을
소재로 하였기에 백광홍의 〈관서별곡〉, 이현의 〈백상루별곡〉, 정시
숙의 〈香山別曲〉, 작가미상인 〈大同別曲〉, 〈仙樓別曲〉, 〈香山錄〉, 〈秋
風感別曲〉 등과 함께 관서지방의 가사작품으로 비교문학적 의의가
있다.

내용은 기승전결로 나누어지는데 평양성의 지세와 관련된 사적을
밝혔으며, 이어서 평양성 주변의 아름다움 경관을 살펴본 후에 작자
의 심경과 회포를 꾸밈없이 소박하게 찬양한 서경가사다. 그 일부를
보면 다음과 같다.

大同門 드리다라   練光亭 올ᄂ가니
半空의 ᄂ는 첨下   鶴의 등의 명에ᄒ고
十二層 싀인 欄干   그림속의 바이ᄂ듸
斜陽의 발을것고   醉眼을 드러보니
長江이 깁갓ᄒ여   秋天과 한 빗치오
白沙場 긴 슈풀의   저녁니 ᄌᄌ졌다

〈표해가漂海歌〉는 제주인 이방익(1756~?)이 정조 8년(1784)에 무과급

제하여 선전관으로 있으면서 충장장忠壯將으로 승진하매 수유受由(휴가)를 얻어 정조 20년(1796) 경사京師로 근친가던 중 대풍을 만나 중국 팽호도로 표류하다가 대만으로 호송되어, 하문, 복건, 절강, 강남을 거쳐 산동제역을 지나 북경에 도착하여 익년에 수륙수만리를 돌아 귀환한 경위를 기록한 가사다. 이작품의 작가를 〈홍리가〉의 작자와 동일한 이방익으로 보았으나, 연암 박지원(1737~1815)의 『書李邦翼事』에 근거하여 李邦翼으로 고증되었다. 그 일부를 보면 다음과 같다.

밤은 漸漸 깁허가고	風浪은 더욱 甚타,
萬頃蒼波 一葉船이	가이업시 써가나니
슬프다 무삼 罪로	하직업슨 離別인고
一生一死는	自古로 例事로다
魚腹속에 永葬함은	이 아니 冤痛한가
父母妻子 우는 擧動	생각하면 목이멘다.

망망대해로 표류하는 심정을 그린 대목이다. 이처럼 표류되어 갖은 고생 끝에 가까스로 살아 귀국하게 된 경위는 사사로운 외국 여행을 할 수 없었던 시절의 특이한 기록문이다.

〈팔역가八域歌〉는 교교자 서충보가 순조 때(1804) 지은 기행가사다. 작자가 4월에 백두산에 오른 것을 시작으로 전국팔도를 두루 유람한 노래다. 그 노정이 대단히 장황하고 마지막에 가서는 안분지족하면서 살겠다고 하였다. 특히 충효렬을 예찬한 바, 사냥에 빠진 임금을 간하다가 살해된 뒤에 무덤에서까지 간언을 드린 충혼과 황창무라는 검무를 소개하면서 신라의 황창이 어린 몸으로 백제에 들어가 검무를 추다가 백제왕을 베고 자결한 일이라든지, 이순신과 논개의 충절을 높이 칭송하였다.

또 계룡산을 노래한 대목에서 '아 태조 즉위 초에 이 땅이 이도코자 남산에 始役타가 神人의 비결얻어 중지하니'라 하여 도참설을 소개하기도 하고, 한양천도 이야기에서도, 도선선사의 비결, 무학과 비석봉, 정도전의 예지 등을 장황하게 노래하였다. 이처럼 인륜을 중시한 유고사상과 영험을 믿는 불교사상, 그리고 풍수와 도선사상을 지닌 내용이다.

〈서행록西行錄〉은 우봉 김씨 김지수가 순조 28년(1828)에 지은 사행가사로 2,710구의 장편 기행가사다. 작자는 중국에 들어가기 전에 '아동은 편방이라…… 사대국 하는 도리 진하를 마올손가?'라 하여 자국을 소국으로 청을 대국으로 보아 사대사상의 당연성을 말하였으며, '평지에 성을 쌓아 사면이 방정하고, 시전이 부요하니 화려키 금작이다'고 하니 청의 문물이 기대 이상으로 번화함을 탄상하였다.

한편 작자는 비록 멸시의 대상이든 사모의 대상이든, 청인이든 한인이든 막론하고, 그들이 질서존중의 공중도덕에 익숙해진 모습과 계속 번영하고 있는 모습을 살피며 조선의 형편을 되돌아봄으로 '나'를 반성하여 우리의 경우와 견주어 본 것은 남다른 자기 인식이라 하겠다. 그 일부를 보면 다음과 같다.

심양거동 하올적에	연경서 심양까지
길에는 축회하고	내천자로 길을 내어
철기는 옹위하고	외방군병 배립하여
근 이천리 오는 길에	병마를 항오차려
울처럼 세워두고	그 속으로 온다하니
이처럼 많은 군병	정제하고 조용하여
…………………	무인지경 같은지라
이로써 헤아리면	기율이 끔찍하다.

〈금행일기錦行日記〉는 은진 송씨(1803~1860)가 공주판관으로 부임한 시숙 권영규의 초청을 받고 헌종 11년(1845)에 공주를 다녀와서 지은 장편가사다. 출발에서 귀환까지의 일정에 따라 견문한 바를 짜임새 있고 능숙하게 다루었다. 공주 관아내외의 전경과 풍물을 그린 가사로, 기생점고를 엿본 소감이 흥미롭고, 금강에서의 뱃놀이를 길게 묘사하면서 감흥을 고조시킨 대목이 일품이다. 다음은 기생점고를 구경하는 모습이다.

尊堂晨省 ᄒ온 후의	點考 구경 ᄒ랴ᄒ니
行廊의 가본다 ᄒ니	종들 몬져 展拜ᄒ여
비부가지 치운후의	弟兄 叔姪 모혀셔셔
졔졔유유 나아가니	中門 밧 막 나셔며
구경쳐는 咫尺이요	行廊은 게서 머니
다 각각 틈을 어더	隱身ᄒ여 여어보니
구촌도 莫甚ᄒ다	左便은 册室 厠間
압흐로 馬廐隔壁	惡臭가 울입ᄒ나
구경의 욕심으로	始終을 보려ᄒ니
前後次例 點考節次	고을마다 ᄒ 가지라
ᄎ례로 妓生 점고	容態도 볼 것 없고
服色도 奇怪ᄒ다	

기생점고를 구경하는 곳은 옆에는 측간이 있고, 앞에는 마구간이 있어 악취가 심함에도 불구하고 은진 송씨는 참고 열악한 틈을 얻어 숨어서 구경했다. 기생점고를 구경하는 이 모습은 작품 전체를 통하여 가장 흥미 있는 부분이라 할 수 있다. 숨어서 구경했다함은 허락받지 못한 구경이었음을 의미한다.

〈금강별곡金剛別曲〉은 어당 이상수(1820~1882)의 작품이다. 그는 60세 이후에 경연관을 거쳐 시강원 진선, 집의를 지낸 산림학자요, 교육자며 시인이다. 저서로는『啎堂集』,『南明史正網』등과 가사로는 〈金剛別曲〉과 미 발굴가사 〈京華壯觀〉을 지었다. 가사로의 표현은 좀 산만하지만 소박하고 진술하며 내외금강의 참모습을 볼 수 있다. 이 가사는 37세 때(1856)에 금강산을 유람하고 지은 유람기행가사로, 정철의 〈관동별곡〉(1580), 조우인의 〈속관동별곡〉(1622경), 김성달의 〈봉래곡〉(1695), 박순우의 〈금강별곡〉(1739) 등의 작품으로, 다음에 오는 조윤희의 〈관동신곡〉(1894)과 더불어 마지막 금강산 찬가로 볼 수 있는 562행의 기행가사다.

行裝을 收合ᄒ니	雁門지 길이로다
잘있거라 슈郎직야	다시보자 香爐峰아
ᄂ아모리 奔走ᄒ되	다시 한번 쏘오리다
漁翁의 빅를 타고	武陵桃源 下直ᄒ고
採藥ᄒ려 갓든 사람	天臺山에 作別ᄒᄂ듯,
거름거름 도라보니	셥셥ᄒ기 測量읍다.

금강 가경佳景에 도취한 작자가 또 다시 오마고 약속한 곳에서 금강산의 아름다움을 독자들도 보는 듯하다.

〈연행가燕行歌〉는 홍순학(1842~1892)이 25세 때(1866; 고종 3년) 가례책봉주청사의 서장관이 되어 청나라에 다녀온 견문을 쓴 3924구의 장편기행가사다. 그는 작품 속에 '병인년 춘삼월에 가례 책봉되시니 국가의 대경이요, 신민의 복록이라 상국에 주청할새'라고 여행시기와 사행의 목적을 분명히 하였다. 병인년은 고종 3년(1866)이며 가례책봉은 고종이 민치록의 딸을 왕비로 책봉한 일이고, 작품내용은 고종 3

년 4월 9일에 서울을 출발하여 8월 23일 집에 올 때까지의 사실을 기록했다.

이는 예리한 관찰력과 사실적 묘사가 뛰어나 〈일동장유가〉와 더불어 기행가사의 백미이다. 서울을 떠난 여정, 압록강을 건너는 나그네의 심정, 호인들의 생활모습, 북경의 문물구경, 임금에게 복명하고 집에 오기까지의 견문 등을 서술하였다. 그들의 풍속을 사실적으로 묘사한 대목을 보면 다음과 같다.

淸女는 발이 커셔	남즈의발 궃트나
唐女는 발이 작아	두치즘 되는거슬
비단으로 쓱동이고	신뒤축의 굽을 달아
위쯧비쯧 가는모양	너머질가 위틱하다
그러타고 웃지마라	명나라 끼친졔도
져 졔집의 발하나니	지금까지 볼 것 잇다. (중략)
어린아희 길은 법은	풍속이 怪狀하다
行擔에 줄을 믹여	그늬믹듯 축혀달고
우는아희 졋먹여서	강보의 뭉둥그려
힝담속에 누여주고	줄을믹여 흔들며는
아모소릭 아니하고	보칙는일 업다한데
농스하기 길삼하기	브즈런이 爲業혼다.
집집의 대문 압히	싸인 거름 틱산궃고
논은 업고 밧만 잇셔	온갖 곡식 다심운다
나긔 말의 쟁기메여	소업셔도 능히 갈며
호믹즈로 길게하여	온갖곡식 다심운다.

이처럼 여인들의 옷차림과 어린이를 행담에 줄을 매어 그네 매듯 하여 기른다는 육아법, 그리고 농사짓는 광경을 생생하게 보여 주었다.

한편으로는 사대사행事大使行의 일원으로 수행하여 배타천시排他賤視의 오기가 넘친 작자의 눈에 비친 이국의 풍물이 흥미 있게 기록되어 있어서, 당시의 풍속 역사 인정을 상고하는 데 꽤 귀중한 자료가 된다.

이 작품이 지어진 동기에 대하여, 기의 가정생활이 '이내 몸이 한미한집 사람으로 이십여년 책상물림 졸직히 자라나서' '훤당에 백발노인 생양가에 모셔 있고, 청춘의 젊은 아내 금실이 남다르다'고 한 바, 평범한 서민으로 과거공부에 정진하여 소년등과(16세)한 그가 아직 무자식의 상태에서 생양가의 두 어머님과 젊은 아내를 위해 지은 보고문학적 성격을 엿볼 수 있다.

〈북행가北行歌〉는 차산 유인목(1839~1900)이 지은 1,068구의 장편 기행가사로, 고종 3년(1866)에 주청정사奏請正使 유후조의 자제군관으로 연경에 가서 체험한 바를 쓴 사행가사의 거편이다.

이 가사는 병인사행의 여정을 배경으로 하여 이룩된 홍순학의 〈연행가〉와 쌍벽을 이룬다. 특히 기류와의 행락을 진솔하고 대담하게 묘사하여 사류가사士類歌辭로서 보기드문 염정적艶情的 일면을 보여주고 있으나, 예리한 통찰력과 비판력으로 견문한 정황을 표현하려는 천언만어의 휘담諱談이 응결되었다. 따라서 자아와 자존에 대한 우국일념을 은연히 강조하였으나 표현의 노골을 피하면서 오히려 자신의 이상향을 은일에서 찾고자 하였다. 때로는 역사적 연고지를 지나며 사실을 환기하고 비운에 처한 조국의 실상을 깨우쳐 주기도 하였다.

靑石嶺 올라셔셔	古事를 싱각ᄒ니
전에 우리나라	병ᄌ년 호란적의
효종 ᄃᆡ왕 出彊ᄒᆞᄉ	심양의 ᄀ실ᄃᆡ의
이 고긔 올라계셔	歌詞를 지아신ᄂᆡ
청셕영 너머셔니	玉河關이 어듸민요

胡風은 츰도츌ㅅ	구진비는 무슴일고
그 뉘라 이닉힝식 그려나다	임계신딕 젼히쥬리
그 노릭 한법읍고	그 땅을 지닉가니
喬木世臣 이닉마음	百世怏感 졀노는닉

청석령에 이르러 호란에 볼모가 된 효종의 행색을 되뇌었고, 호의 참란을 되새겨 청조에 대한 수원을 씻지 못하는 안타까움을 노래하고 있다. 1895년 민비시해 때는 양산군수직을 사임하고 의병을 조직하여 항일운동을 했다는 후손들의 증언이 있고 보면 그의 우국충정이 하루 아침에 일어난 것이 아님을 알 수 있다.

출발 후 3개월 만에 북경에 도착하여 자문咨文을 상서에 봉전하고 삼사신이 아홉 번 고두하는 것으로 사신의 할 일을 다 수행했다고 하니, 그 길고 긴 행역과 고통에 비해 그들이 한 일이란 너무나도 어처구니 없는 일이었다. 그 내용을 그린 부분을 보면 다음과 같다.

四千里 定흔길을	오날날 得達ᄒ여고야
家鄕을 싱각ᄒ니	天涯가 아득ᄒ다
自然히 굳힌 心懷	날마다 실음일
그 잇튼날 平明의	禮部에 獻表ᄒ니
大廳의 셜허위는	祭床우의 黃褓펴고
尙書며 侍郞이며	左右에 趨蹌ᄒ고
表文을 드린 후의	三拜九叩 大禮로다

이상의 두 작품을 살펴보면 홍순학의 〈연행가〉는 공식적인 임무수행에 따르는 견문을 보고하면서 국제정세의 변화를 민감하게 살리고자 한 반면에, 유인목의 〈북행가〉는 아무 부담 없이 놀러 간 사람의 소회를 적으며, 근엄한 자세보다는 쾌락에 탐닉하는 입장을 보여서

비교가 된다.

〈봉래별곡蓬萊別曲〉은 우전 정현덕(1810~1883)이 동래부사로 재임 중 (1867~1869)에 관내를 순시한 소감을 읊은 기행가사다. 금정산에서 태종대에 이르는 노정을 그렸는데, 먼저 창작동기와 봉래의 승지를 역람하고 구경한 내용을 읊은 것이다. 작자는 흥선대원군과 동일한 시국관을 가진 자로서, 임진왜란 때의 일을 회고하고, 일본이 굶주린 늑대처럼 조선을 다시 노리고 있으니 새로운 각오로 지녀야 한다는 상황변화가 잘 나타났으며, 일본의 관문인 동래를 지킴으로 왜적의 침략을 막아야겠다는 조금은 소극적이고 우직한 행동을 유일한 진충 보국의 길이라고 한 항일의식의 정신을 읊은 것이다. 그 일부를 보면 다음과 같다.

절제사 주진되고　　　양포만호 부응되어
왜관을 방어하니　　　남고 쇄락 여기로다
임진년 팔년병화　　　충신열사 기 뉘신고?
송충신 정충장을　　　자의흑의 거룩하다.

이처럼 항왜抗倭의 선열들을 사모하기도 하고 '순절터를 축단하니 열녀로 부식하고 장사로 배향한다'면서 임진 란 당시 동래부사로 항 전하다가 순사한 송상현(1551~1592)과 부산첨사 정후발을 따라 순절 한 애첩들의 넋을 추모하고 왜구들의 잔학상을 연상하기도 하였다. 특히 '사병 산하 연대청은 倭使접대 무삼일까?'라고 노래함으로 대일 저항정신을 노골적으로 표현하여 주목된다. 일본이 늑대처럼 조선을 다시 노리고 있으니 새로운 각오를 굳게 지켜야 한다는 상황변화를 잘 나타내 그렸다.

〈도해가渡海歌〉는 수산 조희백(1825~1900)이 함라 태수가 되어 웅포에서 강화부에 다다르기까지의 노정과 감상을 노래한 240구의 기행가사다. 전라도 함열현감이던 작자가 고종 12년(1875)에 조운선으로 세곡을 운반하는 것을 지휘하며 서해를 건너 강화도까지 가는 일을 일기로 적고 다시 가사로 지었다. 그 일부를 보면,

> 동구밖 지나 서서 보니   형색이 망연하다.
> 가래목이 험할세라   넘어가기 위태하다.
> 조심조심 지내어서   烏息島에 닻을 주니
> 의지없는 배밑에서   우레소리 무삼일고?

라고 읊으니, 넓은 바다를 항해하면서 느낀 감정을 사실적이면서 간결하게 서술하였다. 마지막에 가서는 '燕尾亭에 배를 대로 올라보니 縹緲하다. 解憂酩酊 적실하다 양경합금 너른 江色 경면같이 맑았도다' 라고 하였으니 작자는 어부나 사공이 아니면서 바다로 나가는 것을 두렵게 여기지 않고 해상에서의 고생을 흥겹게 묘사하면서 결국 술을 부어 취하리라고 했다.

〈관동신곡關東新曲〉은 조윤희(1854~1931)가 지은 기행가사다. 그는 행해도 황주군수를 지냈으며, 금강산 일대와 관동지방을 기행하고 가사를 남겼는데, 이 노래는 최근에 진동혁이 발굴하여 학계에 보고하였다. 이는 이상수의 〈금강별곡〉과 더불어 금강산을 기행하고 쓴 마지막 작품으로 의의가 있다.

이 가사는 1238구의 장편가사로 저자가 고향인 천안을 출발하여, 한양을 거쳐 금강산과 동해의 명소들을 두루 돌아보고 귀향하기까지의 여정과 풍물이 자세히 묘사되어 있다. 서두에서 금강산을 향해 홀연히 떠나는 작자의 심정을 다음과 같이 술회하였다.

망망천치 무궁한데	부유인생 묘연하다
우쥬의 빗겨셔셔	고금사를 무르리다
육지광음 백대인물	영웅호걸 몃몃치냐
일생칠십 고래희라	진촌의 도라간후
북망산 무근무덤	가을바람 간풀리라
지금세상 사람덜은	이해영욕 골목하여
부귀복택 자세하고	일평생을 허송한다

그리고 여행도중 배를 타고 해금강을 둘러보다가 고래를 만났을 때의 이야기도 있다.

배를 돌려 돌아올졔	천하장관 또 보것다
바닷물결 두눕넌 듯	우래갓튼 소래나며
짐승하나 들러온니	굼실굼실 노이넌 양
고래모양 저러한가	영악하고 흉측하다
기리난 사오십척	등성이는 댄마루만
꼬리로 물결치면	벽력치난 소래나고
물먹으며 내뿌무면	소낙이 소더 지난 듯
초음으로 당해보니	우태하고 두렵도다

이 가사는 작가가 양부 조병식과 함께 1894년 5월경 50일간에 걸쳐 금강산을 유람하며 지은 유람기행가사다.

바. 연주충군가사 戀主忠君歌辭

국왕을 사모하고 국가에 충성하는 내용의 가사로는 〈속사미인곡〉, 〈죽창곡〉, 〈북찬가〉, 〈홍리가〉, 〈사미인곡〉, 〈사미인가〉, 〈만언사〉, 〈무인입춘축성가〉, 〈북천가〉 등 9편이 있다.

〈속사미인곡續思美人曲〉은 북곡 이진유(1669~1730)의 가사다. 북곡은 39세에(1707) 별시병과에 등과하여 이조판서까지 올랐다. 경종 때 김일경과 합동하여 소위 육인소의 1인으로 활약한 바 있어 영조가 등극하자 그들이 모두 삭출되거나 유배되니, 그때 마침 중국 사신으로 떠났던 북곡도 나주를 거쳐 추자도로 귀양을 가게 되었고 끝내는 국문 뒤 장폐 당하였다.

이 노래는 추자도 귀양 시(56~58세) 지은 것으로 이광사소장 필사본에 전하는 374구의 유배가사다. 가사의 내용은 자신의 무고한 변명과 영조에 대한 지극한 충정, 그리고 적지謫地에서 당한 형언할 수 없는 수난 등을 사실적으로 그려낸 것으로 형식상 일인칭 독백체요, 기행서사체의 가사이다. 그 모습을 보면 다음과 같다.

九連城 露宿ᄒ고	압녹강 밧비건너
星軺를 부리오고	草轎를 ᄀ리시러 (중략)
湖南길 더위잡아	노령의 올라쉬여
북으로 돌아보고	두셰번 탄식ᄒ니 (중략)
愚直ᄒ기 本姓이오	狂妄홈도 내罪오나
根本을 싱각ᄒ니	남위흔 精誠일싀
日月ᄀ튼 우리님이	거위아니 照臨홀가

꿈에 임을 모시는데 깨어보니 옥음이 귓전에 완연하다 하여 애절한 연군지정을 읊어서 君의 은전을 간절히 기원하며 끝을 맺었다. 표기형식은 한글이지만 내용은 한문과 전고典故가 많은 것이 흠이다.

〈죽창곡竹總曲〉의 작가는 연려실 이긍익(1736~1806)이다. 그는 우리나라 문예부흥기의 실학자로서 서예와 문장으로 유명한 이광사의 아들이며, 이진유의 종손으로 고증학에 대성하였다. 부친이 이진유의

죄(辛壬事件)에 연루되어 20여 년간을 귀양살이를 하게 되니 이긍익은 벼슬길을 단념하고 학문에만 몰두하여 조선역사서 『燃藜室記鈔』을 남겼다. 〈듁챵곡〉도 이런 작가의 생애에서 비롯된 것으로서 벼슬길에 나가지 못한 은사가 역경에서나마 임금을 그리는 심정을 나타낸 일종의 연주지사이다.

자신과 벼슬의 인연에 대하여 '아리 온 임의 擧動 親흔적 업건마는'이라 하였고, '芝蘭으로 꾸민 집의 麗質을 길너낼재……, 二人芳年이 손꼽아 다드르니'라고 임금을 모시기에 만반의 준비를 갖추었다. 그러나 '하ᄅᆞᆷ밤 놀던 우레 風雨조차 섯거티니 뜰알픠 심근 葵花 못 퓌여 이울거다'고 하였으니 기구한 그의 인생이 이렇게 좌절되었다. 하지만 연군의 정을 마치 사랑하는 연인들 두고 몸부림치는 여인의 자세로 읊어 나갔다.

〈북찬가北竄歌〉는 이광명(1701~1778)이 지은 유배가사다. 이광명은 일찍 강화도에 들어가 정제두의 양명학을 잇는 것을 보람으로 삼고 벼슬과는 무관하게 살았으나 백부인 이진유가 유배를 당한 사건에 말려들어 함경도 갑산으로 유배당했다. 그때 지은 가사에는 제목이 없으나 적소에서 지은 노래라 하여 〈북찬가〉라 하였다.

이 노래는 잘못이 없다거나 복귀를 염원하는 말을 늘어놓는 것마저 거부하고 관념이 제거된 쉬운 말로 오직 두고 온 어머님을 생각하며 자기의 고통을 되씹는 데만 골몰했다. '안즌 곳의 히 디우고 누운 자리 밤을 새와 줌든 밧긔 한숨이오 함숨 긏히 눈물일식'에서 볼 수 있듯이 기존 유배가사와는 다른 면모를 보였다. 그 일부를 소개하면 다음과 같다.

> 밤밤마다 꿈의보니   꿈을 둘러 常時과져
> 鶴髮慈顔 못보거든   雁足書信 즈즐염은

기ᄃ린들 통이 올가	오노라면 들이 넘ᄂ
못본제ᄂ 기다리나	보니ᄂ 쉬원 홀가
老親消息 나모를제	내소식 老親알가
千山萬水 막힌길히	一船苦思 뉘 혜울고
문노라 붉은들아	兩地의 비최거뇨

〈홍리가鴻罹歌〉는 정조 때(1783) 이방익李邦翊이 강진 절도(龜玆島)로 귀양가서 쓴 유배가사다. 〈홍리가〉란 '큰 근심을 노래한다'는 '大憂歌'이니 외딴섬에 귀양사는 처지에서는 이런 슬픈 노래의 제작이 필연적으로 가능하리라 생각된다. 이방익은 가사를 두 편이나 창작한 무부출신의 작자로 인정되었으나, 그 뒤에 이방익은 〈표해가〉의 작가 이방익과 다른 인물임이 밝혀졌다.

귀양의 이유는 자신의 기질이 노둔하여 영리치 못한 말이 속태에 벗어났기 때문이라고 하였고, 왕명이 지중해서 노모를 두고 유배를 가야하는 애끓는 심정은 노모께 상서하려고 붓을 들었다. 그러나 눈물이 앞을 가리어 글을 쓸 수 없다고 하였다. 그처럼 귀양 살게 된 동기와 노정, 생활상들을 말하고, 어머니를 그리워한 효성이 사람들에게 감동이 되어 많이 읽혔던 작품이다. 그 일부를 보면 다음과 같다.

銅雀이 막건너며	三角山 도라보니,
古國山川 죠타마ᄂ	다시볼줄 어이알니
大海를 두 번건너	絶島셤의 드러가니
江山은 異域이요	瘴氣는 侵身이라
痛哭을 ᄒ려ᄒ니	怨國인 듯 不安ᄒ여
춤고 다시춤아	죠은체 ᄒ노라니
言語 비록 如賞ᄒ나	顔色憔悴 졀노흔다

이렇게 급한 행색으로 동작동을 건너고, 다시 대해를 두 번 건너 절도로 갔다. 정확하지는 않으나 십이리 구자섬이 나타나고 그 곳의 문물 풍습을 묘사하였다. 또한 귀양살이 죄인에 대한 관졸들의 작태가 다른 작품보다 사실적으로 표현되어 흥미를 끈다.

〈사미인곡思美人曲〉은 곤파 유도관(1741~1813)의 작품으로 그의 문집 『崑坡遺稿』에 실려 있는데, 이는 156구의 충신연주지사다. 작자는 담양 창평에서 벼슬길이나 유배생활과는 상관이 없는 상태에서 임금을 그리워하는 마음을 노래한 것으로 그 연원을 정철의 〈사미인곡〉에 두고 있는 사대부가사로 호남가단의 맥을 이어 후대에 큰 영향을 끼쳤다. 작품의 끝부분을 보면 다음과 같다.

長風이 건듯부러	님계신듸 도라가면
三更 배개우희	부듸부듸 늣기시리
답답이 그리운제	하늘을 브라보니
너르고 높픈긔샹	이 아니 님이신가
平生에 仰望홈이	진실노 所天이라
두어라 天命과 天時	정흔째 이시니
秋塘의 晩芙蓉되여	守紅ᄒ야 기다리려 ᄒ노라

〈사미인가思美人歌〉는 사적헌 장현경(1730~1805)이 지은 가사로 필사본 『讀易箚記』에 실린 64구의 연군가사다. 이 작품은 작자가 67세 때 전북 삼예역승으로 외직에 나와 있어 임금을 가까이 모시지 못하는 안타까움을 노래하고, 다시금 임금의 은총의 받고자 기약하는 충신연주가사이다. 그 마지막 부분을 소개하면 다음과 같다.

君門이 如天ᄒ여	다시들기 어려울새

움이나 憑적ᄒ여	우리님금 뵈ᄂ거슬
鷄聲은 무삼일노	꿈조차 ᄭᆡ오ᄂ고
彷徨 終夜의	이 ᄆᆞ음 耿耿ᄒ다
終南山 不老ᄒ고	漢江水 滔滔ᄒ니
슬푸다 이내생각	어느 때 그치일고

안조환[원](1765~?)은 정조 때 사람으로 〈萬言詞〉 외 5편의 가사를 썼는데, 이는 대전별감으로 있을 때 경제적 비리(공금횡령 및 도박)를 저질러 34세(1798)에 추자도로 귀양 가서 약 2년 동안 겪은 천신만고한 생활상을 그린 것으로 전면에 초췌한 궁상이 깔린 처연한 모습을 토로하고, 자신의 잘못을 반성하면서 임금에 대한 변함없는 사랑과 그리움을 표현한 가사로서, 김진형의 〈북천가〉와 대조를 이룬 유배가사이다.

〈만언사萬言詞〉는 전편에 해당되며 일명 〈思鄕歌〉라고도 하는데, '자탄호소自歎呼訴'로 된 1456구의 일인칭 노래요, 후편격인 〈萬言詞答〉은 전편에 대한 답으로 손님(作者)과 이웃 사람과 화답하는 형식으로 엮어진 296구의 가사이며, 여기에 〈思父母〉(110구), 〈思妻〉(88구), 〈思子〉(38구), 〈思伯父〉(30구) 등의 단편을 포함한 2018구의 장편유배가사이다. 작품의 끝부분을 소개하면 다음과 같다.

내 苦生 한 해 함은	남의 苦生 十年이라
凶卽吉함 되올는가	苦盡甘來 언제할고
하나님께 비나이다	설은 願情 비나이다.
册曆도 해묵으면	고쳐보지 아니하고,
怒호염도 밤이 자면	풀어져서 버리나니
世事도 묵어지고	人事도 묵어시니,

千事萬事 蕩滌하고   그만저만 敍用하여

끊쳐진 옛 因緣을   고쳐잇게 하옵소서.

    귀양살이에서 기한^{飢寒}에 시달리는 실정과, 죄를 뉘우치는 초조와

체험이 뒤섞인 애절한 사연을 엮어 서울로 보내니 궁녀들이 이 가사
를 읽고 눈물을 흘리지 않는 자가 없었다 한다. 이 때문에 그가 곧 소
환되었다는 일화도 있다. 오히려 자기의 잘못을 깨우치게 한 임금님
께 감사한다는 부분을 소개하면 다음과 같다.

平生一心 願하기는   忠孝兼全 하자더니,

한번 일을 그릇하고   不忠不孝 다되겄다.

悔逝者而 莫及이라   뉘우친들 무삼하리,

燈盞을 치는나비   저죽을줄 알았으면

어디서 食祿之臣이   罪짓자 하랴마는

大厄이 當前하니   눈조차 어둡고나

마른 섶흘 등에지고   烈火에 들미로다.

재가 된들 뉘탓이리   살可望 없다마는

一命을 꾸이오셔   海島에 보내시니

어와 聖恩이야   가지륵 罔極하다.

    유배가사라면 일반적으로 허식과 과장과 자기변명이 대부분인 양
반들의 전유물인 것처럼 인식되기도 하나, 이 〈만언사〉는 하급관리
로서 자기 잘못 때문에 받는 벌이기에 가식 없는 자기 심정을 사실적
으로 표현했다. 따라서 내용이 연군적이고 도덕적인 사상의 기조는
진부하지만, 작자의 순수한 인간성에 호소하는 감동적인 작품이다.

    〈무인입춘축성가^{戊寅立春祝聖歌}〉는 수북 이광사(1705~1777)가 지은 142

구의 충신 연주가사로, 그 내용은 유배지에서 고생하면서도 임금께 충성을 맹세하며 임금의 성덕과 만수무강을 송축하는 송양가로 역시 유배가사라 하겠다. 그는 양명학자로 백부인 이진유의 죄에 연루되어 갑산, 부평, 진도 등지에 유배되었다가 신지도에 이배되어 그곳에서 죽었다. 가사의 끝부분을 소개하면 다음과 같다.

五更의 牧馬소릭　　 줌든 날을 씨오거이
씨틴 후 衣袖間의　　 御盧香이 그주잇닉
벼개 우 물근눈물　　 天行이 萬行일식
生來예 민틴 願을　　 夢中의 일온 거시
이 몸이 日息未泯前은　 日夜頌祝 ᄒ오리라

〈북천가北遷歌〉를 쓴 김진형(1801~1865)은 철종 때 안동인으로 1850년에 등과하여 홍문관교리로 있을 때, 이조판서 서기순의 배공당리를 탄핵했다가, 수찬 남종순에게 몰려 철종 4년(1853)에 함경도 명천으로 유배되었다.

〈북천가〉는 이때 적소에서의 생활상을 그린 것이지만, 적소까지의 노정은 물론 석방 뒤 귀향까지의 노정도 잘 그려졌다. 특히 그 곳에서 칠보산을 탐승하고 본관의 융숭한 대접을 받으면서 기생 군산월과 정들어 객수를 푸는 장면과 토호의 집을 빌어, 강학한 60여 인사들과 음풍농월로 소일하는 장면들은, 〈만언사〉의 작자가 절해고도의 배소에서 온갖 고충을 겪는 생활과는 크게 대조된다. 〈북천가〉는 모두 1,027구로 사실적 묘사와 낭만적인 장편 가사로 〈만언사〉와 더불어 유배가사의 백미이다.

관북지방의 풍물, 인정과 작자의 호쾌한 남성 기질이 잘 나타난 유배문학의 수작으로, 비록 유배가사라는 제약성은 전제되지만, 실제로는 어느 가사 작품보다 활기찬 생동감을 보여준다. 우선 이 가사는 사건이 있고, 등장인물과 동작이 있으며 대화와 이야기가 있어 극적 요소가 풍부한 작품이다. 그 일부를 보면 다음과 같다.

南天을 바라보면	기러기 처량하고
북방을 굽어보니	오랑캐 지경이라
개가죽 上下着은	상놈들이 다 입었고
조밥피밥 기장밥은	饑民의 조석이라 (중략)
방으로 들라하여	이름 묻고 나물으니
한연은 梅香인데	芳年 十八이오
하나는 君山月이	十九歲 꽃치로다
和尙불러 음식하고	노래시켜 드러보니,
梅香의 平羽調난	雲雨가 홋터지고
君山月의 奚琴소리	萬壑千峰 푸르도다.
指路僧 앞세우고	두기생 옆에끼고
蓮花滿谷 깊은 곳에	開心臺 올라가니
단풍은 비단이오	松聲은 거문고라

사. 풍물서경가사 風物敍景歌辭

우리나라는 금수강산이라 불려진 만큼 산천이 수려하고 사계절이 분명한 풍광을 가져서 예로부터 많은 시인묵객들이 고장의 산천풍물을 노래했으니, 이는 풍경의 아름다움을 펼쳐 그린 가사다. 여기에는 〈하명동가〉, 〈개암정가〉, 〈해동만화〉, 〈황남별곡〉 등 4편이 있다.

〈하명동가霞明洞歌〉는 자하 이귀서(1727~1799)의 작품으로, 그 내용은 하명동 옛 집터에 궁구당을 짓고 글 읽으며 어버이께 효도하고 우애를 나누는 은거생활의 즐거움을 노래한 189구의 풍물서경가사다. 그 일부를 다음에 소개한다.

秋天이 蓼落ㅎ고	白露 初降커든
野夫의 뒤흘쓰라	載씨 載穫ㅎ니
萬億及第를	ㅂ라기 어려워도
三時 菽水를	니으미 되올넌가
靑山 봄ㅂ람의	躑躅欄慢할제
낙대를 둘러메고	晩沙로 ㄴ려가니
자던 白驅 니러나고	榭鱗이 游泳ㅎ다.

〈개암정가皆岩亭歌〉는 염와 조성신(1765~1835)의 작품이다. 이는 향리에서 얼마 떨어져 있지 않은 개암정(경북 영양군 입암면)을 중심으로 기암과 절경을 완상하며 문중 벗들과 더불어 즐기면서 젊은 나이에 병든 자신의 회포를 토로한 작품이다. 일명 〈皆岩歌〉라 하는데, 그 일부를 보면 다음과 같다.

청춘에 병이들어	공산에 누웠더니
일편 잔몽에	호접의 나래빌어
장풍을 경마들고	남포로 내려가니,
초선도가 어디메뇨	개암정이 여기로다

이 작품은 개암정 부근의 승경을 안맹하기 전인 눈 밝을 때 보았던 기억을 더듬어서 저 〈失樂園〉·〈後樂園〉의 작가 밀턴처럼 꿈속의 일로 연상하여 연군의 간절한 회포를 구슬픈 가락으로 노래한 것을 자손들이 기록해서 전한 작품이다. 따라서 그의 다른 작품인 〈도산별곡陶山別曲〉·〈연암가連庵歌〉와 더불어 우리 문학사상 유일한 맹인문학으로 십분 주목되는 작품이라 하겠다.

〈팔역대강해동만화八域對疆海東漫話〉는 일명 〈海東漫話〉로서 죽남 안치묵(1826~1867)이 지은 가사다. 그는 문과에 급제하여 벼슬이 사헌부 지평에 이르렀는데, 병인양요를 겪은 다음 해(1867)에 지은 것으로 동국의 지리, 역사, 관제, 문물, 명산, 승지, 유적, 고찰 등을 자세히 서술하여 집안의 子姪들에게 읽히고자 하여 지은 224구의 가사다. 이 가사는 우리의 역사를 이해시키고 국토와 문물제도, 문화유산을 비롯한 정신문화를 찬양한 찬미가사로서, 우리의 자주의식과 민족적 정기를 심어주는 교훈적 내용의 계몽적 작품이라는 점에 의의가 깊다.

천지개벽과 이어진 국사의 오랜 염원을 상기하고 빼어난 산천에서 역대의 왕조가 자랑스러운 치적을 이룩했는데 자기 시대에 이르러서는 서양의 위협을 받고 있으니 그대로 둘 수 없다고 하였다. 유학에 입각한 교화를 다시 펴서 가치관의 혼란을 막고, 국내의 물산을 장려해 서양 상품이 없도록 하는 것이 긴요하다고 했다.

'남한산성 화류구경, 북한산성 단풍놀음' 하면서 팔도의 특징과 명승고적, 인물, 산물을 노래하고서, 마지막에서는 '격양가 급히 불러 태평가로 보답하세, 어와 낙토로다 동국이 낙토로다' 하고 결구를 맺었다. 이 가사는 당시의 사회적 실정을 고발한 것이라기보다는 교화적 의도로 서술된 내용이다.

이는 한산거사의 저작인 〈漢陽歌〉와 동궤의 것으로 조선조 말기의 가사에 있어서 하나의 내용적 특색을 이루는 것으로, 다음 시기에 오는 사공수의 〈한양가〉는 그 아류의 작품이라 할 수 있다.

〈황남별곡黃南別曲〉은 곡산 이관빈(1759~?)의 작품이다. 이는 주자의 〈武夷九曲歌〉와 율곡의 〈高山九曲歌〉의 영향을 받아 이룩된 바, 전자는 중국 복건성 숭안현 무이산의 절승인 구곡의 경치를 칠언절구형식으로 읊었고, 후자는 황해도 해주 수양산의 지맥인 고산 석담의 구곡 승경을 시조형식으로 읊었다. 여기〈황남별곡〉은 경상도 직거사를 안고 있는 황학산黃鶴山과 그 일대의 승지를 배경으로 주자와 율곡의 학鶴

을 추모하는 후학의 심회를 토로하였다. 그동안 구곡형식의 시가가 한시나 시조에서는 이미 이루어졌으나 가사로는 이 작품이 유일하다. 그리고 다른 구곡의 시가가 서사에 구곡의 내용으로 구성된데 비해 이작품은 결사까지 붙어 한층 발전된 형식을 보였다. 이 가사의 끝부분을 보면 다음과 같다.

이러흔 조은 溪山	主人업이 天年이라
東山가턴 陋地예도	三年을 계셔시니
周公二子 뫼셔다가	壁上에 노피걸고
닉나이 늘것기나	꿈의다시 뵈올나나
九曲을 드본後의	道統을 歷撰ᄒ니
由周公 以上은	上而爲君 ᄒᄋ시니
由周公 以下는	下而爲臣 ᄒᄋ시니
萬古天下 우리스승	周公孔子 쑌니로ᄃ
ᄋ마도 挈倅子	携朋友ᄒ고
이 山水의 집을 지여	顧名思義 ᄒ올리라

아. 송축추모가사 頌祝追慕歌辭

이는 경사를 축하하거나 인물(生死間에)들의 덕행을 흠모·찬미하는 내용의 가사로서 송축, 송양, 찬양, 추모, 조애弔哀, 모현, 송덕, 등을 포함시켰다. 여기에는 〈총병가〉, 〈경술가〉, 〈갑민가〉, 〈초혼가〉, 〈쌍벽가〉, 〈선정가〉, 〈충효가〉, 〈도산별곡〉, 〈화양별곡〉, 〈송[반]경무답사〉, 〈소거가〉, 〈금릉별곡〉, 〈태평사〉, 〈경복궁영건가〉 등 14편이 있다.

〈총병가寵兵歌〉는 학남 정우량(1692~1754)이 지은 가사로, 필사본 한문소설 〈임경업장군전〉에 시조 〈嘆中原歌〉 1수와 함께 실려 있다. '총병가'라는 제목은 임경업이 명明의 반도叛徒를 토벌한 공으로 명나라에서 받은 총병대장의 벼슬에서 연유한 것이다. 그 내용은 임경업장군의 전기를 가사 형식으로 노래한 것으로 위국충정을 다한 임장군의 억울한 죽음을 슬퍼하고, 그의 원한을 풀어 줄 것을 간곡히 바라는 애도가사인데, 모두 296구의 사대부의 정격가사다. 첫 부분을 보면 다음과 같다.

乾坤이 풍부ᄒ고	산천이 兆朕ᄒ야
天下 奇男子을	東國의 ᄂㅣ오시니
本貫은 平澤이뇨	姓號ᄂㄴ 林某로다
生年 月日時ᄂㄴ	仔細치 못ᄒ야도
入朝 前後事를	於大綱 이료니라
童穉적 빈흔거시	忠與孝 二事어ᄂㄴ
壯盛의 니긴거신	弓與馬 兩技로다
穿楊 葉破矢을	虎榜의 試驗ᄒ니
一時 姓名이	群傑의 웃듬니라

〈경술가庚戌歌〉는 곤파 류도관(1741~1813)이 그가 50세(1790)에 원자(순조)의 탄강을 경축하고자 지은 155구의 송양가사다. 그 일부를 보면 다음과 같다.

명명ᄒ 하늘뜻이	짐즛 올흘 기ᄃㅡ려서
孔朱夫子 ᄀ튼德을	花甲에 내시도다
二龍五老 옛祥瑞가	廟庭彩虹 쎄쳐셧고
慶雲景星 남은긔운	大國瑞氣 샛쳐셔라
龍鳳姿 天日表가	海口河目 ᄀ튼신가
八彩眉 重瞳目이	荷珠敎雨 씌여ᄂㄴ가
얼시구 우리 원자	절시구 庚戌이쇠

孔氏朱氏 두 聖人이　　　친히안어 보내도다

이는 태조 때부터 성자신손이 대를 이어 왔으나, 정조께서 사속嗣續이 더디더니 이제 원자가 태어났으니, 이는 공자와 주자의 탄생년과 같은 경술년임을 기이하게 여기며, 이는 세 번째 경술로서 하늘 뜻이 깊음을 노래하였다. 이는 그가 쓴 〈사미인곡〉과 더불어 담양 창평을 중심으로 한 이서, 송순, 정철 등이 남긴 가사의 유산을 그대로 받아 호남가단의 계통을 이어 감에 의의가 크다고 하겠다.

〈갑민가甲民歌〉는 필사본 『해동가곡』에 수록된 것인데, 1792년 함경도 북청부사인 성대중(1730~1812)의 선정을 송양한 225구의 가사다. 북방 변두리에서 군정신역軍丁身役에 시달리는 백성들의 참경을 사실적으로 묘사하였으나 사실은 북청부사의 선정을 찬양하여 지은 가사다. 그런데 임기중 편, 『역대가사문학전집』 6권에는 성대중작이라 했으나, 이 노래의 끝기록을 보면 '右靑城公莅北靑時甲山民所作歌'라 하여 지은이가 갑산민임을 분명히 하였다. 표현에 있어서 대화형식을 취한 수법은 〈속미인곡〉이나 〈누항사〉에서도 볼 수 있는 특출한 기교라 하겠다.

여러 身役 바친후에　　　시체 찾아 장사하고
祠廟모셔 땅에 묻고　　　애끓도록 통곡하니
無知微物 뭇 조작이　　　저도 또한 설리운다
막중 邊地 우리인생　　　나라백성 되어 나서
軍士싫다 도망하면　　　化外民이 되려니와
한몸에 여러 身役　　　물다가 할새 없어
또 今年이 돌아오니　　　流離無定 하노매라

위에서 도망하는 군사에게 물으니 이웃과 친척까지 13인분을 마련하려고 전답 팔아 돼지가죽 2장씩을 마쳐 내다보니, 옥살이 한 아내는 죽고 홀어미는 인사불성이 되었다. 백성들의 처지를 모르는 임금을 한탄하면서 북청부사의 선정을 기대하며 그 곳으로 도망한다고 했다.

〈초혼가招魂歌〉는 옥국재 이운영(1722~1794)이 임란 때 의병들이 금산 정양산 싸움에서 전멸하여 묻힌 칠백의총의 넋들을 위로하는 가사다. 『玉局齋遺稿』에는 '七百義士魂詞'를 지었다고 기록되어 있다. '넋시야 넉시로다 亡者時의 넉시로다' 로 시작하여, 넋을 위로하고 '넉시야 넉시로다 아는다 모로는다'로 후렴이 바뀌면서 슬픔이 더욱 고조된다. 〈초혼사〉는 혼을 부르는 노래로 작자가 64세 때 금산군수를 지낸 적이 있는데, 이 무렵에 정양산과 칠백의총을 찾아 임란 당시를 추억하여 지은 노래다.

〈쌍벽가雙壁歌〉는 류사춘의 아내 연안이씨(1737~1815)의 가사인데, 정조 18년(1794)에 장자와 장질(서애8대손병조판서 류상조)이 32세 동갑으로 과거에 급제한 바, 임금님이 장질을 인견하시고, 이번 성사와 아울러 류성룡의 음덕을 기려 어제사제문御製賜祭文하여 승지로 하여금 치제함에 그 자리에서 이 가사를 지었다. 이는 아들과 조카인 종형제를 칭송한 노래로서, 수려한 문장과 뛰어난 묘사법 그리고 알뜰한 자정慈情을 담은 가사로 규방에서 회자되었다. 서사에서 하회촌의 16경의 풍치를 서술하고 다음으로 선조의 유풍을 찬양하였다.

光玉 智貌의	五色絲얼 빗겨입고
飛鳳 兩翼의	紅袍玉帶 翩翩ᄒ니
衡山의 白璧이요	麗水의 瓊金일쇠
龍虎의 氣像이요	일월의 光彩로다

이리보니 형이됴히   져리보니 아의됴히 (중략)

平生이 窮迫더니   毅然흠도 의연ᄒ다

山高ᄒ믹 玉이나고   海深ᄒ믹 金이나ᄂᆡ

大兒의 玉姓金姓   一門얼 潤德ᄒ고

仲兒의 和風甘雨   九族을 和睦ᄒᄂᆡ

梧桐壁上 光風霽月   一世의 稱慶ᄒ니

태학의 부슬(筆)쇼ᄌᆞ   小科連璧 더 異常히

祥瑞로운 우리仲兒   陞堂入室 ᄒ올적의

老萊子의 아롱오슬   우흐로셔 쥬시도다

아들과 조카의 도착한 모습과 기상을 흥미진진하게 읊었다. 특히 동년동학으로 동시급제하여 동일동시에 도문함을 읊으면서 '若不爲之兄이라면 아우의 마음이 어떻겠으며, 만약 아우 급제하고 형이 안 되었으면 그 종형의 마음이 어떻겠는가'고 노래한 곳이 절조를 이룬다.

〈선정가善政歌〉는 고령진민들이 강응환(1735~1795) 첨사가 민정을 잘 살피어 선정을 베풀므로 그의 선치와 공적을 찬양한 가사로 강응환의 『勿斯齋集』에 수록되어 있다.

'어와 보안지고 공명도 자락ᄒᄃᆞ'라고 시작하여 전체가 정격가사로 능란한 솜씨를 보였다. '어와 烽把軍아 일언 선정을 보았ᄆ냐'라 하여 백성들을 아끼고 국법을 존중한 강응환의 모습을 이모저모로 노래하고, 하졸이나 노복이나 백성들을 제몸 같이 애무부육愛撫扶育하는 사또의 덕을 찬양하는 고령군민들은 그를 기리면서, 그의 치적을 궁중에 알리지 못함을 한탄할 뿐 아니라 이어 금년에도 대풍 들기를 비는 내용이다.

〈충효가忠孝歌〉는 애경 남극엽(1736~1804)이 〈향음주례가〉와 함께 지은 100구의 단편가사로서, 지은 때는 순조 3년(1803)의 작품이나 편의상 여기에 함께 다룬다. 그 내용은 조상들의 충효사적을 기린 송양가사다. 작가는 담양에서 태어났으며, 시조 2수와 함께 호남가단의 맥을 이었다. 그 일부를 살펴보면 다음과 같다.

져러투시 노푼 道德	이러투시 불근 學業
鴟鵑의 ㄴ래홀제	鸞鳳이 ㅈ옴ㄱ고
雲雨가 濛濛홀제	日月이 볼금ㄱ다
忠節의 남은 先訓	誠孝의 밋거고나
功名을 샤직ᄒ고	父母을 奉養홀제
格天의 至孝로ᄂ	省齋公의 하나로다.

〈도산별곡陶山別曲〉은 염와 조성신의 작품이다.『노계집蘆溪集』에 수록되었기에 그동안 노계 작으로 헤아려 왔으며, 정조 때 조시성의 작이라는 이견도 있었으나, 결국 염와의 작품으로 확인되었으며, 작자가 28세 때 안동의 도산별과에 응시하고 돌아와 32세에 우연한 병으로 실명되니, 실명 후 10여 년이 지나서 이 가사를 지으니 창작 년대는 42세 전후가 될 것이다.

그 내용은 임금의 은전으로 예관禮官이 도산서원에 내려와 치제治祭할 때 작자도 참석하였으며, 그 때의 광경과 서원의 승경 그리고 퇴계의 행적과 덕을 노래한 서경가사다. '太白山 나린 龍이 靈芝山에 놉하셔라'로 시작하여 '壬子年 춘삼월에 聖上의 恩典으로, 禮官이 명을 받아 廟下에 致祭하고, 多士를 함께 모아 別科를 보이시니, 어와 聖恩이야 가디록 罔極하다' 하면서 도산서원을 두루 돌아본 후에 운영대에 올라 원근 산천경개를 관망하고, 시를 읊은 다음 하직하고 돌아온 심회를 다음과 같이 노래하였다.

그제야 곳쵸 안져　　　瑤琴을 빗기안고
冷冷한 녯 곡조를　　　주줄이 골라내야
清涼山 六六歌를　　　漁父辭로 和答하니
이리 됴흔 無限景을　　　桃花白鷗 네알쇼냐
春風無雩 언제련고　　　秋月寒潭 비추었다. (중략)
窮山ᄋᆡ 혼자누어　　　往事를 省覺ᄒᆞ니
青春이 못다놈미　　　白首의 餘恨이라
이싀들 노ᄅᆡ지어　　　時時로 諷詠ᄒᆞ니
百年曠感이　　　一篇中에 보히노다.

〈화양별곡華陽別曲〉은 사오당 정재문(1756~1819)이 우암 송시열의 복거지卜居地요 명나라 신종 · 의종 양황제를 모신 만동묘萬東廟가 있는 화양서원을 찾아서 그의 절의를 추모하여 지은 가사다.

내용은 둘로 나누어지는데, 전반부는 우암의 절의와 유덕을 숭모하였으며, 후반부는 화양동의 자연미를 송영하였다. 그 일부를 보면 다음과 같다.

黃河水 말은소식　　　손을 곱아 바라니
上帝가 醉醇하여　　　씌실줄 모라던가
臣民이 無福하여　　　夷狄禽獸 거의로다
寧陵의 푸른松柏　　　蒼梧暮雲 슬푸도다
슬푸다 우리선생　　　어드로 돌아가리
一部春秋 안으시고　　　華陽으로 드러오셔
北極 崩天을　　　雙手로 고이시고
滿滿長夜의　　　日星을 거르시니
大明忠臣이요　　　朱子後 一人이라

수사의 기법이나 어휘의 선택에서는 특이한 모습은 없으나 시상의 구성은 조직적이고 체계적인 면이 보인다. 또한 270구 가운데 과반(189구)이 넘게 3·4조의 율격으로 정격가사의 특징을 보인다.

〈숑[방경무답사頌邦慶舞踏詞〉는 고계 이휘영(1788~1861)의 가사다. 그는 퇴계의 후손으로『고계문집』,『十圖集說』,『禮說類編』등을 저술한 유학자다. 이 가사는 고계가 32세 때(1819)에 세자(익종) 가례 동몽교관으로 참례하여 구경한 호화스런 광경과 황홀하게 느꼈던 감격을 읊은 가사다. 강전섭은『낙은별곡연구』에서, 순조 당대의 궁중 생활상의 일면을 살필 수 있는 좋은 사료史料로 주목되는 작품이라 평하였다.

〈소거가繅車歌〉는 죽록 윤효관(1745~1823)의 작품으로 그의 문집『竹麓遺稿』에 전한다. 이 가사는 소거(물레)의 제작과정과 실을 자아 베를 짜고 옷을 만드는 과정을 노래한 것인데, 고사를 곁들린 표현과 난삽한 서술형식은 내용파악에 어려움이 있지만, 조선 말엽의 양반가사라는 점과 생활도구를 노래한 특이성이 주목되어 박사형의 〈南草歌〉와 더불어 그 면모를 다채롭게 하였다. 이 가사를 크게 나누어 보면, 노래하게 된 동기, 물레의 제작과 실을 자아 포의를 만드는 과정, 그리고 추위를 따스하게 하고 싶은 염원 등으로 3분 되는데, 그 일부를 소개하면 다음과 같다.

오른손을 빼어내어	꼭두마리 두루난양
關羽張飛 勝戰할제	靑龍劍 빗겨들고
陣中에 달려들어	萬軍을 해치난듯
왼손을 빼어내어	고치를 지버난양
漢丞相 張子房이	楚兵을 흘으랴고
鷄鳴山 秋夜月에	玉簫를 빗겨든닷

이는 물레를 돌리는 장면과 고치를 집어넣는 장면을 그린 것이다.

〈금릉별곡金陵別曲〉은 순조 때(1832) 문도갑이 지은 송축가사다. 이는 권복의 『谷耘公紀行錄』에 수록되었으며, '金陵別曲壬辰秋金海吏文道甲作'이란 표제로 보아 작자가 경남 김해의 관리임을 알 수 있다. 이는 김해부사 권복의 선치를 칭송하고, 그와의 이별을 애석해 하는 내용을 노래한 것으로, 그 일부를 보면 다음과 같다.

붉그신 우리 聖上	輔國忠誠 살피신가
大司諫 諭旨로	不時에 부르시니
榮華는 죳타마는	吏民은 臆寒ᄒ다
赤子ᄀᆺ튼 이 百姓을	어이닛고 가시랴노
行裝을 團束ᄒ야	직촉ᄒ야 써아시니
一馬一憧 쑨이어니	百年內에 업ᄂᆫ 淸白이로다

향속鄕俗을 일으킨 공로가 지대하니 이를 낱낱이 열거하여 찬양하면서 이별의 애석함을 노래하였다.

〈태평사太平詞〉는 헌종왕비인 효현왕후 김씨(1789~1843)가 만년에 지은 130구의 가사다. 순조가 승하하자 헌종이 즉위해 조대비가 7년 간 수렴청정을 한 바, 세상에 덕화가 고루 미쳐 천하가 태평하고, 헌종이 친정을 베풀어 삼년의 세월이 흐르는 동안에도 우순풍조하고 시화세풍時和歲豊하여 역시 천하가 태평함을 읊은 가사라고 홍재휴(太平詞攷, 1987)는 소개하였다.

내용은 조선왕조가 국기國基를 세움에 대한 고사를 소재로 하여 사직의 만세유전을 기원하고 복지의 성사와 문물의 변화를 찬양하였다. 그리고 '역여갓한 천지에서 부유갓튼 우리인생, 조로갓치 시러진니 아니놀고 무엇하리'라고 하여, 궁극적으로 무상한 인생이니 즐거움을 누리며 태평한 세월을 깊이깊이 맞이해 보자는 것을 희원하는 가운데, 거룩한 성덕이 만민에게 고루 미치고 있음을 찬양하고 송축하는 뜻을 간직한 노래다.

〈경복궁영건가景福宮營建歌〉는 〈경복궁가〉 또는 〈경복궁창건가〉라는 명칭의 이본들이 있다. 정익섭은 〈경복궁가〉, 장대원은 〈경복궁창건가〉, 강전섭은 〈경복궁영건가〉라고 소개하였다. 작자에 대해서도 정익섭은 신원미상의 북산거사로, 강전섭은 작품 중에 보이는 '닉나히 七十이라 聖君만 바라더니'에서 경복궁창건에 참여한 인물 중 이에 해당하는 고령자로는 심암 조두순(1796~1870) 말고는 달리 찾을 수가 없기 때문에 그를 작가로 보았다. 한편 조동일은 〈경복궁창건가〉의 내용 중 작자가 중년으로 나타났고, 자기 선조가 경복궁창건을 지휘했으며, 말미의 기록으로 보아 작자를 심순택일 가능성이 짙다고 하였다.

조두순은 고종 2년(1865) 영의정으로 경복궁 재건의 총책임을 맡아, 불타버린 경복궁을 다시 재건하게 된 경위와 당시의 어려웠던 상황을 먼저 밝히고, 소망과 꿈이 실현되어 가는 역사役事의 추진상황과 진행과정을 꾸밈없이 보고 느낀 대로 자세히 술회한 267행의 격조 높은 작품이다. 그 일부를 보면 다음과 같다.

奇特ᄒ다 우리役軍	이닉말슴 드어보소
이 大闕 지여닉여	우리 人君 享福ᄒ고
이 大闕 고쳐닉여	우리나라 太平하면
그아니 죠흘손가	이아니 多幸홀가
盛德을 생각ᄒ여	흔가래 더히보싀
聖恩을 노릭ᄒ여	흔광이룰 더히보소

뛰놀며 소릭홀졔	졀이라도 ㅎ고십고
쌈흘리고 受苦홀졔	賞이라도 쥬고십고
이가튼 큰 役事를	돈으로 ㅎ여닉며
이가튼 큰 大闕을	밥으로 지어닐가
八道百姓 이러ㅎ면	不日成之 ㅎ리로다
우리나라 臣民이야	貴賤上下 잇게나냐

우리말을 자유자재로 구사한 양반의 노래로 매우 서사적이다. 가
사문학사상 유일하게 궁궐을 소재로 한 궁궐가이며, 조선시대 가사의
마지막을 장식한 작품이다.

자. 포교신앙가사 布敎信仰歌辭

이는 종교적 교리를 세상에 널리 펴는 것을 내용으로 한 가사를 총
칭하는데, 그 내용은 자기 경전의 내용이나 정신에 입각하여 창작된
것으로 불교가사, 천주가사, 동학가사 등이 있다. 불교가사에는 〈참
선곡〉, 〈전설인과곡〉, 〈권선곡〉, 〈수선곡〉, 〈몽환가〉, 〈초암가〉, 〈승
가〉, 〈권왕가〉 등 8편이 있고, 천주가사에는 〈천주공경가〉, 〈십계명
가〉, 〈경세가〉, 〈심진곡〉, 〈낭유사〉, 〈사향가〉, 〈사시판가〉, 〈공신판
가〉 등 8편이 있으며, 동학가사에는 〈용담가〉, 〈안심가〉, 〈교훈가〉,
〈도수사〉, 〈권학가〉, 〈검결〉, 〈몽중노소문답가〉, 〈도덕가〉, 〈흥비가〉,
〈권농가〉 등 10편이 있다.

정조 때 지형스님은 〈참선곡〉, 〈전설인과곡〉, 〈勸善禪曲〉, 〈수선곡〉
등 4편의 불교가사를 남겼다.

〈참선곡參禪曲〉은 정조 18년(1794)에 지은 것으로 목판본은 134행
268구로 되어 있고, 『석문의범』에는 96행 193구로 줄려졌다. 또 〈魔說
歌〉(260구)라 하여 필사본 『악부』에 실려 있는 것과, 나옹화상 지었

다는 〈尋牛歌〉(193구)는 이 〈참선곡〉의 이본이다.

그 내용을 살펴보면, '色身中에 善察하면 魔說이 아닌 묘리가 그 속에 있으므로 대장부는 심지를 굳게 하여 一念回機하여 返本還源하라'고 역설적인 묘사를 하였다. 또 '自己寶物 알고 쓰면 苦中에도 樂이 오고 自己寶物 모르오면 苦樂이 一揆이라, 이러므로 衆生諸佛 一理齊平하다하니'라고 세상의 범부들도 이런 보주寶珠를 얻으면 만승위萬乘位도 부럽지 않고 황금 백은도 귀하지 않으니 다른 생각은 하지 말고 수행만 전심하여 제 본분을 찾으라는 교훈을 담고 있다.

〈전설인과곡犬說因果曲〉은 천보산불암산장판본으로 현재 전한 바, 매우 정교한 판본이다. 이는 「出六道伽佗徑」의 요지를 읊은 것으로 서곡, 지옥도성, 방생도송, 아귀도성, 인도송, 천도송, 별창권악곡 등으로 분장되어 있다. 사람은 만물의 영장으로 충효군자는 사후에 천당 가고, 불충불효자는 삼도고생을 면할 수 없다면서, 악업을 열거하여 지옥고를 면할 것을 권고하고, 제 분수대로 선행을 베풀면 후생에 사람이 되어 길선복덕吉善福德을 누린다고 하였다. 그 중에서 〈放生道頌〉의 일부를 들면 다음과 같다.

放生道頌 들어보소	에흔심과 淫慾心을
무움디로 행ᄒᆞ오면	牛馬 나귀 원숭이며
비들기와 게우 오리	가디가디 禽獸되야
색욕ᄒᆞ기 즐겨 ᄒᆞ고	진심분심 我慢心을
참음 없이 行ᄒᆞ오면	豺狼猛虎 표범이며
독흔 빅암 모딘 벌이	갓초갓초 되야 나서
서로 잡아 먹히이며	殺生業이 무량ᄒᆞ고
탐심진심 痴心業을	操心 업시 디어실시
烏鵲 술이 부엉이며	웅비 여호 너구리며

魚龍水族 曠野 곤충　　　남음 업시 放生類라

惡行惡心 더욱 ᄒ야　　　閻魔界에 써러져서

無限苦楚 長遠ᄒ니　　　어ᄂ 時에 人身될고

　〈권선곡勸禪曲〉은 5편의 가사가 연작 형태로 묶였는데, 서곡, 선중권곡禪衆勸曲, 명리권곡名利勸曲, 재가권곡, 빈인권곡貧人勸曲 등으로 436구다. '명리권곡名利勸曲'의 끝부분에 '일언 일클 썩닷스와 世事貪着 너무말고 種種功德 닥그시며 스이스이 넘불ᄒ야 極苦世界 여희시고 극락세계 가오시소'라고 하고서 출가승으로 用心한 일들을 열거한 뒤에 불전정성을 잊지 말고 염불공덕으로 극락세계 가자고 권하였다.

　〈수선곡修善曲〉은 172구의 권불가사로, 사람은 노소귀천 없이 고통을 타고 세상에 태어났으니 선심적덕을 갖추어 행하며, 생사 이별과 우환이 없는 부동국不動國에 태어나도록 하자는 노래다. 특히 '昔日의 빈가녀ᄌ 금전 일푼 보시ᄒ고 萬乘王女 되야나고'라고 하여, 여자의 염불공덕을 열거하여 선행을 권유한 것으로 봐서 불교가사의 향유층도 여신도가 주대상임을 알 수 있다.

　순조 때 용암스님(1783~?)은 〈몽환가〉, 〈초암가〉 등을 지었는데, 〈몽환가〉는 『악부』에 수록되었으며, 79구로 된 권불가사다. '역대제왕 왕후들과 고금영웅 호걸들도 생노병사 실면하니 몽환일시 절실하다'라고 하여 지금까지 중국의 역대 영웅과 열사들의 인간 영욕이 모두 환몽임을 말하고 자기 근본으로 돌아가서 참모습을 친히 발견하여 극락세계에 이르도록 하자는 권불가사다.

　또한 〈초암가〉도 불교가사로 139구로 되었는데, 깊이 있는 권불의 가사가 아니고 다만 초암을 짓고 태평곡을 부르며 살겠다는 안일한 생활태도를 보여주고 있다. 그 끝부분을 보이면 다음과 같다.

白日이 昇天커든	南山에 올라셔셔
瞻前顧後 구경하고	夕陽에 돌아와셔
草庵에 잠을 자고	綠楊川邊 芳草岸에
自在히 노닐면서	太平曲을 부르리라

〈승가(僧歌)〉는 현종 때 남철이 지은 가사인데, 『傳家寶藏』이란 필사본에 수록되었다. 여기에는 〈승가〉 4편과 〈천하행록〉 2편, 〈합강정선유가〉, 〈심어사〉 등 8편의 가사가 함께 수록되었다. 여기에 '승가남철'이라 하는 한 남자가 여승에게 연정을 고백하는 노래가 맨 앞에 있고, 다음에 여승이 거절하는 회답의 노래가 '僧答'으로 이어진다. 또 여승이 거절함에도 불구하고 남자의 구혼을 담은 '答僧'이 노래되고, 끝으로 여승이 환속할 결심을 담은 '僧又答' 등 4편이 밀접한 관련을 가지고 있어서 연작의 성격을 띠고 있다.

〈승가〉의 내용은 불도에 귀의함이 가장 떳떳한 일이라고 하였다. 다른 불교가사들과 다른 점은 매우 낭만적인 시상에서 지어졌다고 할 수 있다. 고대본 『악부』에도 〈송여승가(送女僧歌)〉, 〈승답사(僧答辭)〉, 〈再送女僧歌〉, 〈僧再答歌〉라는 가사가 전하는데 『전가보장』본과 내용은 대동소이하다. 〈송여승가〉의 일부를 보면 다음과 같다.

斗尾月溪 됴분길에	남업시 두리만나
秋波를 보닐덕의	눈에가시 되단말가
광(廣)나루 함께건너	밧장문(場門) 도라들제
그 어이 가는 길이	南北으로 난호엿노
晧齒丹脣 半開ᄒ고	三節竹杖 즘간드러
平安이 行次ᄒ시오	後日 다시 보ᄉ이다.

〈권왕가(勸往歌)〉는 동화축전이 1848년에 지은 1,200구나 되는 장편권

불가사인데, 『釋門儀範』에 수록되었다. 내용은 三世가 도시 화택^{火宅}이니 거기서 벗어나려면 세존대법왕^{世尊大法王}의 방편으로 구원을 받아야 한다고 하였다. 그 일부를 보면 다음과 같다.

여보 五俗 愛樂人들	죽은 음식 그만 먹소
生老病死 무서운 불	四面으로 부터오니
그 가운데 있지말고	이 문으로 어서나소
三界火宅 내닷기는	淨土門 제일일세
苦海中에 빠진사람	이 배를 어서타소
生死바다 건너기는	彌陀船이 제일일세

이어서 극락세계의 모습을 묘사하면서 아미타불을 염불한 공덕으로 그곳에 들어간 사람들의 예를 들어 보이면서 우리 자신들도 일상생활에서 조심하여 죄업을 짓지 말라고 한 권불가사다.

이상의 불교가사에 이어 포교신앙가사로 천주가사를 들 수 있다. 하성래는 '천주가사^{天主歌辭}'를 3기로 나누어 고찰하였다. 제1기는 1779년 주어사^{走魚寺} 강학으로부터 1801년 신해박해까지 한국 천주교회 창건기의 작품으로 이벽의 〈天主恭敬歌〉와 정약전의 〈십계명가^{十誡命歌}〉 등 2편이지만, 이는 1779년에 지은 천주가사의 효시로서 천주교 초창기의 시비^{是非}를 그대로 반영한 매우 중요한 의의를 보여준 작품이다. 또한 한 가지 이 시기의 특성으로 이가환의 〈警世歌〉를 비롯하여 이기경의 〈浪遊詞〉와 〈尋眞曲〉 등 천주교를 배척하는 벽위가사^{闢衛歌辭}가 3편 나타났다는 사실이다. 이들 벽위가사와 천주가사는 비록 그 수량에 있어서는 미미한 편이지만 동서사상의 만남과 그 대립적 갈등양상은 심각한 것이어서 매우 흥미로운 면을 지니고 있다.

제2기는 박해 및 전교시대로 신유박해^{辛酉迫害}(1801) 이후 병자수호조약(1876)까지의 기간이다. 수차에 걸친 치열한 박해와 시련 속에서도 한국천주교의 기반이 공고하게 굳어간 전교傳敎의 시대다. 이 기간의 작품에는 구체적인 작가가 밝혀져 있지 않는 것이 특징이며, 지금까지 작가연대가 알려진 작품은 5명 27편으로 최양업 신부와 남종삼 승지承旨 등이 있다.

또한 제3기는 신교信敎 자유시대로 병자수호조약 이후 1930년 이전까지로, 이 기간에는 문호가 개방되고 박해도 가라앉아 천주교가 신앙의 자유를 보장받음으로써 많은 천주가사가 창작되었다. 특히 가톨릭 기관지인 경향신문(1906)과 경향잡지(1911)가 창간되어 새로운 발표지를 확보하였다. 따라서 작자연대가 확실한 천주가사는 필사본에 9명에 20편, 경향신문(1906~1910)에 3명에 3편, 경향잡지(1911~1918)에 5명에 6편 등 모두 17명에 29편이다.

이렇게 전개된 천주가사의 문학적 성격은 첫째, 가사의 출현이 전통 사상과는 달리 신과 인간과의 대화 속에서 탄생된 문학이다. 둘째, 자연의 아름다움에 은둔한 것이 아니라 자연 뒤에 숨어 있는 신의 존재를 발견하고 감사하였다. 셋째, 천주가사에 나타난 인간들의 이상과 가치관은 천국을 향한 고뇌와 갈등의 문학이다. 넷째, 천주가사는 조선후기 가사의 새 지평을 열었다. 다섯째, 천주가사의 한 가지 흠이 있다면 포교성을 벗어나지 못하여 예술성이 희박하다는 점이다.

〈천주공경가天主恭敬歌〉는 이벽(1754~1786)이 지은 가사인데, 『만천유고蔓川遺稿』에 수록되어 전한다. 이벽은 기독교 사상으로 한국 사상계에 새 활로를 개척한 인물로 이승훈에게서 세례를 받고 선교를 시작하였는데, 유교적 입장에서 보면 이단아, 반항아, 혁명아였다. 당대의 대유학자 이가환이 이를 만류하러 왔다가 오히려 그의 이론에 굴복하였다. 그는 1784년 한국 최초의 교회인 명동(명례동)교회를 창설하였다. 그러나 반대하는 부친의 언명에 고민하다가 1786년 봄 33세의 나이로 요절하였다. 〈천주공경가〉는 26세 때 지은 33구의 짧은 가사이나 한국 천주교 개척자인 이벽의 신앙과 사상을 직접 살필 수 있다는 점에서 큰 의의가 있다. 내용에 따라 3단으로 나뉘는데 그 1단을 보면 다음과 같다.

어와 세상 벗님ᄂᆡ야　　이ᄂᆡ말슴 드러보쇼
지본에ᄂᆞᆫ 어른잇고　　ᄂᆞ라에ᄂᆞᆫ 임군잇네
내몸에ᄂᆞᆫ 령혼잇고　　ᄒᆞᄂᆞᆯ에ᄂᆞᆫ 텬주잇네
부모에게 효도ᄒᆞ고　　임군에난 충성ᄒᆞ네
ᄉᆞᆷ강오륜 지켜가ᄌᆞ　　텬주공경 웃씀일세

이렇게 천주교를 통해 신을 밝견하고 영혼에 눈뜸을 표현한 것이다. 이어서 천주는 부모보다 임금보다 더 큰 부모요 임금이니, 으뜸으로 섬겨야 한다는 사천지도事天之道를 읊었는데, 그 내용을 보면 다음과 같다.

이ᄂᆡ 몸은 죽어저도　　령혼남어 무궁ᄒᆞ리
인류도덕 텬주공경　　령혼불멸 모르며ᄂᆞᆫ
사ᄅᆞ셔ᄂᆞᆫ 목석이요　　주거서난 듸옥이ᄅᆞ
텬주 잇다 알고서도　　불ᄉᆞ공경 ᄒᆞ지마쇼
알고서도 아니ᄒᆞ면　　죄만졈졈 싸인다ᄂᆡ

이처럼 영혼은 불멸한 것이니, 천주가 있어 상선벌악賞善罰惡을 행한다는 것이다. 믿어보고 깨달으면 영원무궁한 영광을 얻을 것이니 믿어보라고 권유하여 끝을 맺었다.

손암巽菴 정약전(1758~1816)은 다산 정약용의 형으로『만천유고』에 수록된 〈십계명가〉를 지은 바, 1779년(己亥) 섣달 주어사에서 권철신의 강학이 끝난 뒤 정약전, 권상학, 이총억 등 3인의 합작설도 있으나 이상보는 정약전이 22세 때 권상학과 이총억을 위하여 지은 노래라 하였다.

신유박해 때 정약전, 정약종, 정약용 등 3형제 모두가 천주교인으로 체포되었고, 그중 정약종은 순교하였다. 정약전은 신지도를 거쳐 흑산도 배소를 옮겨 16년의 유배생활을 하다가 죽고, 정약용은 강진에서 18년간 귀양생활을 했다. 『만천유고』는 만천 이승훈이 지은 것으로, 여기에는 이승훈의 〈농부가〉, 이익의 〈天主實義跋〉과 가사는 정약전의 〈十誡命歌〉, 이벽의 〈天主恭敬歌〉, 이가환의 〈警世歌〉 등이 수록되어 있다.

〈십계명가〉는 구약성서의 '십계명'을 차례로 노래한 140구의 천주가사로 제1단은 '欽崇一天主 萬有之上' 곧 '우상을 섬기지 말라'는 제1계명을 다음과 같이 노래하였다.

ᄉ룸ᄉᄌ 흔평싱의	므슨귀신 그리믄소
아침저녁 종일토록	흡즁비례 쥬문외고
잇ᄂ 돈 귀흔 재물	던저주고 바텨주고
ᄌ고씨쟈 힝신언동	각긔 귀신 모셔봐도
허망ᄒ다 마귀귀신	우미흔고 ᄉ룸드라
허위러례 마귀귀신	밋지말고 텬주밋세

조선시대 무속신앙은 다신교로, 여기서는 무속과 미신을 믿지 말고 천주를 믿으라고 권하고 있다. '씍쏘각시 ᄂ무신만 외고우러 복 바드냐 절흔다고 효ᄌ되냐 곧 사당에 신주를 모셔 아침저녁 절하며 곡한다고 복받으며 효자가 되느냐고 하여 전통윤리에 반기를 들므로 무

군무부無君無父라 지탄을 받았으며, 그 결과 기독교와 유교의 윤리가 마찰되어 박해의 요인이 되었다. 그리고 문학사적 의의와 특징은 미신타파와 神의 발견에 대한 대중적인 표현으로 알기 쉽게 서술되었다는 것이다.

또 천주교를 반대하는 가사를 벽위가사라 한다. 이가환(1742~1801)의 〈경세가〉, 이기경(1756~1819)의 〈심진곡〉, 〈낭유사〉 등은 유교의 벽사위정정신에 따라 천주교를 배척하는 가사로, 본래 천주가사는 아니지만 천주가사의 문학사적 의의를 상대적으로 파악할 수 있기 때문에 함께 다루었다.

이가환의 〈경세가〉는 『만천유고』에 수록되었는데, 그 제목 아래 '警世歌 李錦帶家煥 金公源星作歌寄之'라고 하여 이가환과 권철신의 제자중 유일하게 攻西派(벽파)에 가담한 김성원이 합작하여 이승훈에게 보낸 것이라 하였으나, 윤석창은 이가환이 정조 8년(1782)경에 지은 가사로, 이는 벽위가사의 효시라 하였다.

이가환은 한국 최초의 영세신자 이승훈의 처삼촌이며, 성호 이익의 종손자로서 문장이 개세蓋世할 정도로 뛰어났다. 그는 천주교를 전도하는 이벽을 '棄西回東' 시키려고 하였으나, 결국 이벽의 이론에 굴복하고 '천주교는 진리이며 正道다'고 하여 비밀리에 이벽과 만났다. 정조가 승하하고 정순왕후가 수렴청정하게 되자 신서파信西派(천주교인)로 몰리어 1801년 신유박해 때 추국推鞠을 받고 굶주려 죽었는데 죄수의 시체라고 하여 저자거리에 버려졌다.

이 가사는 22구로서, 여기에는 기독교와 유교사상의 갈등이 반영되어 있어 천주교인에 대한 기롱과 야유가 직설적으로 나타났다. 천주교의 천지창조설을 반박 야유하는 대목을 보면 다음과 같다.

어화 세상 스룸드라　　　저 스룸들 거동보쇼

우쥬만물 셰샹텬지	만드신즈 텬쥬르니
음양틱극 죠물쥬를	텬쥬라고 니름짓니
텬쥬를 만든것슨	뉘라머라 이르느뇨 (중략)
공경하면 天堂가고	불공경은 디옥이르
天主는 사롬마다	공경바더 무엇하노
佛氏釋迦 가르침은	大慈大悲 하렷거늘
天主心思 얄굿도다	地獄은 무슴일고

이상은 천주교 수용 당시 한국인의 인식이라 하겠는데, 이는 곧 벽위사상의 실체이며, 이벽의 〈천주공경가〉를 반박한 노래로 볼 수 있다.

척암 이기경(1756~1819)은 정조 때 홍문관 교리로 서학이 올 때 남인벽파의 중심인물로 천주교를 배척하다가 정조 15년(1791)에 경원으로 귀양을 갔는데, 〈심진곡〉과 〈낭유사〉는 그 무렵 지은 것이다. 이 작품들의 내용은 서학의 영혼불멸과 사후천당지옥설을 부정하고 유교의 윤리만이 진리이니 그곳으로 찾아가라는 반서학적인 벽위가사로 독특한 종류의 가사다.

〈심진곡尋眞曲〉은 257구로 기승전결로 나누었는데, 그 내용은 금수도 天理를 타고나서 두루미 까치도 자웅이 유별되고, 소 범도 자애지정이 있으며, 병아리 기러기도 장유유서하고, 벌 개미도 군신유의 천리가 있는데 하물며 만물의 영장인 인간은 마땅히 천리에 따라 오륜을 지킬 것을 노래하였다.

텬쥬만 섬기게면	텬당으로 올라가고
텬쥬를 못섬기면	지옥으로 간다하니
진실로 져말갓치	텬당지옥 버려두고
제倫紀 다 바리고	닉몸만 위하랴면

인간의 嬴政아요　　　　텬상의 桀紂로다

桀紂는 暴惡ᄒ야　　　　先王敎化 다ᄇᆞ리고

만민을 威脅ᄒ야　　　　졔몸만 위ᄒᆞ랴고

嬴政은 狂悖ᄒ여　　　　阿房宮 지어두고

형벌을 重히ᄒᆞ며　　　　졔몸만 높이라네

천주야 잇다 ᄒᆞᆫ들　　　설마 어이 그러ᄒᆞ랴

천당 가기 위해 오륜을 버리고 자기만 위한다면 이는 진시왕이나 걸주 같은 이기적인 인간이며, 이렇게 만든 것은 서양괴물이 하는 짓이라고 하면서 못보던 천당보다는 人之正道를 찾으라고 권면하였다.

〈낭유사浪遊詞〉는 74구의 순 한글체로 도교의 허망과 불교의 허무함, 그리고 천주교의 매력이 기이한 것이라 노래하였다. 우리나라를 예찬하면서 인친화목隣親和睦이 신선계이며, 현세화락現世和樂이 곧 천당이라 하였다. 무군무부하는 괴물은 저바리고 유교만이 참다운 고향이라고 하면서 부모봉양과 제사를 유교의 최고 윤리로 보고 오륜의 도를 찾으라고 다음과 같이 노래하였다.

두루단여 오난길이　　　셔양국 됴타커늘

져놈의 거동보소　　　　천지간 괴물이라

부모를 모르거든　　　　임군을 아올손가

어버이 사랑ᄒᆞᆷ은　　　도로혀 원수되니

ᄉᆞ라서 하올도리　　　　다두어 더져두고

죽은후 화복으로　　　　인심을 현란하니

이것도 사람인가　　　　금수만 못하도다

신유박해(1801)부터 병자수호조약(1876)까지는 천주가사의 제2기

262

로 박해와 전교의 시대다. 시유박해 이후 천주교 창건의 지도층이 죽거나 유배되어 교회는 폐허가 되었다. 더구나 천주교 금압령에 따라 지방에서도 계속 박해가 일어나고 있었다. 이런 와중에도 김대건, 최양업, 최방제 등 3명의 신학생은 신부수업을 위해 마카오로 유학하니 (1836.12) 서양 학문을 위한 최초의 유학생들이다. 이때에 천주가사의 대표적 작자는 최양업 신부와 대원군 때 승지를 지낸 남종삼이다.

이 가운데 토마스 최양업(1821~1861)은 1849년 상해에서 우리나라 2번째 신부가 되어 돌아왔다. 그는 전국 방방곡곡의 성사를 살피고 순교사료를 번역하여 로마 교황청으로 보냈다. 그리고 전교를 위해 많은 천주가사를 지었는데, 이들은 박해로 실전되고 지금 확인된 것은 22편이 전한다.

〈사향가思鄕歌〉는 최양업이 지은 426구의 장편 천주가사로 인간의 본향이 하늘인 것을 밝히면서 '아마도 우리낙토 천당밧기 다시 업늬'라고 현세의 존재는 잠시 머무는 것이라 했다. 가사의 내용은 전체가 15단락으로 나뉘어 있다. 그 일부를 보면 다음과 같다.

부귀영화 잇엇신들	멋히식지 즐기오며
빈궁재화 결여신들	멋히식지 근심홀고
이러흔 풍진세계	永居홀 곳 아니로다
人間榮福 다 엇어도	죽어지면 헛거시오
셰상고난 다 밧어도	죽어지면 업스리라
우주간에 빗기서셔	造化妙理 슬펴보니
涕泣之苦 이아니며	竄流之所 이아니냐
아마도 우리 樂土	천당밧기 다시업늬

이 세상의 삶에 기대를 걸지 말고 天主가 있는 천당이 영원한 고향

인 줄 알고 그곳으로 가자고 했다. 천당으로 가기에는 칠도七盜와 싸워야 하고 겨우 좁은 길에 당도하니 천당문에 다다른다. 최양업의 작품들이 비교적 순수교리에 충실했으나, 〈사향가〉에서는 교리적 요소를 총체적으로 포함하여 당시 유교윤리와 기독교윤리의 갈등이 생생하게 반영됨으로써 천주가사의 대표작이라 하겠다.

천주교에서는 중요한 의식마다 그 의의를 설명했는데, 최양업은 죽은 후에 심판을 받는 과정을 교리에 따라 〈私審判歌〉와 〈公審判歌〉로 나뉘어 지었다. 전자는 죽은 시기에 개인적으로 받는 심판이고, 후자는 종말에 이르렀을 때 육신이 부활해서 받은 최후의 심판이다. 최양업의 〈공심판가〉의 한 대목을 들어 보면 다음과 같다.

오쥬 예수 법스되샤   문서를 뎡ᄒ시고
디옥문을 크게 열어   죄인을 드리겠네
못마귀는 원고되여   각식 죄악 다 고ᄒ고
호슈텬신 원척되여   량심 속인 문셔되니
뒤답홀말 아조 업고   도망홀길 젼혀 업네

위에서 염라대왕과 최판관이 좌정하고 죄인을 잡아들인 광경을 그린 불화佛畵와 비슷한 천주교의 성화를 연상할 수 있다.

그런데 최양업은 천주교가 현실 문제와 얽혀 있는 양상을 다루거나 박해 받는 체험을 응집시키려 하지 않고 너무 교리 해설에 충실하였다. 공심판이란 세상 종말에 모든 사람이 받아야 하는 최후의 심판인데, 심판의 기준은 사랑의 실천으로 하느님과 이웃을 온 마음으로 사랑하였느냐 아니냐에 따라 의인과 악인으로 구분된다. 의인은 모든 속박을 벗어나 시공간상 자유의 몸이 되지만 악인은 지옥에 떨어져 온갖 괴로움을 당하게 된다고 하였다. 이는 조선후기 박해 받던 신자들에게 용기와 희망을 북돋아 주어 신앙을 지키게 하는데 큰 구실을 하였다.

『용담유사龍潭遺詞』는 동학의 창시자인 수운 최제우(1824~1864)가 지은 천도교의 가사집으로서 '龍潭'은 경주 구미산 계곡에 있는 바, 작자가 무극대도無極大道를 득도하고 포교의 문을 연 곳이다. 수운 16세에 가출하고 36세에 동학을 창도하여 천도교의 1대 교주가 되었다. 내부적인 위기의식(1860년 청국이 영국과 프랑스에 항복)에 근거를 두고 서학에 대응하고자 동학이라 했다. 38세에 남원으로 피신하였으나 40세에 제자들과 함께 체포되어 경상감영에 수감되었고, 그 이듬해 좌도혹세무민左道惑世誣民의 대죄로 대구에서 참수되었다.

수운의 가사에 대해서, 정재호는 〈처사가〉가 실전하여 9편이라 했으나 『歷代歌辭文學全集』에 〈근농가〉가 있어서 현재 10편의 가사가 전한다. 『용담유사』의 편찬 시기는 천도교 관계문헌에 따르면 1865년과 1881년으로 기록되어 있으나 후자의 가능성이 높아서 수운 작고 후 15년간 구비전승되다가 문자로 정착되었다고 볼 수 있다. 가사의 음절율이 3·4조보다 4·4조가 주조를 이뤘으며, 율조가 정제되어 있는 점은 작자의 율조에 대한 관심과 구전과정에서 세련된 것이라 하겠다. 현전한 작품중 〈용담가〉와 〈몽중노소문답가〉는 자신의 생애를 은유적으로 노래한 것이고, 〈안심가〉는 자기 아내를, 〈교훈가〉는 子姪을 상대로 하였다. 그리고 〈권학가〉, 〈도덕가〉, 〈도수가〉, 〈흥비가〉 등은 제자들을 계몽하기 위한 것이다. 또한 농사에 힘쓰라는 〈근농가〉, 천재일우의 때를 노래한 〈검결〉이 있다. 따라서 앞 4편은 작가 개인에 관련된 노래로서 '內篇'이라 하고, 설교를 주로한 다음의 4편을 '外篇'이라 할 수 있다.

〈용담가〉는 144구의 가사로 수운이 태어나 뒤에 득도하게 된 '용담'의 아름다움과 득도의 기쁨을 노래한 것이다. '어화 세상 사람들아 古都江山 구경하소 人傑은 地靈이라 名賢達士 아니날까'라 하며, 자신의 고향인 경주가 천 년 왕도로서 수세水勢와 산기山氣가 뛰어났으며, 작자는 이런 명산정기를 받아 태어난 인물이라 하였다. 그 일부를 보면 다음과 같다.

어화세상 사람들아　　無極之運 닷친줄을
너의엇지 알가보냐　　긔장하다 긔장하다
이늬운수 긔장하다　　귀미산구 조은승디
무극듸도 닥가늬니　　오만년지 운수로다
만셰일듸 장부로셔　　조흘시고 조흘시고
이늬신명 조흘시고　　귀미산수 조흔풍경
물형으로 싱겨짜가　　이늬운수 맛쳐도다

〈용담가〉는 작자 자신이 수신자(독자)로 설정되어 있는 바, 이에 대하여 이강옥은 서경적인 초기 양반가사의 문학전통에 이어지는 것이라 하였다. 그런 점에서 〈용담가〉는 개화기라는 역사적 시점에서 새로운 문학규범의 창조나 혁신에 기여했다고 하였다.

〈교훈가〉는 448구의 제일 긴 가사로 객지에서 고향의 자질과 교도教徒 및 제자들에게 수도를 권면하여 득도 이전에 어려웠던 자신의 생활을 노래한 바, '혼자앉아 탄식ㅎ고 이력저력 ㅎ다가서, 탕패산업 ㅎ엿으니 원망도 쓸데없내'라고 비교적 자상하게 노래하였다. 수도修道를 권유한 대목에서는 '이글보고 기과하여 늘본다시 수도ㅎ라 부듸부듸 이글보고 늠과가치 ㅎ엿스라'라고 하여 자질들의 수도생활에 큰 전환의 계기가 되기를 바라는 심정을 대화체로 표현하였다.

〈안심가安心歌〉는 득도 후 세상의 모함이 심하여, 사회적 종교적으로 불안해 하는 부녀자들을 안심시키기 위하여 쓴 290구의 가사다. 부녀자를 수신자로 설정하여 가정적 문제에 중점을 두고, 특히 수운이 득도하는 장면의 묘사가 대표적이다. 득도의 기쁨에 대해 '七八朔 지내나니 가는 몸이 굵어지고 검던 낯이 희어지네, 어화 세상 사람들아 仙風道骨 내 아닌가, 좋을시고 좋을시고'라고 솔직히 노래하였다. 끝부분을 소개하면 다음과 같다.

흔ᄂᆞᆷ님이 ᄂᆡ몸ᄂᆡ셔	아국운수 보전ᄒᆞᄂᆡ
거룩흔 ᄂᆡ집부녀	근심말고 안심ᄒᆞ소
이가사 외와ᄂᆡ셔	춘삼월 호시절의
ᄐᆡ평ᄀᆞ 불너보세	

〈수도사修道詞〉는 수운이 타의로 고향을 떠난 뒤 제자들에게 正心修道하기를 가르친 노래다. '매몰한 이 ᄂᆡ사람 부ᄃᆡ부ᄃᆡ 갈지말고 성경이자誠敬二字 지켜ᄂᆡ어 차차차 닥가ᄂᆡ면, 無極大道 안일넌가'라고 하여 정성과 공경으로 수도하라는 것이다.

〈권학가勸學歌〉에서도 성경이자를 잘 지켜서 부지런히 수도하기를 가르친 노래다. 고향을 떠나 전라도 은적암에 왔다가 지은 229구의 권불가사로 스스로가 노류한담무사객路柳閑談無事客이라 비유하였다. 그 일부를 보면 다음과 같다.

萬古업난 무극대도	이세상에 창건하니
이도역시 시운이라	日日時時 먹난음식
誠敬二字 직혀ᄂᆡ니	하늘림을 공경하면
自兒時 있던 身病	勿藥自效 안일넌가
家中次第 우환업셔	일년삼빅 육십일을
一朝갓치 지ᄂᆡ가니	天佑神助 안일넌가

〈도수사〉와 〈권학가〉는 교술적 요소와 서정적 혹은 감성적 요소를

융합시킴으로써 교술일변도의 작품이 풍기는 진부함을 극복하였고, 벗과 세상 사람들에게 서술형식의 서술법을 취하였다.

〈도덕가道德歌〉는 성리학에 입각한 도덕을 권유하였다. '이 세상 인심으로 물욕제거 하여내어, 개과천선 되었으니 성경이자 못 자킬라'라고 하여 바른 마음으로 수도하기를 가르친 139구의 가사다.

〈몽중노소문답가夢中老小問答歌〉는 노소문답을 통해서 동학의 깨달음(참위사상讖緯思想)과 자기 생애를 은유적으로 노래하였다. '아서라 이 세상은 堯舜之治라도 不足施오 공맹지덕이라도 不足信이라' 하여 서민들의 현실을 보는 새로운 눈을 가지도록 주변을 살피고 자신의 처지를 생각하도록 했다. 몽중에 신선과 소년이 서로 문답하는 가운데 우주대도 이상향의 출현을 예언하는 비유적인 가사다.

〈흥비가興比歌〉는 184구의 가사로 풍유적으로 교인들을 가르쳐 난도자를 훈계하면서 중도에서 그만두지 말고 끝까지 수도하라고 권면한 가사다. '興'은 主旨와 무관한 듯한 사물을 빌어서 의미한 바를 암시하고, '比'란 한 대상을 그와 유사한 다른 사물과 비교하여 묘사하는 詩의 한 형식이다. 따라서 〈흥비가〉 전체는 하나의 암시요 비유다.

〈검결劍訣〉은 〈劍歌〉, 〈龍泉利劍歌〉라고도 하는데, 만세에 하나뿐인 장부丈夫로서 5년 만에 나타난 때를 당하여 용천검龍泉劍을 휘두르면서 서구세력에 항전해야 하는 행동을 촉구하는 저항의 노래로서 20구의 단편가사다. 그 내용을 보면 다음과 같다.

시호시호 이내 시호　　부재래지 시호로다
만세일지 장부로서　　오만년지 시호로다
용천검 드는 칼을　　아니쓰고 무엇하리
무수장삼 떨쳐 입고　　이칼 저칼 넌즛 들어
호호 망망 넓은 천지　　일신으로 비껴 서서
〈칼노래〉 한 곡조를　　시호 시호 불러 내니

용천검 날랜 칼은　　일월을 희롱하고
게으른 무수장삼　　우주에 덮혀 있네
만고 명장 어데 있나　　장부 당전 무장사라
좋을시구 이내 신명　　이내 신명 좋을시고

위에서 나의 '一身'이야말로 어떤 장사도 감당 못할 만고의 명장이라 하였다. 이때 나의 일신이란 이 노래를 부르거나 불러야만 하는 모든 사람이고, 그 사람은 민족존립에 대한 위기의식에 공감하며, 밀란을 일으킬 정도로 봉건사회 모순에서 피해를 받고 또 그에 대한 문제의식을 심각하게 간직했던 민중들이다. 〈검결〉은 이들의 기계와 그 행위에 대한 신념이 日月을 희롱할 만큼 높아지게 만들었던 것이다. 또 이는 무서움을 안겨주는 노래로 '무엇인가 몹쓸것' 곧 '탐학한 세도 벼슬아치(舞袖長衫)'들을 물리치자는 혁명의 노래다.

〈근농가勤農歌〉는 농업에 부지런히 힘쓰기를 권면한 가사로서 동학의 용어가 몇 군데 보일 뿐 포교신앙가사와는 거리가 먼 것으로, '오곡 빅곡 만이 심거 失時말고 근농하세, 춘풍삼월 도라오니 경기절승 조흘시고, 밧부도다 밧부도다 밧갈기가 밧부도다'로 시작하여 읊어간다.

이상의 『용담유사』에 실린 가사들은 개화기의 문제점과 고민을 처음으로 심각하게 다루었다는 점에서 개화기가사의 효시가 된다. 『용담유사』에 수록된 동학가사들의 국문학적 의의를 다음과 같은 점에서 찾을 수가 있다.

하나, 일반 서민에게 새로운 각성을 일깨워 주었다.
둘, 현실을 바라보는 눈과 비판정신을 가지게 했다.
　　〈몽중노소문답가〉, 〈교훈가〉

셋, 만민 평등의 사상을 고취시켰다.

〈교훈가〉, 〈권학가〉, 〈도덕가〉

넷, 여성의 지위를 인정함으로써 가정과 사회에서 그 역할과 보람을 알게 하였다.

〈안심가〉, 〈도수사〉

다섯, 외세에 대한 저항의식을 고취하였다.

〈안심가〉, 〈권학가〉

여섯, 개벽에 대한 암시를 얻을 수 있었다.

〈몽중노소문답가〉

일곱, 수사와 묘사가 능하고, 어미활용상 감탄형과 반어법의 사용이 돋보인다.

여덟, 운율이 매우 정제되어 있다(4·4조 중심으로).

아홉, 양적인 면에서 많은 작품을 남겼다.

열, 음풍농월이 아닌 새로운 사상을 노래하여 일반의 애호를 받아 실용적인 면에서 큰 성과를 거두었다.

위에서 '새로운 각성'이란 농민층에게는 인간에 대한 존엄성을, 지식층에게는 민족의식을 고취함으로써 유교사회가 지닌 모순과 갈등을 해결하고자 한 것이다.

차. 회고서사가사 懷古敍事歌辭

이는 역대 인물과 사물을 회고하는 역사적, 자전적인 내용을 노래한 것으로, 여기에는 〈동국역대가〉, 〈만고가〉, 〈착정가〉, 〈수주곡〉, 〈정주가〉, 〈한양가〉, 〈팔도읍지가〉, 〈정처사술회가〉 등 8편이 현재 전하고 있다.

〈동국역대가東國歷代歌〉는 현묵자 홍만종(1643~1725)의 작품으로 우

리나라 역사를 우리 주체의식에 맞게 쓴 서사가사다. 이는 490구의
장편으로 중국 역사를 노래한 진복창의 〈역대가〉, 박이화의 〈만고
가〉에 대하여, 조선왕조의 치란을 읊은 사공수의 〈한양가〉와 더불어
동국역사를 서술한 영사체詠史體 가사로 주목할 만하다. 그 일부를 보
면 다음과 같다.

禮樂文物 文章道學　　繁盛코 彬彬ᄒ니

四夷의 웃듬이라　　中原을 불워ᄒ랴

소중화라 일ᄏᄅ미　　붓그럽디 아니토다 (중략)

靜庵의 郡民志와　　퇴계의 친줌의라

당세의 儒宗이오　　百代예 스승이라

栗老의 理氣說과　　尤翁의 春秋大義

萬世를 위ᄒ야셔　　太平을 열어내고

沙溪의 一部家禮　　百世의 功이로다

이 가사의 작가에 대하여 강전섭은, 〈연행가〉는 『연행록燕行錄』에
서, 〈일동장유가〉는 『해사록海槎錄』에서, 〈농부가〉, 〈농가월령가〉, 〈농
가월령〉 등은 『농가집성農歌集成』에서 비롯되었듯이, 〈동국역대가〉도
『동국역대총목東國歷代總目』과 『동국통감』에서 비롯되었다고 보고 홍만
종의 작품으로 추단하였다.

〈만고가萬古歌〉는 구계 박이화(1739~1783)가 전남 영암에서 지은 266
구로 된 가사다. 그 내용은 중국 고대로부터 명나라까지 역대 인물과
사건을 추모하여 서사적으로 엮은 것인데, 모화사대적慕華事大的인 것이
흠이라 할 수 있다. 끝부분을 보면 다음과 같다.

神宗皇帝 병을 닉여　　조선을 救患ᄒ니

하날가튼 어진 德澤   잠시나 이질손가
時運이 不塞ᄒ야   黃泉이 無心ᄒ니
崇情日月 져문 後이   讎主가 辱侵ᄒ니
地下의 憤흔 눈물   아니올니 뉘 잇스리
黃河水 다시 막단말삼   들어볼가 ᄒ노라

옥국재 이운영(1722~1794)이 지은 6편의 가사 중에 서사가사로 〈鑿井歌〉가 있는데, 이는 홍정유가 필사한 『諺詞』에 전한다. 여기에 수록된 가사는 문학적 의의가 큰 것으로 吟諷詠月이 아니고, 실학의 영향으로 이룩된 서민들의 사랑과 애환 그리고 역사적 이면을 노래하여 현실성이 부여되었으며, 작자 연대도 분명한 작품들이다.

이 〈착정가〉는 일명 〈우물파기 노래〉라고도 하는데, 전승설화를 바탕으로 용을 의인화하여 속객과 용의 대화체로 구성되었다. 우물파기에 얽힌 서민생활을 노래한 것으로 그 처음과 끝을 보면 다음과 같다.

그듸ᄂ 俗客이라   늬일흠 어이 알고
오날날 늬 일흠을   그듸다려 니르리니
鱗虫三百의   머리지은 용이로식
조선이 富名ᄒ야   聖賢이 나시도다 (중략)
그듸늬 셰간슈를   늬발셔 아라거니
果川셔 시러온벼   성 뫼셔 드러온 ᄤᆞᆯ
洪州 미셩이셔   打作ᄒ야 빗짐흔것
절반만 작젼ᄒ면   이 잔치 걱정홀가

〈수주곡愁州曲〉은 조두(1753~1810)가 무신으로 함경도 종성부사로 갔을 때(1804)에 지은 것인데, 필사본 『關北誌』에 수록되었다. 모두

93구의 정형가사로 사대부가사의 맥락을 잇는 작품이다. 가사의 내용은 수주라는 읍명邑名을 풀이한 것으로 북방 민정이 곤궁함을 동정하면서 끝에 가서는 수주를 낙주樂州로 고치라고 하였다. 그 일부를 보면 다음과 같다.

아린목 쎠는 子息	빅고프다 보치옵늬
이내몸 니븐거슨	헌빅中衣 쑨이로다
고인이 그리ᄒ야	愁州라 지엇는가
日後는 豊年코	家給人足 홀거시니
愁州邑名 고치리라	무어시라 홀고ᄒ니
樂州라 ᄒ시이다	

〈정주가定州歌〉는 황주공 이희현(1765~1828)이 지은 것이데, 이는『諺詞』에 전한다. 그는 옥국재 이운영의 아들로 현령 및 목사를 역임하였다. 이 작품은 홍경래난洪景來亂(1811)을 소재로 다룬 서사적인 가사다. 홍경래(1780~1812)는 서북민의 차별대우와 누적되어 온 비정에 불만을 품고 가산 다복동에서 기병하였다. 가산군수 부자를 살해하고 삽시간에 청청강 이북 팔읍을 점령했으나 관군에게 밀려 정주성으로 쫓겨 들어가 저항하다가 함락되었다.

〈정주가〉는 작가가 항주목사를 지냈으므로 관군의 입장에서 평란 과정을 다루었는데, 제때에 반군을 물리치지 못한 정주목사를 꾸짖고 민첩하게 방어한 안주목사를 칭찬하여 대조를 이루고 있다. 그 일부를 보면 다음과 같다.

起兵흔다 긔병흔다	多福洞셔 긔병흔다
몬져가자 몬져가자	嘉山郡의 몬져가자
불샹ᄒ다 불샹ᄒ다	鄭郡守가 불샹ᄒ다

鄕安을 직희다가	인심을 일허던가
印兵符 구지잡고	鋒鏑을 몬져바다
寒岡先生 유손으로	父子 병면 참혹ᄒ다
兵曹判書 집의증직	隱卒도 장ᄒᆞ시고
슈청기생 蓮紅이	셩의도 갸륵ᄒ다
家藏什物 다파라서	初終을 당ᄒᆞ고야
불근비단 銘旌긔가	앞셔거니 뒤셔거니
大同江 슬픈비람	고향으로 가노믜라

　작가는 이운영의 아들로 부자간의 창작이 5대를 거쳐 전승암송됨
으로 작품의 가치를 높여 주었다. 아울러 순수한 역사성의 현장을 사
실적으로 그린 초유의 서사시로 문학사적 의의가 크다고 하겠다.

　〈한양가漢陽歌〉는 헌종 10년(1844) 한산거사가 지은 1,800여 구의 장
편 서사가사다. 이는 한양의 전모를 하나의 객관적 현실로서 충실하
게 묘사하였다. 수도 한양의 사실적인 묘사와 태평성대를 구가하는
데에 그치는 것이 아니라 폐쇄된 봉건사회의 전형적인 생태를 적나라
하게 드러냄으로써 은연중에 풍속을 비판하여 자주의식을 고취하였
다. 한양의 뛰어난 지세와 찬란한 관가, 번화한 거리의 놀이 및 임금
의 행차, 과거를 보는 광경과 영화 등 서울의 문물제도를 그리고 찬
양하였다.

　이본에는 풍물을 읊은 것으로 송신용 교주본 〈한양가〉, 이용기 편,
『樂府』의 〈한양가〉와 〈한양풍물가〉, 김민수 소장본의 〈한양가〉, 세
창서관 발행의 〈한양오백년가〉, 이문구의 〈이본한양가〉 등이 있고,
역사를 읊은 것으로는 고대소장본 〈한양가〉, 김우강의 〈한양가〉, 사
공씨본(사공수작)의 〈한양가〉 등이 있다.

　서두에서는 '삼각산 긔봉할제 천년을 경영인가 만년을 경영인가'라

고 하고, 결말에서는 '이런 국토 이런 세상 ᄌ고급금 ᄯ 잇스랴'고 해서 상당한 자부심을 표현하였으며, 특히 시정市井에서 장사하고 놀이하는 거동을 구체적으로 나타내고 있다.

큰 광통교 너머서니	뉴주비젼 여긔로다
일 아ᄂᆞᆫ 려립군과	물하마튼 젼시졍은
큰 챵옷세 갓을쓰고	쇼챵옷셰 함슴달고
ᄉᆞ람불너 흥졍홀졔	경박ᄒᆞ기 측양업다 (중략)
금긱가긱 모야구나	거문고 임종철이
노리의 양ᄉᆞ길이	계면의 공득이며
오동복판 거문고ᄂᆞᆫ	쥴골라 세워노코
치장ᄎᆞ린 시양금은	써난나뷔 안쳐구나

위에서 보면 구체적인 뜻을 가진 어휘가 많이 나온다. 여립군은 손님을 불러서 흥정을 붙치는 사람이고, 전시정은 가게를 내고 물건을 파는 사람이다. 임종철, 양사길, 공득이는 모두 당시에 이름난 음악인들인데, 책을 읽거나 생활하면서 얻은 사실을 사실적으로 표현하고 있다. 그럼에도 〈한양가〉는 있는 그대로 현상을 무엇이나 긍정했을 따름이고, 사회적 갈등을 드러내서 혁신을 해야 한다는 주장을 하지는 않았다. 시정의 생기에 힘입어 왕조의 질서가 유지되는 것을 바라고, 왕조문화와 시민문화가 조화를 이루어 모두 다 함께 혜택을 누리자는 생각을 깔고 있는 점에서는 이상을 추구한 작품이라고 할 수 있다.

〈팔도읍지가八道邑誌歌〉는 필사본에 나타난 '同治六年上元學蕉戲藁'라는 기록을 바탕으로 하여 고종 4년(1867) 학초가 지은 것으로 확인되었다. 이 가사의 내용은 〈팔도가〉와 대동소이한 것으로 '乾坤이 培判後에 小中華가 조선이라'고 시작되어 550구로 이루어 졌는데, 각도의 산천경계와 민심과 풍속을 노래한 것으로, 이 가사는 작가의식이 결여될 뿐 아니라 문학성이 배제된 일종의 지리적 지식 전달을 위한 교술성을 지닌 가사다.

乾坤이 剖判後의　　　小中華가 朝鮮이라
경기도 三十七官　　　加豊德古邑 爲三十八官
三角山 나린줄기　　　漢陽都邑 되야시니 (중략)
桃紅柳綠 太古春　　　萬民이 穩城이라
北靑이 노파난듸　　　東碧해 둘넛시니
美哉 山河之固　　　此난 東國之寶也라

〈정처사술회가鄭處士述懷歌〉는 정래기(1835~1896)의 자전적인 내용의 가사다. 정래기는 원래 경상도 경주 사람이었는데, 2번이나 상처를 하고 실의에 빠져 있다가 딸의 혼처가 울릉도로 정해지자 사돈의 권유로 그곳으로 갔다. 여기저기를 다니면서 농장을 이루느라고 애쓴 끝에 마침내 안정을 찾기까지의 과정을 회고해 고종 28년(1891)에 술회가를 지었다.

〈정처사술회가〉는 울릉도를 소재로 한 최초의 가사로 총 617구의 장편가사로 그곳의 자연미를 잘 묘사했을 뿐 아니라 자신의 회포를 그리는데 뛰어났으며, 울릉도 개척 초기의 작품이라 지명연구에도 귀중한 자료가 된다. 정처사는 울릉도에 들어가서 삼간 너와집을 짓고 안착을 하고 보니 기구한 지난날들이 생각나서 자서전을 썼는데, 섬을 일주하는 선경과 명산개간의 어려움, 병든 몸으로 울적한 심정에서 육지로 도망했던 일, 집을 고치려고 나무를 구하다가 절벽에서 떨어져 누웠을 때의 일 등을 다음과 같이 읊었다.

눈물흘너 짱이져져　　　漏濕ᄒ야 못누건네

심산심곡 이산중에	어느 친구 날슬이며
황금부듸 효불신ᄒ니	어느 벗치 날알손가
구불구불 싀각ᄒ니	셔론지졍 할양업다
査家ᄂ 즈조와서	이런고ᇰ 말슴ᄒ니
스람마당 할 일이ᄂ	어질고 어진지라 (중략)
이후에ᄂ	
好事好事 날노오고	凶事惡事 달노 녹아져서
춘풍이 다시오면	고목남기 곳치피여
가지가지 결실ᄒ고	자손이 滿堂ᄒ고
부귀영화 극진ᄒ야	만세만세 수만세를 전하리라

카. 도덕교훈가사 道德敎訓歌辭

이는 사람이 지켜야 할 도덕을 교훈하는 五倫과 五常을 주로 노래한 가사이데, 여기에는 〈명분설가〉, 〈길몽가〉, 〈훈가이담〉, 〈낭호신사〉, 〈향음주례가〉, 〈자회가〉, 〈효자가〉, 〈금강중용도가〉, 〈사친가〉, 〈애경당충효가〉, 〈계자사〉, 〈인일가〉, 〈훈민가〉, 〈장한가〉, 〈삼재도가〉, 〈경심가〉, 〈불효탄〉, 〈치산가〉, 〈여손훈사〉 등 19편이다.

〈명분설가名分說歌〉는 한설당 안창후(1687~1771)의 문집인 『한설당유고』에 실려 있는 것으로, 안창후가 61세 때(1747) 전남 보성에서 학문과 농업에 힘쓰던 시골선비의 입장에서 지은 도덕가사인데, 그 주제는 사람이 저마다 명분을 지켜야 함을 교훈한 것이다. 가사의 일부를 보면 다음과 같다.

무지흔 草木類도	甘苦美惡 제 ᄀ젓ᄂ
天地上下 못밧괴니	太陰太陽 변홀소냐
星辰이 失次ᄒ면	춘하추동 無序ᄒ고

인민이 失義하면　　　五倫綱常 絶滅ᄒ리
만물중 最靈ᄒ니　　　이 아니 사룸인가

　작자의 증조가 김인후와 임억령과 친분이 이기로 이런 지연과 인맥에 따라 시조 24수와 가사 1편을 남겼다. 17세기 보성에서 〈남초가〉를 지은 박시형의 영향도 있었을 것이다.

　〈길몽가吉夢歌〉는 운암 한석지(1709~1791)가 지은 가사다. 그는 함흥 출신으로 병고와 가난으로 평생을 불우하게 살았다. 저서로『溫故錄』,『後改家傳明善錄』등이 있다. 어느 날 밤 꿈에 어떤 사람이 와서 자기를 초청한다기에 나가보니 그들은 중국 역대 인물 중 한신韓信, 자량張良, 엄광嚴光, 진박陳搏, 가의賈誼 등이 있었다. 여러 가지 핑계로 응하지 않았으나 맹자의 제자를 만나 맹자 친필의 전갈을 받고 그를 알현하게 된다. 맹자는 낭랑한 덕음으로 작자를 위로하고 자기의 도를 잘 지키어 세상을 교화해 달라는 당부를 하니, 그는 크게 감격하여 그 당부를 명심하고 재배하고 물러선다는 내용이다. 그 일부를 보면 다음과 같다.

네몸을 닥고닥가　　　마튼바 일치마라
顔淵의 四勿이요　　　曾子의 三省이라
思無邪 無不敬이　　　節節이 至善이라
造次의 잇지마라　　　終始에 힘써하면
네천성 다할저긔　　　自然及人 하ᄂ니라

　내용적으로 볼 때 작자의 성격, 사상, 이상 등이 체계적으로 잘 표현된 가사라 하겠다. 즉 불요불굴한 성격과 확고부동한 신념으로 꿈을 빌어 맹자의 성선설을 기조로 한 중정인의中正仁義의 사상과 그의 도로서 제세구민濟世救民하려는 이상을 편 작품이다. 이처럼 꿈을 빌려 한 작가의 사상을 대화체의 수법으로 고백한 양반가사는 일찍이 없었던 것으로 생각할 때 새로운 관심을 갖게 하는 작품이다.

〈훈가이담訓家俚談〉은 배이도(1706~1786)의 가사다. 그가 76세 때 문무겸전한 첨정僉正으로 있으면서 전제군주국가 및 대가족제하에서 지켜야 할 조손祖孫, 부자, 臣民, 부부, 형제, 붕우, 順天, 성무화목性務和睦, 정기심결견행正基心潔見行, 수천명수기분守天命隨其分, 인인과신오신忍人過愼吾身, 물해인구환란勿害人救患難, 조기심면기한操其心免飢寒, 무농상윤기실務農桑潤其室, 자탄自嘆 등 15개항에 걸쳐 유학적 도덕실천을 자손들에게 권하였다. 또한 가장 오래된 분연체 가사라 하겠다. '父子'의 일부를 보면 다음과 같다.

부생 모육ᄒ여　　자식이 되어시니
부뫼 안이시면　　이몸이 삼길소냐?
흔몸이 갈라ᄂᆞ셔　부모자녀 되어시라
膝下掌上 受育ᄒ니　父恩이 하늘 ᄀᆞᆺ고
戀苦吐甘 기르시니　母德이 짜 ᄀᆞᆺ도다
恩德을 싱각ᄒ면　　昊天地 罔極이라

자기 자식이나 후손을 훈계하려는 이 교훈가사는, 사대가문에서 태어나 서리胥吏로 떨어진 배이도 자신이 도학을 온전히 실행하여 지위 회복을 꾀하라고 후손에게 가르친 내용을 담았다.

〈낭호신사朗湖新詞〉를 지은 구계 박이화(1739~1783)는 통덕通德을 지냈고, 환해宦海에서 자기의 뜻을 펴지 못한 탓으로 실의하여 모든 것을 체념하고 백가지서를 벗 삼다가 고향인 영암 구림의 자연과 짝하여 글을 지으면서 유유자적하는 생활을 즐겼다. 영조 때 〈금강별곡金剛別曲〉을 지은 명촌 박순우의 재종손인 그는 효성이 지극하고 문장이 뛰어났으며 낙천적이고 호방한 성격의 인물이었다.

이 작품의 전반부는 향리인 구림의 역대인물, 경관 등을 종합적으로 안배하여 읊은 서경의 노래로 되어 있고, 후반부는 향민교화를 위한 훈계적인 내용으로 234구의 도덕 교훈가사다.

글도ㅎ고 治産도ㅎ야	富貴文章 되오리라
陽武의 반듸불은	밤이면 쥬셔오고
동백산 무근밧슨	낫지면 갈라보자
伯牙의 거문고로	山水曲을 和答ㅎ니
지음하난 우리벗님	어이그리 더뒤던고
이팔청춘 아동들아	랑호신사 불러보식
如水歲月 싱각하야	아히警戒 갈라치자

농촌을 기반으로 벼슬을 못하더라도 사대부로서 가문을 유지하기 위해 유학을 통한 은일가사와 함께 도덕가사를 지어 읊어가는 풍조가 19세기까지 이어졌다.

〈향음주례가鄕飮酒禮歌〉는 애경 남극엽(1736~1804)이 지은 90구의 단편 교훈가사다. 지은이가 62세 때 향음주례에 참예하고 지은 노래인바, 향음주례는 온 고을 유생儒生들이 모여 향약을 짓고, 술을 마시며 잔치하던 일로, 향음주례의 유래는 『예기』 향음주의鄕飮酒義에 바탕한 것으로 그 근본에는 존경과 사양, 정결과 청결, 화해와 합심, 검소와 경로, 음양과 오행 등의 정신을 깔고 있으며, 이는 술로 인해 정신과 몸을 놓지 않으려는 우리 조상들의 지혜가 담긴 것이다. 다음에 그 일부를 소개한다.

甲寅乙卯 어늬히요	우리나라 聖年이라
至孝의 나문싱각	노인을 권고ᄒᆞ샤
鄕飮酒 이실젹의	春臺日月 도와왓다
三綱을 불키시이	大義를 뉘몰ᄋᆞ야
五倫을 ᄎᆞ례ᄒᆞ이	燦然ᄒᆞ 文物이다
흔잔먹고 百拜ᄒᆞ이	賓主은 禮를 알고
믄저ᄒᆞ며 뒤에ᄒᆞ이	長幼는 법이 닛다

〈자회가自悔歌〉는 존재 위백규(1727~1798)의 가사다. 삼족당 위세보의 아들로 전남 장흥에서 출생하여 만년에 옥과현감으로 1년 재직했을 뿐, 시종 향리에서 학문에 전념하였다. 『政絃新譜』 등 90여 권을 저술함으로써 실학계에서는 '호남학술의 전통을 끝으로 이은 학자'라고 알려졌다. 〈자회가〉는 144구로 된 바, 내용은 생전에 불효했던 자신의 과거를 스스로 뉘우치며 사친지도를 술회하는 사연으로 관념적이 아니고 섬세한 사연을 구체적이며 사실적으로 표현하였다. 그 일부를 보면 다음과 같다.

아바ᄂᆞᆫ 하늘되고	어미ᄂᆞᆫ 싸히되샤
피슬을 ᄂᆞ하내여	이 몸이 삼겨시니
빈셜워 길너닐제	슈고도 긋지없다 (중략)
세슬의 품의나고	열슬의 문의나이
샹흘가 염녀ᄒᆞ고	병들가 근심ᄒᆞ며
파려흘가 밤넘녀	얼을넌가 옷넘녀
주야 열듯대를	한시를 니줄소나
어늬다시 쟝가들려	힝여깃붐 볼랴더니
제안해 말이든이	늘근사람 쓸듸업닌
제ᄌᆞ식 낳흔후의	사랑이 옴단 말가

이는 부모 은공 모르는 자식을 길러 결혼 후에는 처자식만 생각하고 오히려 사사건건 탓하고 천시하는 망은불효의 사연이다. 자신이 늙고 보니 부모에 대한 지난 일이 슬픔으로 뉘우쳐 오니 이제야 깨달아도 어찌할 도리가 없다고 참회하고 있다. 생전 불효를 깨우치고 후생에라도 다시 부자간의 인연의 연분이 맺어지길 황천께 빌었다. 관념적인 한자는 피하고, 순수한 우리말로 허식 없고 실감 있게 구사하여 친밀감과 진실감을 더해주는 효행을 권려하는 가사다.

〈효자가孝子歌〉는 삼청당 정방(1707~1789)의 작품이다. 작자는 송강의 후손으로 담양 창평 지곡리에서 태어난 시골 선비다. 평소 이웃마을 산음동에서 살았던 아곡 전우창의 효행을 몹시 흠모하고 추앙했기에 부모에게 효도할 것을 내용으로 한 교훈가사다. 그 일부를 소개하면 다음과 같다.

遠近上下 老少더리	訃音듯고 敬歎ᄒ되
全孝子 쥬근후예	다시효자 어듸볼고
그 아달 거동보소	孝子門의 효자로다
형이며 아히되여	듯고보미 효도로다
繼指하고 廬墓ᄒᆯ제	世業으로 相傳ᄒ니
아람답다 全氏家에	대대로 효자로다
집마다 人子로되	효자되기 어렵쏘다

〈금강중용도가金剛中庸圖歌〉는 유와 김이익(1743~1830)이 순조 원년 (1800)에 벽파僻派에 의해 진도 금갑도에 6년간 귀양살이를 하면서 시조집 『金剛永言錄』과 함께 지은 것이다. 내용에는 『中庸』에 성현 도덕의 글이 있는데, 공자와 주자를 모시고 살펴보니 조선조 동방에 성리학이 들어와서 예악문물禮樂文物이 갖추었음을 노래하였으며, 정조께

서 솔선수도를 힘쓰시고 팔역군생八域群生을 다스리시더니 49세에 요절함으로 천신賤臣의 설음이 백배하며 17년이나 자식처럼 돌봐 주심을 죽어서라도 은혜를 갚겠다고 기약하였다.

이는 내용적으로는 도덕교훈의 가사며, 지은 동기가 유배이기 때문에 외롭고 안타까운 마음과 임금을 그리는 충정도 아울러 노래한 574구의 유배가사다. 이는 18세기 유배가사 김춘택의 〈별사미인곡〉, 이진유의 〈속사미인곡〉, 이방익의 〈홍리가〉에 이어서 19세기 유배가사로 유배가사의 마지막 작품이다.

추담 남석하(1773~1853)의 시문집 『추담유고秋潭遺稿』에는 5편의 가사가 전하는데, 〈사친곡〉, 〈애경당충효가〉 등도 여기에 전하고 있다.

〈사친곡思親曲〉은 돌아가신 어버이를 그리워한 심정을 노래한 162구의 가사다. 부친이 순조 4년(1808)에, 모친이 순조 8년에 각각 세상을 뜨니 그의 나이 32세와 37세였다. 그 내용에서 '父母를 永訣흔 후 세월이 유유ᄒ니, 丹冀의 옛 가지에 光陰이 몇 희런고'라고 노래한 것을 보면 어버이 사후 오랜 뒤에 지은 것으로 보이며, 그의 다른 가사의 제작 시기와 견주어 볼 때 장년기 이후의 작이라 하겠다. 노래의 일부를 보면 다음과 같다.

父母의 恩德으로 　　文學이 자라나서
式年科에 進士하고 　　謁聖科에 及第ᄒ야
綠楊 춘삼월의 　　御賜花를 놉핏곳고
우리 父母 奉養키를 　　영광으로 ᄇ리던이
영광은 날이업고 　　부모를 영결흔이
흐르ᄂ니 눈물이요 　　나ᄂ이 설음이다
어닉날의 다시 빗아 　　이 눈물 것고지거
어닉쩌의 다시 뫼셔 　　이셜움 근치고져

줌들어 三更밤의　　　　宛然흔 父母顏面

반겨 빅와 줌을 씬니　　벼개우의 허사로다

〈애경당충효가愛景堂忠孝歌〉는 모두 100구로서 자기 조상들의 충효사
적을 찬양한 가사다. '공명을 사직ᄒ고 부모를 봉양홀제 格天의 至孝
로는 省齋公의 흔나로다' 하여 그의 고조인 남몽구를 찬양하였다. 끝
에서는 '不肖흔 後裔되어 乃祖高風 싱각ᄒ니 충효의 繼襲흠을 천만대
나 ᄇ릭노라'고 축원하였으니, 그의 가품은 한 마디로 충효로 일관된
것을 보여 주었다. 그 일부를 보면 다음과 같다.

親癠의 嘗糞ᄒ며　　　親喪이 泣血ᄒ니

무심이 ᄂᄂ씽이　　　절로와 祭需되고

牛盜의 至愚로도　　　化ᄒ야 良民되니

王祖의 躍鯉로도　　　이와 엇지 달을쇠며

孟宗泣竹인들　　　　이와 누긔 다를쇤냐

朴巡相의 狀聞이며　　元御使의 褒啓ᄒ미

지금씬지 百世後의　　子孫의 遺業이다

그 나문 忠孝로야　　　엇지 다 의논ᄒ랴

〈계자사戒子詞〉는 죽국헌 김상직(1750~1815)의 교훈가사로 『竹菊軒
遺稿』에 수록되어 전한다. 유고에는 한시 50편과 국문학 작품으로 시
조 2수, 가사 2편 〈계자사〉, 〈사향가〉 그리고 문생 천형복이 쓴 가사
〈선생입산후사은가〉가 전한다. 〈계자사〉는 제목 아래 '敎子聖學 未見
意趣 故別以作家 令朝夕歌之以當助於萬一也'라고 해설하여 제자들에
게 조석으로 낭독하여 학문에 힘쓸 것을 훈계한 가사다. 그 일부를 보
면 다음과 같다.

新生少生 아히덜아	이닉 훈계 들어설어
인간세상 귀한 것이	학문박기 쏘이쓰랴
天地人 三才中에	인생이 最貴홀사
禽獸와 다른 쯧은	仁義禮智 이씰시라
孟子ㄨ튼 大聖人도	학문으로 도통ᄒ고
董仲舒 司馬遷도	문장으로 되어셔라

〈인일가人日歌〉는 지지재 이상계(1758~1822)가 〈초당곡〉과 함께 지은 교훈가사다. 이 가사는 작가가 산림처사적 생활 속에서도 언제나 화친돈목和親敦睦을 희구하는 인륜도덕적인 생활에 젖어 살아온 가난한 선비로서 도덕적 관점에서 지은 것이다.

작가의 행장과 묘비명에 의하면 작가는 人日(음력 정월 초이렛날) 밤에 인일회를 열어 많은 친지들이 놀면서 이 노래를 부르도록 한 것으로 인일의 세시풍속을 읊은 것이다. '우리 묘와 놀시 人日에 묘와 놀시'라고 시작하여, 인일에 서로 모아 사람된 일 의논하고 제족諸族이 돈목하면 요순같이 되리라고 했다. 물욕을 버리고 성내기를 참으며 주색을 삼가지 않으면 평생을 그릇치고 망신할 따름이라는 훈계와 도심경각의 내용이다. 누구나 성실하고 충직하면 만승위萬乘位에 오를 수 있으며, 일장춘몽의 부귀를 쫓다가 해를 입지 말고 오로지 선업을 쌓는데 힘쓰자는 교훈가사다. 유교의 인륜도덕적 사상을 알기 쉽게 풀어 놓은 모두 95구로 된 가사다.

〈훈민가訓民歌〉는 순조왕비인 순원왕후 김대비(1789~1857)의 교훈가사다. 그는 김조순의 장녀로 철종 즉위시에 수렴청정을 하여 안동 김씨의 집안이 큰 세력을 누리게 하였다. 이는 〈김대비훈민가〉와 〈부인훈민가〉로 작품이 나뉘어 있으나 전자의 끝부분이 '부모의 약간 전도 장구히 미덧다가 일조一朝가 ᄒ온후의 집신도 귀허거던'으로 맺어짐으로 결사가 미흡하여 후자의 노래에 연속된 것으로 보아도 별 문제가 없어 〈훈민가〉로 묶어 볼 수가 있다.

〈훈민가〉의 내용은, 오늘날 오륜을 천시하여 부모에 거역하고 친척과 불화하니 한탄스럽다고 하였다. 부모에 효도하고 형제간에 화목하며, 부부간에 화순하고 노인을 공경하라고 권면하였다. 또한 글 공부에 힘쓰고 주색을 경계하며 재물을 탐내지 말고 손님을 박대하지 말되 농사에 전력하여 남은 삶을 누리라고 교훈하였다. 이어서 삼종지의를 중심으로 부인들이 경계할 것을 시종 설교하여 일반 서민층을 훈유한 내용으로 구성되어 있으며, 평범한 일상적 활동들이 구체적으로 묘사되어 있는 것이 특색이다. 끝부분을 소개하면 다음과 같다.

녀인의 맡은일이	음식과 길쌈이라
이밖에 다른일은	독단을 못하나니
매사를 시작할제	물어보고 재여하소
시부모님 없는후에	가군이 주장이다
매사를 조심하야	그말대로 순종하소
나는깊은 궁에앉어	세사를 몰랐더니
여염의 어진백성	소문듣기 해찬하다
네몸이 자중하고	교만키만 일삼고
庶人에는 밤중같고	그른일 저질기를 음식같이 좋아하니
그란후 효부효자	뉘집에 있을손가
슬프다 창생들아	이내말쌈 중키들어
부대명심 잊지말고	자자손손 誦傳하다

〈장한가長恨歌〉는 우곡 이중전(1825~1893)의 작품이다. 그는 장흥에서 태어나 농사를 지으며 공부했고, 만년에는 독서나 시작詩作을 즐기며 동몽훈학童蒙訓學에 힘쓰면서 산수자연을 탐승, 유유자적하며 일생

을 살았다. 유고로 필사본『愚谷集』이 전한다.

이 가사는 50세에 자신의 삶을 회고하면서 그의 포부를 노래한 바, 대목대목에 자손들과 동몽을 훈유하는 교훈적, 경세적인 내용이 강하게 표현된 664구의 장편가사다. 가사의 전반부는 작가의 기구한 생애를 도덕사상에 근거하여 읊었고, 결사에 해당된 후반부는 자연탐방(금강유람)을 희구한 작자의 소망을 읊었다.

힘써하소 힘써하소	농업을 힘써하소
以食爲天 일너씨니	농사밧긔 또닛난가(권농일부)
압집 소년 뒷집아히	글공부 힘써하소
富貴必從 勤苦得을	글을 두고 일으미라(권학일부)
뱄더러진 닝돌방의	부모의 晝夜걱정
柴糧업난 빈주정에	妻子의 朝夕怨望
酒母의 술값지촉	부모에게 욕이밋네
인도롭다 저사람들	슐못먹어 죽을손가(금주일부)
강원도 金剛山은	天下名山 일어시니
竹杖芒鞋 찾아가서	한번구경 못할소녀(유람일부)

이처럼 표현이나 조사법措辭法 또는 어휘구사에 있어서 과대하고 고루하여 참신성은 부족하나 율조의 흐름이 유창하고 독자로 하여금 흥취를 자아내게 한다.

성은 김경흠(1815~1880)은 호남의 명문으로 태인 고현에서 대대로 살아온 고관대족이다. 그의 작품은『城隱處士金公遺稿』에 수록된 바, 〈삼재도가〉, 〈경심가〉, 〈불효탄〉 등 3편이 전한다.

〈삼재도가三才道歌〉는 天地人의 도리를 노래하되, 이 도를 배반하면

불순불효되니 삼강오륜을 지킬 것과 물욕을 떠나 수덕修德하라고 권하였다. 그 일부를 보면 다음과 같다.

人道라 하난일은　　　天道를 법스마셔
동서남북 바른길로　　　仁義禮智 信을 가져
행하난이 五常이라　　　오상이 五倫道니
父道로 일너셔난　　　敎子하기 기푼근심
晝夜로 不忘ㅎ야　　　이의예지 四端으로
신실하게 ㄱ라치되　　　避害就吉 成就하야
늬몸의 공된일은　　　부모님께 歸功하고
부모의 허물을랑　　　늬罪로 싱각ㅎ야
昏定晨省 甘旨奉養　　　癮疾中에 不忘ㅎ면
이거시 孝誠이요　　　이거시 子職이라

〈경심가警心歌〉는 中道로 마음을 바로잡아 수덕修德에 힘쓸 것을 다음과 같이 권려하였다.

대장부 가진마음　　　졔뉘라서 아실소냐
金銀玉帛 죠타한들　　　니늬마음 박굴소냐
萬鐘祿이 죠타한들　　　니늬마음 박굴소냐
至寶로 어든 마음　　　졔 뉘라셔 奪取ㅎ며
늬할 도리 늬 다하면　　　뉘가 감히 慢悔하리
天鍾祿이 업셔시되　　　朝夕計活 근심마라
心經의 바슬갈고　　　智水의 물을 되면　　　水旱之災 업셔시니

〈불효탄不孝嘆〉은 '슬름이 貴타ㅎ되 불효ㅎ면 賤ㅎ미요'라 하여 부모의 은공을 노래하고 중국의 역대 효자들을 열거하여 양지봉양養志奉養

하라고 하였다. 그 일부를 보면 다음과 같다.

反哺ㅎ난 烏鵲이며 　　　報本ㅎ난 豺獺의눈
졔父母를 능히 아니 　　　賤ㅎ즁의 貴ㅎ도다
하말며 수룸으로 　　　禽獸만 못ㅎ소냐
천지간 萬物린들 　　　부모업시 싱길소냐
人道를 행한쓴슨 　　　부모먼여 셤기나니
五倫의 首第되고 　　　百行의 根源이라

〈치산가治産歌〉는 동리 신재효의 가사로 근검·절약으로 재산을 모아 편안히 잘 살아보자는 뜻을 읊은 가사다. 줄줄이 과목심고 고물고물 채소심고, 추진 데는 논 만들고 마른 데는 밭 만들어 종자를 깊이 넣고 오줌똥도 한데 보지 말고 검부적도 다른 곳에 가지 않도록 하여 근면을 바탕으로 현실적 치산治産의 방안을 제시하였다. 그 처음을 보면 다음과 같다.

이보 소년더라 　　　긔한노인 웃지마소
졀머서 방탕ㅎ면 　　　이러ㅎ긔 면할소냐
칠십이 당흔후의 　　　셰상을 씩드르니
긔력이 쇠진ㅎ면 　　　무신일을 셩수할랴
닉형상 자셰보와 　　　헛쏘이 노지마쇼
부리런코 검박ㅎ면 　　　가장긔물 졀노잇네
수치ㅎ고 무도ㅎ면 　　　범법수죄 자로ㅎ고
패가망신 아조쉽네

〈여손훈사女孫訓辭〉는 성재 류중교(1832~1893)의 가사다. 그는 고흥 류씨 시조 호장戶長 류영의 26세손이며, 고려 첨의시중 고흥백 류탁이 그의 원조다. 광해군 때 이조참판을 지낸 어우당 류몽인이 그의 방조이며, 낙은공 류조의 둘째로 서울서 태어났다. 또 한말 성리학의 대가로 척화론斥和論을 주장하여 의병활동에 정신적 지주였던 화서 이항노의 수제자다.

가사의 내용은 6세 된 장손녀에게 여자의 행실, 마음가짐 등을 구체적으로 적어서 『소학』을 배우기 전 일용행사를 쉽게 가르쳐 주겠다는 창작의 취지를 말하면서, 활동순서에 따라 아침일, 식사, 여공女工, 여행女行, 심덕心德, 가사家事, 저녁일 등을 세세히 일러주고 이렇게 하루가 끝나면 큰 인물이 못되더라도 돈견豚犬은 면한다고 하였다.

> 사사이 조심ᄒ고　　　언언이 조심ᄒ라
> 문견이 업다ᄒ여도　　조심의 실슈업고
> 쳔품이 낫다ᄒ여도　　조심덕을 입느니라
> 조심이여 조심이여　　빅덕의 읏듬이라

이 작품의 문학사적 의의는 지금까지 영남지방을 중심으로 존재한다는 내방가사가 중부지방에도 존재한다는 것과 조선 사대부가에서 가문을 위해 희생·봉사하는 한국적인 숭고한 모습과 여자에게 행한 교훈의 실체를 알 수 있다는 점이다.

타. 연모상사가사 戀慕相思歌辭

이는 남녀 간의 사랑과 그리움의 정을 노래한 것으로 원망怨望과 순절殉節을 함께 포함하였다. 여기에는 〈절명사〉, 〈금루사〉, 〈임천별곡〉, 〈상사별곡〉, 〈도리화가〉, 〈오섬가〉 등 6편이 있다.

〈절명사絶命詞〉는 전의이씨(1723~1748)가 지은 것으로, 그는 이명후의 딸로 18세 때(1746) 곽재우 8대 방손인 곽우용(1723~1747)과 결혼했으나 남편이 병사하니 이듬해 남평을 여읜 비탄 때문에 일주기를 맞아 남편의 영전에 제사를 올린 후 이 가사 외 제문을 남기고 자진自盡하였다. 현전 가사작품 중 작가 연대를 확인할 수 있는 최고最古의 여류 작품으로 열려불갱이부烈女不更二夫의 전통적인 유교가사다. 그 일부를 소개하면 다음과 같다.

하늘이 날을 내고	名節을 붉히시미로다
국가 흥망도	龍虎 千臣이
宮闕을 호위ᄒ나	天數를 못 免ᄒ니
소녀의 됴고마흔	몸을 恨홀배 아니로딕
이십년 痕迹이	傳홀 거시 업서디니
祖上은 뉘게 傳고	無托ᄒ신 尊舅는
무어슬 의디홀고	슬프다 이빅여
어딕로 조차	스스로 가는다
瀟湘斑竹을	내어이 추자갈다

〈금루사金縷詞〉는 취은정 민우룡(1732~1801)의 작품이다. 그는 국가에서 몇 번 기용하려 했으나 응하지 않고 영조 48년과 정조 원년(1777)에 제주의 형승形勝을 탐방하고 돌아와서 제주 기생 애월과 염문艶聞을 담은 애정가사를 지어, 그의 『瀛州再訪日記』에 수록했다.

모두 60구의 정통가사로 작품의 배경과 동기가 분명하고 형식이 정제되어 있으며, 내용 또한 특이하여 문학적 의의가 크다. 봉별逢別하는 사건 장면과 시간적 경과를 통하여 일어난 사상과 환락歡樂, 훼절毀節과 비련悲戀의 주정적 감정을 토로한 순수 서정가사로 애악愛惡의 교차점에서 비련을 극복하고 열애의 감정을 표현한 파격적인 애정가사의 본령에 접하고 있다.

靑鳥는 아니 오고	杜鵑이 슬피 울제

旅館寒燈 적막흐듸   온 가슴에 불이 난다
이 불을 뉘싀리오   님 아니면 흘 씌엽고
이 병을 뉘 곳치리   님이라야 扁鵲이라
밋친 무음 외사랑은   나는 졈졈 깁건마는
無心흘손 이 님이야   虛浪코도 薄情흐다

　끝에 가서는 '어와 내 일이야 진실로 可笑로다 너도 싱각흐면 뉘웃츰이 이시리라', '다시곰 싱각흐야 回心을 두온 후에 三生宿緣을 져빅리지 말게 흐라'며 다하지 못한 정곡情曲은 전세와 후세의 환상적 세계로 이끌어 그것을 미적 환상으로 승화시켰다. 비록 소설 〈배비장전〉과 장르적 차이는 있다 하여도 제주도를 배경으로 기녀와 노니는 염정류艶情類의 문학으로 공통점을 지니고 있다.

　〈임천별곡林川別曲〉은 홍정유가 필사한 『諺詞』(1863)에 수록된 옥국재 이운영(1722~1794)의 가사다. 임천은 옛 한산(지금의 부여군)의 지명으로 내용은 매우 낭만적인 장편 서정가사다.
　한 할아버지와 할머니 사이의 대화로 엮어간 사랑을 주제로 한 노래인데, 이는 단순한 사랑타령이 아니라 두 노인의 사랑을 희학적戱謔的으로 표현하여 객기어린 삶의 멋을 보는 듯하다. 이는 서민들의 일상생활에서 체험한 내용을 사실적으로 표현한 노래로서 매우 친근감이 있으며, 남녀 두 주인공이 대화체로 엮어간 희곡가사라 할 수 있다. '할멈의 옷가슴의 손조금 너허보셰 얼풋 쓰룻치면 긔무어시 관계흘고 냥반이 취취흐여 조곰달라 흐엿신들'에 이르면 사설시조에 나타난 남녀의 정담을 연상케 한다. 또 전형적 토속어와 고사를 자유롭게 구사하고 있으며, 문맥의 생동감마저 느끼게 한다. 창작시기는 '일이삼스 차례혜면 칠십세가 닉나히라'라고 했으니 작자의 70세는 1792년이 됨으로 그의 가사 6편중 만년의 작품이라 하겠다. 그 일부를 보면 다음과 같다.

甲子乙丑 丙寅싱의   還甲進甲 다지느고
슈인의 스물호고   쏘한살 더 먹엇니
이제무슨 마음이셔   셔방품의 즈리잇가
어져 그말마소   늙은 말이 콩 마달가
너도늙고 나도늙고   두늙으니 셔로만나
너만알고 나만알고   귀신도 모르리니
인적적 야심심   黃昏의 오날이라
范增의 문자로   急擊勿失하야
얼픗 쓰롯치면   그 무어시 관계홀고

여기에서 영감과 할멈의 갈등은, 언 몸을 녹이기 위해 할멈의 방에 찾아든 영감이 동침을 요구하는데서 비롯된다. 이런 영감의 요구는 애정의 욕구에서 시작된 것이 아니고 슬쩍 던져본 실없는 농담에 가깝다고 할 수 있다. 두 사람의 갈등 전개과정에는 인간적인 체취와 해학이 묻어있다고 할 수 있다.

〈상사별곡相思別曲〉은 이세보(1832~1895)가 여주목사로 재임하던 시절에 지은 가사로 그의 시조집 『風雅』의 끝에 수록된 것이다. 이세보는 시조의 최다작가(459)로 단형가사도 지었는데, 여기에서 '임'은 이세보가 사랑의 불길을 보낸 여인으로 일련의 연군가와 그 위상이 다르다.

이 작품은 조선 후기 가사이면서도 32구의 단편으로 종행이 낙구로 처리되었고, 기본 음절율이 3·4조이며 4단으로 분단이 가능한 구조다. 또한 귀족현관貴族顯官이면서도 언어구사가 질박質朴하고 목눌木訥한 것이 특이하다. 그 처음을 보면 다음과 같다.

황민시절 셔난이별　　　상ㅅ일념 무한ㅅ는

만학단풍 느젓스니　　　져도나를 그리련이

구든언약 깁흔정을　　　인간의 일이만코

낸들어이 이젓슬가　　　됴물리 시긔런지

슴ㅎ삼츄 지나가고　　　운산이 머럿쓰니

낙목한쳔 쏘되엇늬　　　소식인들 쉬을손가

듸인난 긴한슘의　　　　흉중의 불니나니

눈물은 몟쳐런고　　　　구회간장 다타간다

　이렇게 시작한 노래는 처음에 시름과 그리움을 달래는 좌절감 속
에서 처절한 몸부림을 치다가 임과 다시 만날 한 가닥의 희미한 기대
감에 눈을 뜨고, 마지막에는 삼오야 밝은 달에 소회所懷를 풀어 버림으
로서 미몽迷夢과 허망虛妄에서 벗어나 서정적 분위기로 반전하면서 자
아구제가 이루어진다.

　동리 신재효(1812~1884)는 부친 때부터 고창현 경주인京主人 노릇과
관약방官藥房을 경영하면서 재산을 축적하여 호장戶長이 되었다. 이를
바탕으로 흉년에 진휼賑恤한 공과 경복궁 재건 때 원납전을 낸 공로로
정삼품의 품계를 받았으며, 그가 정열적으로 판소리를 연구하고 창자
唱者들을 지원한 것은 그의 신분상승 의지의 성취욕구를 위한 대상행
동代償行動으로 보고 있다. 그는 판소리사설과 창에 심혈을 기울여 서민
들의 애환을 해학과 풍자로 표현할 뿐만 아니라 제자를 길러 창극의
터전을 닦았다. 그가 배출한 수많은 명창들이 판소리 유파 전체에 끼
친 영향은 컸으며, 특히 경복궁 낙성식 때 〈成造歌〉를 부르게 한 제자
진채선이 1호 국창이 되기도 하였다. 동리가 지은 가사에는 〈오섬
가〉, 〈치산가〉, 〈도리화가〉 등 10여 편이 『신재효의 판소리사설집』에
전하고 있다.

〈오섬가烏蟾歌〉는 남편인 까마귀와 아내인 두꺼비가 중국과 우리나라의 역사상 인물들의 사랑과 이별의 애틋한 사연을 대화체로 읊은 것이다. 곧 중국의 초패왕과 우미인, 한태조(유방)와 척부인, 한무제와 이부인과의 사랑과 이별(死別) 등이다. 우리나라는 이도령과 춘향, 배비장과 애랑, 골생원과 매화 등의 사랑을 통하여 성을 타부시하는 위선적 관념과 유교적 도덕을 전면 부정하고 전락시키는 희극미가 표출되었다. 그 가운데 골선생과 매화의 관계를 노래한 부분을 소개하면 다음과 같다.

쏘한가지 우슬이리
강능칙방 골싱원을　　믹화가 속이라고
빅쥬에 슨사람을　　　거즛도이 죽엇다고
활신벽겨 압셰우고　　샹에뒤를 싸라가며
이사람도 건드리고　　져사람도 건드리며
주지에 방울츠고　　　달랑달랑 노는 것이
그못도한 굿실네라

또 〈도리화가桃李花歌〉는 동리가 제자 광대인 진채선을 연모하는 정을 읊은 가사다. '금풍이 쇼쇼ᄒ야 찬 믹맘이 들네난듸 외로운 손의 회포 이젼병이 더ᄒ고나 다른이ᄂ 병이 낫고 나난 엇지 아니 낫노'라고 하여 제자를 향한 연정이 향기처럼 은은하면서 완곡하게 그려져 있다. 노래의 끝부분을 들면 다음과 같다.

적벽강상 일엽주의　　셜당션싱 흥을계여
츄칠월 기망야의　　　빅션치고 노릿홀졔
포쥰의 흔잔슐노　　　죠밍덕을 죠상ᄒ고
청풍명월 쥬장ᄒ냐　　통쇼부러 질거ᄒ니

일딍문즁 만고풍유   지금까지 일너씨되
듀슌임 샌이엇지   철딍가인 업셧스니
언졔나 다시만나   쇼동파를 우어볼가

진채선은 무당의 딸로 17세에 신재효에게 발탁되어 판소리를 배워 최초의 여류 명창이 되었다. 경회루 낙성연 때 기예를 발휘하여 흥선 대원군의 총애를 받고, 결국 대원군의 첩실이 되었다. 이 때문에 신재효는 〈도리화가〉를 지어 제자에 대한 그리움을 읊게 된다. 진채선은 신재효가 중병에 들자 운현궁을 빠져나와 고창으로 내려와 스승의 임종을 맞았다고 한다.

파. 그 밖의 가사

이는 내용분류상 작품 수효가 적거나 관련된 작품이 없는 것들을 한데 묶은 가사다. 여기에는 〈명도자탄사〉, 〈세장가〉, 〈사백모〉, 〈사백부〉, 〈사자〉, 〈사처〉, 〈사향가〉, 〈사은가〉, 〈백발가〉, 〈동점별곡〉 등 10편이 있다.

〈명도자탄사命道自歎辭〉는 공인 남원윤씨(1768~1801)의 작으로 『哀從容』에 수록된 규방가사다. 한진구의 아내인 작가는 18세에 결혼하여 청빈한 시집살이를 꾸리면서 성효誠孝를 다하였으며, 병든 남편을 섬기다가 여의게 되니 〈명도자탄사〉와 유서를 남기고 백일 만에 순사殉死하였다. 이 노래는 열부의 노래로 문학사에 희귀한 슬픈 노래일 뿐만 아니라 기교적인 면에서도 뛰어난 것이다. 효부孝婦로서 금슬이 좋았던 남편을 잃은 슬픔이 절절한 일면을 다음에서도 볼 수 있다.

扁鵲이 無世上하니   華佗가 이슬소냐
정성이 천박하여   感天神祗 못하여라

怨讐 원수여	이들이날이 원수로다
이몸이 삼긴하늘	이날의 문허지니
익둛다 이내一縷	칼이업서 못죽는가
노히업서 못죽는가	인간의 못볼景象
일월이 깁흘수록	츠마싱각 못ㅎ거든
그싸어이 견듸여서	지금ᄀ지 사닷는고

이 가사는 망부亡夫를 향한 애절통한의 정을 읊은 것으로 이런 주제의 가사로는 최초의 작품이 아닌가 생각된다. 허난설헌의 〈규원가閨怨歌〉가 원부怨夫의 한을 읊은 것이라면, 이 작품은 망부를 따라가려고 하는 통한의 정을 읊은 가사다. 이는 정절만을 생명으로 살다간 수많은 여성들의 피맺힌 한의 문학으로 남게 된 것이다. 따라서 〈명도자탄사〉는 한 여인의 이야기가 아니라 조선사회의 고루한 도덕관이 빚어낸 대표적인 한恨의 문학으로, 조선시대 여인들이 겪어야 했던 숙명적 고통과 별한別恨을 노래하였다. 가사의 내용은 229구다.

〈세장가說場歌〉는 옥국재 이운영(1722~1794)이 51세 면천군수로 있을 때 새로 부임한 충청감사로부터 억울하게 해임된 것에 불만을 품고 쓴 36행의 단편가사다. 그 일부를 보면 다음과 같다.

너희 외죠 할아버지	긔나마 쥬어볼가
바질업슨 忠淸監司	壬辰年의 얼픗와셔
闕文노코 沔川郡守	날쪼추 보닉더니
이졔라도 싱각ᄒ면	뮙고뮙고 쏘뮙도다
古馬水營 生鰒이야	牙山平澤 黃石首魚
양지방죽 黃金鮒魚	두 눈굼기 말동말동
廣川쟝 비웃슨	ᄒ흔ᄒ니 데어두고

기다흔 낙지로셔	넙젹흔 곳게로셔
오즁어 쏠독이을	쉬오(蝦)를 딕바치라
이리조흔 海蔘眞味	쑴속으나 먹어 본가

이처럼 나열된 어류의 진미를 지역과 결부해 노래한 것이 특이하며, 면천군수 시절을 도잠陶潛의 고사에 비겨 '도연맹의 彭澤令을 가는 듯 도라오니'라고 읊으면서, 충청감사의 행위가 얄밉기 그지없다고 되뇌이고 있다.

〈사부모思父母〉, 〈思伯父〉, 〈思妻〉, 〈思子〉 등은 정조 때 안조환[원]이 34세에 추자도에 귀양 가서 약 2년 동안 겪은 괴로움을 노래한 유배가사인데, 그가 지은 〈만언사〉와 〈만언사답〉과 함께 전한다. 가람본에 따르면 〈사부모〉가 108구, 〈사백부〉 30구, 〈사처〉 88구, 〈사자〉 38구로 되었으며, 이에 대한 많은 이본들이 전하고 있다. 그 가운데 〈사부모〉의 일부를 소개하면 다음과 같다.

흔 거름의 흠번울고	두거름의 두 번우니
흔 거름 두거름에	길이 漸漸 머러가니
처량코 가련ᄒ다	이 닉몸 엇지ᄒ리
긴긴길로 울고가니	눈물 믹켜 못갈노다
가슴에는 담을싸코	두 눈에는 불을 현다
부모써나 오는 마음	닉 마음도 잇거니와
날보닉고 가진마음	부모마음 엇더실고

〈사향가思鄉歌〉는 죽국헌 김상직(1750~1815)이 고향인 전라도 장성에서의 안정된 생활을 그리워하는 가사다. 그가 59세 때 장수 팔공산으로 들어가 은거하면서 향리인 장성군 남면을 그리는 심정을 노래한

39구의 단편가사다. 그리고 도덕 교훈가사에 〈戒子詞〉도 함께 지었다.
그 일부를 보면 다음과 같다.

心神이 寂寞하야　　　故鄕을 불ㅇ즈고
八公山 노푼峰의　　　막디집고 올ㄴ가니
風景은 不殊ㅎ고　　　산천은 廣闊ㅎ다 (중략)
胡馬ㄴ 向北ㅎ고　　　越馬ㄴ 思南ㅎ니
微物도 져러커든　　　人情이야 오즉ㅎ리 (중략)
塵心을 못이기여　　　鄕縣을 싱각ㅎ니
산천은 눈에숨숨　　　향음은 귀에징징
어느히ㄴ 還鄕ㅎ야　　　故國風物 다시 볼고

〈사은가思恩歌〉는 김상직의 문생 천형복이 지은 가사로 『竹菊軒遺
稿』의 부록에 '先生入山後思恩歌'라는 제목으로 전한다. 이는 죽국헌
의 사후에 그를 추모하는 뜻을 담은 것으로 끝부분을 소개하면 다음
과 같다.

우리 受敎 諸生들아　　　어ㄴ스이 亂坐흐ㄴ가
朝夕勉學 눈에숨숨　　　주야교훈 귀에징징
家訓戒詞 깁픈 뜻은　　　紙上空言 샌이로다
思鄕曲 슬펴보니　　　故園物色 못이젓ㄴ
竹菊軒下 우리 諸員　　　門生禊를 면치 말고
常時에 뵈온 득기　　　千秋影堂 지어노코
生時畫像 모헤니여　　　終身虔奉 ㅎ여셔라

추담 남석하(1773~1853)의 시문집 『秋潭逸稿』에는 5편의 가사가 전
하는데(담양 원산면 남금희 소장), 〈백발가〉도 여기에 전하고 있다.

담양은 이서의 〈낙지가〉, 송순의 〈면앙정가〉 등이 '면앙정가단'을 형성한 이래 정철의 〈성산별곡〉, 〈사미인곡〉, 〈속민인곡〉 등이 모두 이곳에서 창작되었다. 이러한 전통을 이어 받은 이가 추담공이니 가사 5편을 지은 것은 결코 우연한 일이 아니다.

〈백발가白髮歌〉는 222구로 된 그의 만년의 작품으로, 작품의 중간에 한시는 물론 달거리 형식을 취하는 등 그 구성에 시가 장르의 혼합을 보이고 있음이 주목된다. 역대 훌륭한 인물들이 모두 백발을 이겨내지 못하고 북망산으로 돌아갔음을 아쉬워하며, 사람이 늙어지면 미인이나 맛있는 음식도 허사이니 늙기 전에 삶을 허송하지 말라는 탄로가다. 그 일부를 보면 다음과 같다.

時年七十 老萊子도	이白髮을 슬퍼ㅎ야
五色班衣 몸의입고	嬰兒戲弄 ㅎ여신니
이거시 뉘탓신냐	白髮의 네 탓시라
머리희여 白髮되고	귀밋희여 白髮되면
萬般珍羞 맛시업고	絶代佳人 情이업닉
君臣父子 永離別도	白髮의 네 탓시오
夫婦兄弟 永離別도	백발의 네 타시라
이러ㅎ나 저러ㅎ나	백발이 원수로다

〈동점별곡銅店別曲〉은 이용식(1854~1943)이 광산을 경영하며 광부들의 어려운 생활을 사실적으로 그린 266구의 노동가사다. 작가는 함남 갑산군 진동면 양류리(현 창동리)에서 농부 이종규의 장남으로 출생하여, 한학을 수학한 후 27세 때 고진동 동점(구리광산)의 중간관리로 3년간 활동하다 파산하였는데, 이런 체험들이 창작의 바탕이 되어 작품을 짓게 되었다.

이 작품은 19세기에 등장한 광산의 모습을 생생하게 보여 주었다. 가사 서두에는 지리적 배경을 사실적으로 나열하여 풍수지리에 근거한 지형과 지세가 묘사되었고, 작품의 대부분은 노동과정 및 생산관계를 진솔하게 묘사하였다. 또한 봉건세력을 대변한 무동별장과 신흥 부르주아계급의 이해관계를 대변한 관리자 사이의 대립도 잘 반영되어서 당시 자본주의 성장과정인 광산업의 모습과 비참한 광산노동자들의 생활을 보여준 것으로 문학사적 의의를 가진다. 그 결사를 소개하면 다음과 같다.

슬프다 고진동이　　　　億兆蒼生 다 죽인다
계축을묘 량년점에　　　活人生命 하더니
亡하연이 서북이요　　　죽고나던 동점이라
임술년에 개점하여　　　활인생명 고사하고
一人飽食 萬人害는　　　天苦天備 하리로다
泰山같이 굳은심사　　　아뤌곳이 전혀없어
이내곡조 들어보소　　　故鄕 생각 아니나오
이런 설화 다 못하고 수지 상편 그만두네

3. 문학사적 의의

이 시기는 영·정 조를 중심으로 한 조선조문화가 고도로 발달한 시기다. 청조의 강희와 건융의 발달한 문화의 영향을 받아, 사상적으로는 실학사상이 바람을 일으켰으며, 사회적으로는 서민계층이 자각함으로 해서 서민작가들이 많이 배출된 시대다.

이 전환기는 가사의 향유계층이 다양해지면서도 내용도 복잡해진다. 이 시기에 나타난 새로운 주제로는 실학의 영향으로 실제적 생활을 노래한 〈農家月令歌〉 같은 풍속권면가사가 나타났으며, 천주가사, 애정가사, 그리고 개화의 의지를 담은 동학가사가 등장하였다. 또한 전대로부터 계승된 강호한정, 유람기행, 연주충군, 도덕교훈, 장부호기, 우언풍자 등 다양한 내용의 가사가 창작되었으며, 작자층도 사대부 이외의 서민작가가 많이 등장하였다. 그들은 유교적 교훈보다는 인생의 본능적인 사랑이나 흥취를 주로 노래했으며, 그 어휘에 있어서도 속어를 거침없이 사용하였다.

이 시기의 중요한 가사작품으로는 영·정 때 이진유의 〈속사미인곡〉, 강응환의 〈무호가〉, 김인겸의 〈일동장유가〉, 안조환의 〈만언사〉가 있고, 순조 때 조성신의 〈개암가〉, 〈도산별곡〉, 그리고 헌종 때 한산거사의 〈한양가〉가 있다. 철종 때에는 최제우의 『용담유사』의 가사들, 김진형의 〈북천가〉, 그리고 고종 때 홍순학이 〈연행가〉를 지었는데, 이 시기에 창작된 유명씨의 가사는 150여 편에 이른다.

전기의 박인로의 가사가 파격을 이루기 시작하였다고 했으나, 이 시기에 와서는 더욱 적극적인 변화를 자아내고 있다. 즉 가사문학의 형식과 내용이 일부는 완전히 산문에 가까워지고, 다른 일부는 전통적인 민요 등의 영향으로 창의 부수적 창사唱詞로 변질되어 가고 있었다. 〈일동장유가〉, 〈한양가〉, 〈연행가〉 등은 가사의 산문적 성격이 지나칠 만큼 유감없이 발휘되었다. 그러나 가사의 운문적 성격, 즉 리듬은 음악적 창사로 크게 발전하였으니 '十二歌詞'를 형성함은 물론이려니와, 〈유산가〉·〈적벽가〉 등은 노래로 불리는 '잡가'로 발전하게 되었다.

이렇게 가사가 장형화되는데 대해서 조윤제는, 가사는 원래 산문 정신에서 나왔지마는 그 형식이 시가에서 분화되었던 만큼 처음에는 시가의 영역을 완전히 이탈하지는 못하다가 소설이 흥성한 영조시대를 넘어서면서 가사는 전대와 다른 면모로 새로운 발전을 하였고, 이것이 가사의 본래 모습이라면서 〈일동장유가〉(8,100구), 〈연행가〉

(3,924구), 〈한양가〉(1,622구), 〈북천가〉(1,410구) 등을 들어 예시하였다.

또 이 시기에는 서민가사와 내방가사가 흥성하였던 바, 서민가사는 17세기 말엽에 실학사상과 서민들의 각성을 배경으로 대두된 가사문학의 한 갈래다. 대부분이 작가미상인 서민가사는 다른 서민문학과 달리, 즉 사설시조, 판소리, 판소리계소설, 탈춤 등 보다 현실적 모순에 대한 저항이 직접적이고, 저항의 대상이 분명하여 적극적 폭로의 형태로 나타난 것이 특징이다. 이러한 서민가사의 영향은 양반가사에도 영향을 미쳐 위백규의 〈합강정선유가〉, 이운영의 〈순창가〉 등으로 이어졌다. 이러한 서민가사의 저항정신은 최제우의 『용담유사』와 후대의 '대한매일신보'에 수록된 우국가사, 그리고 의병들의 창의가사로 계승된다.

또한 내방가사도 18세기 이후에 성행되었는데, 이는 양반부녀들의 시가 장르로서 속박된 여성들의 고민과 정서를 호소하는 내용으로 이루어졌으며, 작품에는 여성 자신의 작품도 많으나 남성의 작품을 여성들이 전사轉寫 애독하는 것도 있다. 유명씨의 대표적인 내방가사로는 영조 때 전의이씨의 〈절명사〉, 남원윤씨의 〈명도자탄사〉 등이 있으며, 특히 안동 권씨의 〈반조화전가〉, 연안이씨의 〈쌍벽가〉와 〈부여노정기〉 등은 내방가사 중에서 주목되는 작품들이다. 이런 내방가사는 무명씨 작품이 수없이 많이 전하는데, 내용을 살펴보면 계녀가류, 경축가류, 풍류가류, 자탄가류 등으로 나누어진다.

그리고 전환기에 주목되는 것은 최제우의 『용담유사』에 수록된 가사들인데, 이것은 가사의 형식 속에 종교적 교리를 담고 있어서 교훈가사라고 하겠다. 여기서 최제우는 『용담유사』를 노래로 생각하기보다는 '글·말·문자·기록'으로 전제하고 가사를 가창하기보다는 '보고 읽기'를 분명히 하였다. 즉 최제우 당대 사람들은 가사를 노래로 생각한 것이 일반적인 생각이었으나, 그는 이를 과감하게 거부함으로 우리 시가문학사에 주목되는 변화를 시도하였다.

최제우는 동학사상에 바탕을 둔 서민대중을 위한 문학을 전개한 바, 당시 지배층의 권위를 완전히 부정하고 새로운 가치관이 이 세계를 지배하게 될 것이라는 개벽관開闢觀을 역설함으로서 수탈과 노역의 대상이었던 서민대중에게 희망을 주고 그들의 영원한 생명력을 크게 찬양하였다. 따라서 그의 문학사상은 엄청난 파급 효과로 일반화되었음은 동학교세의 확장속도로도 알 수가 있다. 최제우의 이러한 노력은 '독립신문', '대한매일신보' 등에 실린 개화가사에 영향을 크게 끼쳤다.

제6장 변전기(갑오경장~현재)의 가사문학

1. 시대적 배경

가사의 변전기變轉期는 갑오경장(1894)에서 오늘에 이르기까지 120여 년을 일컫는다. 이 시기에도 수많은 가사작품이 창작되었지만 형식이나 내용면에서 가사의 전통적·본질적 성격이 많이 변화하였기에 변전기로 설정하였다. 기존의 연구자들이 이러한 가사의 변화를 깊이 있게 보지 못하고, 가사가 쇠퇴한 것이라 하여 쇠퇴기라 하였다. 필자도 처음에는 그런가 했으나 현상을 자상하게 고찰한 바, 근대라는 거대한 물결의 소용돌이 속에서 구사일생으로 살아서 새로운 모습으로 솟아오른 오늘의 가사를 사람들이 몰라 봤던 것이다.

가사의 변화는 전환기부터 꾸준히 변모해 왔지만, 갑오경장 이후의 변화는 심상치 않았다. 이 시기의 가사는 전통율조의 형식에 애국계몽의 내용을 담은 개화가사로 변모하게 되었다. 따라서 개화가사는 분절법과 후렴구를 두게 된다. 이는 외래의 찬송가와 창가의 영향도 있었거니와 근대화의 열정과 독립의 의욕을 표현하기에는 긴장과 충동감을 주는 어휘나 반복에 의한 강조법의 기교가 넘치는 노래가 요청되었던 것이다.

물론 가사가 변전기를 맞게 되는 데는 정치·사회적으로 다양한 배경을 말할 수 있겠지만, 특히 서민의식과 산문정신에서 비롯된 근대문학정신에서 그 본령을 찾을 수 있다. 김윤식은 『한국문학사』에서 근대문학의 기점을 영·정조대로 보고, 이 시기는 사회의 구조적 모순을 언어로 표현하겠다는 언어의식과 새로운 장르 개척에서 찾고자 한데서 비롯되었다. 영·정조대는 신분제도의 혼란과 상인계급이 대두하기 시작하였고, 실학의 득세와 판소리, 사설시조, 소설 등 서민문학이 크게 발전되었다. 또한 인간 평등을 강조한 동학과 서학의 인내천사상人乃天思想이 근대문학의 기반을 형성하게 되었다. 따라서 근대의식의 성장은 영·정조대에서 개항까지로 볼 수 있으며, 계몽주의와 민족주의 시대는 개항에서 3.1운동에 이르는 기간으로 보았다. 특히 후자는 개화파의 계몽주의와 척사파斥邪派의 민족주의가 함께 노출된 시기로써 이 두 측면의 마지막 불꽃이 3.1운동이라 하였다.

여기에는 과거의 완강한 주자주의를 수정·개조하려는 진보주의자들과, 그것을 계속 유지하려는 보수주의자들의 대립이 있었다. 일찍이 청·구문명淸歐文明에 접한 북학파의 역관계급이 전자에 속하고, 주자주의 이념에 깊숙이 빠진 관인官人, 유림儒林, 농촌지식인 등이 후자를 이루었다. 이런 개화파와 척사파의 대립은 개항(강화도조약, 1876) 이후에 점차로 노골화되기 시작하여 갑신정변(1884)과 동학농민혁명(1894)에서 그 절정을 이루었다. 특히 1882년 영·미·독과 조약이 체결됨으로서 조선을 먼저 경제적으로, 다음은 정치·군사적으로 식민지화하려는 각국의 각축이 본격화되었다.

더구나 임오군란(1882) 후 청나라와 일본은 군대를 동원하여 자기의 이익을 지키기에 혈안이 되었으며, 갑신정변 후 일본의 세력은 주춤하였으나 이 땅에서 청·일 양 세력은 팽팽하게 대립하였다. 여기에 다시 러시아의 세력이 개입되어 중요한 경제적인 이권을 분할하기에 바빴다. 이런 가운데 폭정에 시달린 전라도 농민들은 전봉준을 수령으로 하여 '제폭구민除暴救民 보국안민輔國安民'의 기치를 앞세우고 봉기하였다. 불길처럼 퍼져가는 동학군의 기세는 한 때 금강을 넘어서 경향을 위협할 만큼 치열하였으나 외세의 개입으로 마침내 진압되고 말았다. 이를 계기로 청·일 양국은 한반도에서 무력으로 충돌하였고,

그 결과 전승한 일본은 이 땅에 친일정권을 수립하여 내정개혁이란 이름으로 강압적 간섭을 하였다.

이러한 개화의 움직임은 갑오경장에 이르러 제도적으로 무르익었다. 이는 최초의 동기가 일본의 강압에서 유래된 것이기는 하지만, 이것이 한국 자체의 근대적 각성과 연결되어 있었기 때문에 봉건사회가 근대사회로 전환하는 획기적인 분수령이 되었다. 1894년 7월에 23조로 된 사회개혁안이 일본의 조정에 의해 발표되었다. 개혁의 내용은 대부분 인권선언이며, 옛날의 인습을 일조에 뒤엎는 혁명적 사건이었다. 그러나 구질서의 파괴와 유교적 윤리관의 변동을 싫어한 유자들의 반발이 일어나 이 개혁은 실패하였다. 이어 친일 성격이 강화된 김홍집 내각에 의해 갑오년 12월 홍범14조의 개혁안이 선포되었다.

이는 개혁이란 이름 아래 일본이 계획대로 한국의 주권을 제약하고, 한국의 독립을 말살하려는 정치적 암흑성이 내포되었다. 1895년 청·일강화가 성립되고, 1904년에는 한·일의정이 체결됨으로 조국의 주권은 이미 침략을 당하기 시작하였다. 그리고 다음해 일본은 통감부를 설치함으로, 우리는 사실상 일본에 예속된 국민으로서 주권을 상실한 슬픔에 빠지게 되었다. 결국 대한제국 군대가 해산되고, 1910년에는 민족의 치욕인 경술년 국치를 당하게 되었다. 따라서 주권회복을 위한 항일운동은 계속되었고, 1919년 3.1운동에서 그 절정을 이루었다.

이 시기는 조선후기의 사회적 모순을 해결해야 하는 임무를 맡은 시대이지만 결국 나라를 잃게 된 비극의 시대가 되었다. 그러나 안으로는 자기 내부의 모순을 자인하고, 그것을 개화하려는 저작물들의 출현을 가능케 하였으며, 그것을 밖으로 드러내어 제도적으로 극복하려는 노력을 보여주는 시기이다. 밖으로는 선진문명의 섭취와 국권신장이라는 민족적 의식을 표방하고, 안으로는 민주사회의 출현과 시민문화의 구현이라는 민중적 의의를 기도한 개화사상은 김옥균, 유길준 등으로 계승되었다. 특히 유길준은 국어운동의 선각자로 학부대신으로 있을 당시(1894)에 모든 법률과 명령은 국문을 기본으로 삼고 국한문을 혼용하라는 칙령을 발표하였으며, 우리나라 최초 문법서인 『대한문전』을 간행하였다. 그리고 그의 『서유견문』은 비록 일본인의 『서양사정』에서 발췌·번역한 내용이라 할지라도 개화의 소망을 담은 최초의 계몽적 저술이었다.

국가와 민족을 구원하는 길이 문명사회의 개화와 자주독립에 있음을 강조하면서 나타난 현상 가운데 대표적인 것은 근대학교의 설립과 신문·잡지의 간행을 들 수 있다. 선교사들에 의해 설립된 배재학당(1885)은 우리나라 근대적 학교의 효시이며, 이화학당(1886)은 여성교육의 최초 기관이다. 그리고 정부는 육영공원育英公院(1886)을 세우고, 그것을 운영하기 위해 미국인 교사를 초빙하였다. 1905년 이후 각급 학교령이 제정되는데, 1906년에 사범학교령이, 1908년 고등여학교령과 사립학교령이 공포되어 1910년까지 인가된 사립학교 수가 2,400여 교에 이르렀다.

한편 박영효, 유길준 등이 근대적 신문의 최초인 '한성순보'(1883)를 간행하였다. 그 후 이는 '한성주보'(1886)와 '한성신보'(1894)로 발전하면서 일본의 기관지로 한국진출의 앞잡이 노릇을 하였다. 또 서재필이 창간한 '독립신문'(1896.4)은 최초의 현대식 한글판으로 어두운 정세 속에 봉화처럼 솟아올라 구국계몽救國啓蒙에 앞장섰다. 또 한글판으로는 최초의 일간지 '매일신문'(1898.1)은 민중의 대변지였으나 독립협회 사건으로 곧 폐간되고, 1905년에 창간된 '대한매일신보'는 국난에 처하여 국민의 여론을 선도하고, 일제에 항거하는 위협적인 존재였으며, '황성신문'(1898.9)과 더불어 국치의 날까지 항일의 선봉이 되었다. 이런 문화적 계몽과 더불어 한글판 성서 출판과 각종 회지와 잡지가 순국문체나 국한문혼용체로 간행되면서 점점 한문이 쇠퇴하게 되고 언문일치의 문체가 형성되었다.

이런 시대적 배경 속에 개화의 노래들은 수구와 우매에 대한 저항과 계몽의 노래로 시작되었다. 이는 개인적 서정의 노래가 아니라, 민족의 각성과 국가의 이상을 그 내용으로 하였다. 이 시기의 노래들 가사, 시조, 창가, 신시 등을 저항기의 시가라고 하겠는데, 특히 '대한매일신보'의 개화가사와 시조류, 〈경부철도가〉 등 창가류, 그리고 『소년』에 수록된 〈해에게서 소년에게〉 등 신시류에서 그런 모습을 볼 수 있다.

이 시기에 육당 최남선의 출현은 의의가 매우 크며, 『소년』(1908)에서 『청춘』(1914)에 이르는 종합교양지로서 발전은 새 시대의 문학적 성장을 실증해 주는 좋은 자료가 되었다. 개화문명을 위한 계몽적 지도자인 육당은 많은 시가를 창작하였는데, 창가, 신시, 시조 등 시가 전반에 걸쳐 활동했다. 한편 『소년』 후반기에 등장한 고주 이광수도 신시를 발표하였으며, 특히 『청춘』에 신소설을 발표하다가 근대적인 형태의 계몽적 단편소설 〈무정〉이 1917년 '매일신보(1910)'에 연재됨으로서 근대소설의 횃불을 밝혔다.

현대시 형성의 선구적 역할은 '태서문예신보'(1918.9)에서 찾을 수 있다. 이에 관하여 안서와 상아탑은 시에 대한 근대적 자각을 했던 바, 시에서 릴리시즘 우선으로 하였고, 개인적 정서를 표현하기 위한 새로운 운율의 모색과 실험을 하였다. 그리고 시어에 대한 자각과 프랑스 상징주의 시를 비롯한 외국문학 소개에 힘썼다. 이러한 시정신에 입각하여 5개월간 16호를 발간한 최초의 문예전문 주간지다.

이러한 일련의 성과들은 1910년대 시가 새로운 모습으로 발전하는 데에 큰 계기를 마련하였으며, 1920년대에 이르러서는 한국 현대시의 모태적인 역할을 맡았다. 이런 배경에는 김억의 〈봄은 간다〉(태서문예신보, 1918.11), 주요한의 〈샘물이 혼자서〉(『학우』, 1919.2)와 〈불노리〉(『창조』, 1919.2) 등 10여 편의 시는 한국 현대시의 새벽하늘을 더욱 붉게 물들게 하였다.

이후 시가문학은 새로운 양상으로 발전하게 되었다. 이런 와중에도 가사는 국난에 처한 민중에게 희망과 용기를 불어넣어 주었으며, 방황하는 민중에게 진로를 제시해 주었다. 가사는 그 장르적 특징이 개화기의 시대정신과 일치하여 더욱 중요시 되었으며, 일정한 사실을 기술하여 전달 또는 주장하는 교술의 기능이 있기에 초기에는 계몽이나 항일의 내용을 담는 가사가 많이 발표되었다. 개화가사는 '독립신문'(20여 편)과 '대한매일신보'(600여 편)에 특징적으로 수록되었다. 또 명성황후 시해(1895) 이후 각처에 의병이 일어나고 활동상황을 가사로 쓴 〈고병정가사〉, 〈신의관창의가〉, 〈의병가사〉 등 항일의병가사가 뒤를 이어갔다.

한편 '창가'는 우리 문학 장르라기보다 일본 음악가사로, 1920년 이전에 불러진 창가는 일본 곡에 가사를 지어 붙인 일본 창가의 음악어법을 모방·표절한 것이다. 따라서 창가는 우리 음악의 정체성과 거리가 멀 뿐만 아니라 우리 문학 장르로서 논의는 허무맹랑한 것이다. 20세기 초에 불러진 〈철도가〉, 〈학도가〉, 〈표모가〉 등의 작사와 작곡에도 일본 창가의 특징을 보이고 있다. 이는 일본 총독부가 자기의 창가를 보급하기 위하여 음악교과서인 『보통교육창가집』에 수록한 것이다. 1910년에 만든 교과서에도 27곡이 실려 있는데, 대부분 일본 창가집에 수록된 창가를 한국어로 번역하거나 새로운 가사를 붙여 수록한 것이다.

이 시기의 가사는 작품의 길이가 짧아지고, 한 작가가 다량의 작품을 지은 것을 볼 수 있다. 전자는 찬송가의 종교성, 현대시의 서정성, 긴장과 속도감을 요구한 시대성 등을 반영한 것이라면, 후자는 인쇄술의 발달로 개인 문집과 발표지의 발행에서 그 이유를 찾을 수 있다. 다작의 경우는 김주희(100여 편), 최송설당(50편), 문재근과 강대성(40여 편), 고단(29편), 이용목과 조애영(16편), 양추호(13편), 윤희순과 고원엽(9편) 등이 있다. 최근(1977)에도 조애영, 정임순, 고단 등이

『한국현대내방가사집』을 간행하고, 1991년 고단은 『소고당가사집』 상, 하권을, 1999년 『소고당가사속집』을 간행하였다.

그동안 가사는 인식과 표현의 규범을 벗어나 삶에 대한 자유롭고 개성적인 탐구를 하고자 부단히 변화하였다. 이제는 더 이상 음풍농월적인 완만성에 머물러 있을 수만은 없다. 형식에서는 적통가사의 율격을 계승하면서도 새로운 변화의 모습을 과감히 보여주고 있으며, 내용에도 다양성과 대중성을 지닌 근대문학 정신을 담아내려고 노력하고 있다.

우리의 전통시가인 시조와 가사는 외래음악인 찬송가와 창가의 영향으로 신시와 개화가사로 변모하였다. 특히 가사는 일제강점기의 고난을 읊어내는 항일의병가사와 시대적 역경을 서정적으로 풀어내는 대중가사(유행가, 트롯트, 뽕짝)의 모습으로 암울한 시대를 몸부림쳤으며, 해방과 더불어 오랜 침체기를 지나서 이제는 '오늘의 가사'로 거듭나고 있다.

21세기 들어서는 한국가사문학관이 개관되었고, 금년 들어 제21회 전국가사문학학술대회가 열릴 예정으로 있어, 전국 석학들이 한 자리에 모인 토론의 광장을 마련하고 있다. 이 대회를 통하여 700년의 역사를 가진 가사문학의 과거와 미래에 대한 꿈을 펼쳐 나가고 있다. 뿐만 아니라 『오늘의 가사문학』이란 계간지를 통하여 많은 작품이 창작·발표되고 있으며, '한국가사문학대상'이 제정되어 우수한 문청들이 몰려들고 있다. 또한 한국가사문학진흥위원회가 조직되어 오늘의 가사문학 발전에 뒷바라지를 맡고 있다.

2. 작가와 작품

여기에서 다루고자 한 변전기 유명씨 가사작품은 총 599편이다. 이

를 내용적으로 분류하면, ㉮ 장부호기가사, ㉯ 풍속권면가사, ㉰ 유람
기행가사, ㉱ 풍물서경가사, ㉲ 송축추모가사, ㉳ 우국계몽가사, ㉴ 포
교신앙가사, ㉵ 회고서사가사, ㉶ 도덕 교훈가사, ㉷ 그 밖의 가사 등
10종으로 나누었다. 이 시기의 유명씨 가사작품을 총람해 보면 다음
〈표8〉과 같다.

〈표8〉 변전기 가사작품 총람표

번호	작품명	지은이	지은 때	내용	출전 및 참고문헌	비고
1	강릉화전가	이구자	1895	풍속	필사본	
2	농서별곡	권광범	1895경	연정	〃	
3	춘유곡	김낙기	1895	기행	석판본	
4	붕어증	윤희순	1895	우국	가정록(필)	
5	병정노릭	〃	1896	〃	〃	
6	병정ㄱ	〃	〃	〃	〃	
7	은스룸으병ㄱ노릭	〃	〃	〃	〃	안사람의병가노래
8	이달픈노릭	〃	〃	〃	〃	
9	신식투령	〃	1923전	자탄	와당선생삼세록	身世打令
10	춘실가	〃	〃	〃	〃	春風歌
11	홍씨부인계여사	남양홍씨	1896	교훈	강전섭장(필)	이방현부인
12	고병정가사	류홍석	〃	창의	외당집	항일의병가사의 효시
13	회심가	민용호	〃	〃	관동창의록	
14	근경가(근경가)	이진용	〃	송축	아악부가집(필)	농운유고 권4
15	낙치가	〃	1902	개탄	농운유고 권4	
16	금침가	조호식	1897	기독	신학전망 26호	
17	비창가	이용목	1898	자탄	백석만성가(필)	悲愴歌
18	상사곡이라	〃	〃	연정	〃	
19	선악가라	〃	〃	교훈	〃	
20	안혼탄이라	〃	〃	자탄	〃	眼昏歌
21	어부가	〃	〃	은일	〃	
22	연연가라	〃	〃	상사	〃	戀戀歌
23	우치가라	〃	〃	풍자	〃	愚癡歌
24	원약가	〃	〃	자탄	〃	願藥歌

25	주쇼가	//	//	교훈	//	自笑歌
26	절누가라	//	//	은일	//	
27	쳐ᄉ가라	//	//	//	//	
28	츈몽가라	//	//	사쳐	//	
29	탄속가라	//	//	교훈	//	歎俗歌
30	탄인가	//	//	//	//	歎人歌
31	춘실가	//	//	사쳐	//	春虱歌
32	노환가라	//	//	자탄	//	老鰥歌
33	다정화가라	//	//	풍자	//	多情花歌
34	돈셰가	//	//	은일	//	遯世歌
35	성당가	김기호	1898	기독	사목 39호	
36	화류가	김현중	19C	취락	치암집(서울대본)	
37	강산편답가	신태식	1900전	기행	필사본	일명 답산가
38	신의관창의가	//	1919	창의	//	
39	애연가	진보이씨	1900전	연정	은촌내방가사집	
40	유일록	이태식	1902	기행	유람가(국립도)	일명디일본유람가
41	가역비장	성낙윤(외2인)	1905	우국	대한매일신보 41호	
42	문충정공혈죽기	이학준(외7인)	1906	조애	// 287호	
43	자탄가	문베드로	//	기독	경향잡지	김진소 장
44	울도선경가	박시옹	//	경물	필사본	
45	일본류학가	윤정하	//	기행	유학실기	
46	충고가	장계택	//	계몽	태극학보 창간호	
47	수심가	//	1908	한정	// 20호	
48	용문가	류주보의 여	1907	풍경	필사본	
49	사상팔변가	정재홍	//	우국	대한매일신보 552호	
50	생욕사영가	//	//	//	//	
51	추탁서	//	//	//	//	
52	취업진보사	강홍두	//	계몽	// 440호	
53	무제	고만종,김태원	//	우국	// 36호	
54	일심가	김경지	//	//	// 5호	
55	진보가	이용근	//	//	// 134호	
56	언문신보를치하홈	박영신	//	송축	// 3호	
57	통곡경고가	송성순	//	계몽	// 458호	
58	무제	//	//	//	//	

59	일심가	이우혜	〃	〃	〃 106호	
60	회춘가	정우혜	〃	우국	〃 107호	
61	국채보상가	이병덕,김인화	〃	계몽	〃486호	
62	국문신보구람권고가	최긔현	〃	〃	〃 10호	
63	시스분탄가	〃	〃	애국	〃 12호	
64	비추사	송욱현	〃	〃	태극악보 13호	
65	권효가	이건승	1907경	교훈	이씨계녀사(국립도장)	
66	계명의숙가	〃	1907	송축	필사본	
67	계명의숙창립기념가	〃	〃	교훈	〃	
68	화구곡가	〃	1908	〃	대한매일신보 27호	
69	水火相連歌	〃	〃	〃	룡천검 28호	
70	서행별곡	〃	1911	개탄	서행별곡첩	
71	권학가	〃	〃	교훈	필사본	
72	태황제각하만수절가	〃	1923	송축	〃	
73	근면가	정수원	1907	계몽	대한매일신보 459호	
74	개명가	〃	1908	〃	〃376호	
75	경고일폭	〃	〃	〃	〃 95호	
76	애세십탄	정춘일	〃	우국	〃 782호	
77	득의천지	이중민	〃	풍자	〃 743호	
78	태평책	이태일	〃	교훈	명암문집(필)	
79	오도가	〃	〃	〃	〃	
80	녀자지남찬송	류영준	〃	계몽	대한매일신보345호	
81	신세를탄식하는노래	김정태	〃	기독	경향신문 1980,11,27	
82	화구곡도가	박양원	〃	경세	대한매일신보 727호	
83	학도가	이창성	〃	교훈	〃 181호	
84	경 고 재 경 가	최정현	〃	경세	〃 410호	
85	화구곡가	문재목	〃	〃	〃 724호	
86	경고청년	고취상	1909	계몽	한말우국경시가(활)	
87	성의학교	최종선	〃	기독	경향신문 1909,9,17	
88	시물지변	이해생	〃	우국	한말우국경시가(활)	
89	관세유감	〃	〃	〃	〃	
90	권고애독	김화경	〃	계몽	대한매일신보 1041호	
91	경세가	류석용	〃	〃	〃 1042호	
92	근화대한매일신보	김태권	〃	〃	〃 1074호	
93	도가일문	서채	〃	우국	한말우국경시가(활)	

94	도가	〃	〃	〃	〃	
95	사인여천가	〃	〃	〃	〃	
96	대지유람가	장학고	〃	기행	필사본	일명 역대취몽가
97	수납종성가	강일순	1909전	동학	동학입문(홍)	
98	단체보국가	양제일	〃	계몽	필사본	
99	학생진보가	〃	〃	〃	〃	
100	농부가	양추호	〃	권면	추호문고(필)	
101	개교가	〃	〃	송축	〃	
102	건원절경축가	〃	〃	〃	〃	
103	곤원절경축가	〃	〃	〃	〃	
104	천추경절경축가	〃	〃	〃	〃	
105	태황제만수성절경축가	〃	〃	〃	〃	
106	태황제남남순시지영가	〃	〃	〃	〃	
107	은사금기념장경축가	〃	〃	〃	〃	
108	개국기원절경축가	〃	〃	우국	〃	
109	보 국 단 체 가	〃	〃	계몽	〃	
110	진보가	〃	〃	〃	〃	
111	경축동명학교가	〃	〃	〃	〃	
112	동명학교명자가	〃	〃	〃	〃	
113	격가	김수용	〃	창의	진중일기	
114	격중가	이석용	〃	〃	창의일록	
115	애국가	남상은	1909	기독	경향신문 1월	세례명: 마두
116	계주가	〃	〃	〃		
117	천당가	〃	1910	〃	남마두가첩	
118	십자성가찬시가	〃	〃	〃	〃	
119	애주애인가	〃	〃	〃	〃	
120	극난가	〃	〃	〃	〃	
121	반절가(국문가)	〃	〃	〃	〃	
122	예수성탄경하가	〃	〃	〃	〃	
123	예수부활찬송가	〃	1913	〃	경향잡지	
124	경세가	박준호	1910	〃	경향신문 4,15	
125	상애가	김창준	〃	〃	〃 5,13	
126	종친척사가	박정노	〃	풍속	필사본	
127	조손별서	김우락(의성김씨)	1914	이별	〃	이상용의 부인
128	유산일록	의성김씨	1911	기행	〃	이중업의 부인

129	옥중호걸	이광수	1910	우국	대한홍학보 9호	
130	한양가	김호직	1910후	역사	석판본	일명이조오백년 사화
131	내범교훈가	이철영	1911	교훈	내범요람	
132	수연영하찬문	박내사	1912경	송축	필사본	
133	두견문답설화가	〃	〃	조애	〃	
134	법문곡	경허스님	〃	불교	경허가(활)	일명 호시곡
135	참선곡	〃	〃	〃		
136	가가가음	〃	〃	〃	〃석문의범	
137	별별가	서재양	1912	기독		
138	예수부활가	〃	〃	〃		
139	성모성탄가	〃	〃	〃		
140	예수성탄가	〃	〃	〃		
141	성신강림가	〃	〃	〃	박동헌 가첩	
142	태평가	〃	〃	〃		
143	성모승천가	〃	〃	〃		
144	허탄가	〃	〃	〃		
145	자신책가	김락호	〃	〃	사목 39호	
146	문소김씨세덕가	김조식	〃	역사	필사본	
147	뉴산일록	〃	〃	경물	〃	
148	귀일가	최취허	〃	불교	조선불교월보 8호	
149	기념가	김정혜	〃	〃	〃 7호	
150	위모사	이호성	1912후	이별	오늘의 가사문학 3호	
151	예수성탄가	이두종	1913	기독		
152	분통가	김대락	〃	우국	백하일기	
153	한양가	사공수	〃	역사	필사본	일명 한양오백년가
154	감사가	최바오로	〃	기독	경향잡지 7권	
155	신년축하회사	〃	1916	〃	〃 10권	
156	성탄가	김기동	1913	〃	김기동 가첩	
157	민주교찬송가	〃	〃	〃	〃	
158	사죄가	〃	〃	〃	〃	
159	도해신전	박동헌	1914	〃	박동헌 가첩	
160	경주가	〃	〃	〃	〃	
161	춘산완시	〃	〃	〃	〃	
162	성연론	〃	〃	〃	〃	

163	산내입경	정재철	1915	경물	필사본	
164	대방광불화엄경 판각광대모연가	설향스님	〃	불교	〃	
165	신전가	김바시리오	〃	기독	경향잡지 9권	
166	잡지열람권고가	장요셉	〃	〃	〃	
167	성모승천권고가	전라파엘	〃	〃	〃	
168	역대가	단 향	〃	우국	학지광 5호	
169	성로선공가	이스테파노	1916	〃	경향잡지 10권	
170	중광가	나 철	1916전	대종교	필사본	
171	난세가	〃	〃	자탄	〃	
172	대한복수가	김두만	1918	창의	〃	
173	불량자경고가	최찬식	〃	우국	반도시론 2호	일본 간행
174	명도강습찬송가	박요한	1919	기독	경향신문 6,10	
175	인산가	김영찬	〃	애도	필사본	
176	권농가	〃	1933전	근농	〃	
177	몽중문답가	손병희	1921	동학	〃	
178	무하사	〃	〃	〃	〃	
179	갈현성묘	최송설당	1921전	성묘	송설당집(석)	
180	감은	〃	〃	조애	〃	
181	국화	〃	〃	화훼	〃	
182	김해회고	〃	〃	풍물	〃	
183	김해회고					
184	농자대본	〃	〃	권농	〃	
185	동지야	〃	〃	탄로	〃	
186	난초	〃	〃	화훼	〃	
187	명월	〃	〃	명월	〃	
188	모란화	〃	〃	화훼	〃	
189	무조산성묘	〃	〃	성묘	〃	
190	발환경제	〃	〃	기행	〃	
191	백설	〃	〃	절조	〃	
192	백현급봉학산성묘	〃	〃	성묘	〃	
193	봉선화	〃	〃	화훼	〃	
194	분죽	〃	〃	〃	〃	
195	석류	〃	〃	〃	〃	
196	선묘입석경영	〃	〃	숭배	〃	

197	송정감회	〃	〃	탄로	〃	
198	송운동운석	최송설당	〃	경계	〃	
199	술지	〃	〃	여탄	〃	
200	실솔	〃	〃	충물	〃	
201	낙수동	〃	〃	송축	〃	
202	영도사상연화	〃	〃	화훼	〃	
203	추야감회	〃	〃	고독	〃	
204	한선	〃	〃	충물	〃	
205	한양성중유람	〃	〃	풍물	〃	
206	해당화	〃	〃	화훼	〃	
207	향일화	〃	〃	〃	〃	
208	홍매	〃	〃	〃	〃	
209	희우	〃	〃	송우	〃	
210	유민	〃	〃	탄로	〃	
211	한락엽	〃	〃	〃	〃	
212	감회	〃	〃	〃	〃	
213	서회	〃	〃	자탄	〃	
214	자감	〃	〃	〃	〃	
215	무궁화	〃	〃	화훼	〃	
216	파초	〃	〃	〃	〃	
217	수선화	〃	〃	〃	〃	
218	근친	〃	〃	회향	〃	
219	우음	〃	〃	한정	〃	
220	자술	〃	〃	자전	〃	
221	창송	〃	〃	절조	〃	
222	청암사	〃	〃	경물	〃	
223	청포도	〃	〃	화훼	〃	
224	춘풍억향원	〃	〃	회향	〃	
225	추감	〃	〃	조애	〃	
226	관성교찬성기	김용식	1922	기독	유인본	
227	경탄가	이의박	〃	서사	필사본	
228	전별축사	심의철	1923	기독	경향잡지 17권	
229	환영가(지신부)	최영철	〃	〃	〃	
230	경심장	김주희	1925	동학	창덕가(목)	
231	부자자효장	〃	〃	〃	〃	

232	부화부순장	〃	〃	〃	〃	
233	봉우유신장	〃	〃	〃	〃	
234	성심장	〃	〃	〃	〃	
235	형우뎨공장	〃	〃	〃	〃	
236	건도문	〃	1929	〃	창선가(목)	
237	경세가	〃	〃	〃	상화대명가(목)	
238	경운가	〃	〃	〃	〃	
239	경춘가	〃	〃	〃	춘수가(목)	
240	경화가	〃	〃	〃	〃	
241	권선치덕가	〃	〃	〃	도덕가(목)	
242	논학가	〃	〃	〃	〃	
243	대운가	〃	〃	〃	춘수가(목)	
244	몽각명심가	〃	〃	〃	도덕가(목)	
245	몽중가	〃	〃	〃	상화대명가(목)	
246	몽중운동가	〃	〃	〃	경운가	
247	사시조화풍	〃	〃	〃	권농가	
248	삼신산청림사명혜대사결	〃	〃	〃	춘수가	
249	상작서	〃	〃	〃	경운가	
250	상작서하	〃	〃	〃	〃	
251	송구영신가	〃	〃	〃	하역	
252	수덕활인경세가	〃	〃	〃	〃	
253	타시경세가	〃	〃	〃	도덕가	
254	타시경찰가	〃	〃	〃	창도가	
255	시절가	〃	〃	〃	창선가	
256	신실시행가	〃	〃	〃		
257	신화가	〃	〃	〃		
258	심성화류가	〃	〃	〃	창선가	
259	심수가	〃	〃	〃	춘수가	
260	연시가	〃	〃	〃	〃	
261	은신가	〃	〃	〃	〃	
262	잠심가	〃	〃	〃	창선가	
263	지본수련가	〃	〃	〃	〃	
264	직분가	〃	〃	〃	도덕가	
265	춘몽가	〃	〃	〃	춘수가	
266	츄본슈덕가	〃	〃	〃	도덕가	

267	도덕문	〃	〃	〃	직분가	
268	환도유심급가	〃	〃	〃	창선가	
269	경시가	〃	1932	〃	창도가	
270	경탄가	〃	〃	〃	임하유서	
271	관시가	〃	〃	〃	명찰가	
272	관시격물가	〃	〃	〃	어부사	
273	군의신충장	〃	〃	〃	창덕가	
274	궁을가	〃	〃	〃	〃	
275	궁을신하가	〃	〃	〃	〃	
276	궁을십승가	〃	〃	〃	〃	
277	근농가	〃	〃	〃	상화대명가	
278	신심장	〃	〃	〃	창덕가	
279	안심경세가	〃	〃	〃	창도가	
280	안심경찰가	〃	〃	〃	명찰가	
281	연월가	〃	〃	〃	임하유서	
282	오행시격권농가	〃	〃	〃	〃	
283	오행찬미가	〃	〃	〃	창도가	
284	운산몽중서	〃	〃	〃	몽중서	
285	원시가	〃	〃	〃	상화대명가	
286	육십화갑자가	〃	〃	〃	임하유서	
287	인선수덕가	〃	〃	〃	〃	
288	자고비금	〃	〃	〃	신화가	
289	자고비금가	〃	〃	〃	궁을신화가	
290	즈고비금쟝	〃	〃	〃	창덕가	
291	지본일신가	〃	〃	〃	창도가	
292	지시명찰가	〃	〃	〃	〃	
293	지시수덕가	〃	〃	〃	신실시행가	
294	지시안심가	〃	〃	〃	창도가	
295	지지가	〃	〃	〃	임하유서	
296	천지부부도덕가	〃	〃	〃	궁을십승가	
297	청운거사문동요시호가	〃	〃	〃	택선수덕가	
298	춘강어부사	〃	〃	〃	어부사	
299	택선수덕가	〃	〃	〃	〃	
300	팔패변이가	〃	〃	〃	상화대명가	
301	해동가	〃	〃	〃	몽중서	

302	화류가	〃	〃	〃	어부사	
303	명찰가	〃	〃	〃	〃	
304	심학가	〃	〃	〃	〃	
305	안심치덕가	〃	〃	〃	〃	
306	창명가	〃	〃	〃	〃	
307	상화딕명가	〃	〃	〃	경운가	
308	춘션가	〃	〃	〃	성경대전	
309	금강산운수동궁을 선사몽중사답칠두가	〃	〃	〃	명찰가	
310	도성가	〃	〃	〃	임하유서	
311	명운가	〃	〃	〃	몽중서	
312	몽각허중유실가	〃	〃	〃	허황가	
313	몽경가	〃	〃	〃	어부사	
314	스시조화풍	〃	〃	〃	시격권농가	
315	산수완경가	〃	〃	〃	명찰가	
316	수덕천선가	〃	〃	〃	창도가	
317	슈신가	〃	〃	〃	시경가	
318	시경가	〃	〃	〃	〃	
319	시세가	〃	〃	〃	택선수덕가	
320	시운가	〃	〃	〃	창덕가	
321	시호가	〃	〃	〃	상화대명가	
322	신실시행가	〃	〃	〃	〃	
323	신심권학가	〃	〃	〃	신심편	
324	신심성경가	〃	〃	〃	〃	
325	신심시경가	〃	〃	〃	〃	
326	산촌향가	조애영	1925	역사	은촌내방가사집	
327	일월산가	〃	〃	〃	〃	
328	울분가	〃	1930	〃	〃	
329	금강산기행가	〃	〃	기행	〃	
330	꽃노래	권오현	1950전	항일	오늘의 가사문학 6호	
331	신혼가	조애영	1932	지탄	은촌내방가사집	
332	한양비가	〃	1960	역사	〃	
333	학생의거혁명가	〃	〃	〃	〃	
334	육여사환영회가	〃	1963	충고	〃	
335	사우가	〃	1964	사우	〃	

322

336	한국남녀토론회가	〃	〃	계몽	〃		
337	소비층지도가	〃	1967	〃	〃		
338	골동품애무가	조애영	1970	서정	은촌내방가사집		
339	고서화찬미가	〃	〃	〃	〃		
340	귀향가	〃	1971	송축	〃		
341	귀거래가	〃	〃	자탄	〃		
342	축수연가	〃	〃	송축	〃		
343	석별가	〃	1977	이별	한국현대내방가사집		
344	소고당가화답가	〃	〃	송축	〃		
345	몽유가	김홍기	1926	애국	석판본		
346	석존일대가	이응섭	1927	불교	불교 35호		
347	광산김씨세덕가	김영중	〃	역사	필사본		
348	화전가	채인식	1928	한정	〃		
349	회갑가	대포리윤씨부인	1928(?)	송축	〃		
350	혜탈곡	학명스님	1929전	불교	백농유고(내장사장)		
351	신년가	〃	〃	〃	〃		
352	왕생가	〃	〃	〃	〃		
353	원적가	〃	〃	〃	〃		
354	망월가	〃	〃	〃	〃		
355	참선가	〃	〃	〃	〃		
356	천등산화전가	권기섭	1929	풍류	필사본		
357	축가(교구장취임)	김사베리오	〃	기독	경향잡지 23권		
358	성모성월	공평생	〃	〃	〃		
359	성모님께	〃	1932	〃	〃 26권		
360	금강산유람기	장상일	1930	기행	필사본		
361	오륜가	황전포립	1930경	교훈	활판본		
362	국감별곡	이씨부인	1920-40	연정	필사본		
363	안주교가하환영가	하스레왕	1930	기독	경향잡지 24권		
364	정월초팔일강화	고원화	〃	侍天	룡천검 29호		
365	산수선경가	〃	1935	〃	〃 30호		
366	봉룡합덕가	〃	〃	〃	〃		
367	부유삼덕가	〃	〃	〃	〃 32호		
368	정심가	〃	〃	〃	〃 28호		
369	농부가	〃	〃	〃	〃		
370	선녀직금가	〃	〃	〃	〃 29호		

371	신묘창운가	〃	〃	〃	〃 31호	
372	몽중구경가	〃	〃	〃	〃35호	
373	회문산내맥가	강대성	1930경	갱정유도	符應經	
374	팔자가	〃	〃	〃	〃	
375	삼자가	〃	〃	〃	〃	
376	연년길흉가	〃	〃	〃	〃	
377	음양합심가	〃	〃	〃	〃	
378	하성부지가	〃	〃	〃	〃	
379	병리춘풍가	〃	〃	〃	〃	
380	태극가	〃	〃	〃	〃	
381	풍수춘흥가	〃	〃	〃	〃	
382	만민일심비회가	〃	〃	〃	〃	
383	천하춘회심가	〃	〃	〃	〃	
384	천지부모도덕가	〃	〃	〃	〃	
385	도덕가	〃	〃	〃	〃	
386	천야인야집필가	〃	〃	〃	〃	
387	문화가	〃	〃	〃	〃	
388	천황검용성가	〃	〃	〃	〃	
389	선동가	〃	〃	〃	〃	
390	동요가	〃	〃	〃	〃	
391	구궁환정구구가	〃	〃	〃	〃	
392	춘몽	〃	〃	〃	〃	
393	시험판가	〃	〃	〃	〃	
394	광부가	〃	〃	〃	〃	
395	평화가	〃	〃	〃	〃	
396	농부초군지게타령	〃	〃	〃	〃	
397	도치가	〃	〃	〃	〃	
398	심우가	〃	〃	〃	〃	
399	경전가	〃	〃	〃	〃	
400	우단가	〃	〃	〃	〃	
401	철곡가	〃	〃	〃	〃	
402	승지가	〃	〃	〃	〃	
403	환정설가	〃	〃	〃	〃	
404	태극기건립강선가	〃	1930경	갱정유도	〃	
405	기계가	〃	〃	〃	〃	

406	설운가라	〃	〃	〃	〃	
407	소경탄식가	박제원	1931	기독	경향잡지 4,5	
408	사말추론가	〃	〃	〃	〃 6,7	
409	통회사	〃	〃	〃	〃	
410	삼강오륜자경곡	정인찬	〃	교훈	석판본	일명 오륜가
411	진성이씨세덕가	이동춘	〃	역사	필사본	
412	백주년략사가	남상철	1932	기독	경향잡지 26권	
413	봄의노래	오규회	〃	경물	별곡설집(필)	
414	반도자랑가	〃	〃	송찬	〃	
415	예천별곡	〃	〃	자탄	〃	
416	경성별곡	〃	〃	경물	〃	
417	영동팔경곡	〃	〃	기행	〃	
418	청춘이사친별곡	〃	〃	교훈	〃	
419	이보무모은중곡	〃	〃	〃	〃	
420	회심별곡	〃	〃	〃	〃	
421	히인사유람가	정효리	1934	기행	필사본	
422	용천검사상가	박승열	1935	시천	룡천검 32호	
423	몽중가	이옥례	〃	〃	〃 30호	
424	천지인삼재가	정동석	〃	〃	〃 29호	
425	강화	남수월	〃	〃	〃 30호	
426	경련순련가	김환덕	〃	〃	〃	
427	허중유실진흥가	이해영	〃	〃	〃 32호	
428	시천가	이웅종	〃	〃	〃	
429	시골여자섦은사정	영양남씨	〃	자탄	필사본	
430	농심가	정기연	〃	시천	룡천검 29호	
431	춘경가	이동섭	〃	〃	〃 28호	
432	삼재정로가	이진우	〃	〃	〃 31호	
433	청림도각가	〃	〃	〃	〃 29호	
434	본심통명신불신가	〃	〃	〃	〃 30호	
435	구모용담풍경가	〃	〃	〃	〃 27호	
436	도덕가	류황석	〃	〃	〃 30호	
437	몽듕춘풍가	〃	〃	〃	〃 27호	
438	삼재가	〃	〃	〃	〃 28호	
439	시천가	양정묵	〃	〃	〃 29호	
440	시천행도가	〃	〃	〃	〃 30호	

441	궁을영부가	박성기	〃	〃	〃 29호	
442	선후천도덕진리가	〃	〃	〃	〃 32호	
443	산하대운가	이민제	〃	〃	〃 29호	
444	호작선연가	〃	〃	〃	〃 30호	
445	오장난리가	〃	〃	〃	〃35호	
446	영업공부생활가	김창선	1935	〃	〃29호	
447	일신도덕가	〃	〃	〃	〃 34호	
448	파자대전가	정동식	〃	〃	〃 29호	
449	하청봉명가	〃	〃	〃	〃 28호	
450	반절천문가	〃	〃	〃	〃 30호	
451	교지정신효문가	〃	1936	〃	〃 35호	
452	몽번목맥가	변영수	1935	〃	〃 30호	
453	천지개벽가	〃	1936	〃	〃 35호	
454	시천행도가	최무현	〃	〃	〃 33호	
455	권도가	김규태	〃	〃	〃 35호	
456	축룡천검노래	한봉석	〃	〃	〃 34호	
457	강시	류길수	〃	〃	〃 33호	
458	시경가	황규현	〃	〃	〃 35호	
459	청남가	이옥정	〃	〃	〃 33호	
460	새노래를불러보자	김문기	〃	〃	〃 34호	
461	룡천검이조을시고	안용열	〃		〃	
462	룡천검가	동 춘	〃	〃	〃 33호	
463	고흥류씨세덕가	류제한	1937	역사	필사본	
464	눈물뿌린이별가	김우모	1965전	이별	오늘의가사문학 6호	
465	오류가	최종범	1940	교훈	야담 7호	
466	형승가	기장현	1940경	경물	평재실기(석)	
467	덕평별곡	〃	1947경	〃	〃	
468	농부가	〃	1950전	권농	〃	
469	꽃타령	〃	〃	화훼	〃	
470	성도가	권상로	1945전	불교	석문의범	
471	열반가	〃	〃	〃	〃	
472	학도권면가	〃	〃	〃	〃	
473	성탄경축가	〃	〃	〃	〃	
474	담배타령	김태욱	〃	경물	〃	
475	참선곡	송만공	〃	불교	만공어록	

476	도산속곡	이화성	1946전	모현	필사본	
477	삼일절경축사	문재근	1949	송축	팔자시집오현금	
478	8.15 경축가	〃	〃	〃	〃	
479	백범김구선생 국민장에 제하여	〃	〃	조애	〃	
480	해공신익희선생 영서를 애도함	〃	〃	〃	〃	
481	애통고사	〃	1958	〃	〃	
482	안의룡추사탐승기	〃	〃	기행	오현금(활)	
483	가야산해인사유람기	〃	〃	〃	팔자시집오현금	
484	여강이처사고별식에	〃	1959	조애	〃	
485	수승당기	〃	〃	기행	〃	
486	충무고적및명승편람기	〃	〃	〃	〃	
487	안의농월정소풍기	〃	〃	풍류	〃	
488	애통고사(2)	〃	〃	조애	〃	
489	경주고적관람기	〃	1960	기행	〃	
490	곡우일에등지금산기	〃	〃	〃	〃	
491	박태암씨삼일훈서	〃	〃	찬양	〃	
492	제인숙벽진이공병기씨소상	〃	1961	조애	〃	
493	사월혁명기념사	〃	〃	송축	〃	
494	거창장공동춘씨 고별식에 조곡함	〃	1962전	조애	〃	
495	근송운호이규갑선생회갑	〃	〃	송축	〃	
496	추도사	〃	〃	조애	〃	
497	순직한사우최정 한별식에제하여	〃	〃	〃	〃	
498	지례김홍식형수 연을 축하함	〃	1962	송축	〃	
499	고별사	〃	〃	조애	〃	
500	금산재종성근소 상에 제하여	〃	〃	〃	〃	
501	처사성제정공공 모씨영전에곡함	〃	〃	〃	〃	
502	증별마산지점차장윤종문 씨부부산운송부장	〃	〃	송축	〃	
503	곡망자희갑애사	〃	〃	조애	〃	

504	심산김창숙선생 사회장을 보고	〃	〃	〃	〃	
505	서제기처부대상문	〃	〃	〃	〃	
506	5.16제2혁명을 보고	〃	〃	송축	〃	
507	삼각산우이동소풍기	〃	〃	한정	〃	
508	여제기친모문	〃	〃	조애	〃	
509	달성서공휘태규씨 고별식에 조곡함	〃	〃	〃	〃	
510	거창견계정기	〃	〃	경물	〃	
511	오일육군사혁명제 일주년산업전람회	〃	〃	찬양	〃	
512	오일육혁명기념일 에 고궁을 찾으면서	〃	〃	경물	〃	
513	해인사유람기	〃	〃	기행	〃	
514	전주류씨세덕가	류동환	1954	역사	필사본	
515	마음노래	한규성	1955		마음가사집	
516	명륜가	서재극	1956전	교훈	석판본	
517	인생탈춤(환무)	이홍선	1956	불교	인생탈춤	
518	파평윤씨영모가	윤훈갑	1961	역사	인쇄본	
519	경장가	김갑조	〃	갱정유도	만민해원경	
520	근음가	〃	〃	〃	〃	
521	교자가	〃	〃	〃	〃	
522	주왕산유람간별곡	김정진	1964	경물	필사본	
523	한국유람가	김대현	〃	유람	봉암유록	
524	오륜가	〃	1965	교훈	〃	
525	몽유가	〃	1968	몽유	〃	
526	초부가	민순호	1965전	은일		
527	경주유람기	황재인여사	1965	기행	박요순장	
528	성도가	김기추	1968전	불교	성불송	
529	회심가	〃	〃	〃	〃	
530	반회심가	이경협	1969	〃	화청(인쇄본)	
531	육갑시왕원불가	〃	〃	〃	〃	
532	팔상가	〃	〃	〃	〃	
533	염불가	〃	〃	〃	〃	
534	사생윤회가	이청담	1971전	〃	명상록 마음	
535	십종죄악기	〃	〃	〃	〃	

536	십종공덕가	〃	〃	〃	〃	
537	노인회심곡	김시양	1971	자전	필사본	
538	개(견)가사	〃	〃	풍자	산중노파해몽글의 이명	
539	제 주 기 행	이중석	〃	기행	박요순장	
540	가갸거겨불법찬가	조옥윤	1972	불교	유인물	
541	초암가	〃	〃	〃		
542	화엄경약찬가	오고산	1973	〃	반야심경화엄경약찬가	
543	회소가	정임순	1977	회향	현대한국내방가사집	
544	사제곡	〃	〃	사제	〃	
545	사친곡	〃	〃	사친	〃	
546	조표자가	고 단	〃	애도	〃	
547	삼신기명애무가	〃	〃	애무	〃	
548	연묵회소풍가	〃	〃	기행	〃	
549	소고당가	〃	〃	역사	〃	
550	평화사시가	〃	〃	망향	〃	
551	고현찬미가	〃	1991	송양	소고당가사집(상)	
552	금우회가	〃	〃	우회	〃	
553	카페리오에 짐을싣고	〃	〃	기행	〃	
554	제주도 기행	〃	〃	〃	〃	
555	김소희국악50년 찬가	〃	〃	찬양	〃	
556	추당전시회가	〃	〃	〃	〃	
557	산외별곡	〃	〃	기행	〃	
558	동학이야기	〃	〃	회고	〃	
559	오송찬미가	〃	〃	찬양	〃	
560	표고버섯가	〃	〃	송양	〃	
561	송일창유치웅선생팔순	〃	〃	송수	〃	
562	송부군육질수	〃	〃	〃	〃	
563	효열찬미가	〃	〃	찬양	〃	
564	금산종용사봉심하고	〃	〃	송양	〃	
565	송우노례가	〃	〃	송수	〃	
566	대만기행가	〃	〃	기행	〃	
567	송상춘곡가사비건립가	〃	〃	송양	〃	
568	논개충열가	〃	〃	충열	〃	
569	종남형회혼가	〃	〃	송수	〃	
570	제재종숙모문	〃	〃	조애	〃	

571	88올림픽찬가	〃	〃	찬양	〃	
572	송도봉사중건가	〃	〃	송양	〃	
573	우애상시상가	〃	〃	〃	〃	
574	전국명문종부대회유감	〃	〃	회고	〃	
575	백두대간이야기	김 종	2014	서사	한국가사문학대상수상	-자궁에서왕관까지
576	금릉별곡	이수희	〃	찬가	한국가사문학우수상수상	
577	그리운대륙-백호임제생각	김 종	2014	회고	오늘의가사문학 1호	
578	골짜기끼리는 깊게 오래 만난다	〃	〃	연모	〃 2호	
579	너와내가풍경되기①②	〃	2015	서사	〃 4호,5호	
580	하루-옴니버스가사	〃	〃	풍물	〃 6호	
581	평목항에서그대이름부른다	이지엽	2014	송축	〃 1호	
582	신의손으로빚은시의트라 이앵글	〃	〃	풍물	〃 2호	
583	남도이야기-황토를롤오브제 로하여	〃	2015	서정	〃 4호	
584	소쇄원을찾게나	문순태	2014	서경	〃 1호	
585	땅끝별곡-해남고을의노래	김은수	〃	서경	〃	
586	희망	최한선	〃	소망	〃 2호	
587	가사로쓰는난중일기①	이달균	〃	회고	〃	-한산대첩전야
588	〃 ②	〃	〃	〃	〃 3호	-통제영 열두공방
589	〃 ③	〃	2015	〃	〃 4호	-통제영 어물전
590	〃 ④	〃	〃	〃	〃 5호	통영섬구경하라 치면
591	모천망백가	김준옥	2014	송축	〃 2호	
592	나비날개를달다	황인원	〃	서정	〃 3호	
593	모시는 노래	윤덕진	〃	송축	〃	
594	무등산행가	박준규	2015	기행	〃 4호	
595	모란연가	이정환	〃	상사	〃 5호	
596	다메섹에서의사울의노래	〃	〃	회고	〃 6호	
597	그첫날밤, 평양에서울다	정일근	〃	기행	〃	
598	높이높이흥하라	류연석	〃	역사	〃	-고흥류씨세덕가
599	치심가	조태성	〃	불교	〃	

가. 장부호기가사 丈夫豪氣歌辭

국난을 당하여 장부丈夫들의 호방한 기상을 펼쳐 노래한 가사로는 〈고병정가사〉, 〈회심가〉, 〈격가〉, 〈격중가〉, 〈대한복수가〉, 〈신의관창의가〉 등 6편이 있다.

먼저 〈고병정가사告兵丁歌辭〉는 외당 류홍석(1841~1913)이 지었다. 그의 본관은 고흥이고, 강원도 춘성군 사람이다. 행장에 의하면 고려 때 상상上相 도첨의정승인 청신淸臣이 원조가 되고, 공민왕 때 시중侍中 탁濯과 광해군 때 어우당 몽인夢寅이 방조가 된다. 그리고 백부 성제 류중교는 화서 이항로의 수제자로 51권 26책의 『성제집』과 가사 〈여손훈사〉를 남겼다.

55세(1895)에 왜적이 국모(명성황후)를 시해하여도 조정이 아무런 대책을 세우지 못함을 보고, 재종제 의암 류인석과 의병을 일으켜 의암을 의병주장이 되도록 뒤에서 도왔다. 1896년 2월에 의병장 안승우와 이보응이 전사하자 의병의 사기가 떨어지니 210행의 〈고병정가사〉를 지어 사기를 진작시켰다. 그는 을사조약을 보고 의암과 더불어 대사를 도모하였고, 고종이 양위당하자 가평 주길리에서 의병을 일으켜 왜적과 싸웠다. 70세(1910) 의암이 13도 의군도총사가 되었으니 형제가 동심협력하여 구국에 앞장서서 싸웠다.

의병은 임진란 때 나타난 바, 자신의 역량을 초월하여 충군忠君의 의리 앞에 목숨을 아끼지 않아 그 의의가 높이 평가된다. 이는 병자호란 때도 유림을 중심으로 일어났으며, 1894년에는 민중혁명이 일어난 바가 있다. 이들은 구국적 입장에서 민족의 생존권이나 국권수호를 위한 긍정적 측면에서 그 활동이 매우 중요시 된다.

이 작품의 내용은 서사에서 인륜을 숭상한 전통을 노래하고, 본사에서는 당시의 시국과 왜의 본성을 밝혀서 그들의 개화나 교린은 모두가 침략의 야욕에서 비롯되었음을 밝히었으며, 막상 의병이 일어나니 조정의 신하들은 사욕에 눈이 멀어 도리어 왜만을 추종하고 오히려 의병을 공격하는 금수들이라 하였다. 임금도 의병이 일어나기를 기다린다고 병정들을 효유曉諭하고 있다. 그리고 결사에서는 끝내 깨닫지 못하면 의병이 나아가서 함몰사키겠다는 뜻을 노래하였다. 그 일부를 보면 다음과 같다.

百姓이라 ᄒᆞᄂᆞᆫ거슨	나라의 赤子로다
적자가 도야셔다	父母랄 져ᄇᆞ릴가
私家집의 종이라도	上典을 衛尊ᄒᆞ고
말가치 愚蠢흠도	主人보고 굽얼치고
ᄀᆡ가치 賤흔것도	主人우희 손짓ᄂᆞ다
愚迷한 너희등은	君上을 져ᄇᆞ리니
믈이ᄂᆞ 갓흘쇼냐	ᄀᆡ만도 못ᄒᆞ도다
義理ᄂᆞᆫ 그만두고	血氣로 ᄒᆞ기로셔
ᄂᆡ父母 져ᄇᆞ리고	남의 父母 셤길쇼냐
ᄉᆞ람을 져ᄇᆞ리고	禽獸를 위흘쇼냐
迷惑흘ᄉᆞ 너희로다	이다를ᄉᆞ 너희로다
슬푸다 병정덜아	네ᄂᆡ말을 ᄯᅩ드르다

〈고병정가사〉의 문학적 의의는, 첫째 의병이 일어난 내력과 의병이 가지는 의리의 해명이 분명하다. 즉 척사위정파의 명분과 대의를 명백히 하였으며, 둘째 가사의 조어나 음률에 있어서도 훌륭한 작품이다. 이런 항일 의병가사는 〈회심가〉 외 몇 편이 전하지만 작가연대가 분명한 것은 〈고병정가사〉가 최초라 할 수 있다.

〈회심가回心歌〉는 민용호(1885~1922)가 쓴 것으로, 1895년 10월 강릉에서 기병한 의병장으로 강원도, 함경도 방면에서 왜군과 싸워 여러 차례 승리하고, 일제의 근원지 원산까지 공격한 과감한 투쟁을 전개하여 이듬해 10월에 백두산 아래서 해산하기까지 그 경과를 가사로 지었다. 이는 1984년 '국사편찬위원회'에서 발행한 『관동창의록』에 수록되었다.

1896년 4월에 의병이 함흥에 입성하여 크게 환영을 받자 감회의 눈물을 흘리다가 140여 행이나 되는 〈회심가〉를 지어서 사방 성문에 붙였다. '어와 八域 同胞덜아 늬말 잠간 들으시요'라는 말을 서두로 삼고, '三角山 놉파 잇고 漢江水 흘너넌데' 하여 여러 행에 걸쳐 조상 전래의 문물과 예의를 찬양하여 자부심을 고취하였다. 그런데 왜적이 임진왜란 때의 참패에서 교훈을 찾지 못하고 다시 침략을 해 외서 온깆 만행을 저지르고 있어서 의병이 일어났다는 것을 자세하게 이르면서 협조를 당부했다. 임란 때의 투쟁을 회고하고 재침을 규탄한 대목을 살펴보면 다음과 같다.

져 倭놈 거동보소	前日羞恥 이겼넌가
開化라 稱託하고	姦臣을 締結하여
仁川元山 大都會을	져의 開港 만근 後이
人心物情 窺則하고	電奇線이 왜언일고
變服도 不足하여	國母를 害할소냐

민용호는 사대부 출신의 초기 의병장들이 대개 그렇듯이 신분의 타파까지도 왜적의 농간 때문이라 하고 '五百年 디킨 班名 一朝에 虛事'가 되었다고 탄식했다. 국난을 보고 초야에 묻혀 있을 수가 없어 떨쳐 일어선 것은 선비로서 지켜야 할 마땅한 도리임을 말하고, 거사의 명분을 밝히는데 주력했다.

〈격가檄歌〉는 전수용(1878~1910)이 『진중일기』에다가 격문을 가사로 쓴 것이다. 격문답게 한자어를 많이 넣고 국한문으로 표기했으며,

끝부분이 없어졌으나 상당한 장편가사다. 서두에서 천하를 유람하고서 국제정세를 논하는 기틀을 마련하고, 폴란드, 이집트, 베트남 등의 망국을 예로 들고 이를 되풀이 하지 않아야 한다고 했다. 일본은 악독한 침략자니 각오를 단단히 하여 싸워야 하며, 정부 고관에서부터 일진회원, 지방 순사, 일본군 보조병 등에 이르기까지 수많은 매국노가 날뛰고 있으니 이들의 반성을 촉구하였다. 이런 사태를 날카롭게 지적한 대목을 들면 다음과 같다.

五凶七賊 千萬賊이　　　朝廷四方 布列ᄒ니
宰相方伯 守令들과　　　一進巡査 補助兵이
仇敵兵器 둘러메고　　　兄弟朋友 조차잡아
우리 人種 다 滅한다

〈격중가檄衆歌〉는 이석용(1878~1914)이 『창의일록』에 발표한 장부호기가사다. 이는 작가가 의병이 되어 고향을 떠나면서 지은 것으로, 가을바람이 부니 영웅이 때를 얻은 시기라고 하고, 나라를 구할 장수가 구름같이 모여드니 좌절을 극복할 기백이 나타난다고 읊었다. 투지를 고취한 의병가의 대표적인 것이다. 그 후반부를 소개하면 다음과 같다.

아마도　　　　　　　義兵을 이러내켜
倭놈을 쪼차내고　　　奸臣을 打殺
우리今上 奉安하고　　우리百姓 保全하여
三角山이 숫돌되고　　漢江水 썩되도록
질기고 노라보세　　　우리 大韓 萬萬歲

이 밖에도 의병가사가 많이 있었으나 한시만큼 소중히 여기지 않아 자료의 수집이 소홀하였고, 의병들이 패하자 구전되던 가사마저 사라지고 말았다. 왜군이 수색하다 발견된 것은 일본어로 번역하여 자기네 자료로 삼은 것이 있어 의병가사는 수난을 당하기도 하였다.

〈대한복수가大韓復讐歌〉는 김두만(1872~1918)이 최근의 역사를 회고 하면서 지은 것으로 독립의 의지를 더욱 적극적으로 나타낸 작품이 다. 김두만은 김홍낙의 문하생으로 난세를 맞이할수록 유학의 도리 를 굳게 지켜야 한다고 하면서 자기가 스스로 나서서 투쟁을 하는 대 신에 세상을 떠나기 직전인 1918년에 이 가사를 지어 구국의 열정을 토로하였다.

조우각이 명나라 재건을 통해 유학에 의한 질서를 회복을 노래한 〈대명복수가〉를 본받아 의병장들의 투쟁을 회고하고 찬양한 대목이 상당한 비중을 차지해서 역사가사라고 볼 수 있는데, 여기에다 더하 여 의병투쟁을 다시 일으켜 왜적을 몰아내고 독립을 찾고자 하여 그 과정을 서술하기에 의병가사로 볼 수 있다. 유학의 고장인 영남에서 부터 구국의 전열이 형성되는 장면을 이처럼 상상하였다.

경주울산 沿邊七邑	청도밀양 모든 軍士
齊聲戮力 일어나서	東萊로 내려가고
안동예안 義興義城	新寧永川 모든 군사
동심동력 合心하여	대구로 고쳐갈제 (중략)
鐵路를 걷어치고	汽車를 부수고서
守備隊를 잡을적에	發蒙振落 무너진다

그런데 투쟁의 목표는 어디까지나 복피노선復辟路線에 의해 왕정복고 를 하여 황제를 찾아서 구대궐九大闕을 중수해 용상에 높이 올리자고도 했다. 이름을 〈대한복수가〉라고 한 것은 대한제국의 재건을 희구한

다는 뜻이다.

〈신의관창의가^{申議官倡義歌}〉는 도암 신태식(1864~1932)이 국내에서 의
병항쟁이 끝난 다음에 그 경과를 노래한 작품이다. 도암은 고려 때 장
절공 시승겸을 시조로 한 평산 신씨의 후예로서 경북 문경에서 태어
나 구국의 대열에 선 분으로 30대 초반까지는 주로 경기각지를 유람
하여 330여행의 기행가사 〈강산편답가〉를 지어서 국토와 국사에 대
한 애정을 노래하였다.

그는 서울서 중추원의관을 지내다가 고향에 돌아가 1907년 문경에
서 의병으로 출정하여, 충청도, 경기도, 평안도 등에서 싸웠다. 1912
년에 부상을 입어 포로가 되어 10년 형을 언도 받았다. 출옥 후 총 1210
구의 장편가사 〈신의관창의가〉를 지었다. 이는 크게 4부분으로 나눌
수 있는데, 국정의 개탄과 민족을 위한 결의, 3년간의 의병활동, 체포
와 수감, 향리에서의 여생 등으로 이루어졌다. 여기에는 민족의 투지
와 수난이 작가의 체험을 통하여 구체화 되어 있다.

그 내용을 살펴보면, 겨레의 부름으로 의연히 일어나 문경기병 이
후 3여 년간의 의병활동이 주마등처럼 펼쳐진다. 작가는 의병장으로
몇 번인가 사선을 넘고, 두어 번 큰 부상을 입었다. 또 한 부하를 잃은
비통함이 그대로 펼쳐진 감동적인 사연을 생생하게 그려내고 있다.

수백명 적병들이	후원을 덮은지라
前野를 가느라니	都先鋒이 戰亡이라
붙들고 통곡한들	죽는사람 살릴서냐
數步를 채못가서	다리를 맞았구나
나는 이내 죽더라도	너희들은 살아가서
적병퇴진 하거들랑	내시체 찾아다가
네손으로 염습하여	向陽之地 묻어놓고

내집으로 기별하여　魂歸故土 시켜다오

죽는사정 보지말고　날버리고 바삐가라

장관사졸 달려드러　붙들고 통곡할제

죽으면 같이죽지　사또두고 못가겠오

　당시의 상황은 일정한 전선이 있는 것은 아니고, 적을 만나면 싸우고 힘겨우면 물러나는 유격전의 연속이었다. 적은 속사포, 기관포 등으로 사격하는 판국이라 만군 중에 말을 달려 적장의 목을 베는 용맹을 떨쳐도 전세를 유리하게 바꿀 수가 없었다. 그러나 가는 곳마다 환대를 받아 주린 배를 달랠 수 있었다. 멀리 함경도 안변까지 갔을 때는 그 고장 기생이 수청을 들다가 남복을 하고 따라나서겠다는 것을 가까스로 말리기도 하였다.

　나라가 망한 다음에도 계속 항쟁을 하다가 마침내 다리에 총상을 입어 산중으로 업혀가면서 적병이 퇴진하거든 자기 시체를 찾아다가 양지쪽에 묻어달라고 했는데, 그 말대로 되지 않고 적에게 사로잡히고 말았다. 재판 받을 때의 심정을 피력한 부분을 보면 다음과 같다.

以臣伐君 한적업고　國庫偸食 안했거든

내란이 무엇이며　白晝衝火 아니하고

殺人奪財 안했거든　강도가 웬말이요

양반 능욕 너무말고　시각내로 죽여다오

　이런 저항정신의 전통성은 척사위정파의 구국사상과 종교사상에 의한 평민들의 민족운동에서 비롯된 것이다. 개화파에 맞선 척사파로 이항로, 최익현 등이 있으나, 이들은 다만 구국을 위한 선비들이고 이에 따른 행동대원이 필요했다. 평민대중은 사림들과 이해가 상반되지만 의병활동에 있어서만큼은 민족적 항전의 행동대원을 이룰 수가 있었다. 따라서 모든 국민은 상하귀천 구별 없이 무엇보다 먼저 구국과 독립을 지켜야 한다는 점에서 고통분모를 찾았던 것이다.

〈신의관창의가〉도 이런 정신적 맥락에서 이룩된 작품이며, 전편이 순한글로 기록되었다. 내용에 있어서도 다른 가사에서 보기 힘든 사실적 현장감을 맛볼 수 있어 문학사적 의의가 크다고 하겠다. 애석하게도 원본은 일제 때 잃어버리고 현본은 그의 후손 신승균이 필사한 것이다.

나. 풍속권면가사 風俗勸勉歌辭

풍속권면가사로는 〈강릉화전가〉, 〈종친척사가〉, 〈권농가〉, 〈농부가〉 2편 등 모두 5편이 전한다.

〈강릉화전가 江陵花煎歌〉는 이귀자가 1895년에 지은 가사로 필사되어 전한다. 꽃놀이하면서 느낀 감회를 읊은 것으로 춘정春情과 시정詩情이 무르익은 내용으로 972구의 장편가사다. 이는 강릉지방의 여속女俗이나 명승지를 살피기에 좋은 자료이며, 영호남에만 있었던 규방가사가 강릉에서 처음 나오니 그 의의가 크다고 하겠다. 그 일부를 보면 다음과 같다.

삼광질이 엽폐끼고	이웃집을 차져가서
이웃동무 불렁오며	먼듸동무 젼갈ᄒ며
부모님께 명녕바고	동무에게 승악바다
형세업난 동무들은	취렴세를 제폐ᄒ고
조흔날을 골나뉘여	화전일자 증일ᄒ고
춘풍시절 만낫스니	소풍ᄒ번 ᄒ여보자

〈종친척사가 宗親擲柶歌〉는 박정노란 여인이 70을 넘기면서 1910년 정월에 친정에 가서 종친들과 윷놀이 하는 것을 읊었다. 내용은 고희가

넘어 친정에 온 심정과 윷놀이의 흥겨움, 형제들의 노는 모습, 그들의
사정과 성격 등을 노래한 것으로 이 가운데 멋과 흥, 그리고 인생무상
이 담겨 있다. 서술기법이 점잖으면서도 해학이 넘쳐흐른다. 그 일부
를 보면 다음과 같다.

> 멍석을 까라노코　　　동서편 편갈라서
> 모야 뫼야 ᄒ는소래　　천지가 진동ᄒ다
> 여자 유힝 타고나서　　동셔남북 츌가ᄒ면
> 만나기도 어렵도다　　머리가 희고희고
> 슈년만에 만나보니　　정회가 시롭구나 (중략)
> 동편이 이기는 듯　　　산쳔이 진동ᄒ고
> 이리뛰고 저리뛰고　　노는 모습 장괭일세
> 정심상을 마조ᄒ니　　육개장이 제맛이다
> 쥬린배를 채우나이　　진시왕 고양진미
> 이맛이 더홀손가

〈근농가勸農歌〉는 소암 김영찬(1866~1933)이 지은 가사다. 이는 수확
을 맞아 당시 피폐해진 농가의 갱생을 위하여 생업의 대본인 농사의
중요성을 인식시키어 남녀 농민들에게 근로정신을 길러주며, 근면절
약하여 저축하는 생활태도를 기르도록 지도하였다. 나태와 허랑방탕
은 패가망신의 원인이 됨을 경고하고, 봉제사와 접빈객의 도리와 부
여자의 직분을 교도한 노래다. 따라서 권면과 경고, 그리고 교화를 하
향적으로 수용케 하는 농민의 생활교본이면서, 영농을 장려하기 위한
권려가사라 할 수 있다. 일부를 보면 다음과 같다.

> 국가럴 다ᄉ리고　　　셔민을 양성ᄒ야
> 춘경츄확 보급ᄒ니　　은후도 막즁ᄒ고

천도지리 인용호니   직업도 근실호다
군ᄌ가 귀타호들   야인업시 어이살며
예절이 죠타호들   의식업시 어이알며
부귀영화 호을마오   쳔호듸본 농ᄉ로다

　이러한 가사들은 영농의 방법과 생활의 절검을 권려하고, 미풍양
속을 순화 계승하여 아름다운 정통을 이루고자 하는 의도에서 지어진
것이다. 그러므로 교도나 교화를 위한 하향적 내용을 담기 위한 것이
라고 할 수 있다. 그러나 농가류의 가사에도 이와는 달리 농민들이 자
연이나 임금에 대한 감사심을 드러낸 것이나, 농민의 수탈계급인 토
호土豪나 오리汚吏에 대한 항거와 불만을 토로하는 상향적 내용의 고발
문학도 있을 수 있다.

　〈농부가農夫歌〉는 평제 기장연(1892~1950)이 지은 국문가사다. 그는
전남 장성 출신으로 평생을 향리에서 농사를 지었으며, 사숙私塾을 설
치하여 수많은 후학을 배출시킨 사람으로 6.25 때 반공인사로 피살당
했다. 그의 문집 『평제실기』에 풍속권면가사인 〈농부가〉, 풍물서경
가사인 〈형승가〉, 〈덕평별곡〉 등이 있고, 그 밖의 가사에 〈꽃타령〉이
있다. 따라서 기장연의 작품은, 면앙정 송순, 송강 정철, 추담 남석하
등을 계승하는 위치에 있기에 '호남가단' 연구에 귀중한 자료라 할 수
있다.
　〈농부가〉는 모두 60구의 가사로, 시골에서 농사짓는 농부들에게
힘써 일하라고 권면한 것이다. 5행마다 '얼널널 상사듸야 얼널널 상사
듸야'의 후렴을 되풀이한 것이 특이하다. 마지막 부분을 소개하면 다
음과 같다.

잇다고 자시말고   업다고 한탄말소

우리서로 단결하면	무슨일을 못하리오
고생슷태 幸福있고	사치하면 亡하나니
두주먹 불근쥐고	죽도록 하여보세
얼널널 상사듸야	얼널널 상사듸야

또 다른 〈농부가〉로 양추호의 작품이 있다. 그는 1909년에 개화가사 13편을 남겼는데, 그 가운데 〈농부가〉는 농부들에게 부지런히 일하고, 신학문에 힘써 왕실과 민족을 위해 이바지할 것을 바라는 53구의 권면가사다. 그 일부를 소개하면 다음과 같다.

어화우리 농부들아	이 농사를 밧비지어
나릐 王稅 ㅎ신후에	부모님을 奉養하고
土鼓煙月 어진밤에	노라보고 노라보자
이 농부야 쟝구쳐라	저 농부가 춤을 춘다
一寸肝膽 밋친싱각	愛國誠心 분발ㅎ야
농부가를 지어내니	우리동무 더러보게
布穀鳥 한쇼릐에	春情을 직쵹ㅎ고
蒼鸝鳴 蒼鸝鳴ㅎ니	秋成 일이 밧부도다

다. 유람기행가사 遊覽紀行歌辭

유람기행가사는 국내외를 유람하고 기행한 내용을 쓴 것으로 〈춘유곡〉, 〈강산답산가〉, 〈유일록〉, 〈일본유학가〉, 〈유산일록〉, 〈금강산기행가〉, 〈한국유람가〉 등 7편이 있다.

〈춘유곡春遊曲〉은 가석 김락기(1855~1910)가 의성군수를 지내면서 1895년경 안동 풍산면 풍산김씨의 선조 유적을 따라 산수춘경을 찬양한 200구의 기행가사다. 유산행의 풍정이 자못 도도하게 드러난 서두를 보면 다음과 같다.

사시가절 얼마런고	삼월춘풍 으뜸이라
인생향락 얼마런고	소년광음 제일이라
淸歌妙舞 芳樹下에	公子王孫 노름이요
白馬金鞍 靑樓邊에	遊冶郞의 풍류로다
倒着接䍦 花下迷는	醉客이 몇몇이며
更持紅燭 賞殘花는	騷客이 몇몇인고
柴桑村 봄밋천에	悅親戚之 情話하고
桃李園 밤잔치에	序天論之 樂事로다

위의 내용은 사대부로서 작자의 자연관을 말해 주는데, 인간과 자연이 일체감으로 결속하여 분리할 수 없는 융합된 실체로 파악하고 있다. 즉 자연이 정지되어 있거나 머물러 있는 것이 아니라 움직이고 숨 쉬는 자연이고, 인간과 화합공존하는 생동하는 자연이며, 결국 몰아적 초자연의 모습이기도 하다고 하였다.

〈강산편답가江山遍答歌〉는 도암 신태식(1864~1932)이 30대 초반에 경향각지를 유람하고 지은 330여행의 기행가사로 내용은 그가 노닌 경향각지의 풍물과 인정을 읊은 것이다. 작자는 항일의병장으로 〈신의관창의가〉도 지었다.

〈유일록遊日錄〉은 설정 이태식(1859~1903)이 일본 조선공사관 참사관으로 일본을 다녀와서 지은 3256구의 장편기행가사다. 이 가사는 일본을 예의범절도 모르는 금수의 나라라고 하여 백여 년 전의 〈일동장유가〉와 같은 관점에서 썼으며, 생활의 모습을 관찰한 항목에서도 유사한 바가 적지 않다. 개화파가 아니고 전통적인 대일관對日觀을 지닌 작자가 원하지 않는 일본에 외교사절로 가서, 일본의 모습을 비판적 관점으로 다루면서 정신적인 우위를 견지하고자 한 작품이다. 그런데 기선과 기차를 타고 간 여정이라 풍류스런 언사를 늘어놓을 겨를이 없고, 도착하자 마중 나온 동포 유학생들이 머리를 깎고 일본 옷을 입은 것을 보고 놀랍고 한스럽다고 하였다. 전등을 켜고 전화를 하는 놀라운 광경을 다음과 같은 말로 묘사하고 있다.

전긔등 켜는 거슨　　집집이 줄을 이어
히가 져 황혼시의　　긔계 고동 한 번 틀면
홀련이 빅쥬 되야　　츄호라도 분별허며
곳곳지 전어긔계　　십니며 빅리라도
고동을 틀어 노코　　기계통의 입을 듸여
무슨 말을 긔긔ㅎ면　　저편에 가 들리여서
마쥬 안져 수작ㅎ듯　　못헐 말 업다 허데

〈일본유학가日本留學歌〉는 윤정하(1866~1950)가 일본 유학 가서 겪은 바를 가사로 남겨 주목된다. 영어와 일어를 배우고 측량기수가 된 후에 1904년에 일본에 가서 이듬해 학교에 들어갔다. 전문학교를 다니다가 관비유학의 혜택을 바라고 중학생이 되었는데, 을사조약이 체결되자 충격을 받았으며, 일본인 교장이 모욕적인 짓을 하는 것에 항의해 자퇴하였다. 이런 과정을 『유학실기』로 엮어 냈는데, 여기에 이 작품이 수록되었다. 이는 1906년의 내용으로, 실제로 겪은 일을 자세하게 서술하고, 침략을 자행하는 나라에 가서 신문명을 배우려고 하는 청년의 고민을 실감나게 토로했다. 을사조약으로 외교권을 빼앗김으로 해서 주일 공사가 귀국해야 하는 사태에 이른 것을 보고 분노한 대목을 들어보면 다음과 같다.

당당듸한 독립국이　　뎡치 부픽 인민 쇠약
일노ㅎ야 외교권을　　타인의게 허락ㅎ고
각국 공ㅅ 쇼환되야　　됴공ㅅ도 갓튼 경계

딕한신민 되야셔는   뉘라 안이 통곡흘니 (중략)
흔줌즈고 다시 싱각   걱정흐면 무엇흘이
학업이나 성취흐야   귀국흔 후
전국 인민   학문이나 발달시켜
즈유즈강 흐게 드면   독입 긔쵸 굿을지요
오늘날의 만단슈치   일을 날이 이스리라

〈유산일록遊山日錄〉은 독립운동가 기암 이중업(1862~1922)의 부인 의성김씨가 안동시 길안면 용계동의 폭포와 의성김씨의 유적지가 있는 도연승지(경북8경의 하나)를 노래한 유일한 여류기행가사다. 이 작품은 작자가 48세 때 시아버지가 국치를 당하여 절사節死한 다음해(1911) 지은 것이다. 그 때의 정황을 잘 그리고 있고, 그 후 8년 후에 3.1만세사건이 터지자 남편이 독립운동에 나섰고, 집을 지키던 작자는 일제 관헌에 피검되어 옥고 끝에 실명하게 되었다. 그 뒤 2년 만에 남편과 사별하고, 10년 뒤에 세상을 하직하였다. 〈유산일록〉에 나타난 여탄女嘆은 조선사회의 남녀 불평등과 신분제도에서 기인한 한이 아니고, 경술국치의 망국한이란 점에서 궤적을 달리하고 있다. 그것은 작가 자신이 처한 가족적 상황에서 비롯된 것이며, 임호서당에서 일박을 하게 되는 작자는 반벽잔등 아래 전전반측하면서 망국고신의 우수에 싸여 두견성에 밤을 꼬박 밝히고 있는 장면을 아래에서 볼 수 있다.

반벽잔등 도도우고   반창명월 여러노니
물소리예 누운곳이   침상편시 어려워라
젼전반측 야심경의   두견소릭 심회난다
만슈천산 조흔고절   소회대로 울고볼걸
깁고기푼 이산즁의   누를 차자 네가왔노
망국고신 모인고직   간곳마다 신정이요

344

피로우는 네우룸은　　　우는듸로 무관이라

　작자는 경술국치를 당하여 큰 오빠인 분서 김대락이 자질들을 이끌고 만주로 망명하였고, 맏언니는 상해임정의 국무령인 이상룡에 출가하여 압록강을 넘었으니, 혈족들이 국난풍운에 흩어지게 되었다.
　〈유산일록〉의 문학사적 의의는, 내방가사는 모두 작가미상이란 인식을 극복할 수 있으며, 상류문화권의 문벌의식과 선조 유적지를 돌아본 기행가사로 경술국치의 민족적 한을 표출한 저항의식이 절절히 서려 있다는 점이다.

　〈금강산기행가金剛山紀行歌〉는 은촌 조애영(1911~)의 작품으로 전통시가의 영향을 계승하여 시조와 가사를 짓는데 전념하였다. 15세(1925)에 〈일월산가〉 등 수 편의 가사를 썼고, 1958년에는 시조집 『슬픈憧景』을, 1971년에 『은촌내방가사집』을, 그리고 1977년에는 정임순, 고단 등과 더불어 『한국현대내방가사집』을 간행하였다. 〈금강산기행가〉는 1930년 배화여고보 졸업여행으로 금강산을 다녀온 기행가사다. '고려국에 태어나서 천하금강 한번보기 남자들도 소원커든 우리 아니 자랑이랴'하여 출발부터 금강산 명승지를 보고 느낀 심회를 섬세하게 엮어냈다. 그 첫 부분을 보면 다음과 같다.

　　　어와우리 벗님네들　　　금강산을 구경가세
　　　망태메고 포화신고　　　운동복에 운동모자
　　　간편하게 차린행렬　　　삼십여명 일행이라
　　　고려국에 태어나서　　　천하금강 한번보기
　　　남자들도 소원커든　　　우리아니 자랑이랴

　〈한국유람가韓國遊覽歌〉는 봉암 김대현(1899~1973)의 『봉암유록』에 수록된 276구의 가사다. 여기에는 〈오륜가〉, 〈몽유가〉 등 모두 66편의 작품이 '가사집'이란 목차에 전하고 있으나 〈시조한탄〉, 〈국문가사〉, 〈오천년지리가〉, 〈빙장대상제문〉 등은 형식상 가사의 모습을 찾기가 곤란하고, 오히려 시조, 제문 또는 4언체 한시에 토를 단 정도로 생각되는 작품이 많다. 그러나 많은 작품들이 전국을 유람하여 읊은 즉물시로 풍속적·시대적 축도도 되려니와 작자의 강직한 비판의식도 엿볼 수 있다. 그 일부를 보면 다음과 같다.

월미도의 달이밝고	제물포는 수송처라
수원에는 물도맑고	花山에는 못도많다
於羅山 충무공幽宅	아산만에 內浦十縣
천안에는 능수버들	온양온천 손도많다
서산당진 鹽田이요	한산서천 細모시라
백제부여 泗比樓요	落花岩下 고란사라
백마강변 釣籠臺	半月城外 望海樓
連山醬鐵 三丈이요	은진미륵 八十八尺
계룡산은 山太極	금강수는 水太極
대전은 삼남연락처	속리산 佛家法住寺
靑山特産 대추이요	鎭安명물 담배로다

라. 풍물서경가사 風物敍景歌辭

우리나라는 금수강산이라 불러진 만큼 산천이 수려하고 사계절이 분명한 풍광을 가져서 예로부터 시인묵객들이 고장의 산천풍물을 노래했으니, 풍물서경가사는 풍경의 아름다움을 읊은 가사다. 여기에는 〈율도선경가〉, 〈형승가〉, 〈덕평별곡〉 등 3편이 있다.

〈율도선경가鬱島仙境歌〉는 박시옹(1864~1947)의 풍물서경가사다. 작자가 32세 때 동학란이 일어나고 세상이 어수선해지자, 살기 좋다는 울릉도 이주해 갔다. 1906년 둘째 아들을 낳자 그 기쁨으로 이 가사를 지었다고 한다. '삼십이 계오넘어 甲午乙未 당하였네 同氣之情 다버리고 울릉도를 들어온다' 하여 항해의 경로와 개척자들의 군군한 생활을 그렸다. 겨울에는 눈에 갇혀 봄이 오기만 기다리던 자신을 비웃었으나 처자봉양에 고달픔도 잊었다. 일본인이 무역으로 왕래가 잦아지고 갑신정변 후에 섬에 들어온 가구가 천여집이 넘고, 풍토, 기후, 인심 등도 좋을뿐더러 질병은 없어지고, 울릉도는 이웃과 상부상조하며 글 읽는 소리가 들리는 선경이라 하였다. 그 일부를 보면 다음과 같다.

甲申年 개척후에	千餘집 되었으니
海中에 솟은 섬이	아매도 名地로다
산천에 있는 풀이	약초가 반이넘고
地中에 솟는물이	물맛도 奇異하다
풍토가 순하기로	인간에 병이 적고
육지가 머자하니	인품도 후하더라
술울 하야 서로 청코	밥을 하야 논아 먹고
문학을 숭상하니	촌촌이 글소리라
팔도 사람 모여들어	한 이우지 되었으니
서로追逐 하는 것이	이것도 緣分이라

　주위는 일백리나 되어도 평지라곤 전혀 없는 섬이라 집을 짓고 나무를 베어 밭을 일구느라고 고생이 많으며, 험한 음식으로 배를 달래야 했지만 지체 차별이나 갈등 없이 사이좋게 잘 지낸다고 했다. 팔도 사람 모여들어 한 이웃이 되었다는 데서 혈연과 지연에 따른 반목의 습성에서 벗어나 새로운 인간관계의 모습을 학인하게 된다. 그런데

작품의 말미에서는 '풍진도 식어가고 국태민안 하신 후에' 고향으로 돌아가는 것이 소원이라고 했다.

〈울도선경가〉는 86구의 간결한 문체로 씌여졌으며, 울릉도의 중간 개척기의 사정을 잘 그린 작품으로 〈정처사술회가〉와 더불어 섬을 소재로 한 서경가사다.

〈형승가^{形勝歌}〉와 〈덕평별곡^{德坪別曲}〉은 평제 기장연(1892~1950)이 지은 가사다.

〈형승가〉는 29구의 단편가사로 자신의 거처인 장성 서삼면 대덕리 주변의 산천경색을 노래한 것이다. 가사의 내용이 재치와 흥이 있는데, 그 일부를 보면 다음과 같다.

萬歲峯을 노래하나	부끄러워 隱身하고
千歲峯이 썩나서서	歡迎歌를 부는구나
古莊山 고장치고	동덩매 북을치니
香爐峯은 우뚝서고	칭찬을 마지안코
푸실산은 푸실푸실	웃기를 일삼으며
歌琴峯 大良童은	酒肴를 장만하고
婆堂洞 美人들은	초대하기 기다리네

〈덕평별곡〉에서도 '靈鷲山을 올라서서 四面風景 바라보니 巨壁이 높이솟아 百尺을 고엿난대'라 하여 산천경색과 전원생활의 만년행락^{晩年行樂}을 노래한 66구의 단편가사다. 마지막을 소개하면 다음과 같다.

採藥하는 노인들은	향기 차자 나려오고
無心한 白鷗들은	明沙蘆花 차저들 제
閑暇한 漁翁들은	斜風細雨 不須歸라

滄浪歌 불으면서	낙시대만 듸워 잇내
東便에 草嶺山은	蒼苔로 班衣입고
七寶丹粧 곱게하야	峨洋曲 바람 속에
너울너울 춤을 추니	康衢煙月 여기로다
佳山麗水 平平地에	三四五間 집을 지어
光風霽月 벗을 삼아	大夢詩를 을퍼보니
아마도 晩年行樂	이 아닌가 하노라

마. 송축추모가사 頌祝追慕歌辭

이는 경사를 축하하거나 인물(생사간에)들의 덕행을 흠모 찬미하는 내용의 가사로서 송축, 송양, 창양, 추모, 조애弔哀, 모현, 송덕 등을 포함하였다. 여기에는 양추호의 〈개교가〉 외 6편과 김영찬의 〈인산가〉, 조애영의 〈귀향가〉, 〈축수연가〉 등 10편이 있다.

양추호는 〈농부가〉 외 12편의 가사를 썼는데, 그 가운데 〈개교가〉, 〈건원절경축가〉, 〈곤원절경축가〉, 〈천추경절경축가〉, 〈태황제만수성절경축가〉, 〈태황제남순시지영가〉, 〈은사금기념장경축가〉 등 7편의 송축추모가사가 필사본으로 전한다.

작자는 김해 명지 하단동에 거주하면서 동도서기론東道西器論의 주자학적 개화사상을 펼친 사람으로, 유탁일은 그의 이름이 아직 미상이나 양재일의 문집인 『회원선생문집』 5권에서 그의 성이 김씨라고 했으나, 김용직은 추호의 본명과 행장에 대해서는 거의 알려진 것이 없으나 『회원문집』 1권 10장에 '연계제주삼종질추호'라는 제목의 칠언한시가 있어 그가 남원양씨라는 것과 회원의 삼종질임을 알게 되었다고 하여 작자를 양추호라고 하였다.

〈천추경절경축가千秋慶節慶祝歌〉는 황태자(영친왕)의 해외유학을 아울러 앞길에 영광이 있기를 빌면서 지은 26구의 가사로 끝부분을 보면 다음과 같다.

우리太子 不世英傑　　　幼沖年에 出遊ᄒ사
惡ᄒ 浪을 船渡ᄒ고　　　險ᄒ 路을 輪行함은
殘弊한 우리國을　　　　興復ᄒ실 ᄯ지로다
비나이다 비나이다　　　太子殿下 비나이다
自由道德 아신後에　　　速히速히 還國하사
千歲萬歲 千萬世로　　　仙李長春 ᄒ옵시다

또 〈건원절경축가乾元節慶祝歌〉는 순종황제의 탄신일을 맞이하여 그
의 만수무강을 빌고 또한 대한제국의 앞길에도 무한한 축복이 있기를
바란다는 내용으로 28구의 단편 송축가사가 있다. 그 처음과 끝을 보
면 다음과 같다.

어와 우리 學徒들아　　　慶祝歌를 불러보세
반갑도다 반갑도다　　　乾元節이 반갑도다
大哉라 乾元이여　　　　萬物資生 ᄒ여시라 (중략)
歙時五福 皇乾極은　　　周武王 聖德이라
千歲萬歲 千萬世로　　　永遠無窮 ᄒ옵시다

〈인산가因山歌〉와 〈권농가勸農歌〉는 소암 김영찬(1966~1933)이 지은
가사인데, 〈인산가〉는 1919년에 있는 광무황제의 인산에 즈음하여 그
빈천賓天을 애도한 가사로서, 나라 앗긴 백성들의 망극한 통한을 읽을
수 있는 애도가사다. 이러한 시상의 발상은 역사적 현실을 극복하려
는 겨레의 아픈 마음을 달래기 위한 것이요, 또한 자신이 처한 환경에
서 유로된 우국정신의 극명이라 할 수 있다. 그 일부를 들면 다음과
같다.

망극홀스 우리황상	만리힝차 망극홀스
긔흔업는 이번힝츳	쳔지가 망망홀스
강산풍경 가신온가	쵸려구혀 가신온가
녹양삼츈 오신는가	단풍구경 오신는가
노좌노우 황동빅슈	통곡ㅎ고 ㅎ는마리
쥬가거마 어듸민뇨	한궁위의 다시볼가
셩외셩닉 통곡셩의	쳔지가 진동ㅎ닉

위에서 본 바, 이 노래는 나라를 빼앗긴 백성이 임금마저 잃은 슬픔을 가눌 길 없어 애통한 심정을 토로한 것이라 할 수 있고, 암담한 겨레의 생활과 조국의 장래를 걱정하는 애달픈 심회를 담아 애도의 정을 표한 가사라 할 수 있다.

〈귀향가〉와 〈축수연가〉는 은촌 조애영(1911~)이 지은 송축가사다. 〈歸鄕歌〉는 출가 후 오랜만에 친가에 가서 느낀 감회를 술회한 것으로 모처럼의 귀향온 심회를 다음과 같이 읊었다.

꿈속에도 그리웁던	내고향이 반갑고나
잔뼈 굵은 내친정에	오랜만에 돌아오니
일월산중 좋은 재목	골라뽑아 지은 종가
옛모습을 그냥으로	다시 지어 훌륭해라

〈축수연가^{祝壽宴歌}〉는 친구의 수연을 축하하는 65구 가사인데, 그 서두를 보면 다음과 같다.

여류광음 어언간에	신해년이 다가오며
송구영신 이마당에	초대장이 웬것이가

결혼청첩 들었는줄   눈을닦고 보았더니
나의동갑 강부인의   회갑잔치 초대라네

바. 우국계몽가사 憂國啓蒙歌辭

우국의 심정에서 항일이나 독립을 노래한 애국과 계몽의 내용을
담은 가사를 우국계몽가사라 한다. 여기에는 윤희순의 〈병뎡ᄀ〉·
〈병정노ᄅᆡ〉·〈병정ᄀ〉·〈은사름으병ᄀ노ᄅᆡ〉·〈ᄋᆡ둘픈노ᄅᆡ〉·〈신
ᄉᆡ타령〉 등 6편과 양재일의 〈단채보국가〉·〈학생진보가〉 등 2편, 양
추호의 〈경축동명학교가〉·〈우국계몽개국기원절경축가〉·〈보국단체
가〉·〈진보가〉·〈동명학교명자가〉 등 5편이 있다. 또 김대락의 〈분
통가〉, 김홍기의 〈몽유가〉, 그리고 조애영의 〈소비층지도가〉, 〈한국
남녀토론회가〉 등이 있으며, '대한매일신보'에는 성낙윤(외)이 쓴 〈가
역비장〉 등 20여 편의 애국·독립가도 있다.

윤희순(1860~1935)은 〈고병정가사〉를 지은 시아버지 류홍석과 함
께 1911년 만주로 망명하였다. 2년 후 류홍석이 세상을 떠나고, 남편
류제원도 구국과업을 이루려고 애쓰다가 1915년에 세상을 마쳤다. 그
뒤 두 아들도 독립운동에 나서니 3대에 걸친 독립투쟁을 하였다.
윤희순은 〈신ᄉᆡ타령〉에서 '이국만리 이내신ᄉᆡ 슬푸고도 슬푸도ᄃᆞ'
라는 말을 되풀이하면서 자기 신세가 처량하다는 것을 술회하면서 나
라 없는 서러움을 토로하고, 만주로 간 의병의 고난을 실감 있게 그렸
다. 의병들의 거동을 묘사한 대목을 살펴보면 다음과 같다.

이ᄂᆡ몸도 슬푸련ᄆᆞ   우리 의병 불숭ᄒᆞᄃᆞ
ᄀᆞ는 고시 ᄂᆡ쌍이요   ᄀᆞ는 고시 ᄂᆡ집이ᄅᆞ
배 곱푼들 머거볼ᄀᆞ   춥ᄃᆞ흔들 춥ᄃᆞ흔ᄀᆞ
ᄂᆡ쌍업는 서럼이ᄅᆞ   이럿ᄐᆞ시 서러울ᄭᅡ

352

연군업는 서럼이ᄅᆞᆫ　　어느 ᄂᆞᄅᆞ ᄇᆞᆫ겨줄ᄀᆞ
가는 고시 서름이요　　ᄇᆞᆯ작ᄆᆞᄃᆞ ᄀᆞ시로ᄃᆞ

이 밖에 〈ᄋᆡ달픈 노ᄅᆡ〉·〈ᄇᆡᆼ 어ᄌᆞᆼ〉·〈병정노ᄅᆡ〉·〈병정ᄀᆞ〉·〈ᄋᆞᆫᄉᆞᄅᆞᆷ으병ᄀᆞ노ᄅᆡ〉 등의 가사들도 그 내용이 비슷하나 형식은 4·4조의 4음보격이다. 〈병정ᄀᆞ〉는 매국노 병정들을 규탄했고, 나머지는 의병이 군가를 부르면 용기가 솟아날 수 있는 말을 갖추었다. 〈ᄋᆞᆫᄉᆞᄅᆞᆷ의병ᄀᆞ노ᄅᆡ〉는 부녀자들이 해야 할 일을 간략하게 정리해서 그대로 실행하게 했는데, 그 내용을 보면 다음과 같다.

우리 ᄂᆞᄅᆞ 으병들은　　ᄂᆞᄅᆞ찾기 힘쓰는ᄃᆡ
우리들은 무엇ᄒᆞᆯᄁᆞ　　의병들을 도와주ᄉᆡ
ᄂᆡ집업는 의병들을　　뒷ᄇᆞᄅᆞ질 ᄒᆞ여보ᄉᆡ
우리들도 뭉쳐지면　　ᄂᆞᄅᆞ찾기 운동이요
외놈들을 잡는거니
의복버선 손질ᄒᆞ여　　ᄆᆞᆫ져주ᄉᆡ
의병들이 오시거든
따뜻ᄒᆞ고 ᄋᆞᆫ윽ᄒᆞᄀᆡ　　ᄆᆞᆫ져주ᄉᆡ

〈보국단체가保國團體歌〉와 〈학생진보가學生進步歌〉는 회원 양재일(1863~?)이 지은 우국계몽가사다. 그는 〈천추경절경축가〉 등을 지은 양추호의 삼종숙三從叔으로 김해군 명지에 거주하다가 1888년 하단당리로 이주하여, 사립양정학교를 설립하고 자주독립과 개화흥국을 부르짖으면서 일생을 마쳤다.

〈학생진보가〉는 이천만 동포는 삼천리 강토에서 반만년 역사를 지키면서 서구문물을 받아들여 우주 안에서 상등국이 되자는 노래이고, 〈보국단체가〉는 서로서로 힘을 합쳐서 허물어져 가는 나라를 건지자

는 애국적인 62구의 우국계몽가사다. 그 뒷부분을 소개하면 다음과
같다.

乘島山下 一區三里 　新學校가 翼然ㅎ여

運動터를 너비쑥고 　太極旗를 노피달아

愛君憂國 父老熱心 　靑年子弟 敎育하니

團體歌 ㅎ는 소래 　東國山河 動搖흔다

忠憤心이 自然나니 　風氣所使 壯ㅎ도다

舊學問이 조컨만은 　新學問이 더욱밝네

長夜夢을 脫覺ㅎ니 　扶桑紅日 발아온다

團體保國 히여시면 　萬億年基 鞏固ㅎ리

양추호는 〈경축동명학교가〉, 〈개국기원절경축가〉, 〈보국단체가〉,
〈진보가〉, 〈동명학교명자가〉 등 5편의 우국계몽가사를 지었다. 이 중
에 〈進步歌〉는 서구문화를 받아들이고 인격도야에 힘써 상등국민이
되자는 것이고, 〈保國團體歌〉는 64구의 단형가사로 청년학도들에게
민족적 자각을 지니고 신문학에 힘써 자주독립과 부강국가 건설에 이
바지하라 하였다.
　〈경축동명학교가慶祝東鳴學校歌〉는 24구의 짧은 가사로 동명학교 학생
들에게 공부에 힘쓰고, 민족의식을 가져 외세를 박차고 자주독립을
쟁취하자는 내용으로, 그 후반부를 소개하면 다음과 같다.

河海갓치 기푼度量 　外國羞恥 쩍써보며

神龍갓치 現흔氣像 　宇宙間에 飛騰하며

筮龜갓치 明흔神鑑 　事物上에 通達ㅎ며

猛虎갓치 날닌勇氣 　海外群狗 모라가서

獨立勢를 기피알고 　自由權을 굿기잡아

天長地久 東西界에　　上等人物 되어보세

〈분통가憤痛歌〉는 분서 김대락(1845~1914)이 경술국치 후(1913)에 지은 412행의 장편가사다. 이는 『白下日錄』에 수록된 것으로 식민지하 우리 민족운동사의 중요한 자료들을 담고 있다. 작가는 안동에서 태어나 서산 김흥락에게 수학하였고, 이황의 학통을 계승한 유학자다. 망국의 소식을 듣자 1910년 늦은 겨울 400여 년 대대로 살아온 고향을 등지고 가족과 함께 만주로 떠났다.

이 가사는 개인적 정서를 읊은 것이 아니고, 식민지하에 신음하는 우리 민족의 슬픔을 읊은 작품이다. 따라서 일제에게는 저항적이고, 우리 국민들에게는 교훈적인 자세를 보였다. '우숩고도 분통ᄒ다 無國住民 된단말가'라고 시작하여 망명의 불가피성을 말하였다, 사림의 후예로 반드시 지켜야 할 중요한 덕목은 효양과 봉제사이지만 주권상실의 충격은 그에게 너무도 엄청난 사실이었다. 그 충격으로 고향을 등질 수밖에 없음을 다음과 같이 읊었다.

관운장 偃月刀　　　　조자룡의 八枝愴에
육군대장 수군대장　　左右로 衝突ᄒ니
青天이 쒸노난덧　　　白地가 꿇는닷기
魁首잡아 獻馘하고　　都統잡아 數罪ᄒ니
盤石같은 우리帝國　　너게贖貢 ᄒ단말가
錦繡江山의 地方이　　너의 차디 되단말가

이처럼 〈분통가〉는 강한 민족의식이 발로된 작품이며, 들끓는 적개심을 담은 항일가사로 제작 연대(1913)도 신태식의 창의가보다 6년이 앞선 작품이다. 한편 내용이 개념적이며 공허한 면이 있으나 나름대로 문학사적 의의를 가진 작품이다.

〈가역비장歌亦悲壯〉은 성락윤, 이돈화, 우범진 등 3인의 공동작으로 1905년 9월 30일부터 5회에 걸쳐 '대한매일신보'에 발표되었다. 그 내용은 '嗚呼우리 同胞드라 我歌一曲 드러보소'를 서두로 하여 나라가 위급함을 크게 근심하고 있다. 그들은 시대를 개탄하면서 갑오경장이후 난신적자들의 발호로 국운이 기울게 되니, 그 책임이 정부에도 있으나 우리가 개명하지 못한데 있음을 지적하고 우리 모두가 충의심으로 동심협력하여 나라가 태평성대를 누려야한다는 내용이다. 온 국민이 겪고 있는 고통을 구체적으로 들어 항변한 것이 크게 다르다. 다음에서 그런 내용을 볼 수 있다.

炳于夏畦 지은農事　　軍用地에 太半시失
無依無托 우리인생　　顚于溝壑 免홀손가
鐵路도 씬어지고　　　取貸도 막혀신이
士農工商 失業者가　　누를 바라 ᄉ잔말가
國運이 조塞ᄒᆞᆫ덜　　이러케 비색ᄒᆞ며
時運이 不幸ᄒᆞᆫ덜　　이다지 불행홀가
千萬古의 未聞이오　　천만고에 未見이라
이 타시 뉘 타시뇨　　政府大官 타시로다

〈가역비장〉 외에도 1906년부터 1909년까지 사이에 '대한매일신보'에 실린 우국계몽가사가 680여 편이 전하는데, 이 가운데 작자 연대가 정확한 17편을 소개하면 다음과 같다.

리학준(외)의 〈민충정공혈죽가閔忠正公血竹假〉, 강홍두의 〈취업진보사就業進步詞〉, 고만종(외)의 〈無題〉, 송성순의 〈무제〉, 정수원의 〈근면가勤勉歌〉, 〈경고일폭警告壹幅〉, 리병덕(외)의 〈국채보상가國債報償歌〉, 정재홍의 〈사상팔변가思想八變歌〉, 〈생욕사영가生辱死榮歌〉, 〈추탁서追托書〉, 정춘일의 〈愛世十歌〉, 김화경의 〈勤告愛讀〉, 류석용의 〈警世歌〉, 김태권의 〈謹

賀大韓每日申報〉, 문재목의 〈和九曲歌〉, 박양원의 〈和九曲棹歌〉, 이중민의 〈得意天地〉 등이다.

이처럼 우국계몽가사가 계속되면서, 안동 김홍기가 〈몽유가夢遊歌〉를 1926년에 제작하였다. 그의 생존년대는 불확실하나 자신은 유학의 도리를 펴지 못하는 불우한 선비라 하였다. 작품의 서두에서 '新舊小說 내어놋코 두어 장 읽다가 홀연히 잠이 드니 낮꿈을 꾸었것다'고 하여, 몽유록에서 흔히 볼 수 있었던 바와 같이 깨어있는 상태에서 이룰 수 없는 소망을 꿈을 통해서 나타나는 수법을 택해서 항일의 의지를 다짐하였다.

이 밖에 조애영(1911~)의 가사도 『은촌내방가사집』에 16편이 전한다. 그 가운데 〈소비층지도가消費層指導歌〉는 소비자를 위한 지도강습회에 참석하여 말한 것으로 '배울 때는 학생이요 마치며는 선생이라 모르며는 평생수치 배우는 것 잠시 수치라' 하여 계몽하였다. 〈한국남녀토론회가〉에서는 여성단체가 주체한 남녀토론회의 광경과 총선거를 앞두고 축첩자를 규탄한 내용을 담고 있다.

사. 포교신앙가사 布敎信仰歌辭

포교신앙가사는 종교적 교리를 세상에 널리 펴기 위해 지어진 가사로, 여기에는 불교가사, 천주가사, 동학가사 등이 있다. 불교가사에는 경허스님의 〈참선곡〉·〈가가가음〉·〈법문곡〉, 최치허의 〈귀일가〉, 김정혜의 〈기념가〉, 설향스님의 〈대방광불화엄경판각광대모연가〉, 이응섭의 〈석존일대가〉, 학명선사의 〈원적가〉·〈왕생가〉·〈참선곡〉·〈해탈곡〉, 권상로의 〈성탄경축가〉·〈성도가〉·〈열반가〉·〈학도권면가〉, 이홍선의 〈인생탈춤〉, 이경협의 〈반회심곡〉·〈육갑시왕염불가〉·〈염불가〉·〈팔상가〉 등 20편이 있고, 천주가사로는 김기호 〈성당가〉, 김낙호의 〈자신책가〉, 남마두의 〈천당가〉·〈십자성가찬시가〉·〈애주애인가〉·〈극난가〉, 박동헌의 〈도해신전〉·〈춘산

완시〉, 김기동의 〈성탄가〉·〈민주교찬송가〉·〈사죄가〉 등이 있으며,
동학가사는 김주희의 〈지지가〉·〈자고비금장〉·〈금강산운수동궁을
선사몽중사답칠두가〉·〈경탄가〉·〈궁을십승가〉 등이 있다. 그리고
이 밖에 종교가사로는 나철의 〈중광가〉, 강대성의 〈풍수춘흥가〉·
〈승지가〉·〈춘몽〉 등과 김갑조의 〈경장가〉·〈근음가〉·〈교자가〉 등
이 있다.

먼저 경허스님(1849~1912)의 권불가사로는 〈참선곡〉·〈가가가음〉
·〈법문곡〉 등이 있다. 그의 법명은 성우요, 속명은 송동욱이다. 해인
사와 범어사의 주지스님으로 선풍禪風을 떨쳤다.

〈참선곡參禪曲〉은 163구의 가사인데, 사람마다 분명한 마음을 찾아
수행하라고 참선을 권장하였다. '마음깨쳐 성불하야 생사윤회 영단永斷
하고 불생불멸의 낙토에 가기 위해 팔만대장경이 유전遺傳하니 사람되
기에 수도하자'라는 내용이다.

〈가가가음可歌可吟〉은 인간이 아무리 쾌락해도 육도윤회六道輪徊를 못
면하니 '무상세월 허망사를 어서어서 바삐 깨쳐 선지식을 친견하고
자기 부쳐 어서 찾아'라며 참 즐거움을 찾을 성불법문으로 찾아가라
고 권유하였다. 총 126구의 노래로 끝부분을 보면 다음과 같다.

육도중생 제도하야 　　如我無異한 연후에
東園桃李 芳草岸에 　　露地白牛 御車하야
無孔笛을 비겨들고 　　囉囉哩 哩囉囉로
태평가를 불러보세

〈법문곡法門曲〉에서는 항상 마음을 부드럽고 착하게 하여 자기 몸을
낮추면 복이 된다 하니 부처님 가르침에 열중하라고 하였다. 형식이
세련되지 못하면서 단순한 교훈적인 입장에 머물고 있는 것이 흠이라

할 수 있다.

〈귀일가歸一歌〉는 최취허가 경북 풍기군 명봉사의 귀일강당에서 지은 32구의 단편가사로, 충군애국과 자선도덕으로 귀일하여 성불하자는 권불勸佛을 읊은 것이다. 그 일부를 보면 다음과 같다.

三歸一乘 ᄒ고보면	만법귀일 一何歸지
此歸一於 何處런고	백천流水 歸一海라
三界萬類 귀일처ᄂ	畢竟成佛 歸一일식
歸一講堂 目的地ᄂ	如是歸一 如是로다
귀일가를 놉히불어	歸一講堂 歸一ᄒ세

〈기념가記念歌〉는 월재 김정혜가 1912년 대구 동화사 포교당 기념식에 참가하여 지은 것이다. 개화기 창가 형식이나 장절을 나누지 않아 가사의 옛 모습을 지녔다.

奉佛하던 記念일세	우리世尊 석가여래
대자대비 誓願으로	三界火宅 苦海中에
중생제도 ᄒ시고뎌	秋天彎月 도드신듯
삼십이相 八十種好	大人相을 莊嚴ᄒ사
淨飯王宮 탄식ᄒ와	칠십구년 住世중에
삼백여회 說法으로	度脫衆生 ᄒ오시니
一生能事 아니신가	

〈대방광불화엄경판각광대모연가大方廣佛華嚴經板刻廣大募緣歌〉는 설향스님이 지은 가사인데, 그 내용은 석가세존이 인행시忍行時에 일구법문一求法門 들으려고 온갖 고초를 다 겪어 이기셨는데, 우리는 어찌 못하는가 하

고 애달파하면서, 사람이 화장세계를 찾으려면 세상에 너무 애착할 것이 아니라고 경계하였다. 그리고 대방광불화엄경이 으뜸이니 이런 진묘법을 판각하여 널리 유포하자고 권유한 불교가사다. 따라서 제작 동기는 화엄경의 판각을 위해 선남선녀들의 시주를 바라는 뜻에서 비롯되었다. 그 첫 부분을 소개하면 다음과 같다.

오호라 슬프도다　　범부성인 짜로 없고
염계정계 짜로업셔　　동시청정 법계듕에
평등안쥬 무별컨만　　어히ᄒ은 탐진치로
화장세계 마다ᄒ고　　오악악셰 ᄌ취ᄒ오니
삼계는 망망ᄒ고　　ᄉ심은 요오ᄒ다

〈석존일대가釋尊一代歌〉는 이응섭이 1927년에 지은 1324구의 장편 권불가사다. 이는 석가세존의 일대기를 노래로 읊어 중생들을 교화하기 위한 것이다. 그 내용은 9장으로 구성되었으며, 삼천 년을 회고하는 총론과 조상, 석가탄생, 출가, 고행, 성도, 설법, 입멸, 총결 등으로 서술하되, 4·4를 취해 장을 나누고 각장에 번호를 붙임이 특이하여 창가의 분장에 영향을 받은 형식으로 볼 수 있다.

학명선사(1867~1929)는 법명이 계종으로 영광 출신이며, 불갑사의 중이 되어 1923년 정읍 내장사를 중건하였다. 그의 가사는 『백농유고』와 『석문의범』에 수록된 바, 〈원적가〉, 〈왕생가〉, 〈참선곡〉, 〈해탈곡〉, 〈신년가〉, 〈망월가〉 등 불교가사 6편이 전한다.
〈원적가圓寂歌〉는 일명 〈열반가涅槃歌〉라 하여 선사의 출상 시에 이 노래를 부르게 하였다.

내 가노라 내 가노라　　오든 길을 내 가노라

오든 길이 어데메뇨	열반피안 거게런가
나 간다고 설어말고	살았다고 조와마소
萬古帝王 后妃들도	영영 이길 가고마네

결국 이 세상에 진실사업을 하던 사람은 죽어도 아니 죽은 것임을 말하고, 살고 죽는 큰일을 깨닫는 이는 입으로 전하고 마음으로 가르치라고 권면하였다.

〈왕생가往生歌〉에서는 극락이 얼마나 좋은 것인지, 그 정토로 가서 연태중蓮胎中에 회생하라고 권하였다. 〈新年歌〉는 '정신 있는 우리사람 사람중에 사람되세'라며 인간 세월이 빨라 소년이 늙어 죽으면 다시 오기 어려우니 정신을 차려 수도하자고 권유하였다. 〈참선곡參禪曲〉은 권불가사로 인간의 생로병사는 피할 수 없어 충신열사, 영웅호걸, 제왕후비 등도 다 죽었으나 '千經萬論 두어두고 直指人心 하시오니 有情無情 成佛이라' 하여 불타만이 불생불멸을 드러내어 바르게 사람의 마음 가짐을 지켜보니 잠들지 말고 깨어 있으라고 하였다. 〈해탈곡解脫曲〉은 16구의 단편가사로 '세상영욕 다버리고 운수생애 걸림없네 육체구속 받지말고 정신수양 다저두소'라고 하여, 당시 유행한 개화가사의 맛을 지녔다.

또 〈망월가望月歌〉가 있는데, '공즉시空卽是 시즉공是卽空'의 뜻을 재치 있게 노래한 부분을 보면 다음과 같다.

半月恒時 半月이며	圓月恒時 圓月이냐
人間半月 圓月되면	天上圓月 殘月되니
원월도로 반월되고	반월도로 원월된다
圓月이냐 半月이냐	圓月半月 實相업네

이상의 가사들은 자연 사물을 관조하여 그 속에 법리를 터득한 고승대덕高僧大德의 모습이 뚜렷한 권불가사다.

퇴경 권상로(1879~1956)는 개화기 이래 한국 현대 불교계의 거성인 바, 그가 남긴 〈성탄경축가〉, 〈성도가〉, 〈열반가〉, 〈학도권면가〉 등 4편의 권불가사는 불교가사의 마지막을 장식하고 새로이 등장하는 불교창가의 효시를 이루는 계기를 마련해 주고 있어 특이할 만하다. 그의 작품도 『석문의범』에 전한다.

〈성탄경축가聖誕慶祝歌〉은 6장으로 된 바, 3장을 보면 '十方三世 제일이요 天上天下 獨存이라 苦海中에 빠진중생 건지고저 出現하사'라고 한 뒤 후렴으로 '만세만세 만만세는 우리 불교 만만세요 만세만세 억만세는 우리敎堂 억만세라'를 덧붙였다.

〈성도가成道歌〉도 모두 6장으로 그 첫장은 '형제야 형제야 우리 형제야 세존의 역사를 들어보시오 曠劫의 덕행을 만히 닥그사 今生에 淨法身 바다 나섰네'와 같이 그 가락이 3·3·5로서 가사의 4·4조와는 많이 다르다. 이는 개화기의 창가형식을 지니고 있어 그 형식적 특징이 연구의 자료로 충분하다.

〈열반가涅槃歌〉는 30구의 권불가사로 '대자대비 우리 세존이 삼세손님 된 것은 우리 중생에게 복을 끼치기 위함이라' 하여 그 은덕에 보답하여 우리 불교 만만세라고 '불교만세'를 여러 곳에서 외친 것을 볼 수 있다. 또 〈學徒勸勉歌〉에서는 '형제야 형제야 우리 형제야 전상에 자용을 첨앙하시오 불교의 사업을 성취하려면 소년 강장시에 착력하여라'고 적극적으로 불교를 포교하라고 하였다.

〈인생탈춤〉은 대한불입종총본산 묘각사를 창건한 태허 이홍선(1904~)이 1956년 지은 130구의 권불가사로 일명 〈人生幻舞〉라고 하는데, 그 내용은 '부자들아 잠 깨어라 중생들아 꿈 깨어라 하늘땅이 빛을 잃고 해와 달이 어둡구나'로 시작하여 사바세계에서 꿈을 깨어 인생의 덧없음을 깨닫고, 끊임없이 염불공덕을 쌓으라는 내용이다. 그 일부를 보면 다음과 같다.

제 근기에 맞는대로　　납네하는 내탈쓰고
한바탕 어울려서　　치고맞고 울고웃서
만났다가 헤어짐이　　사바세계 탈출이라
억만가지 탈을 쓰고　　갖은 행패 하고 보니
은혜되고 원수되어　　백천만겁 오랜 세월
삼악도를 돌고돌아　　생사윤회 끊임없어
어느何暇 성불하리

〈반회심곡半回心曲〉은 선바위의 미타사 이경협스님이 부른 화청가사和請歌詞로 이에 해당한 권불가사는 〈반회심곡〉, 〈육갑시왕원불가〉, 〈팔상가〉, 〈염불가〉 등 4편이 전한다. 이들은 무형문화재 조사보고서 제65호(1969년 동국대 발행)인 『和請』에 실려 있다. '화청'은 불보살佛菩薩을 고루 청한다는 뜻으로 음곡을 수반한 것은 음악상의 용어요, 문학상으로는 불교가사에 해당된다. 그 중 〈반회심곡〉은 458구의 장편가사인데, '이 몸 죽어 어찌될지 어느 누가 아오리까 바라나니 우리형제 자선사업 많이 하여 내생길을 잘닥아서 극락세계 왕생하며 아미타불 참견하세'라고 꾸준히 염불하여 극락왕생하자는 내용이다.

또 〈육갑십왕원불가六甲十王願佛歌〉는 930구의 장편가사로 서두를 보면, '十方三世 부처님과 八萬四千 큰 法寶와 보살성문 스님에게 至誠歸依 하옵나니 자비하신 願力으로 굽어살펴 주옵소서'라고 권불하였다. 이 밖에도 188구로 된 〈八相歌〉는 석가여래의 생애를 노래한 것이고, 109구의 〈念佛歌〉도 구술되다가 『화청』에 전한다. 끝부분을 소개하면 다음과 같다.

애지중지 하든 이몸　　몇날며칠 보존하리

눈 한번 깜짝하면	만당처자 쓸데없다
만첩청산 들어가니	흐르나니 노수로다
이욕염왕 인옥쇠요	정행타불 접연대라
유타염불 제일이다	지성으로 염불하세
피안사심 없건마는	무연중생 어찌하리
어화우리 동무들아	노는 입에 염불하세

지금까지 거론된 불교가사는 그 일부에 지나지 않으나 이들을 통하여 불교가사의 특징을 보면, 첫째, 작가는 승려이거나 불교와 관련이 있는 선비들이다. 둘째, 내용은 부처님의 덕을 기리거나 불교수행에 힘쓰기를 권면한 것이다. 셋째, 불교가사는 종교적 교훈가사로 내용이 엇비슷해 개성적 노래가 드물다. 넷째, 절에서 새긴 목판본이나 전해진 필사본 그리고 포교용 책자에 수록되어 전한다. 다섯째, 불교가사는 한국가사의 연원을 이루어 그동안 꾸준히 이어져 내려왔다고 할 수 있다.

이 시기의 천주가사는 종교 자유 시대에 지어진 것이다. 1874년 『한국천주교회사』가 파리에서 발행되고, 1886년경 한불조약이 체결되자 천주교는 신앙의 자유를 획득하고, 상복을 벗고 성직복색을 하였다. 뒤이어 『경향신문』(1906)과 『경향잡지』(1911)가 창작됨으로 많은 천주가사가 발표되었다. 그러나 최양업 신부의 전례를 능가하는 새로운 작품 군이 마련되지는 않았다. 그 내용은 대부분 사소한 것이어서 교회의 기념일, 성직자를 위한 축하행사 등이 큰 비중을 차지했다.

〈성당가聖堂歌〉는 안동김씨 김기호가 지은 작품이다. 그는 1860년경 천주교에 입교하여 베르뇌 장주교에게 영세를 받고 본명을 요한이라 하였다. 그는 명도회장으로 장주교와 백주교를 수행하면서 황해도를 비롯한 서북부지방의 전교에 힘을 기울리다가 만년에는 이 가사를 짓고, 또 『구령요의』, 『삭원진종朔源眞終』, 『奉教自述』 등을 저술하고 성경도 번역하였다.

이는 일찍이 이황의 〈도덕가〉나 정조 때 고승 용암대사의 〈초암가草庵歌〉에서도 볼 수 있듯이, 초기 치열한 박해로 저항을 느끼던 천주교에서 신앙정신이 한국인의 의식구조 속에 깊숙이 자리하여 '집짓는 것'으로 연역되어 읊어진 것은 진일보한 현상이라 할 수 있다. 그러나 〈성당가〉는 전체적으로 최양업의 〈사향가〉에 많은 영향을 받은 것인데, 1898년 명동 대성당의 낙성식을 보고 그 기쁨을 노래한 것으로 286구의 가사다. 이는 내용상 11단락으로 구성된 바, 서사를 보면 다음과 같다.

에와 우리 벗님네야	셩당구경 가스이다
셩당은 어듸런고	텬쥬계신 곳이로다
하날 셩당 보량이면	쳔쥬딕젼 셩당이오
천하 만국 돌아보면	텬쥬 영광 곳곳이라
우리 사룸 領聖體는	ᄆᆞᆷ 우희 셩당이오
거룩함도 거룩ᄒ다	이 셩당 저 셩당이어

이 서사에서는 천상천하 온갖 성당을 노래하고 있다. '천주님 계신 곳을'을 성당이라고 노래한 작가는 성당을 하늘 성당, 천하 성당, 마음 성당 등 3가지로 나누었다. 여기서 '마음 성당'은 영성체로 얻어지는 천주님과 나와 합일을 의미한다고 하였다.

〈자신책가自身晴歌〉는 김낙호(1866~1951)가 지은 가다. 그는 조실부모하고 외가에서 자라던 중, 그의 외숙 안씨가 과거보러 갔다 돌아오는 나서방이란 사람의 소개로 입교한 후, 그의 외숙의 권유로 김낙호도 입교하였다. 그는 천주교를 신봉하기 위해 충청도 제천 꽃담(꽃뱅이)으로 옮겨 살다가 영월로 이사하고, 다시 병인박해 때에는 강원도 횡성군 둔내면 황우촌으로 피신하였다.

이 가사는 첫머리에 '임자 납월 긴긴 밤에 누워 잠잠 생각하니'라고 한 것으로 보아, 1912년 12월에 지은 것임을 알 수 있다. 이 노래는 형식상 4·4조 4음보격 172구의 가사다. 이는 자신의 신앙생활을 반성하여 꾸짖는 내용인데, 4단락으로 나눌 수 있다. 다음 서사에서는 50 평생 자신의 신앙생활을 반성하는 내용을 담았다.

> 임즈랍월 긴긴 밤에　　누워 잠잠 싱각ᄒ니
> 이내 연광 오십이라　　뉵칠팔셰 되온 후로
> 지난 연월 싱각ᄒ니　　ᄀ온 일이 무어신가
> 일만 팔천 마흔 날을　　헛되게도 지나왔네

1910년에 발견된『남마두가첩』에는 〈천당가〉(182구), 〈십자성가찬시가〉(94구), 〈愛主愛人歌〉(159구), 〈극난가極難歌〉(100구), 〈반절가,國文歌〉(28구), 〈예수성탄경하가〉(60구) 등과 '경향신문' 백일장에서 장원한 〈애국가〉(32구), 또 이 신문에 게재된 타인의 작품 〈계주가戒酒歌〉(42구)가 필사되어 전한다. 위의 〈애국가〉와 〈계주가〉를 제외한 작품들은 모두 남마두 작품으로 볼 수 있다.

이 가첩에 전하는 〈천당가〉는 죽음, 심판, 지옥, 천당 등 四末 가운데 천당의 참된 복락을 노래한 것으로 그 일부를 보면 다음과 같다.

> 셩경 셩서 살펴보니　　텬당 진복 긔이ᄒ다
> 이 세상에 부귀 복락　　텬당 복락 비길진딕
> 도로혀 취루ᄒ니　　복락이라 일흠ᄒ랴

눈으로 못 보왓고　　　귀로도 못 들은들
말로 엇지 형용홀가　　　비유홀게 아죠 업니
소경의게 빗을 뵈고　　　알아내라 홈과 굿티
검은겐지 흰 거신지　　　분별홀 수 잇실손가

〈십자성가찬시가十字架讚詩歌〉는 십자가의 거룩함을 노래한 것으로, 그 일부를 보면 다음과 같다.

찬양하셰 찬양하셰　　　십ᄌ셩가 찬양ᄒ셰
십ᄌ가여 십ᄌ가여　　　도토 도흔 십ᄌ가여
오쥬 예수 슈난젼은　　　형벌ᄒ는 긔절너리
예수 슈난 ᄒ신 후론　　　보빅 남기 되엿도다

〈애주애인가〉는 생각과 말과 행동으로 천주를 공경하고 애주애인 할 것을 노래한 것으로, 그 일부를 소개하면 다음과 같다.

아름답다 텬쥬 ᄉ랑　　　어이 그리 긔묘흔가
반갑도다 반갑도다　　　텬쥬 ᄉ랑 반갑도다
정신 나네 정신 나네　　　이든례에 정신 나네
엇더케 ᄉ랑홀가　　　ᄉ언힝을 다홀지라
텬쥬 십계 엄흔 명령　　　션후ᄎ셔 분명ᄒ다
뎨일계는 싱각이니　　　ᄆᆞ음으로 경이ᄒ고
헛딍셰를 발치 말아　　　뎨이계를 직힘이오
뎨삼계는 힝홈이니　　　쳠례날을 직힘이라

〈극난가極難歌〉는 첫째 사람이 세상에 태어나 수신제가하기 어려운 것, 둘째 성교聖教에 들어 수계守誡하기 극난한 것, 셋째 교우일지라도 대죄를 범한 뒤 고해告解와 통회痛悔를 하지 못하고 죽으면 사후에 형고를 받을 것이니, 그것이 극난한 중에 극난한 것임을 노래하였다.

『박동헌본가첩』은 1913년부터 1년간 박동헌 신부가 필사한 것이다. 여기에는 최양업 신부의 〈선종가善終歌〉와 역시 그의 작품으로 추정되는 〈사심판가私審判歌〉와 〈公審判歌〉가 필사돼 있고, 그 다음에 1910년 이후의 박동헌 작으로 보이는 〈도해신전渡海神戰〉, 〈경주가警酒論〉, 〈春山玩詩〉, 〈聖宴論〉과 작가 미상의 〈정신부싱신〉, 〈三路論說〉, 〈식신부경축〉, 〈和愛論〉 등의 천주가사가 함께 필사돼 있다.

그 중에 〈도해신전〉은 현세를 괴로운 바다, 즉 신전지세神戰之世로 보고 노래한 것인데, 그 일부를 보면 다음과 같다.

여보 우리 뎨형(弟兄)네여	내 말 좀시 드르시오
교우 일싱 가는 것은	길 이 젼징(戰爭) ᄒᆞ는ᄯᅡ라
죄즁(罪中)줌긴 이 세상에	험흔바다 일양(一樣)이니
육신으로 널판ᄒᆞ고	긔구(祈求)로셔 빗 믄든후
五管으로 창문닉고	삼ᄉᆞ(三司)로셔 守直홀싀
막을셰라 막을셰라	三仇 원슈 막을셰라

이 가사는 최양업의 〈三世大義〉와 대동소이한 구절이 많아 서로 영향관계에 있는 아류작으로 볼 수 있다. 〈경주론警酒論〉은 개화기에 유행하던 〈계주가戒酒歌〉의 일종으로 '령육간에 히가 되는' 술을 경계한 노래다.

『박동헌본가첩』 중 〈춘산완시春山玩詩〉는 주목되는 작품이다. 이는 작자가 봄날 춘산을 완상玩賞하며 지은 것으로 자연을 바라보는 감각이 전통적 방법과 매우 다르다. 봄에 핀 매화에 대하여 다음과 같이 읊고 있다.

희게 뵈는 저 무덕이   민화나무 그 아닌가

봉을봉을 피여있고   담성담성 열녓시니

童身者의 모상(模像)이오   無罪者의 模像이라

위에서 매화를 성모 마리아와 같은 동신자의 모상이오 무좌자의
모상이라고 노래한 것은 불교적 선감각禪感覺이나 사림의 풍류적 자연
관과는 크게 다른 기독교적 감각을 볼 수 있다. 〈성연론〉에서는 성체
성사聖體聖事의 즐거움을 다음과 같이 노래하였다.

높고놉흔 성톄성ᄉ   노릐ᄒ야 찬양ᄒ라

어하여보 어이업소   아원이게 웬일이냐

獄囚桎梏 잇던죄인   정승된들 이러ᄒ며

家門家門 걸식ᄒ야   乞客處地 있던쟈가

萬乘天子 된다ᄒ도   이러타시 즐거우랴

『김기동본가첩』에는 한문 필사본 「묵상신공」의 간폭間幅에 〈성탄
가〉, 〈민주교찬송가〉, 〈야소부활찬양가〉, 〈속죄가〉, 〈성탄가聖誕歌〉 등
5편의 천주가사가 필사되어 있는데, 모두 1913년경 작품으로 보인다.
이 가첩에는 내용이 각기 다른 〈성탄가〉가 앞뒤에 2편 수록돼 있는
데, 다 작자가 밝혀져 있지 아니하다. 그러나 〈야소부활찬양가〉는
1913년『경향잡지』에 발표된 것으로, 남상은(마두)이 지은 것으로 김
기동이 여기에 필사하였다. 그 외에 작품들은 필사자 김기동의 작으로
추측된다.
　처음에 나온 〈성탄가〉는 성탄의 반가움과 엄동설한에 말구유에서
태어난 예수와 성모, 그리고 요셉의 간난함을 노래하였다. 그 일부를
보면 다음과 같다.

奇異ᄒ다 말구유여	奧妙ᄒ다 말구유여
가ᄂᆞᆫᄒᆞ온 聖母요셉	孤獨ᄒᆞ온 耶蘇嬰兒
親戚故鄕 머럿스니	도라보리 ᄒᆞᄂᆞ업고
貧窮ᄒᆞ온 나그ᄂᆡ니	食飮인들 잇슬숀가

〈민주교찬송가〉는 1913년 2월 미리내성당 축성식에 참석한 뮈텔 주교를 찬송하여 김기동(안드레아)이 지은 것이다. 본문중에 '九十老 翁 안드리아 不參幻影 遺恨이라'고 한 것으로 보아 그 때 김기동은 90 세 노옹으로 실제 성당 축성식에는 참석하지 못하고 이 노래를 지어 뮈텔 주교의 왕림을 찬송한 것으로 보인다. 『찬송을 ᄒᆞ세 경배를 ᄒᆞ 세 到位하신 主敎 알네누여 七八年 기달이든 주교 오날날이야 오셔도 다』고 한 뒤 다음과 같이 읊었다.

敬主愛人 우리監牧	赦罪救靈 至誠이라
節季三陽 萬化方暢	讚頌歌이 질겁도다
三德十戒 誠信守道	天主敬愛 됴흘씨고
讚歌舞蹈 우리 敎友	主의 恩寵 德化로다
花被草木 全能이요	賴及萬方 至善이라
習慣毛病 定改ᄒᆞ여	省察告明 救罪ᄒᆞ세
體內生存 우리 人物	內察主目 恐懼로다

이와 같이 당시 천주교인들이 주교나 신부를 얼마나 존경하고, 또 주교나 신부로부터 성사를 받은 것을 얼마나 큰 기쁨으로 여겼나를 알 수 있다.

〈속죄가救罪歌〉는 1913년 성탄을 맞아 김기동이 지었다. 내용은 그동 안 지은 죄를 하느님께 사죄받기를 비는 것이다. 그 일부를 보면 다음 과 같다.

驕傲偏情 邪淫等類	萬罪過의 魁首로다
孝敬忍愛 謙讓等德	萬仁善의 元帥로다
三仇戰場 日日攻退	七罪陳壘 時時警斥
戰必勝則 樹功ᄒ고	大父義子 되리로다
戰不勝則 抵罪ᄒ야	必作魔鬼 奴隷로다
終身相戰 不弛ᄒ야	功罪判은 身死日을
洞洞屬屬 愛主ᄒ고	兢兢業業 救靈ᄒ쇼

그리고 1930년대 『경향잡지』에 발표된 남상철의 〈빅쥬년락ᄉ가〉는 조선 천주교의 100년 역사를 서사적으로 읊은 것이 돋보인다. 박제원도 1931년대 〈소경자탄가〉를 지어 소경된 자신을 한탄하고, 육적 소경보다 영적 소경이 더욱 비참함을 노래하였으며, 〈통회사〉는 주님을 섬기고 영혼을 구원하기 위해 자기의 죄를 뉘우치는 것이다. 〈사말추론가〉는 죽음·심판·천당·지옥 등에 대한 노래로 소년들에게 제공하여 참회하지 않으면 분명 지옥에 이른다는 것을 전하기 위한 것이다. 지금까지 천주가사에 대하여 살펴본 바, 1930년대까지도 창작되었고, 1940년대는 일부가 음악의 곡에 얹어 미사 때 성가로 불러지기도 하였다.

또한 대종교大倧教에서 홍암대종사弘巖大宗師라고 하는 나철羅喆(1863~1916)은 원래 유학을 한 선비로 과거에 급제하여 벼슬길에 나섰으나, 일제 침략으로 구국의 방책을 찾아 나섰다. 1905년에 백두산에서 온 노인을 만나 대종교의 기본 경전인 『삼일신고三一神誥』를 받았다. 이에 크게 깨달아 1909년에 대종교의 중광重光을 선포했다. 1915년 일제가 대종교를 불법화하자 망명하지 않고 국내에서 온갖 고초를 겪었다. 그 다음해 황해도 구월산 삼성사가 있는 성지를 찾아가 자결함으로 54세로 일생을 마쳤다. 민족을 구하지 못한 죄를 목숨을 바치어 형제들의 고통을 대신 감당한다는 유서와 함께 〈중광가〉, 〈이세가〉라는 가사 두 편을 남기었다.

〈이세가離世歌〉는 죽음을 앞에 둔 개인적인 술회를 나타낸 짧은 노래이지만, 〈重光歌〉는 본문 4행, 후렴 2행이 한 연을 이루어 모두 24연의 장편가사로써 민족사의 영광과 시련, 당시의 고통과 희망을 제시한 노래다.

〈중광가〉는 절망을 희망으로 바꾸어 놓자면 확고한 믿음을 되찾아야 한다면서, 믿음의 빛으로 자유를 되찾아야 한다는 각오를 노래하였으며, 중광이라는 말은 민족광복을 의미한다. 그 일부를 보면 다음과 같다.

이 빛 받은 家家에   우리 사람 또 산다
앉은뱅이 발 뻗어   일어서 펄펄뛰고
곱새는 등을 펴서   활활가며 춤추고
묶인 鐵線 벗어나   自由로 發發한다

또 동학가사東學歌辭는 가사라는 형태를 빌어 동학의 포교와 교리를 펴기 위하여 지은 포교신앙가사布敎信仰歌辭다.

수운 최제우가 지은 「용담유사龍潭遺詞」는 경주 용담정을 중심으로 동학이라는 한 독창적이고 새로운 종교를 창도하고, 이를 세상에 펼친 수운의 핵심적인 사상이 담겨있는 가사이다. 이에 비하여 김주희의 동학교가사는 최제우의 동학가사와는 약간 다른 성격을 지니고 있으나, 종교적 뿌리는 동일한 것이다.

원래 동학은 최제우-최시형-손병희로 이어지며, 손병희에 의하여 천도교로 칭하게 되었다. 그런데 '尙州東學敎'는 최제우-김시종-김낙춘-김주희로 이어진 남접南接으로 자처하고 있다. 그러나 주목할 것은 정통을 이어받았다는 김시종과 김낙춘이 허구적인 인물이라는 점이다. 그리고『東學教法』의 연원에도 일세교주 수운대선생, 이세교주 청림선생으로 기록되어 있는데, 청림선생은 김주희 존호^{尊號}이기도 하다. 따라서 상주동학교는 최제우로부터 직접 북접주도^{北接道主}를 이어받은 해월 최시형(1827~1897)에 대해, 남접도주 청림^{靑林}을 자처한 김주희가 창설한 종교임을 알 수 있다. 박일이 제시한 동학의 계통을 보면 다음과 같다.

【 동학계통도 】

(東學)　　　　二世　　　　　三世

최제우 → 최시형 · 北接 → 손병희 → 천도교(개명)
(1860)　　(1864)　　　(1897)　　(1905~현)

　　　　　　　　　　　　↓　　　　　　　(시천교)(1906~)

　　　전봉준 · 南接 → 진보회 · 이용구　　　↑
　　　(1854~1895)　　(1904)　　　일진회 · 이용구
　　　　　　　　　　　　　　　　　(1905~1910)

　　　유신회 → 일진회 · 윤시병
　　　(1904)　　(1904)
　　　　　　　　쇠미

├─이백초(東學道人) → 靑林教(1904) → 1920년 부활(김상설외)

├─김주희 · 南接(자칭) → 東學教(1909) → 1915년 본부설치(경북상주)

├─정득우 → 敬天教(1904?)

└─기타 유사종교

이어서 박일의 논의를 요약해 보면,『용담유사』의 주된 사상은 천인합일^{天人合一}의 인내천사상으로 인간평등과 존엄성을 강조했고, 선천^{先天}의 타락세계를 후천개벽으로 질서를 확립하는 것이며, 민족주체사상으로써 서양, 일본, 중국 등을 배척했고, 실학에 이어지는 개화의식을 내포하는 것이었다. 최제우는 동학가사를 통하여 한국인의 정통적인 유학사상을 융합시키고, 유교지상주의, 중국중심주의 문화권을

융합의 방향을 취하면서 한국적 주체성을 살리어, 자기중심주의로 전환시킨 동학적 세계관을 형성시켰다고 볼 수 있다.

한국정신문화원에서 간행된 『동학가사』 I · Ⅱ(1979)에는 '상주동학교가사'라 하여 107편이 실려 있으나, 가사작품이라 할 수 없는 〈니슈도〉 외 6편을 제외하면 100편이다. 이것을 주제별로 묶어보면 다음과 같다.

1) 삼강오륜의 도덕을 포괄적으로 노래한 가사 (2편)

2) 효자효부, 형제우애, 부화부순 등 家道의 확립을 노래한 가사 (6편)

3) 임금에 대한 충을 노래한 가사 (2편)

4) 正心修道하기를 당부한 가사 (54편)

5) 五行 및 陰陽 이치를 노래한 가사 (7편)

6) 신선의 경지를 노래한 가사 (2편)

7) 농사의 필요성을 강조한 가사 (3편)

8) 직분을 다할 것을 강조한 가사 (1편)

9) 문명 및 병기 진보에 대한 한탄을 읊은 가사 (1편)

다음에서 이들 '상주동학교가사'의 모습을 살펴보면 다음과 같다.

텬리로다 텬리로다	가는 길이 텬리로다
몃릴는고 몃릴는고	젼졍이 몃릴는고
산산슈슈 력력하니	산수풍경 아리로다
산이로다 산이로다	곤륜산이 산이로다 -〈ㅈ고비금쟝〉

亞字질을 알아보면	白十字를 모를손가
白十字를 알아보면	天一生水 모를손가
天一生水 알아보면	天下萬物 되는 理致

물노 되는 그 理致를   언의 누가 모를 손가

-〈金剛山雲水洞弓乙仙師夢中寺七斗歌〉

이처럼 연쇄적으로 반복하여 표현된 곳이 부지기수인데, 이것은 포교라는 목적에서 낭독을 매끄럽게 하여 지식수준이 낮은 일반 서민에게 직관력을 높여 주는 역할을 했다고 볼 수 있다.

또 다음과 같은 특이한 표기법으로 쓴 작품도 있어 흥미롭다.

矢口矢口 鳥乙矢口	矢口二字 뉘알손야
弓乙弓乙 鳥乙矢口	矢口矢口 鳥乙矢口
無知한 世上사람	愛恒하고 愛恒하다
말하즈니 煩擧하고	마즈하니 不祥하다 -〈지지가知止歌〉-

御化世上 사람덜아	陰陽을 알아쓴가
옹졸흔 台乃 所見	어료로 헤아리니 -〈경탄가警歎歌〉-

이 처럼 서민층에서 즐겨 쓰던 군도목식軍都目式 표기법을 취하고 있는데, 상주동학교가사는 철저히 서민적이며, 또한 '어리석은 台乃사름 一字를 들고보니 一天之下 만은사름…' 등으로 1字에서 10字까지를 들고 숫자 뒤풀이 형식으로 표기한 〈弓乙十勝歌〉 등이 있어 통속성마저 엿보이는 가사라고 볼 수 있다. 『용담유사』와 '상주동학교가사'의 형식을 대비시켜 보면 다음과 같다.

첫째, 『용담유사』는 최제우가 지은 것이지만, 상주동학교가사는 작자가 규명되지 않고 지금까지 전래된 가사의 정착, 김주희에 의한 전래가사의 개작, 그리고 김주희의 창작이 섞여 있을 것으로 추정되지만 그 형식면에서 3종으로 분류되어 김주희 외 2~3인의 작자가 더 있었으리라 보아진다.

둘째, 『용담유사』가 4음보의 정연한 율조를 보인 반면, 상주동학교가
사는 4음보를 기준으로 하되 파격의 율이 약 11%로 심한 편이다.

셋째, 『용담유사』가 읽힐 수 있는 수용범위가 더 넓다고 볼 수 있다.
즉 상주동학교가사가 더 후기에 지어져 평민들의 의향에 맞도록
지어졌음에 비하여, 『용담유사』는 양반과 평민 모두를 의식하여
창작된 것으로 볼 수 있다.

넷째, 『용담유사』가 8편(〈劍訣〉除外)인데 비하여 상주동학교가사는
100편의 방대한 분량이다.

다섯째, 『용담유사』는 평균 200구 내외의 가사들로서 포교기능을 갖
추어 구송을 염두에 둔 작품이나, 상주동학교가사는 그 분량도 24
구의 소품에서 약 2천구나 되는 작품까지 나타나 낭독을 통하여 포
교기능을 높이기 위해 지어졌다고 볼 수 있다.

여섯째, 『용담유사』가 1860~1863년, 상주동학교가사가 1925~1932년
에 창작되었기 때문에, 전자보다는 후자가 형식면에서 정연성이
부족하다고 볼 수 있다.

'갱정유도更定儒道(일명 一心敎)'의 도조道祖 영신당迎新堂 강대성姜大成(1890
~1954)은 1928년에 순창 회문산 금강암에 입산하여 부부자夫婦子 삼인
이 유불선 삼도법으로 수도한 이듬해에 득도했다. 부부자 삼인이 생
사교역하여 삼변성도, 구변구복의 신묘한 조화를 보였다. 도통 후에
도덕경전과 그의 시가문을 합하여 『符應經』 365권을 저술하였으나,
오랫동안 필사본으로 전하다가 그 일부가 유실된 뒤 남은 원고를 모
아 1980년에 교도들이 간행하였다.

그 내용은 '時運氣和儒佛仙 東西學合一大道大明 多慶大吉 儒道更定
敎化 一心'으로 도통천지道通天地를 건설한다는 것이니 이러한 진리정수
를 몸으로 익혀서 천은을 지각해야 한다는 것이다. 이러한 사상을 내

용으로 한 가사가 「부응경」 상·하권에 수십 편이 수록되었는데 대표적인 가사 몇 편에서 그 일부를 소개하면 다음과 같다.

於我春風 봄소식아　　　風水行각 단일적의
水流石間 흐르는물　　　踏山風景 조홀시고
요바라　　　　　　　　風水行客 뉘가아라
山有水而 風聲하야　　　水魚石而 流寥커늘
四皓商山 우리더러　　　水石차자 노자하고 (후략)

-〈풍수춘흥가^{風水春興歌}〉에서

廣寒樓 높피올라　　　九萬長天 구버보니
雲靑氣降 내린 신선　　宇宙에 뺏질여서
南朝鮮의 一心船이　　동두렷이 놉피떳다
十洲煙霞 내린神仙　　廣寒樓 照臨하니
五色彩雲 두린속의　　詠歌舞蹈 장이좃타. -〈승지가^{勝地歌}〉에서

깨다르오 깨다르오　　桃源春夢 깨다르오
실푸다 우리 民族　　　집피든잠 깨다르오
우리나래 自主獨立　　오날날이 基礎로다
槿花故國 好消息이　　曙光이 빗저오니
於我同胞 兄弟더라　　달소사 조커니와
아마도 저햇님은　　　小焉間의 뜨리로다 -〈춘몽^{春夢}〉에서

위에서 살펴본 바, 작품내용에 있어서 그 심오한 사상적 깊이를 찾을 수 없으며, 한자어를 많이 사용한 점과 중첩된 내용을 반복하여 지루한 감을 더하고 있다.

〈강륜보감綱倫寶鑑〉은 계도성사繼道聖師 김갑조(1933~1979)의 장편가사이다. 그는 구례군 광의면 연파리에서 탄생하여 성장하면서 경정유도에 입도한 후 수도 중에 계도성사가 되었다. 그는 백운산 영대암에서 1958년 득도했으며, 1961년 지리산 노고단 수련당에서 〈綱倫寶鑑〉을 지어 명륜, 경신, 입교로 제자를 가르쳤고 1962년 도조 영신당주임 강대성의 영애(蓮紅)와 대례한 후 포교를 하였다. 1972년 백운산 영대암에 수련당을 짓고 신화인의 성단공부를 시키고 『부응경』과 사서삼경을 강학하여 제자들을 영도하다가 1979년에 몰하였다.

그의 『만민해원경萬民解冤經』 속에 〈강륜보감〉이 전하는데, 이는 '삼강오륜'을 가사로 바꾸어 노래한 것이다. 세상이 어지러운 것은 강론이 피폐한 탓이요, 사람들이 원망스러워하고 도탄에 빠지게 된 것은 인의예지의 도법이 시들어진 탓이니, 이를 빨리 찾아 익혀서 수신제가와 치국평천하해야 하고, 명륜明倫, 경신敬身, 입교入敎 등을 몸에 익혀 행하라고 하였다. 〈강륜보감〉의 내용은 '명륜'에 부자편, 군신편, 부부편, 장유편, 붕우편, 명륜통론편 등이 있고, '경신'에는 의복편, 음식편, 위의편, 경신통론편 등이 있으며, 그리고 '입교'를 합하여 4,500여 구의 장편가사로 서술되었다. 그 일부를 보면 다음과 같다.

年長이 十年어던	兄갓치 섬기고
반다시 從할찌니	長者가 問議어던
趨進하야 正立하고	拱手하야 敬拜하며
반다시 長者의	所視을 向하새 -〈경장가敬長歌〉 중에서

謹飮하새~~~~	飮食홈을 謹飮하새
齧骨하지 아니하며	魚肉을 毋反하며
齒牙를 毋刺하며	醢水를 毋啜하며
乾肉은 齒決말며	灼炙를 毋嘬하며

378

飮食을 數진하야	口容을 毋弄하라 -〈근음가^{謹飮歌}〉 첫 부분에서

가라치새~~~~~ 　　　子息을 가라치새
母敎난 幼時에 하며 　　父敎난 長時에 하며
가라치새~~~~~ 　　　子息을 가라치새
母敎난 幼時에 하며 　　父敎난 長時에 하며
七歲가 되거더면 　　　사내와 게집이
卽席에 음식홈에 　　　長者보다 後에하야
外傅의게 나가서 　　　밧게서 居宿하며
朝夕에 長者섬길 　　　幼儀을 배호대
敎子됨이 제일먼저 　　恒常어린 자식을
墻面之厄 면케하되 　　居選하야 가라치새

-〈교자가^{敎子歌}〉 첫 부분에서

　위에서 〈경장가〉는 '명륜'에, 〈근음가〉는 '경신'에, 〈교자가〉는 '입교'에 속한 노래다. 이처럼 〈강륜보감〉은 모두가 전통 유교 사상을 전통가사의 운율에 맞춰 교리를 익히도록 한 것으로 극히 교훈적으로 문학성은 떨어진 작품이다.

아. 회고서사가사 ^{懷古敍事歌辭}

　역사적 인물과 사물을 회고하는 가사에는 〈한양가〉, 〈경탄가〉, 〈문소김씨세덕가〉, 〈광산김씨세덕가〉, 〈진성이씨세덕가〉, 〈고흥류씨세덕가〉, 〈전주류시세덕가〉, 〈산촌향가〉, 〈일월산가〉, 〈울분가〉, 〈한양비가〉, 〈학생의거혁명가〉 등 12편이 있다.

　〈한양가^{漢陽歌}〉는 나산 사공수(1846~1925)가 지은 가사다. 그는 한말의 세태를 보고 산림에 피신하였고, 경술국치를 보고 망국의 한을 읊어서 널리 세상에 퍼지게 하였으니, 이것이 곧 〈한양가〉이다.

사공수는 경상도 군위 사람인데, 과거로 입신하고자 했으나 매관 매직이 성행한 세상이라 번번이 실패하고, 누대 내려오던 재산을 대원군이 경복궁을 지을 때 마지막으로 털어갔다. 원납전願納錢을 거둔 것을 원망해 '가싯짓난 이 사람도 탕패하여 가든 사림 부명이 걸엿기로 농우 파라 원납하니'농사를 폐농할 지경이 되었다고 하였다. 〈한양가〉에서 강조된 바는 국가사직의 보존과 충신열사의 순절이다. 단심가를 읊은 대목에서는 대화체가 나오는데, 이는 가사에 서사와 서정이 동시에 내포되어 희곡적 성격을 보여 준 것이다. 그 내용 중 성삼문의 순절사를 보면 다음과 같다.

성삼문의 하난말이   불사이군 충신일을
평생에 지키다가   늬성기던 그인군언
사지의 게섯신이   늬인군을 차ᄌ가서
지하의가 섬기건이   뉘를보고 조회할일

또 망국 후의 상황을 노래한 대목을 들면 아래와 같은데, 고종의 모습을 그리는 데 주안점을 두었다.

역적놈들 말하자니   용열하야 못하겠내
나라 효상 엇지 되나   근경뎐 만슈궁은
일본놈이 아사 잇고   홍덕궁 덕수궁은
상감 부자 갈나 잇셔   나라 모양 기구하다
인군 쳐지 가엽도다   삼철리 조흔강산
금포단이 도장 찍어   덕슈궁이 아달 두고
홍덕궁이 방안이   적막히 홀노안자
한갑인지 무어신지   진갑이 무어신지

세월업시 다 지닉지　　빅슈국왕 가련하다

　이 가사의 목적은 망국민에게 역사를 소상히 가르치라는 가사의
효율성을 원용하여 왕도정치의 본연성과 애국충절의 고귀성, 그리고
망국민의 사명감을 담아 역사의식을 바탕하여 국권회복을 얻고자 한
의도를 볼 수 있다.

　〈경탄가警歎歌〉는 이의박(1875~?)이 지은 회고서사가사다. 작자는
고종 12년에 태어나 벼슬 없이 시골에 살면서 학문에 전념한 선비로
자세한 행적을 알 수가 없다. 가사의 창작연대는 1922년 47세에 지은
것으로 3490구의 장편가사다.
　조선조의 왕도王道 · 능소陵所 · 선원세계璿源世界, 내외관방품질內外官房品秩,
성현과 선비, 色目(사색당파), 충신 · 효자 · 열녀들의 이야기, 자기 집
안의 사사로운 일, 세상일에 대한 자탄 등을 내용으로 하였으며, 끝으
로 자신들에게 유교적 윤리인 인간의 선행과 충 · 효 · 열을 가르치고
경계함을 주제로 한 교훈가사로 규정 지을 수 있다.
　특히 〈경탄가〉는 구한말이 지나고, 일제 치하에서 지어진 작품으
로서 후손 집에 그대로 전하여 왔다는 사실은 그 원사原詞의 신빙성을
입증해 주고 있다. 이는 후기의 한국 가사문학사에 귀중한 서사장편
가사 자료로서 그 가치가 있다. 그 일부를 보면 다음과 같다.

　　　숨각북악 쥬봉이요　　관악종남 안딕롤세
　　　락곡산이 좌청룡의　　인왕산이 우비회라
　　　정숨봉 남강무며　　　리향직 숨공경이
　　　어명으로 쇼졈이요　　무학딕ㅅ 직혈일세
　　　딕명틱조 고황뎨　　　ㅅ기국호 죠션으로
　　　홍무 이십오년　　　　임신추칠월 긔망일이

긔원졀이 도엿구나 한양의 뎡뎡ㅎᄉ
계계 승승 셩자신손 즙회하고 루흡ㅎ미
식지우금 쟝원ㅎ니 만셰무강 아롬답다

다음에 이어지는 세덕가류世德歌類에서 '세덕'이란 대대로 쌓아온 조상의 아름다운 덕으로써, 그 내용은 충·효·열로 이어진 인물의 전기적 사실에 대한 기록이다. 세덕가란 업적이 크든 작든 득성시조得姓始祖로부터 중시조를 거쳐 작가 선대에 이르기까지 공훈을 수직적으로 서술하는 가족사적 가사이다.

〈문소김씨세덕가〉는 항일을 위해 망명을 한 김대락의 조카 정산 김조식(1873~1950)이 지은 것으로 국치년國恥年, 작가의 나이 37세로 일가친척이 모두 망명하거나 일제에게 고초를 당하게 되고 다섯 아들이 만주에서 돌아오지 못한 상황에서 그는 향제鄕第를 지키며 사림을 수호하는 심정에서 쓴 것이다.

島中의 一小國이 四面水賊 쉬우리라
져나라 져民族언 당우슈슈 餘勢오나
不軌한 海倭國이 鼠竊狗偸 멋번지고
사직에 집열하고 종묘가 공원되니
오백년 의관쪽이 말혈음읍 가련하다

이처럼 서장에서는 국치를 당한 자신의 심회를 볼 수 있고, 종장에 가서는

조선대가 누누집도 우리 김씨 당홀소냐
영남의 오명가요 안동의 삼듸가라

유림의 주밍이요   예문가 종장이라

라고 하여, 조상의 덕화유업을 계승하여 도리를 밝히고 석학^{碩學}의 명문가 자손임을 긍지로 삼아 욕되지 않는 후손이 될 것을 당부하고 있다. 이처럼 자기 가문의 내력을 가사로 읊으면서 항일의식과 신분하락에 대한 우려를 함께 나타내는 세덕가류는 경북 안동지방을 중심으로 여러 편이 있다.

〈광산김씨세덕가^{光山金氏世德歌}〉는 석하 김영중(1892~1978)이 35세 때 지은 것인데, 여섯 딸을 출가시킬 때마다 지참시켜 가문의 교화를 위했던 세덕가사. 이런 가사는 교화적 특성이 두드러진 것으로 현조^{賢祖}들의 덕업을 계승하여 명문화된 가문의 혈통을 후예들에게 계승하는 것이 지고의 목표이다. 현조의 덕업이란 곧 유교의 오륜사상인 바,

효제충신 금검절의   우리 조선 가풍이요
낙선호의 안빈목족   우리 조선 가법이라
못뵈압고 못들어도   자연한 유맥이라

라고 하여, 효제충신^{孝悌忠信}·근검절의^{勤儉節義}·낙선호의^{樂善好誼}·안빈목족^{安貧睦族} 등을 가풍으로 세세전전 하였음을 기정사실화하여 독자에게 감동을 주는데 성공하였다.

〈진성이씨세덕가^{眞成李氏世德歌}〉는 애정헌 이동춘(1900~1980)이 1931년에 지은 것으로 종매^{從妹}가 혼인하니 여자들도 조상세계를 알아야 한다며 기념으로 지어주었다. 그 일부를 보면 다음과 같다.

누의와 여아들아	내 말삼 듯거셔라
사람의 빅힝실이	효도가 웃듬이라
효도라 ᄒ난것이	부모님쓴 아니로다
져몸의 죠부모난	부모님의 부모시오
져몸의 증죠부난	죠부모의 부모시오
이대로 미루우면	쳔빅딕가 부모로다.

위에서는 직계 조상에 대한 정감을 하나로 통합하는 데 성공하고 있다. 그 육친의 감정을 적절한 생략을 통하여 상대 시조까지 혈육의 친근감으로 통합되어 있다. 가족사적 특성은 다음에서도 볼 수 있다.

그 다음 십뉴딕죠	퇴계선싱 아니신가
힝실을 잘못ᄒ면	조상을 더럽힐까
너희 비록 여자라도	죠상을 싱각ᄒ라.
우리 홀빅 자손으로	남의게 쌔지오면
인륜에 아니될뿐	즘싱만 못ᄒ리라.

〈고흥류씨세덕가^{高興柳氏世德歌}〉는 정수학인 류제한(1908~?)이 1937년에 지은 2174구의 장편가사다.

고흥 류씨는 시조 호장공 류영^{柳英}으로부터 6세인 시중공 승무가 어진 아들을 낳으니, 그가 도첨의정승^{都僉義政丞} 영밀공 류비^{柳庇}(?~1329) 즉 청신^{淸臣}이다. 제7세인 류청신은 18세에 등과해 사신으로 원나라에 가서 뛰어난 외교적 재능을 발휘하여 그 공이 지대함으로 충렬왕은 그에게 3품의 직위를 주고, 장흥부에 소속된 고이부곡을 고흥현^{高興縣}으로 승격시키라는 교서를 내렸다(신증동국여지승람 제40권). 또 1305년 충렬왕이 원나라에 머물 때 왕을 본국으로 돌아가게 해 달라고 간곡히 기원함으로 元황제는 공의 충의를 가상히 여겨 그의 이름을 청신淸臣이라 고쳐주고 송시頌詩를 지어 칭찬했다. 이런 상황을 읊은 대목을 보면 다음과 같다.

國家에 重大事는	전부마타 처리하사
元나라에 使臣간게	스물아홉 번이로다
슬푸도다 忠烈王이	원나라에 드러가서
3년이나 되앗서도	終是還國 아니하니 (중략)
進退周族 하오셔서	送王還國 하오시고
왕의 책임 전부마타	볼모잡혀 기시면서
竭誠盡職 하옵시고	節義堂堂 하오시니
元王이 칭찬하고	그 충성을 표창하되
맑은 淸字 신하 臣字	이름지어 下賜하고
張相公을 식이여서	詩를지어 칭송하되
우리 聖上陛下께서	어진 宰相 알아보사
친절하게 불으셔서	옛이름을 곳치섯네
一千金은 가벼웁기	입사귀와 흡사하고
한글자는 무거워서	저울질이 어렵도다
둥근달이 명랑하니	가을 강이 깨끗하고
원하건대 그대시여	이런 덕을 머무로니
子子孫孫 전해가며	富貴榮華 누리리라

또 9세 충정공 류탁柳濯(1311~1371)은 고려 공민왕 때 문하시중으로 청신의 손자다. 전라도 만호가 되었을 때는 사졸들과 감고甘苦를 같이 하여 왜구를 물리쳤으며, 〈長生浦曲〉을 지어 군사들로 하여금 합창하게 하였다는 내용을 소개하면 다음과 같다.

全羅忠淸 楊廣道의	都巡問使 되오셔서

持軍整肅 하오시고	寒暑甘苦 같이하니
나라에서 酒肉으로	賞을주고 慰勞하네
數萬名의 賊兵들이	萬德社에 侵入하여
人民들을 殺害하고	財物들을 빼서가니
輕騎를 거나리고	한번쳐서 殲滅하니
賊兵들이 놀래여서	다시 犯치 못함으로
長生浦의 노래지여	軍士로써 合唱하니
勝戰曲 노래소리	천지에 진동하며
軍民들이 喜悅하니	太平聖代이 아닌가.

이처럼 27세인 부친에 이르기까지 조상의 덕을 기린 내용을 차례대로 기술하였다.

〈전주류씨세덕가全州柳氏世德歌〉는 입헌 류동환(1885~1974)이 지은 가사다. 그는 35세 때에 3.1만세를 맞아 선봉에 섰다가 체포되어 3년 형을 언도받아 1년간 복역하였다. 이 때 일어난 일제에 대한 적개심은 사촌인 의병선봉장 류시연 등의 영향에서 비롯된 것이다. 아들은 요절하고, 6.25 때 손자마저 잃고 상심하던 중 이 가사를 지어 출가한 딸에게 주었다. 그 일부를 소개하면 다음과 같다.

고려장령 完山伯은	시조로 괴여스니
덕엄이 무궁ㅎ와	전국에 훗친자손
2만명이 되올른지	전주최씨 빈덕도여
다섯아들 한사위가	함께 올라 문과시기
삼한국 딕부인을	나라에서 봉ㅎ시고

이러한 세덕가는 현조의 덕화훈업을 찬양한 단순한 복고사상에서

나온 것이 아니다. 이는 후손임을 자각케 하고 창업정신을 본받아 변동사회에 대처하는 정신무장을 강화하는 데 있었다.

은촌 조애영(1911~)은 신학문을 배웠으나 창작에서는 전통시가를 계승하여 시조와 가사를 짓는데 전념하였다. 작자가 회갑 때까지 창작한 작품들이 『은촌내방가사집』에 전하는데, 〈산촌향가〉, 〈일월산가〉, 〈울분가〉, 〈금강산기행가〉, 〈신혼가〉, 〈한양비가〉, 〈학생의거혁명가〉, 〈육여사환영가〉, 〈사우가〉, 〈귀거래가〉, 〈축수연가〉, 〈귀향가〉 등 16편이 전한다. 작품의 주제가 다양하여 생활배경(3), 기행(1), 우정(2), 시사(5), 시집살이(2), 수연(1), 취미(2) 등 여류가사의 주제 확대에 새로운 일면을 보였다.

〈산촌향가山村鄕歌〉는 1925년에 작자의 가족의 내력과 한말에 겪어야 했던 비운들을 여성의 다정다감한 정회로 다음과 같이 엮었다.

우리 조부 남주장은　　의병대장 애국열사
왜놈들이 오는 쪽쪽　　다 잡혀서 죽었건만
합방조인 되고보니　　일생공적 수퍼로다
그날부터 단식하사　　두문불출 문을 걸새
창문 밖에 모인 사람　　인산같이 통곡이라.

또 같은 해에 지은 〈日月山歌〉는 왜구의 침략을 알리는 일월산성에 올라 산나물에 얽힌 유래와 감회를 읊은 것으로 이조의 역사적 사실과 일제 침략 하에 비분함을 서술하였다. 뒷부분을 소개하면 다음과 같다.

왜놈들아 물러가라　　악을쓰며 발구를제

이산저산 이말받아	왜놈들아 물러가라
산울림도 비장하게	같이울어 주는이날
눈물닦고 한숨쉬며	일자봉을 비켜서니
울울창창 밀린속의	물소리가 은은해라 (중략)
일월산봉 봉화터에	올라갔다 내려오니
나물보에 쌓인설움	나라없는 한탄이라
목이메어 말없으니	산곡같이 고요한데
물소리만 구슬프게	이내심금 울리누나

〈한양비가漢陽悲歌〉는 조선왕조의 변천과 역사적 과정을 더듬어 내려와 일제침략과 해방 후 분단, 그리고 자유당정권을 뒤엎는 4.19의 거까지 읊었다. 이는 374구의 장편가사로 오랜 역사상 애환사哀歡史나 중요 사건들을 낱낱이 열거하여 방대한 소재를 동원하였다. 그 일부를 소개하면 다음과 같다.

위대할사 피의댓가	고루고루 시정할 때
과도정부 내각에는	허정씨가 수반이요
악의심판 받는무리	형무소가 만원될제
밀려났던 윤비마마	고궁찾아 온다하네 (중략)
악한마은 갖은사람	어육내고 망신한곳
한국역사 들처보면	부정못할 사실이며
슬프도다 이한양아	또비극을 빚으련가
학생의거 위령제에	시민들은 통곡이라

〈학생의거혁명가學生義擧革命歌〉는 자유당 정권의 부패로 일어난 4.19 학생의 전말을 상세히 서술한 작품이다. 처음과 끝을 소개하면 다음과 같다.

어화춘풍 호시절에	도리앵화 만발터니
꽃샘하는 저바람에	설상같은 낙화로다
낙화됨도 서러운데	짓밟히면 어이할꼬
우리인생 이와같이	학생데모 애처럽다 (중략)
두렵고나 악당발비	또그러면 어찌할꼬
사월정변 얻은성과	언론자유 오늘이라
사실대로 엮은글을	다시정서 하여두니
사월혁명 모르난이	돌려가며 보실지라

〈울분가〉는 작자 은촌이 배화여고 재학 시 광주학생사건에 직접 가담하여 항일운동을 했던 전후 사연을 읊은 가사작품이다.

어화우리 벗님네야	이내말씀 들어보소
금수강산 삼천리를	왜놈들이 뺏으려고
을사년에 보호조약	우리나라 망할판에
경술년은 한일합병	조인하니 속국이라 (중략)
전국학생 만세사건	비밀결사 조직이며
비라미트 형식으로	일인담당 삼인이라
순식간에 연락망이	전교학생 움직였다
약소민족 비애중에	차별받는 우리학생
한데뭉쳐 궐기할차	삼학기초 어느날은
새벽부터 기마대가	새까맣게 에워싸고
여덟시도 안되어서	출근하신 선생님이
사학년에 김봉문과	삼학년에 조애영을
등교하라 부르더니	고만덜컥 가둬둔다 (중략)
애고애고 불쌍해라	우리동지 불쌍해라
두고두고 생각해도	조국없는 탓이로다

자. 도덕교훈가사 道德教訓歌辭

오랫동안 전통사회의 도덕규범이던 유교를 재정비해서 타종교가 세력을 뻗지 못하게 하자는 운동이 일어났다. 이 운동에 부응한 〈오도가〉, 〈내범교훈가〉, 〈부랑자경고가〉, 〈명륜가〉 등 4편의 가사가 있다.

〈오도가吾道歌〉는 경상도 영천 선비 명암 이태일(1860~?)이 1908년에 불교, 도교, 기독교가 모두 허망하다고 비판하고, 유교의 정당성을 역설한 내용이며, 협의의 유교가사 중에서 핵심에 해당하는 것이다. 서가에서 '황텬이 불우하여 십교분운 하단 말가'라고 해서, 하늘이 도우지 않았음인지 수많은 종교가 어지러이 다투는 세상이 되었다고 개탄하고, 그럴수록 '돌아오소 돌아오고 오도에 돌아오소'라는 외침을 따라야 이 세상에 나서 초목과 함께 썩어가지 않는다고 했다. 작품의 마지막 대목에서는 유교로 사상을 통일해서 태평성대를 구가해야 한다고 다음과 같이 역설했다.

동포 생세 하였다가　　오도 외에 무슨 일고
한 해 배와 두 해 배와　　우리 공부 다 하거든
명왕 성주 나가 섬겨　　요순지치 하여 보세
강구연월 밝은 달에　　동자 업고 노래하세
지공한 이 말씀을　　동서남북 같이 듣소
어화 오도 장할시고　　만고 다시 밝았도다

〈내범교훈가內範敎訓歌〉는 성암 이철영(1867~1919)이 지은 가사로 『內範要覽』에 수록되었다. 항일구국에 앞장선 유학자가 부녀자들에게 윤리도덕을 가르치기 위해 지은 교훈가사이다.

작품구성은 서사-본가-결가의 삼단형식을 취하고 있다. 서사는 '三綱五倫 문어지고 禮義廉恥 ᄒ나읍ᄂᆡ'라고 윤리도덕의 붕괴에 대한 절망감을 나타냈고, 본사에서는 서울과 시골, 상하, 남녀 모두가 오랑캐의 풍속을 따르고 있는 구체적이 면을 지적하였으며, 결사에서는 선행을 권고하는 내용이다. 작품의 일부를 소개하면 다음과 같다.

우리 버덤 윗수가는	卿宰婦女 다흔듸
뒷쒸어둔 시굴어멈	蒼古한말 말르시오
이셰상을 당ᄒᆞ여서	좀 쎳덜리 內外ᄅᆞ닉
閨門結縛 플러노코	ᄌᆞ유권을 닉여주니
男便효령 바들손가	針綠紡績 겨참이라
우리아달 타국가고	우리쭐이 기화ᄒᆞ여
졸업장을 맛혼후의	부귀영화 次第事ᄅᆞ
어셔밧비 나오시오	開化世界 조흘시고

이처럼 이전의 규범을 끊고, 여자로서의 임무였던 침선방적에서 벗어나 개화만 하면 모든 문제가 해결된다고 믿고 개화를 열렬히 찬양했다.

〈명륜가明倫歌〉는 서재극이 지은 2,303구의 장편가사다. 그는 군수직을 맡은 바, 역사는 바뀌어 정치를 위시한 모든 제도, 문화 그리고 가치관과 생활의식 일체가 뒤흔들리고 바뀌어 가는 이때에 낡은 유물쯤으로 인식되기 쉬운 '五倫'을 들어서 새삼스럽게 이 작품을 쓴 것으로 제작 동기를 보면 군정의 소임을 맡았던 입장에서 치민을 위한 방편으로 삼고자 그가 지향하는 바를 여기에 담았던 것이다. 마치 송강이 강원도 관제사로 재임했을 때 '訓民歌'를 이뤄낸 경우와 흡사한 점이 있다.

〈명륜가〉의 내용구조를 보면 부자유친이 736구, 군신유의가 225구, 부부유별이 608구, 장유유서가 578구 그리고 붕우유신이 156구로 '小學' 내편의 명륜내용 그대로다. 다음 부자유친에서는 부자관계의 원

리와 자녀의 양육이 힘들고 어렵다고 했는데, 그 부분을 보면 다음과
같다.

어화우리 인생덜아　　부자유친 드러보소
텬지간에 중한사람　　부모밖에 또있는가
부모은혜 생각하면　　태산고봉 가부엽고
장강대하 얕으도다　　아바님은 하날이요
어마님은 땅이로다　　텬지이치 조화중에
이내몸이 생겨날제　　아버님께 정지받고
어머님께 피를 모아　　부정모형 합하여서
태중십삭 신고하야　　나으시니 내몸이라 (중략)
춘하추동 때를따라　　덥고참을 살피시니
하루한때 아니어든　　허다세월 어렵도다

또 장유간長幼間의 법도를 밝힌 것으로 '형제우애'와 '연장자예우'를
강조하고 있는데 특히 형제가 재산분쟁과 아내경계에 역점을 둔 점이
다. 그 내용의 일부를 보면 다음과 같다.

형제간에 재산으로　　네것내것 다투다가
법정소송 재판하야　　중죄경죄 다당하니
네아무리 무식한들　　이런일이 웨있으리 (중략)
형제불목 하는일이　　무엇에서 생겼는가
처자에게 고혹하야　　골육이간 되얏더라
벼개밑에 간사한말　　가정풍파 일어날제
별별조화 무궁하다　　녀자심성 살펴보면
남보는데 새침하야　　얌전한체 하건마는
오다가다 말한마듸　　실적해도 독하도다 (중략)

안해에게 중독하야   형제불목 하는일이

열에 아홉 분명하니   다시한번 생각하라

차. 그 밖의 가사

가사의 내용적 분류에서 하나의 작품만 있거나 한 작자가 여러 내용으로 많은 작품을 지은 경우에 그 분류가 곤란하여 그 밖의 가사로 정리하였다. 여기에는 〈농서별곡〉, 〈조선별서〉와, 『白石讚成歌』에 수록된 〈어부가〉외 17편, 『松雪堂集』에 수록된 〈자술〉외 49편, 1971년 간행된 『隱村內房歌辭集』에 수록된 16편, 1977년에 조애영(5편), 고단(5편), 정님순(3편) 등의 공동 창작집인 『한국현대내방가사집』에 수록된 등 13편이 있다.

〈농서별곡隴西別曲〉은 권광절(1871~1931)이 용천에 머물면서 지은 연모상사가사다. '江山을 의논하면 各色마다 같거니와 景槪를 볼락시면 龍泉밖에 또 있난가'라고 아름다운 배경을 소개하고는 '白馬金鞭 遊俠客은 隴西別曲 들어보소'라고 차례대로 기생들이 점고되면서 유협객은 주색에 잠겼는데 몽롱한 취중에 난간에 나갔다가 한 낭자를 만남으로 사연이 전개된다. 주옥낭자의 불우한 과거를 듣던 중에 서로 사랑하게 되고 협객은 다음날 낭자의 양모인 계향을 찾아가 백년가약 맺을 것을 요구하니,

月下綠 어일 일고   잔을 받아 술마시고

桂香의 뒤를 따라   珠玉의 방 드단말가 (중략)

자리를 정한 후의   東窓아래 앉은 사람

秘宮의 美人인가   素服淡粧 알시롭다

華燭洞房 첫날 밤의   무슨 말을 하얏던고

萬端情話 깊은 중의   신신부탁 하는 말이

내 비록 賤身이나   柏舟의 본을 받아

幽閑靜貞 힘쓰리라   因機善導 하옵시면

一生을 依託하고   吩咐에 따르겠소.

라고 인연을 맺어 사랑을 하다가 소문이 나게 됨으로 양반의 처지인 협객은 부모의 꾸지람을 듣고 고향으로 돌아가니 상사지정이 깊어져서 병이 되었다. 마치 〈춘향전〉과 유사한 사랑의 이야기가 극적인 대화체로 전개되어 희곡의 성격을 띠었다.

백석처사 이용목(1826~?)의 18편의 가사의 『白石謾成歌』에 수록되어 있다. 이들은 단편 가사들인데 길면 44구요, 짧으면 10구이니 이전의 가사들에 비해 아주 짧아진 것이다. 이는 조선 말기의 시대적 특징으로 일맥상통한 경향이라 할 수 있고, 끝부분에 '무슐 춘슴월 니십구일 빅셕쳐사 희작셔가'라고 기록되어 있으니, 이보다 3년 전인 1895년 3월에 상처하고 외롭게 홀로 있을 때 지은 것으로 모든 작품에 아내 잃은 그리움이 표현된 것이 특징이다. 내용상으로 분류해 보면 다음과 같다.

ㅇ강호한정 : 〈漁夫歌〉(10구), 〈處士歌〉(12구), 〈절로가〉(14구)

　　　　　　〈愚稚歌〉(30구), 〈遯世歌〉(10구)

ㅇ무상자탄 : 〈眼昏歌〉(24구), 〈悲愴歌〉(18구), 〈願樂歌〉(10구)

　　　　　　〈老鰥歌〉(42구), 〈自笑歌〉(12구)

ㅇ도덕교훈 : 〈善惡歌〉(27구), 〈歎俗歌〉(44구), 〈歎人歌〉(26구)

ㅇ상사연모 : 〈相思曲〉(16구), 〈戀戀歌〉(14구), 〈春夢歌〉(42구)

　　　　　　〈春風歌〉(12구)

ㅇ우언풍자 : 〈多情花歌〉(20구)

이상의 노래 가운데 '무상자탄無常自嘆'의 〈노환가〉와 '상사연모相思戀慕'의 〈춘몽가〉에서 무상과 사처를 노래한 부분을 소개하면 다음과 같다.

가련ᄒᆞᆫ 호라비는	四窮中의웃뜸이라
飛禽走獸 짝이잇니	나는어이 짝이읍ᄂᆞ
안즈시니 뉘가알며	누어시니 누가알고
迫切ᄒᆞᆫ 우리婦人	날바리고 어듸간고
早年의 서로맛나	百年期約 믿즈놋코
夫和婦順 본을바ᄃᆞ	부모쎄 길기더니
造物이 猜忌ᄒᆞ야	一朝의 이별ᄒᆞ니
冥冥中의 잇서스니	나 일언줄 어이알이
天臺가 조타한들	이 세상과 갓틀손가 -〈노환가老嬛歌〉의 전반부

어화세상 ᄉᆞ람들아	이ᄂᆡ말슴 들어보쇼
人間滋味 무어신고	夫婦밧에 ᄯᅩ잇는가
靑春의 맛는 配匹	遽然이 이별ᄒᆞ니
憂凉한 이 心懷을	엇드듸고 풀어볼고
한심쉬고 누엇더니	잠이드러 쑴을 ᄭᆞᄂᆡ (중략)
손을잡고 하는말이	하날理政 모를너라
견우직녀 무삼일노	河東河西 ᄂᆞ와잇서
칠월칠석 반겨맛ᄂᆞ	눈물지어 비가되ᄂᆡ
우리도 이 세상의	저와 갓치 지ᄂᆡ두가
年限이 ᄃᆞ츠거던	滿月世界 함쎄가서
佳綠을 굿게믿ᄌᆞ	琴瑟노 질겨보세 -〈춘몽가春夢歌〉에서

〈조손별서祖孫別書〉는 대한민국 임시정부 초대 국무령인 석주 이상 용의 부인 의성김씨가 1910년 남편과 함께 안동을 떠나 만주로 망명

을 하면서 손녀에게 지어준 318구의 가사다 이는 시대감을 엿볼 수 있는 가사로, 갑오년 이후 십 여 년 동안 혼탁한 세상을 보기가 싫어 궁벽한 데 숨은 처사노릇을 하던 남편 이상룡이 마침내 외국으로 가서 독립운동을 하기로 결심했다는 경과를 알리고, 막상 떠나려고 하니 서운한 일이 한둘이 아니지만, 그 중에서도 고이 키워 시집보낸 딸과 손녀를 버리고 가야하니 무엇보다도 애통하다고 했다. 애국지사의 가족들이 내 고향, 내 조국을 버리고 이산離散하는 육친의 슬픔을 나눈 데 그치지 않고, 국권을 되찾은 다음에 다시 만날 것을 기약하면서 비슷한 표현을 한 수많은 이별가에서 볼 수 없는 의식의 각성이 보인다. 이 노래의 한 대목을 들어 보면 다음과 같다.

북편의 협로조차　　월옥도망 하듯하니
너를다시 못본 것이　　종천지한 될듯하다
구남주점 다다르니　　남봉같은 우리서랑
몽중같이 만나보고　　누수로 떠날적에
토목금수 어니어던　　지애지정 없을소냐
어찌 차마 당한 배랴　　한편에 믿는 마음
천운이 희한하면　　자유권리 되오리라
이렇게 생각하면　　혈마 쉬이 보제마는
아프고 박힌 마음　　오장육부 다 녹는다

이는 김부인이 금옥같이 키운 딸과 손녀를 시집보내고, 그들을 못 잊어 아프고 박힌 마음과 오장이 다 녹고 구곡이 끊어지는 정곡情曲의 내용을 읊은 것이다.

최송설당崔松雪堂(1855~1939)의 가사가 그의 문집『松雪堂集』제2권인『言文詞藻』에 수록되어 전한다. 이는 조윤제가 '규중도가閨中歌道'를 논하면서 여자의 가사작품으로 최근 것에는 최송설당의 가사 50수가 있다.고 처음으로 언급하였고, 60년대 와서야 작가 작품이 본격적으로 소개되었다.

송설당은 여자의 몸으로 구원久遠한 자기 인생의 실현에 전 재산을 바쳐서 보람된 삶을 살아간 분이었다. 조상 대대로 선주에서 살았으나 회조 때 금산(현 김천)으로 옮기어서 그곳에서 출생하였고, 7세부터 한문을 익혔으며, 14세(1887)에 서울로 이주하였다. 권문세가의 부인들과 교제하던 중 엄비의 도움으로 귀비에 봉해지고, 고종 황제로부터 송설당이란 호를 하사받았다. 1931년 금릉학원에 기부금을 희사하고, 송설학원 김천고등보통학교를 설립하였다.

그는 1921년에『松雪堂集』을 간행한 바, 그의 가사 주제들은 다양하지만, 그 중에는 〈蘭草〉, 〈菊花〉, 〈紅梅〉, 〈鳳仙花〉, 〈石榴〉, 〈盆竹〉 등 화초나 초목을 통한 抒情, 〈觀親〉, 〈金海懷古〉, 〈春風憶鄕園〉, 〈先墓立石經營〉, 〈葛峴省墓〉, 〈舞鵑山省墓〉 등에서 볼 수 있는 孝道, 〈無窮花〉, 〈向日花〉, 〈蒼松〉, 〈白雪〉 등에서 볼 수 있는 忠誠, 愛族, 節介 등과, 〈喜雨〉, 〈農者大本〉 등에서 볼 수 있는 濟世經論, 〈松亭感懷〉·〈自感〉 등에 나타난 규원閨怨 등이 있는데 대체적으로 보아 친족에 대한 우애, 조상에 대한 보본사상이 그 주류를 이루고 있다.

형식면에서 볼 때 가장 긴 것은 176句의 〈自述〉이고 ,가장 짧은 것은 8句인 〈自感〉으로 대부분이 50句 이하의 단편가사이다. 몇 편의 작품을 소개하면 다음과 같다.

李花挑花 爛漫하고	錄音芳草 繁華하여
九十春光 좋은때를	뜻이없이 다바리고
유월염천 풍우중에	깊이든잠 깨쳐나서
晚年富貴 성한기운	枝枝葉葉 蓄盛타가
故人같은 맑은바람	秋月精神 띄고있어

신체가 강건하고	심기가 淸爽하매
황금백금 봉한다시	봉지봉지 堅封하여
머리위에 이고서서	때오기를 고대타가
반값도다 중양가절	기약맞어 돌아오니
아담하다 저국화야	향기롭다 저국화야
아름다운 높은절개	冷想凉露 可笑롭다. -〈국화菊花〉에서

탁주동이 밤동고리	반달처름 떠서온다
술마시고 밥먹으니	盡日勤苦 잊었에라
그중에도 숨은근심	모낼적에 날가물가
모낸뒤에 큰비올까	동풍불어 싹마를가
이근심과 저괴롬을	어디다가 비유하리
그렁저렁 지내다가	유월염천 당도하면
땀이흘러 목욕되고	몸이타서 흙빛이다
이럼으로 말하기를	나락마다 辛苦로다 -〈농자대본農者大本〉에서

가지가지 忠節이오	잎새잎새 忠心이라
流水光陰 變遷한들	네빛네뜻 고칠손냐
風霜疾苦 늙은몸이	本色本心 不變하니
千種萬種 草木中에	네같은類 또있으냐
白雪明月 좋거니와	白雪中에 빛이난다
蒼松白雪 두글자를	相合하니 松雪이라 -〈창송蒼松〉에서

조애영은 1930년대에 〈신혼가新婚歌〉를 짓고, 60년대에는 〈귀거래가歸去來歌〉, 〈사우가思友歌〉 등의 작품을 남겼다. 〈신혼가〉는 작자가 결혼하여 시집살이를 치른 일들을 노래한 작품이다. 그 일부를 보면 다음과 같다.

동서들은 구석구석	신여성의 험언이라
시어머님 들이시고	새며느리 편을드니
한집에서 신구충돌	편할날이 없었어라 (중략)
얘기엄마 되었어도	내어머니 그립구나
자나깨나 그리운 것	어머니의 사랑이라

위에서 보면 출가해서 첫아기를 얻을 때까지 생소한 시가에서 겪어야 했던 시집살이의 애환을 서술했다.

〈귀거래가歸去來歌〉는 결혼생활 40년을 돌아보며 애환사를 서술한 작품으로 일부를 소개하면 다음과 같다.

사랑사랑 부부사랑	가시넝쿨 뻗은사랑
싸움싸움 부부싸움	칼로물을 베는싸움
괴롭다고 아니할까	즐겁다고 아니할까
돌아왔네 돌아왔네	우리부부 돌아왔네
과도기에 태어낳은	육십가량 우리들은
조혼으로 긴세월에	시집살이 하였는데

〈사우가思友歌〉는 274구에 달하는 작품으로 친구들을 생각하며, '어화우리 벗님네야 오늘모듬 왠일인고 삼복더위 복인몸이 겨우숨만 붙은지라 잠못이뤄 애쓸적에 벗님생각 간절터니'라고 그 심회를 읊은 가사다.

〈시골여자섦은사정〉은 경북 영덕군 태생인 영양남씨의 작품이다. 이 가사는 1935년에 개화기 여성들의 억울함을 가장 잘 나타낸 490구의 장편가사로 제목부터가 벌써 옛틀을 활짝 벗은 새로운 표현이다. 지금까지 봉건륜리관에 얽매여 있는 인간성의 상실에서 본연한 자아

갱장自我更張을 위한 개화기의 시대상을 잘 반영한 작품이다. 앞에서 말했지만 남씨부인의 불행은 일개인의 고민만이 아닌 모든 여성들의 불행이요 고민을 대변한 것이라고 하여도 지나친 말이 아닐 것이다. 이 노래의 일부를 보면 다음과 같다.

만득애자 경성유학	막중세업 다넣어서
영어일어 복습하여	태고적 묻은습관
한옆에 붙여두고	엄중히 꽂은말씀
규중소부 신분으로	외출한다 걱정있어
세정없는 시어머님	남의사정 모르고서
석반이 늦었다고	무수히 걱정하며
일촌에 누구누구	몇몇이 다갔더냐
시속에 청년색시	몇몇이나 그런가
봄이면 꽃에설움	여름오면 잎에서룸
춘하추동 사시절에	설움고통 무서워라
부끄러운 젊은세월	남편없다 탄식하고
일거일래 애태우니	내간장도 너와같다
구시대에 우리들도	입문한후 수일만에
애정한번 못이루고	책짐지고 절간가네
근십년을 아니와도	그처럼 탄식날까
이렇듯이 걱정하니	가련하다 이생애야

당시 고루한 유자로서는 이 여성의 불행한 고민을 알려고도 하지 않거니와 이해되지 않으며, 하루를 나간 문죄問罪가 이만저만이 아니다. 오직 이들에게 향한 소망이 컸을 뿐 며느리의 존재는 무시되었다. 또 부인들의 시집살이란 남편이 있을 때와 없을 때는 판이하게 다르고, 남편이 신학문을 공부하고 돌아와서 이 시골뜨기 부인을 사랑해

줄는지 그것은 의문이 아닐 수 없다.

〈꽃타령〉은 기장연(1892~1950)의 작품이다. 그는 〈형승가形勝歌〉, 〈농부가農夫歌〉, 〈덕평별곡德坪別曲〉 등의 가사도 지었다. 〈꽃타령〉은 총 25행 분연체 가사인데, 각연 오행마다 '萬花方暢 빵긋빵긋 아리랑 아리랑 아라리요'의 후렴을 붙여 흥을 돋구었다. 여기에 노래된 꽃으로는 척촉화, 영산홍, 杏花, 매화, 홍도화, 월계화, 두견화, 向日花, 국화, 백일홍, 채송화, 무궁화 등의 순으로 노래했다. 마지막 연을 소개하면 다음과 같다.

十日紅이 업다는대   百日紅이 조킨 하다
花中王 牧丹차자   꼿의 來歷 무러 보니
放鶴去尋 三島客이요   任人來看 茱松花라
아마도 이 江山은   無窮花가 첫째라고
萬花方暢 빵긋빵긋   아리랑 아리랑 아라리요

〈회소가回蘇歌〉·〈사제곡思弟曲〉·〈사친곡思親曲〉 등은 경숙당 정임순(1913~)의 작품으로 『韓國現代內房歌辭集』에 전한다. 〈회소가〉는 경북 금릉군 봉계 정진사댁 재실에 모인 정씨 딸내와 새댁들이 하루 소창消暢하는 광경을 엮은 노래로 화전가와 상통한 점이 있다. 〈사제곡〉은 일제강점기에 강제로 끌려갔던 아우의 슬픈 사연을 엮은 내방가사로 민족의 수난과 동기간의 정을 애절하게 제문처럼 쓴 가사다. 그리고 〈사친곡〉도 양친을 그리는 정을 제문형식으로 쓴 532구의 규방가사로 이별의 정한을 애절하게 그렸다. 이처럼 내방가사는 충효사상이 바탕을 이루었고, 삼종지도에 희생되면서도 경로, 우애, 효성 등이 투철하여 독자의 심금을 울리거니와 희비애락을 함께 할 수 있는 이런 가사가 지금도 창작되고 있으니 소중한 유산이 아닐 수 없다. 그

일부를 소개하면 다음과 같다.

앵무같은 말소리는　　아름다운 술이되고
낭랑한 웃음소리는　　맛있는 안주되어
초솔한 저며늘내들　　취한 듯 넋을 잃어
참새같은 선돌내는　　아름다운 술이되고
점잔 뚱뚱 중부내는　　하야좋다 웃음웃고
홍홍웃는 김월내는　　홍타령 웃음 또 나오니
박장대소 굿지않네　　월궁항아 우리딸내
수십명 며늘내를　　온종일 웃겼으니
딸내덕택 이아닌가　　한없이 즐기다가
서산에 일모하니　　며늘래들 거동보소
쫓겨날가 두려워서　　황황분주 하는모양
눈가지고 못볼네라 -〈회소곡〉에서

추천명월 은은한 밤　　운소에 높이 솟아
우주천지 곳곳마다　　월광이 조요하니
우리무영 옥모풍채　　궐하에 거니는 듯
상아래 우는 실솔　　추야장 긴긴 밤에
잠시도 굿지 않고　　조조절절 섞여 울어
겨우겨우 들려는 잠　　아조영영 깨우느냐
잠안자고 일하는데　　유공타 하려니와
아우그린 내심사가　　깨친 잠을 못이룬다. -〈사제곡〉에서

작년 가을에도　　앞밭에 마늘을 심을제
아버지는 밭을 갈고　　소녀는 흙덩일 깨뜨리고
아버지는 골을타고　　소녀는 마늘쪽을 심을제

차디찬 북풍한설   모질게도 불어와서

백수가 휘날리니   소녀는 깜짝놀라

아버지 어서   들어가시 오소서

저혼자 하리이다   아니다 관계없다

네가추워 감기들라   부녀서로 위로하며

그 마늘을 놓았더니   고추마늘 가꾸어

가을에 김장담아   아버지가 안계시니

누구를 드리오리까 -〈사친곡〉에서

    소고당紹古堂 고단高端(1922~)의 가사는 『韓國現代內房歌辭集』과 『紹古堂歌辭集 上』에 29편이 전한다. 그의 가사들은 전통가사의 형식을 그대로 계승하였고 문체도 대부분 전형적인 의고체를 유지하면서 현대 감각에 맞는 문체를 구사하였다. 그리고 내용면에서 보면, 교훈가사가 주류를 이루면서도 아울러 송축추모·장부호기·풍물서경·회고서사 등의 가사도 있다. 여기에는 충효열의를 體로 하고 화신권회和信勸懷를 用으로 하여 멋과 한, 풍류와 은근을 유려한 문장으로 읊어 낸다. 〈소고당가紹古堂歌〉는 그의 인생 전반을 회고조로 읊어낸 것으로 장흥 평화가 친정이고 정읍 김참봉댁에 입문하여 완고하신 친시가親媤家의 가훈에 복종하면서도 학문과 기예를 닦으며 살아온 결실이 이 가사의 내용이다. 그리고 〈산신기애무가山神器愛撫歌〉는 시어머님의 유품인 물동이와 떡시루 이야기로 자손을 위한 정성, 부부재회의 기원과 기쁨을 그린 노래이고, 〈조표자가弔瓢子歌〉는 삼신바가지가 깨어진 이야기며, 또 〈평화사시가平和四時歌〉는 그의 친정인 평화마을을 회상하며 지은 추억의 노래로 일명 〈망향가望鄕歌〉라 하였다. 그 노래들의 일부를 보면 다음과 같다.

    평사낙안 이터젼에   남형으로 앉은대문

북향으로 문을달제　　　바깥행랑 새로지어
안팎대문 큼직하며　　　앞뜰에는 꽃을심고
별당에는 방들이니　　　활연훙금 시원하다
화조월석 이터전을　　　춘풍추월 소요하니
인후하신 우리조상　　　흠모음덕 새로워라
모성숭조 이가문에　　　슬하자손 부귀영화
천추만대 누리고저　　　영원무궁 누리고저
소고당 이름지어　　　이명당에 걸어두고
조상얼을 이어받아　　　길이길이 전하리라 -〈소고당가紹古堂歌〉에서

시어머님 손때 묻고　　　정성어린 삼신그릇
고창고을 사천신씨　　　시어머님 친정에서
김씨댁에 가져오신　　　삼신동이 삼신시루
아들형제 칠형제를　　　일곱이래 삼신빌때
동이에는 정화수요　　　시루에는 떡을쪄서
아드님은 부귀장수　　　축원하던 그릇이네
　　　　　　　　　-〈삼신기명애무가三神器皿愛撫歌〉에서

오호통재 애재애재　　　다락방을 청소하다
아차실수 손을놓아　　　두쪽으로 내었으니
대닮도다 슬프도다　　　이바가지 어이하리
아릅답고 고운자태　　　삼십여년 곁에두고
너를 사랑 하였거늘　　　차마못내 아까워라
모시끈에 합쳐보자　　　애고애고 내바가지
구성지다 네용모가　　　내가슴을 울리누나
그만두자 너의주인　　　불민했던 소치로다. -〈조표자가吊瓢子歌〉에서

404

산세좋고 물도맑은	이고장은 고려인종
공예태후 任氏고향	장흥부로 승격하고
이조태종 十三年에	도호부로 정해진곳
도리춘풍 봄이오면	동백꽃이 불타는 듯
뒷동산에 진달래는	분홍으로 당장하고
출장화 노란꽃은	제철맞아 한창일제
쌍거쌍래 벌나비는	꽃속에서 춤을추고
양유세지 시사록에	황조도 쌍쌍이라
초동의 버들피리	애절한 가락속에
갓시집온 새댁들은	행지치마 눈물젖네 -〈평화사시가平和四時歌〉에서

3. 문학사적 의의

갑오경장을 분수령으로 하여 국문학은 새로운 전환기를 맞게 되었으며, 가사에도 근대의 여명이 오게 되었다. 따라서 가사문학은 많은 변화를 초래하였다.

우리나라가 근대적 개혁의욕을 보인 것은 갑신정변(1884)부터지만 제도상으로 처음 시도해 본 것은 갑오경장(1894)이다. 근대문화운동의 선구자인 서재필이 1896년에 창간한 '독립신문'은 당시의 민중계몽에 빛나는 업적을 끼쳤고, 그가 주동한 독립협회는 시대의 선봉이요 대변자였다. 이 시대에 민중의 입에서 터져 나오는 노래가 있었으니 이것이 바로 애국계몽가사다.

이러한 계몽적 노래는 전통가사형식인 4·4조에 자주독립과 애국애족의 새로운 내용을 담은 것으로 '독립신문' 3호부터 자주 게재되다. 조연현은 이를 창가라 하면서 고대가사와 신체시를 중개한 일시적 가사라고 하였고, 이병기는 계몽가사에 대하여, 신소설과 같은 과

도기적 형식으로 신시시대를 맞이하여 그 절반은 신시로 넘기고 나머지는 그대로 학교의 창가와 사회의 가요 형식으로 분화되어 갔다고 하였으며, 반면에 박종화는 신체시에 넣기도 하였고, 조지훈은 내용면에서 창가나 신체시의 초기작과 같다고 할 뿐이지 조사나 조격이 전통가사이기 때문에 이를 개화가사라 하여 창가의 앞 단계로 보았다. 그리고 송민호는 근대적 시가의 명칭과 개념을 밝히고서 개화가사-개화시-창가-신시-근대시 등을 시가사적 관점을 정리하였다. 이른바 개화가사까지도 창가로 취급되고 있는 범칭으로의 창가에 대하여 시정이 요청되는 바, 그러한 모습은 '六堂의 詩'의 장르적 계보를 말해주는 정한모의 『한국현대시문학사』에 그려진 다음 도표에 잘 반영되었다.

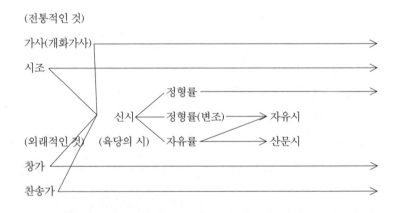

이 장르적 계보에서 보는 바와 같이 육당의 시가는 전통적인 것과 외래적인 것과의 과도적인 위치에서, 형태면에서 새로운 시의 좌표를 설정하는데 크게 공헌하였다.

위에 나타난 바, 우리의 전통시가는 가사와 시조가 있을 뿐, 창가와 찬송가는 외래적인 것이다. 이 와중에서 새로이 나온 것이 신시며 근대시로서 기존의 가사와 시조와 병존하게 되었다. 근대시는 전통시가(가사와 시조)의 범주를 자유롭게 넘나들면서 서정시와 산문시로 번성하였다. 반면에 전통시가로 700여 년의 역사를 향유한 가사와 시조는 조선의 멸망을 앞두고 함께 쇠퇴하였으나, 1920년대 시조의 부흥운동을 통하여 시조는 그 형식과 내용에서 많은 진통과 변화를 보이면서 현대시조의 자리를 잡게 되었다. 반면에 가사는 자신의 서정성은 시에 넘기고, 서사성과 교술성을 수필과 소설에 물려줌으로 그 기능은 축소되었지만 전통가사만이 지닌 고유한 음악적 리듬과 무불통의 소통방식으로서 서사성과 교술성은 아직도 건재함으로 가사로서 역할은 무한하다고 하겠다.,

당시 개화가사가 유행하게 된 데는 몇 가지 이유가 있는데, 근대화의 열정과 독립에의 의욕을 표현하기에는 기존 가사나 시조 또는 한시가 주는 유한적인 감정에는 만족할 수가 없고, 이런 음풍농월적인 것을 벗어나 긴장과 율동감을 주는 어휘와 반복에 의한 강조법의 기교가 넘치는 노래가 요청되었기 때문이다.

또 개화가사는 전통적인 '가사'에 '개화'란 수식어를 붙인 것으로, 그 형태는 가사이지만 내용은 개화기의 근대정신을 노래한 것이다. 이 시기의 가사로는 문학적 정서에 따라 창작된 것은 없고, 대부분은 국가나 사회적인 이상을 노래한 계몽적인 것이었다. '독립신문'에 수록된 20여 편의 가사는 갑오경장 이후 개화사상에 영향을 받아 자주독립과 자아각성을 고취하는 내용이고, '대한매일신보'에 발표된 600여편의 가사는 우국계몽가사로 구한말세력의 무기력에 대한 경종과 관료들의 부패상을 중심으로 한 개화사상을 담았다.

그리고 1895년 명성황후시해 이후에 전국 각처에서 의병이 일어났다. 이들 중 의병활동에 공을 세운 류홍석은 〈告兵丁歌辭〉를 지었다. 여기에서 왜구들의 본색을 밝히고, 의병을 치는 병정들에게 정당한 사리를 가르쳐 주었다. 이는 온 민족이 함께 항일하여 국권을 회복하자고 하는 내용의 장부호기가사이다. 신태식도 경술국치 직전, 자신의 치열했던 3년간 의병활동을 가사로 읊은 〈申議官倡義歌〉를 남기었다. 의병가사는 신문이나 경전으로 보존되지 않았고, 일제하에서 의병가사를 짓기도 어렵겠지만 간직한다는 것은 큰 모험이기 때문에 남아 있는 것이 드물다.

이처럼 국난을 당하여 국내외적인 적에 대항하는 노래가 있는가하면, 14세기말에 〈西柱歌〉·〈僧元歌〉 등의 포교신앙을 목적으로 발생된 가사문학은 전환기까지도 활발하게 전개되었으며, 변전기에 와서도 천주가사, 동학가사, 불교가사 등 많은 포교신앙가사가 창작되었다. 천주가사는 '경향신문', '경향잡지'등에서 160여 편을 볼 수 있고, 대종교의 홍암 나철의 작품들도 전하며, 불교가사에는 경허스님과 학명선사의 작품을 비롯하여 20여 편이 창작되었다. 이처럼 포교신앙가사는 발생기부터 변전기에 이르기까지 가사문학의 큰 맥을 잇는 구실을 담당했다.

그리고 이 시기의 가사문학 특징으로는 작품의 길이가 짧아진 점과 다른 시기에 비해서 작품수가 많고, 한 사람이 다량의 작품을 남긴 점이다. 전자의 이유로는 창가와 신시의 영향, 근대시가의 서정시화되는 현상, 긴장과 속도감을 요하는 시대적인 경향 등의 반영이다. 후자의 이유로는, 인쇄술의 발달로 개인문집의 간행이 쉬웠고, 창작연대가 최근 이어서 작품이 일실되지 않았으며, 신문·잡지 등의 발행으로 여러 사람에게 발표의 기회가 주어졌고, 끝으로는 국민교육수준의 향상으로 작자층이 확대되었기 때문이다. 많은 작품을 남긴 사람으로는 김주희(100여 편), 최송설당(50편), 문재근(40여 편), 강대성(40여 편), 고단(29편), 이용목(16편), 조애영(16편), 양추호(13편), 윤희순(9편), 고원화(9편) 등이 있다.

이 시기에도 많은 가사작품들이 지어졌다. 최근에도 조애영, 정임순, 고단 등 3인이 『한국현대내방가사집』(1977)을 간행하였고, 1991년에는 고단이 『소고당가사집』을 출간하는 등 지금도 가사 창작에 심혈을 기울이는 사람이 있다. 그러나 가사는 자체의 문학성을 다른 문학 장르에 분산시키고 전통 가사의 모습에서는 상당히 멀어진 것은 사실이다. 그 이유로는 가사자체의 문학성 상실을 들 수 있다. 갑오경장 이후 전통가사의 음절율과 음보율이 형식상으로 계승은 되었으나 새로운 시대의 개화적 내용과 근대적 시가형식의 영향 때문에 과거의 음풍영월적인 완만성을 유지할 수가 없었다. 다음은 시대에 맞는 전문적인 가사작가가 다른 장르에 비하여 적었다는 것이다. 해방전후까지도 가사작품이 나오기는 했으나 그것은 구세대 작가들의 복고풍의 작품들이 주류를 이루었다. 전대까지만 해도 문학은 전문적으로 향유하지는 않았으나, 이 시대에는 문학 장르를 전담한 전문적인 문학인이 필요로 한데 반하여, 불행하게도 가사를 전문으로 한 신진작가의 배출이 거의 중단 단계에 이르렀다. 따라서 가사의 문학적 기능은 시, 수필, 소설 등에 양도되고, 가사문학은 우리의 관심에서 멀어져 갔다.

이에 대해 조동일은, 가사는 오랫동안 시조와 공존하면서 교술시와 서정시가 상보적인 관계를 가지는 중세후기(조선 전기까지) 시가의 기본 양상을 명확히 하여, 사대부들은 2대 국문시가로 사물과 심성에 대한 관심을 균형 있게 나타냈다. 그런데 중세에서 근대로의 이행기문학에서는 가사가 시조보다 적극적인 변모를 보였다. 심성에 대한 탐구는 제자리에 머무르고 있었지만, 사물에 대한 경험은 역사발전과 더불어 줄곧 풍부해졌으므로 시조와 가사의 균형이 깨어졌고, 작가층의 확대에서도 가사가 시조보다 앞섰다고 볼 수 있다. 동학가사의 성립과(1860) 더불어 민족이 당면한 처지를 알리고 분발을 촉구하느라고 가사를 더욱 적극적으로 활용했다. 산문에서도 역사·전기·시사토론문 등의 교술문학이 위세를 떨쳤다. 이런 풍조에 휩쓸려 서정시나 소설마저 교술적인 성향을 띄게 되었다. 그런데 그 다음 시기의 근대시는 가사를 배격하고, 교술적인 성향을 버렸으며 서정시의 본령을 충실하게 구현했다. 결국 근대문학(1919년 이후)에서는 교술시가 물러나고 서정시만 남은 것이 문학사의 커다란 전환이다. 그러므로 인식과 표현의 규범을 벗어나 삶의 의의에 대해 자유롭고 개성적인 탐구를 하고자 한 근대시는 가사를 멀리하였다.

이 시기의 문학사적 의의를 찾는다면 먼저 작품의 경향에서 볼 수가 있다. 이 시기를 대표한 우국계몽가사와 장부호기가사(의병가사)는 저항적 시대정신의 반영이며, 민족의식의 고취를 위해 그 일익을 담당하였고, 천주가사, 불교가사 등의 종교가사는 종교적 차원에서의 시대적인 반영이다. 이는 민족을 현대적 고난에서 종교적 구원으로 승화시키는데 큰 몫을 하였다고 본다. 또 시사적 측면에서 보면, 근대문학의 모태적 기능을 하였으며, 오늘에도 가사문학은 많은 사람들에 향유되고 있다.

지난 세기에 한국가사문학관을 담양에 세워 개관한 지 20년이 되었고, 금년에 제21회 전국가사문학학술대회가 열릴 예정으로 있어, 전국 석학들이 한 자리에 모일 토론의 광장을 마련하고 있다. 이 대회를 통하여 700년의 역사를 가진 가사문학의 과거와 미래에 대한 꿈을 펼치게 될 것이다. 뿐만 아니라『오늘의 가사문학』이란 계간지를 통하여 25회에 걸쳐 많은 작품이 창작·발표되었으며, '한국가사문학대상'이 제정되어 금년 들어 6회 대상 공모를 하고 있어 많은 문청들이 몰려들고 있다. 또한 '한국가사문학진흥위원회'가 결성되어 오늘의 가사문학 발전에 뒷바라지를 맡고 있다.

따라서 고려 말에 형성된 가사는 조선조에 와서는 복합적이고 다양한 형식과 내용으로 발전하여, 국민 각층에 널리 향유됨으로 국민적 시가문학 장르로 성장하였으며, 한국근대문학 형성에 크게 영향을 주었다는 점에서 가사문학은 한국시가문학사에 중요한 의의를 지닌다고 하겠다.

제7장 마무리

1. 가사문학사를 마치며

지금까지의 논의에서 가사문학을 민족정신의 유기적 발전의 산물로 보고 민족시가인 가사문학이 어떻게 성장 · 발전하여 왔는가를 역사적으로 고찰하였다. 700년 간 민족문학으로 널리 향유되었던 가사문학을 사적으로 전개하는 데, 먼저 가사의 내용분류, 시대구분, 가사의 기원과 발생 시기 등을 살펴보고, 다음으로 그 시대에 따른 역사적 배경과 작자와 작품론, 그리고 문학사적 의의를 고찰한 바, 그 내용을 요약하면 다음과 같다.

1) 가사의 내용적 분류는 본서에 논의 된 370여 편의 작품을 다음과 같이 14종으로 나누었다.

① 江湖閑情가사(38편)   ② 戀主忠君가사(18편)   ③ 道德教訓가사(31편)

④ 遊覽紀行가사(33편)   ⑤ 丈夫濠氣가사(14편)   ⑥ 風物敍景가사(15편)

⑦ 戀慕相思가사(8편)   ⑧ 風俗勸勉가사(14편)   ⑨ 懷古敍事가사(27편)

⑩ 布教信仰가사(85편)   ⑪ 頌祝追慕가사(29편)   ⑫ 寓言諷刺가사(8편)

⑬ 憂國啓蒙가사(21편)   ⑭ 그 밖의 가사(34편)

2) 가사문학사의 시대구분은 문학적 사실을 위주로 하되 정치 사회적인 변동상도 참조하여, 가사가 고려 말에 발생되어 현대에 이르는 700년간의 변천과정을 다음과 같이 5기로 나누었다.

① 가사의 발생기 (고려 말 ~ 성종 조)

② 가사의 발전기 (연산 조 ~ 임진왜란)

③ 가사의 흥성기 (임란왜란 ~ 경종 조)

④ 가사의 전환기 (영조 조 ~ 갑오경장)

⑤ 가사의 변전기 (갑오경장 ~ 현재)

3) 발생기 가사문학의 논의에서, 가사의 기원은 전대의 어느 특정한 시가의 단선적 영향이 아니라, 멀리는 향가를 거쳐 고려속요, 경기체가 등이 소멸되는 과정에서 가장 편이한 형식으로 발전하면서, 여기에는 한시·사부의 영향도 미쳤다. 따라서 가사는 우리 사상과 감정을 표현하는 데 가장 알맞은 독창적인 시가라고 할 수 있다.

그리고 가사의 발생 시기와 효시작품에 대해서, 발생 시기는 고려 말엽설과 조선 초엽설이 학계에 양립되면서 〈西往歌〉와 〈賞春曲〉을 각기 효시 작으로 내세워 견해의 타당성을 주장하고 있으나 좀 더 신빙성 있는 자료의 발굴과 학문적 천착이 요청된다.

그럼에도 불구하고 현재의 실정에서 볼 때, 〈서왕가〉는 〈상춘곡〉보다 100년 먼저 창작되었을 뿐 아니라 앞서 문자화되었으며, 전자가 승려나 불교신도들에 의해 전승된데 비하여, 후자는 문중의 친척 중심의 좁은 범위에서 전해졌으므로 〈서왕가〉의 전승계층에 대한 신빙성이 더해진다. 또한 두 작품이 효시작이 될 수 있는 동일한 조건을 가졌다면, 전시대의 사실史實이 더 큰 의의를 지닌다고 볼 수 있으며, 최근에는 이두로 된 〈僧元歌〉가 발굴됨으로써, 고려 말 신득청의 〈歷代轉理歌〉와 더불어 당시의 표기법에 따라 가사가 창작되었음을 입증해 주고 있어 〈서왕가〉가 효시작이라는 개연성은 충분하다. 따라서 가사의 발생 시기도 고려 말엽으로 보는 것이 타당하다.

발생기의 작품으로는 포교신앙가사인 〈서왕가〉, 〈樂道歌〉, 〈승원가〉 등이 있고, 회고서사가사에는 〈역대전리가〉, 강호한정가사에는

〈상춘곡〉, 〈梅窓月歌〉 등 모두 6편이 전한다.

또한 발생기 논의를 통하여 고려 말 불교가사에서 가사의 기원이 비롯되었음을 알 수 있으며, 조선에 들어와 사대부들에 의한 가사의 완성된 시형이 탄생되었다는 데에서 문학사적 의의를 찾을 수 있다.

4) 발전기의 가사는, 연산군 이후 사화와 당쟁으로 사회 정치적인 혼란기에 접어들었으나 정제된 시형을 갖춘 〈상춘곡〉에 이어 가사는 꾸준히 발달하였고, 송강에 이르러서는 최고에 달하는 가사의 송영시대誦詠時代를 맞이하였다. 특히 정철의 작품들은 중국의 한시들과 견주어서 그 가치를 높이 평하였고, 작품을 통하여 국어미가 발견됨으로써 한국언어예술의 신기원을 이루게 되었다.

이 밖에도 유람기행가사로 〈關西別曲〉, 강호한정가사에 〈樂志歌〉, 〈俛仰亭歌〉, 도덕 교훈가사에 〈道德歌〉, 〈自警別曲〉 등이 있다. 작자로는 조위, 송순, 백광홍, 정철 등 사대부가 중심이며, 호남지방의 작자들이 주류를 이루었다.

이 시기의 문학사적 의의는 가사문학의 발전으로 많은 작품이 창작되니, 가사는 시조와 더불어 민족의 2대 시가장르의 자리를 굳히게 되었다.

5) 흥성기의 가사는 임진란이후 서민들의 자아각성과 서민의식이 향상됨으로 그들의 생활 감정과 의식을 반영한 근대적 문학운동의 기반을 구축하는데 공헌하였다. 따라서 작자의 폭이 넓어져 일반서민들의 가사도 대두하게 되었다.

이 시기 유명씨 가사작품을 12종으로 나누어 내용별로 고찰한 바, 노계 박인로의 출현이 특기할 만하다. 그의 가사에는 서민대중과 호흡하는 정신이 작품화됨으로 국문학의 영역을 넓혔고, 가사의 형식에도 변화가 시도되었다. 발전기를 대표한 정철과 흥성기의 박인로를 비교하여 볼 때, 가사의 형식과 내용에 있어서 전자는 정격이고 영탄적이라면, 후자는 파격이고 서술적이어서 가사가 산문화의 경향으로 가는 일단을 보여 주었다.

새로운 경향의 작품에는 전쟁을 내용으로 한 박인로의 〈태평가太平歌〉와 최현의 〈명월음明月吟〉이 있고, 현실을 풍자한 허전의 〈고공가雇工歌〉와 이원익의 〈雇工答主人歌〉 등이 있다. 그리고 전대를 계승하여 강호한정가사, 유람기행가사, 풍물서경가사 등의 작품도 많이 창작되었다.

이 시대의 문학사적 의의는 임병양란과 실학의 대두로 민중이 각성하게 되었고, 그에 따라 가사의 형식과 내용에 변화가 일어났으며, 폭넓은 작가군이 형성되어 많은 작품들이 나오게 되니 가사문학의 전개에 전환점이 마련되었다는 점이다.

6) 전환기의 가사는, 영조이후 흥성한 서학西學과 실학實學의 영향을 입어 형식과 내용이 크게 변화되었다. 때문에 가사의 내용이 현실적인 생활과 관련된 것과, 인간의 존엄성과 평등성에 기반을 둔 작품들이 많았으며, 형식도 파격을 이룬 율조와 산문적 내용이 분화되어 차차 장편가사와 창사唱詞로 변질 되었다.

이 시기의 유명씨 가사작품을 13종의 내용으로 나누어 고찰하였는데, 그 가운데 천주가사, 동학가사, 서민가사, 규방가사 등이 특기할 만하다. 또한 실학의 영향으로 실제적 생활을 읊은 〈農家月令歌〉같은 풍속권면가사, 인간의 존엄성과 평등성이 강조된 천주가사와 연모상사가사, 그리고 개화의 의지를 담은 동학가사 등이 등장하였다.

특히 최제우의 『용담유사龍潭遺詞』에서는 동학에 바탕을 둔 서민문학을 전개하여, 당시 지배층의 권위를 부정하고 새로운 가치관이 세계를 지배하게 될 것이라는 개벽관開闢觀을 역설하여 민중에게 희망과 용기를 주었다. 이러한 결과는 후대 가사인 '독립신문' '대한매일신보' 등에 실린 개화가사에 그 전통이 계승되었다.

그 밖에도 전대를 계승하여, 이진유의 〈續思美人曲〉, 안조환의 〈萬言詞〉 등의 유배가사, 김인겸의 〈日東壯遊歌〉, 이방익의 〈漂海歌〉, 홍순학의 〈연행가〉 등의 유람기행가사, 한석지의 〈吉夢歌〉, 김상직의 〈戒子歌〉, 정방의 〈孝子歌〉 등의 도덕교훈가사, 그리고 한산거사의 〈한양가〉, 학초의 〈八道邑誌歌〉, 박이화의 〈萬古歌〉 등의 회고서사가사가 창작되었다.

7) 변전기의 가사는 갑오경장이후에 나타난 개화가사에서 비롯된다. 근대 개혁적 의욕을 보인 것은 갑신정변(1884)이지만 제도상 처음 시도된 것은 갑오경장 이후다. 그 후에 창간된 '독립신문'(1896)은 당시의 민중을 계몽하는 선도적 역할을 하였으며, 그때 민중의 소리를 여기에 수록하였으니, 이른바 우국계몽가사인 것이다.

이 시기의 작품은 4·4조 형식에 자주독립과 애국애족에 대한 새로운 내용을 담은 것으로, '독립신문'에 25편, '대한매일신보'에 680여 편이 수록되었으며, 류홍석의 〈古兵丁歌辭〉를 비롯한 민용호의 〈回心歌〉, 신태식의 〈申義官倡義歌〉 등의 장부호기가사가 창작되어 일제에 대한 항일의 정신을 담았다.

그리고 천주가사, 동학가사, 불교가사 등 많은 포교신앙가사가 창작되었으며, 특히 불교가사는 발생기부터 지금까지 한결같이 계속되었다. 또 김락기의 〈春遊歌〉, 조애영의 〈金剛山紀行歌〉, 윤정하의 〈日本留學歌〉 등의 유람기행가사와 사공수의 〈한양가〉, 김조식의 〈문소김씨세덕가〉 등의 회고서사가사가 창작되었다.

그리고 한 작자가 많은 작품을 지었는데, 김용목(18편), 송설당(50편), 문재근(40여 편), 강대성(40여 편), 조애영(18편), 고단(29편) 등이 있다. 이런 현상은 신문·잡지의 등장과 신문학의 영향으로 가사가 단편화되었기 때문이다.

최근에는 『오늘의 가사문학』을 통하여 수많은 작가들의 작품이 발표되고 있는데, 대표적인 작가로는 김종, 이지엽, 최한선, 이달균, 이정환, 정일근, 류연석, 김은수, 박준규, 김준옥, 조태성, 문순태, 황인원, 윤덕진, 이수희 등이 있다. 이 가운데는 현대시와 시조, 그리고 소설 분야의 중견작가들이 가사창작에 참여함으로 오늘의 가사문학의 새로운 이정표를 쓰고 있다. 특히 김종 작가는 '가사집'을 간행하여 가사창작의 지평을 넓히었고, 운문과 산문의 자질을 가진 가사 창작의 의욕을 환기시키는 모범을 보여주었다. 전통시가를 전공한 최한선 교수도 현대시와 시조를 쓰면서, 늘 시학을 고민하고 이를 천착하면서 가사 창작태도와 정신을 풀어 밝혀주는 일에 매진하고 있다. 이지엽 교수 또한 가사 창작의 이론과 실제를 선도하여 가면서 『오늘의 가사문학』을 빛내고 있다.

변전기가사의 문학사적 의의로는, 이 시기의 우국계몽가사와 장부호기가사(의병가사)는 저항기적 시대정신의 반영이며, 민족의식의 고취를 하는데 한 몫을 하였고, 천주가사, 동학가사, 불교가사 등도 종교적 차원에서의 고난의 시대를 반영하고 있다. 이는 민족을 현세적 고난에서 종교적 구원으로 승화시키는 데 큰 몫을 하였다고 본다.

이상에서 고찰한 바, 가사는 고려 말엽에 발생되어 700년간을 민족문학으로 향유되었다. 당시까지 유일한 표기수단이었던 한자에서 훈민정음이 창제됨으로써 우리말에 맞는 표기수단을 가지게 되어 문학작품의 창작에 활기를 띠게 되었으며, 구전된 작품들도 정리가 가능했다. 가사문학도 많은 작자가 배출되어 우리말의 표현미를 발견하게 되었고, 작품 속에 국민정서를 자유롭게 담을 수 있었다.

또한 가사는 시조와 함께 수 백 년간 우리 시가문학을 이끌어 온 양대산맥으로 작품의 질량에 있어서도 국문학의 빛난 유산이 아닐 수 없다. 따라서 이에 대한 심도 있는 연구와 조상의 얼과 생활이 담긴 훌륭한 유산으로 계승·보전해야 하는 사명이 우리에게 있다.

이처럼 오랫동안 많은 작품들이 전하고 있지만 가사는 전통적인 모습에서 상당히 멀어졌을 뿐만 아니라 가사의 문학성은 다른 문학 장르에 분산되어, 그 기능이 약화되었다. 특히 현대에 와서는 사물에 대한 경험과 역사에 대한 교술이 위축되고 심성탐구를 중시한 서정시가 득세한 것이 문학사의 큰 전환이다. 인식과 표현의 규범을 벗어나 삶의 의의에 대한 자유롭고 개성적인 탐구를 하고자 한 현대시의 발전은 가사와 시조를 멀리 하였다. 그러나 현대시의 내용과 형식의 뿌리는 전통시가에 있다는 것을 안다면 전통 계승의 차원에서 가사 · 시조 · 현대시 등은 동일선상에 선 우리의 소중한 문학 장르다.

오늘날 사회는 빠르게 다양한 변화를 요구하고, 이에 따라 인간의 삶도 복잡하게 전개되어 가는데 언제까지나 심성탐구나 서정미의 골목을 찾아 맴돌아야 할 것인가? 이제는 역사, 전기, 시사 등이 넘실대는 넓은 세상을 만나서 오늘을 사는 복잡한 삶의 문제에 대한 처방을 노래해야 한다. 기왕의 장르끼리 도토리 키재기 그만하고, 지금 당면한 인간문제의 해결을 어떤 장르에 담아야 그 효과가 최고로 나타날까를 고민할 때다. 문학은 인간학이다. 이는 인간이 가진 문제를 해결하는 효력 있는 비방이어야 한다. 그 비방은 가사로 쓰나, 시조로 쓰나, 현대시로 쓰나, 희곡으로 쓰나, 소설로 쓰나 약효가 좋아 병이 나으면 된다. 즉 감동과 설복이면 될 것을 가지고……

모든 문학 장르는 장단점이 있다. 그중에도 가사장르는 모든 형식과 내용을 수용하는 융 · 복합장르로서 사명을 다하고 있다. 가사장르는 오랜 역사를 지닌 우리의 전통문학이다. 이미 담양에 '한국가사문학관'도 세워져 있고, 『오늘의 가사문학』 계간지도 간행되고 있으며, '한국가사문학대상'을 해마다 수여한다. 신진 가사작가도 배출되고 있으며, 『한국 가사시 100인선』도 벌써 간행되었다. 앞으로 전개될 가사부흥시대를 생각하면 가슴 설렌다.

2. 가사의 명칭

가사의 명칭은 다양하게 표기된 바, 한글로는 'ㄱㅅ', '가ㅅ'라고 하였고, 한자로는 '歌詞', '歌辭' 또는 '長歌', '長辭'라고 전해 오고 있다. 이런 현상은 오늘에도 그대로 이어져 '가사', '歌辭', '歌詞' 등의 표기가 혼용되고 있으며, 과거에는 신라의 향가를 비롯하여 고려가요와 악장체 시가, 심지어 시조까지도 가사歌詞 또는 가사歌辭라고 일컬어 왔다. 이처럼 명칭을 각각 다르게 부른다는 사실은 학문적, 교육적 많은 혼란을 일으키기 때문에 이런 불필요한 착난은 제거되어야 한다. 더구나 가사의 명칭을 분명히 하는 일은 가사문학연구의 첫 단계라 할 수 있다.

먼저 장가長歌, 장사長辭, 가사歌詞, 가사歌辭 등으로 쓰여진 문헌상의 용례用例와 현재 학계에서 사용되고 있는 歌詞와 歌辭에 대한 제설을 살펴보기로 하겠다.

가. 문헌상의 용례

1) 〈長歌〉에 대한 문헌상의 용례

○이수광의『芝峰類說』권14에

> 長歌則 感君恩 翰林別曲 漁父詞 最久 而近也 退溪歌 南冥歌 宋純
> 俛仰亭歌 鄭澈關東別曲 ……

○『성종실록』122(성종 11년 10월 壬申)에,

> 謹作長歌六章 長歌二章 或與朋友歌詠 或夜歌且舞 頌禱之勤 殆
> 無虛日……

○윤흔의『溪陰漫筆』에,

> 且作歌曲 如無等長歌等 酒酣輒使歌兒舞女唱之……

○성주본『松江歌辭』발에

> 高王考文清公 長短歌曲 行於世者 總若干篇……

○진본청구영언, 박인로 작품 後序에

並與長歌三曲及短歌四章……

○농암, '漁夫歌' 발문

一篇二十章 去三爲九 作長歌而詠焉……

위에 나타난 바로는 장가란 용어는 악장, 경기체가, 고려장가, 가사 등의 시가에 두루 쓰이고 있으며, 심지어는 장시조(김시모의『老歌薺記』)에까지 장가라는 명칭을 사용하고 있어 장가는 문학 장르의 명칭이 아니고, 노랫말이 장형이라는 개념으로 사용된 것이다.

2) 〈장사長辭〉에 대한 문헌상의 용례

○『송강가사』김상숙 書에,

其體有短歌長辭……

위에 든 '장사'도 단가에 대하여 쓴 명칭이라는 것을 알 수 있다. 따라서 '長歌'와 '長辭'는 고려나 조선시대를 막론하고 특별한 구별 없이 문학작품이 장형이라는 일반개념을 부르는 명칭이며, 문학 장르의 명칭이 아니라는 것을 알 수 있다.

3) 〈가사歌詞〉에 대한 문헌상의 용례

○『삼국사기』新羅本紀11, 憲康王條에,

燕群臣於臨海殿 酒酣上鼓琴 左右各進 歌詞……

○『삼국유사』感通7, 月明師兜率歌條에,

明乃作 兜率歌賦之 具詞曰……

○『고려사』권71에,

動動之戱 具歌詞 多有頌禱之詞

○『세종실록』권145, 醉豊亨譜上에

歌詞全用 龍飛御天歌

○이식의『澤堂集』「畸巖答澤堂別集」에

　　歌詞前後思美人曲……

○이수광의『芝峰類說』권64에,

　　我國歌詞 雜以方言……

○신흠의『象村集』에,

　　題歌辭後 書芝峰朝天錄歌詞……

○김춘택의『北軒集』에,

　　東方歌詞中 如鄭松江前後思美人曲最勝……

○서유구의『鏤板考集類』에,

　　松江歌詞二卷 鄭澈撰星州牧藏……

○『樂章歌詞』의「俗樂歌詞」에서

　　위의 용례를 보면 歌詞는 음악적 용어로 많이 사용되었고, 그 의미는 가락의 대사(곧 노랫말)라는 것이다. 따라서 歌詞란 문학 장르로 歌辭를 지칭하겠지만 용례에 나타난 바로는 주로 '노랫말'이란 뜻이다. 그러므로 歌詞는 음악적인 악곡에 붙여진 시가를 의미하는 것으로 보는 것이 일반적인 견해이다. 그 대표적인 것이 〈十二歌詞〉인 것이다.

4) 〈가사歌辭〉에 대한 문헌상의 용례

○『삼국유사』避隱8, 永才愚賊歌條에

　　作歌其辭曰

○이긍익의『燃藜室記述』권18에,

　　公善歌辭 嘗作關東別曲……

○남하정의『桐巢漫錄』에,

　　善作俗歌 其思美人曲 勸酒歌辭……

○『松江別集追錄遺詞』권2에

松江先生鄭文淸松歌辭也

○『송강가사집(성주본)』에,

篇名 松송江강歌가辭ᄾ上샹

○조성신의『恬窩遺稿集』권62에,

題歌辭……〈陶山別曲〉

○『고산유고』권지6 하에,

歌辭山산中듕新신曲곡

위에서 다섯째의 경우는 가사와 시조를 동시에 포함하였고, 마지막의 경우는 시조만 수록된 책이며, 더욱 홍만종의『순오지』에는 주로 가사 작품을 논하는 자리인데도 사설시조에 속하는〈맹상군가孟嘗君歌〉를 함께 언급하였고,『퇴계전서』에서도〈陶山十二曲〉을 가사라고 하는 등 가사라는 용어가 시조인 단가와 가사를 동시에 포괄하고 있다.

이처럼 문헌상에 나타난 長歌・長辭・歌辭라는 명칭들은 현재 일반적으로 말하는 가사문학만을 지칭한 것은 아니었고, 그 때 사람들은 '가사'란 용어에 분명한 한계를 가지고 사용한 것은 아니라고 하겠다.

『송강가사』와『고산유고』에는 시조와 가사, 뱃노래(도가棹歌) 등을 지칭하고 있으며,『지봉유설』과『순오지』에서는 경기체가, 악장도가樂章棹歌, 가사, 시조(장시조) 등을 두루 가사라는 명칭 속에 모두 포함시키고 있다.

5) 詞와 辭의 해석

詞에 대하여『辭源』에는 '文體之一詞曲也 始於唐時 唐人止有小令 實出於子夜懊憹等曲 其後乃有慢調 南北宋爲最盛 當時卽以爲樂府 被之管絃者也'라고 하였고,『大漢和辭典』(諸稿軼次)에서는 詞意內而言外也 從可言(說文), 三百篇變而古詩 古詩變近體 近體變而詞 詞變而曲(四庫提要), 辭詞

通 文體名 騷之變 揷韻歌適 秋風辭 漁父辭類(楚辭)라고 하였다.

위에서 알 수 있는 바와 같이 '詞'와 '辭'는 같은 뜻으로도 쓰였으나, '辭'는 문장을 위주로 쓰여진 것인데 가창도 할 수 있게 지은 것이요, '詞'는 가창을 위주로 한 시가詩歌임을 알 수 있다. 따라서 우리네 가사 도 사辭와 같은 것으로 가사歌辭라는 명칭이 합당하며, 오늘날은 한글 로 쓴다니 더 할 말이 없다.

나. 제설諸說의 양상

1) 명칭을 [가사歌辭]로 본 견해

조윤제는 가사란 음악곡조에 대한 歌詞가 아니고, 사설적 노래라는 의미의 歌辭가 아닐까 하고, 歌詞는 음악곡조에 대한 歌詞와도 혼돈될 염려가 있으니까 歌辭로 쓰고자 하였다.

김사엽은 가사의 명칭은 歌辭라 함이 타당하니, 이는 음악의 곡조 에 대한 작품 내용을 의미하는 歌詞란 義와 혼용될 우려가 있음을 피 하고자 함이라 하였다.

이태극은 가사의 '사'는 詞보다 辭로 적음이 어원적 해석에서나 우 리 가사문학의 발생사적 견지에서 보나 한 걸음 더 가까운 뜻이라 하 였다.

정익섭도 가사는 창을 전제하거나 읽기를 위주로 한 노래가 아니 고, 그저 감동과 흥취에 젖어 자연스럽게 영출한 것이 '가사'인데, 辭 와 詞는 이자동의어로 같은 개념 안에 넣어야 할 것을 전제하고, 명칭 에 있어서도 일반적 추세가 歌詞보다는 歌辭 쪽으로 통일함이 좋겠다 고 하였다.

이동영은 가사의 歌가 '騷'와 '表'의 공통성을 인정한다면 가사의 문 학적 장르의 명칭은 '歌辭'라는 확정이 얻어진다고 하였다.

윤석창은 창을 전제로 하지 않는 이들 순수한 가사를 정통적인 가

사로 볼 수 있으며, 창을 위주로 한 '十二歌詞'나 '十二雜歌'는 가사문학
이라는 장르에 포괄되는 한 종류에 불과하다. 따라서 산문성(辭)을 띤
운문(歌)인 '가사'의 명칭은 歌辭로 통일해서 쓰는 것이 타당하다고 하
였다.

위는 歌辭로 하자는 견해들인데, 그 이유는 가사가 사설적 노래고,
음악의 곡조인 歌詞와 혼동될 우려가 있으며, 어원적 해석이나, 가사
가 단순한 감동과 흥취의 영출이란 점, 騷·表와 공통성이 있고 넓은
의미로 '십이가사'도 가사에 포함된다고 하여 '歌辭'로 통일할 것을 주
장하였다.

2) 명칭을 [가사歌詞]로 본 견해

이병기는 歌詞와 歌辭는 이자동의로되 그 뜻하는 바는 어떤 소리
(詞) 의 노래(歌)를 말한다하여 歌詞쪽을 주장하였다.

박로춘도 歌詞와 歌辭를 구별하여 쓰고 있다. 절대적은 아니나 장
르로서는 '歌詞'를, 歌集名으로는 '歌辭'를 각각 쓴다고 하여 장르상 '歌
詞'라고 했다.

정병욱은 경기체가는 악장형태를 거쳐서 歌詞형태가 되었다고 하
여 '歌詞'란 명칭을 사용하였다.

3) 기타의 견해

기타의 견해로는 명칭을 歌辭나 歌詞의 두 명칭을 혼용하자는 것과
구별하여 사용하자는 두 의견이 있는데, 전자에는 김동욱으로『松江
歌辭』나『松江歌詞』의 술어를 가지고 논란할 아무 근거도 없다.……
辭와 詞는 종이의 양면과 같은 것이니 혼용하자는 것이고, 후자에는
이혜순인데 성격상 음악과 유관한 시기까지는 가사歌詞, 음악이 떨어
져 나간 시기부터는 가사歌辭로 표기해야 하며, 구분되는 시기는 약
1700년대라고 하였다.

이와 같이 '歌辭'란 명칭은, 음악곡조와는 다른 산문성을 반영하는 데에 씌어진 것으로 학계의 호응이 많으며, '歌詞'는 창중심의 일부 작품을 근거로 한 편협된 주장이다. 결국 가사歌詞가 창唱을 전제하여 창작되었다 하더라도 오늘날 그 곡조는 무시되고 순수한 문학작품으로 남았고, 창을 전제하지 아니한 가사歌辭도 그 일부가 가창歌唱되기도 하다가 오늘날 본래의 순수한 가사문학으로 남아 있다.

그리고 '詞'는 창을 전제로 했고, '辭'는 唱을 전제로 하지는 않았으나, 辭도 가창歌唱할 수 있다는 뜻이 내포되어 있다. 따라서 송강의 가사 일부도 歌唱되었고, 『松江歌詞』와 『松江歌辭』의 혼용도 볼 수 있다. '十二歌詞'는 처음부터 가창되었다고 보겠으나, 〈상춘곡〉을 비롯 〈면앙정가〉를 거쳐 송강과 노계의 작품들은 처음부터 가창歌唱을 전체하지 않는 순수한 창작이었으나 이들 작품들도 일부가 뒤에 가창되었다. 또한 조선말의 기행·유배의 서사적인 장편가사들과 낭독을 주로 한 규방가사들은 전혀 창을 무시한 작품들이고 보면, 가사는 단지 감동과 흥취에 맞춰 자연스럽게 읊어 낸 글로서 산문성을 띤 운문으로 '가사歌辭'라는 명칭으로 부르는 것이 타당하다고 본다.

3. 가사의 개념

가사의 개념에 대하여 제시된 지금까지 논의들을 요약하면 다음과 같다.

조윤제는, 가사는 극히 단순한 형식을 가진 장가로서 대강 8음1구를 중첩한 8·8조의 연속체라고 했으며, 가사문학은 시가·문필의 양면성을 구유한 만큼 그 어느 것도 배격하지 않고 또 상함이 없이 동시에 포섭하여 차라리 그 어느 것에도 전속되지 않는 가사라는 장르를 따로 확립하자 하면서, 실로 가사는 시가詩歌·문필文筆의 양면성을 동시에 구유한 특수한 문학형태로 운문문학에서 산문문학으로 가는 과정에서 발생된 우리나라의 독특한 문학형태라 하였다.

고정옥은, 가사는 3·4조 또는 4·4조를 무제한으로 늘어놓을 수 있는 자유스런 형식이다고 하였고, 또 『국문학개론』에서는 가사는 중세기의 산문문학으로 수필에 넣어야 할 것이다고 하였다.

이능우도, 가사는 〈일동장유가日東壯遊歌〉나 〈연행가燕行歌〉에서 보다시피 그 라인(行, Verse의 line) 수가 무제한적인 존재일뿐더러…… 그 내용이며 구성적 형식으로 보아도 이것은 〈……歌〉로되 수필이라고 하였다.

정병욱은, 가사의 운율은 4음보격의 비연시형(nonstansaie form)이요, 리듬은 강약율(Dactyl)인데 강·약·중강·약이라고 했고, 『한국고전시가론』에서는 가사의 시형은 3·4조 나 4·4조의 음수율을 가진 구절이 대구를 이루어 일행을 이루고, 대체로 그런 시행이 100행 내외로써 한 편의 작품을 이루고 있다고 하였다.

김사엽은, 이조시대 가요사상 독특한 시형인 4·4조로 연첩하는 가곡이 있으니, 이를 장가長歌·가사歌詞·가사歌辭 등으로 호칭하여 왔다고 하여 가사를 시가라는 인식을 가지고 있다.

장덕순도, 주관적인 감정을 노래한 것은 시가로서의 가사요, 객관적 서사적인 사물을 서술한 것은 수필로서의 가사라고 이원적으로 파악하였다.

이병기는, '十二歌詞' 가운데…… 몇 작품의 체재가 좀 다를 뿐이고, 그 나머지는 다 5자 내지 9자구를 길게 나열하여 일편을 이루고 있다고 했으며, 가사를 시가문학에 속하는 양식으로 분류하였다.

이태극은, 가사는 7·7중심의 대구형태를 반복시키면서 중간중간에서 소종결을 짓다가 최종에 가서는 시조의 종장형식으로 끝나는 정격가사와 종결에서 대구형식으로 끝나는 변격가사로 나누어지며, 이조의 장가인 가사歌辭·가사歌詞·규방가사閨房歌詞 등을 총괄하는 한 장르문학임을 알 수 있다. 가사의 내용에 서사성이 있어도 형태상 운문체일 뿐만 아니라 표현의 실제를 보면 시가적 감흥이 굽이쳐 흐르고 歌唱되었으니 歌에 속함이 분명하다고 했다.

사재동도, 가사는 '노래조의 이야기'라거나 '이야기체의 노래'라는 점에 그 형태적 핵심이 있으며, '가조사설歌調辭說'이라고 직역할 수 있다고 주장하였다.

박성의는, 가사를 시가란 장르속에 넣되 다기적인 내용을 2대별하여…… 주관적 내용을 가진 가사를 서정적 가사라 하고, 장편 산문화한 가사를 문필적 가사라 하였다.

이혜순은, 가사의 개념을 구별하여 歌詞는 원칙적으로 음악을 전제로 한 것으로 100행 내외의 가창문학으로 보았으며, 前期歌詞와 短篇歌詞를 들고 있으며, 歌辭는 歌詞에 비해 장편이 많고, 음악과 관계없이 낭송할 수 있는 후기 장편가사들로서 음수율 4·4·4·4와 4음보가 정연한 문장이라고 하였다.

김기동도, 가사는 조선시대의 시가의 한 장르로서 한 시행이 4음보격으로 되어 있고, 그 음보격의 기본적인 음수율이 3·4, 3·4조 또는 3·4, 4·4조로 되어 있으며, 시행은 시상에 따라 무제한으로 연장할 수 있는 비연시로서의 정형시를 가사라 할 수 있다고 하였다.

조동일은, 이조문학의 교술장르 류에 산문으로는 기록, 수필, 전기 등이 있는데, 율문으로 된 건 모두 가사라 하고, 가사의 교훈성을 중시하여 가사의 개념을 '평면적으로 서술해 알려주어서 주장한다'고 정의한 교술장르라는 용어를 쓴다고 새로운 장르규정을 하였다.

김동욱은, 가사의 문체는 소위 가사체로 전형적인 3·4, 4·4의 유만悠曼한 음수율을 가지는 율문체, 그렇다고 우리나라 언어의 특성에 의하여 음수율이 3·4조로 고정되는 것이 아니라, 그 기본에는 2음, 3음이 있어 2음이 배수거나 3음에 격조사나 어미가 붙어서 4.4조의 운문이 형성된다고 하였다.

이상보는, 가사는 4음보 연속체로 된 율문으로 행수에는 제한이 없는 시가문학이고, 7자 기준구의 연속체 장가의 하나라고 하였다.

최강현도, 가사의 개념을 내용과 형식으로 말하되, 가사는 우리 고전시가문학의 영역에서 가장 복잡한 형태라고 하여 다음과 같이 제시하였다.

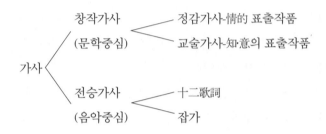

또한 형식적 개념으로는 가사의 최소단위를 '구'라 하고, 1구의 율박는 2율각(dimeter)이다. 또한 4율각(tetrametre)의 '장'이 연속되어 종결어미로 끝나는 '절'이 이어져 나간다고 하였다. 시, 소설, 희곡에 포함시킬 수 없는 나머지 문학형태를 묶어서 수필이라고 한다면 우리 문학의 가사는 수필에 귀속시켜야 한다고 했다.

정익섭은, 가사는 한국시가문학의 고유한 장르로서 시제 또는 시상의 제약을 받지 않는 연첩구의 장형의 시가이고, 매구의 기본 음수율은 3·4 3·4 또는 4·4 4·4조이며, 雙句(결구)가 따른 비연체의 시가라고 했다.

김학성은, 가사는 서정抒情, 서사敍事, 교술敎述 가운데 어느 특정한 장르로서의 개성을 규범적으로 지니고 창출된 장르가 아니라, 이들로부터 개방되어 있으므로 가사는 4음4보격의 율문 표출이라는 율격적 통제만 존재할 뿐 그 밖의 어떠한 장르상의 제한조건도 필요하지 않으며, 역사적 장르로서의 가사는 서정, 서사, 교술적 지향을 복합적으로 드러낸다고 하였다.

주종연은, 슈타이거(Staiger.E)의 장르적 틀을 도입하여 가사를 類 (서정적인 것과 서사적인 것)·種(수필) 개념으로 나누는 한편, 다시 가사장르를 서정적인 것, 서사적인 것, 교시적인 것 등의 복합적 장르로 보았다.

이동영은, 가사에는 〈상춘곡〉과 같은 서사적 양식, 〈사미인곡〉과 같은 서정적 양식, 〈권선지로가〉와 같은 교술적 양식 등 복합적인 존재임을 알 수 있다. 우리의 독특한 유형의 가사문학을 절대적 문학양식에 고정시키고자 하는 주장은 무리이다. 가사에는 서정적인 것, 서사적인 것, 교술적인 것, 희곡적인 것 등의 요소가 있다. 뿐만 아니라 한 작품 속에서도 위의 요소들이 혼합되어 있는 경우에 유의하여야 할 것이다 라고 했다.

홍재휴도, 가사의 길이가 길다하여 율문이 아닐 수 없으며, 또한 그것이 시가 되지 않을 수 없으며, 다양한 소재라 할지라도 그것은 모두 시적인 생각이나 뜻을 담으려는 마음의 씨날에 불과한 것이므로 그것이 응축되어 이루어지는데서 주제도 더욱 폭이 넓어졌다고 하였다.

정재호는, 가사의 형식적 특성에 대해 그 기본율조는 4음보의 연속된 비연체요, 수십행 수백행으로 이어져 일정한 제한이 없다고 하였다. 또 가사의 장르규정에 있어서 서정적인 것〈상춘곡〉, 교훈적인 것〈오륜가〉, 수필적·서사적인 것〈우부가〉, 희곡적인 것〈속미인곡〉, 이밖에도 편지, 제문, 時評, 관상보는 법 등 가사체로 된 것이 많다고 하였다.

윤석창은, 가사는 서정성·서사성·희곡성·교훈성 등 복합 장르적 성격을 띠었다. 통시적 측면에서 보면 서정성이 우세했던 때와 서사성이 우세했던 때, 그리고 교훈성이 우세했던 때가 있었다. 공시적인 측면에서는 서정성이 우세한 때에 있어서도 서사성이 주축이 된 작품이나 교훈성이 주축을 이룬 작품들이 공존했으며, 한 작자도 어느 것은 서정성이, 또 어느 것은 서사성이 주가된 작품을 발견하게 된다고 하였다.

전규태는, 가사를 형식상 시가요 내용상 문필이라 한다든지, 모든 가사를 수필로 규정한 것은 무리가 있다. 물론 가사 중에는 수필적 내용을 담은 것도 있지만, 그렇다고 고소설이 운문의 형식을 지녔다고 시가라 할 수 없듯이 가사는 시가와 수필적, 교술적인 가사의 복합적인 장르라고 했다.

전일환은, 장르적 성격을 분할적 정의나 종개념과 유개념의 착종에서 벗어나 서정과 서사와 서술敍述이 한데 융합된 복합성의 특수한 장르라는 것으로 인식해야 한다고 하였다.

원용문은, 시가라고 해서 객관적, 서사적, 기행적, 수필적 내용을 담지 못한다는 법은 없고, 더구나 서정이외에 서사와 교술적 내용을 담지 말라는 법도 없다. 그 작품을 〈~歌〉라는 의식아래 제작한 이상 객관적·서사적·기행적·수필적 내용도 얼마든지 가창할 수 있고 음영할 수 있다는 것이 시가문학의 장점이다. 예를 들면 중국에는 '영사시', '영물시' 등이 있고, 서양에는 '서사시', '서경시' 등이 있다. 한마디로 가사는 시가장르에 귀속시킨다고 해서 하등의 문제될 것이 없고, 다만 그 내용상의 특성을 살려서 하위장르로 서정적 가사, 서사적 가사, 교술적 가사라고 분류한다면 이제까지 시가라고 규정했을 때 문제점을 해결될 것이다 라고 하였다.

위에서 제시된 가사의 개념에 대한 의견들은 형식과 내용으로 나눌 수 있는 데, 먼저 형식상 개념을 요약해 보면 다음과 같다.

첫째, 4음4보격─박성의(대개 4·4음 연속), 조윤제(8·8조), 김사엽(4·4조 연첩) 김학성(4음4보격) 등.
둘째, 3·4, 3·4조 연속체─이태극(7·7중심), 이상보(7자 기준구)

등.

셋째, 3·4조나 4·4조의 연속체—고정옥, 김기동, 정병욱, 정익섭, 구자균, 정재호 등.

넷째, 5자 내지 9자구를 길게 나열하여 한 편을 이룬다는 이병기의 주장이다.

다음으로 내용상 개념을 요약해 보면 다음과 같다.

첫째, 가사는 가사라는 특수한 형태의 문학 장르란 견해는 조윤제 (장가), 사재동(이야기체의 노래 : 歌調辭說), 홍재휴(장형시 의 不定句定型詩) 등의 주장이고,

둘째, 가사는 시가로되 서정, 서사, 희곡, 교술을 함께 한 복합장르 라고 한 견해는 이태극, 김사엽, 김기동, 정익섭, 정병욱, 이 상보, 주종연, 김학성, 전일환, 전규태, 이동영, 윤석창 등의 주장이다.

셋째, 가사는 수필이다는 견해는 고정옥(중세기 산문), 이능우, 최 강현 등의 주장이며,

넷째, 가사는 시가적·수필적 장르다는 견해는 장덕순, 박성의 등 의 주장으로 서정적인 가사와 문필적인 가사로 이원화하였다.

다섯째, 가사는 율문으로 된 교술장르다는 견해는 조동일의 주장 이다.

지금까지의 논의를 바탕으로 가사의 개념을 제시하여 보면, 가사 는 형식에 있어서 대체로 3·4조 내지 4·4조가 기본율격을 이루어 4 음4보격을 한 단위로 행(장)을 형성하여 연속되고, 내용적으로는 비 록 다양한 소재들로 장형화 되었지만 그 나름대로 정돈된 시사詩辭가 연결되어 긴밀한 내용으로 시상을 형성하고 있는 시가로서, 시조와

더불어 우리 시가문학의 양대산맥을 이루었다고 할 수 있다.

4. 가사의 형식미

한국시문학사를 살펴볼 때, 한시는 정립된 이론적 배경을 가졌으나, 고유시는 체계적인 창작이론의 기틀을 마련할 여가도 얻지 못하고 민중과 호흡을 같이 하면서 자연스런 율조에 따라 응결된 율격이 관성적으로 되풀이되면서 우리 시의 다양한 형태를 이루어 왔다. 시가의 형성 시기도 역사상으로 보아 그 연원이 상당히 오래 됐지만, 이에 대한 논의가 본격적으로 이루어진 것은 근래의 일이므로 이론적 체계를 정립하는데 있어서 구명되어야 할 많은 문제가 남아 있다.

가사는 시조와 더불어 근 7세기에 걸쳐 향유된 민족문학으로 외형률을 지닌 시가장르다. 그동안 가사문학의 형태에 대한 연구는 내용적인 연구와 함께 많은 성과를 이룩했으나 아직도 이에 대한 총체적인 고찰이 부진하였기에, 가사의 형태를 체계적으로 규명하는 것은 가사문학을 이해하는 데 중요한 연구 분야로 인식된다.

여기서는 가사의 형식미를 외형적 율격에 따라 추출된 율격요소인 비연체, 음절률, 음보율, 음량률, 종결형식 등을 통하여 살펴보고자 한다. 또한 오늘에 이르기까지 가사의 형태가 통시적으로 어떤 변화 과정을 밟아왔는가도 살펴보았다.

1) 비연시형 非聯詩型

한국시가의 기본형태를 연시형(stanzaic poems)과 비연시형(nonstanzaic poems)으로 분류해 볼 때, 고려속요, 경기체가, 악장 등이 연시형이라면, 향가, 시조, 가사 등은 비연시형에 속한다. 같은 연속체이면서도 향가나 시조는 시행이 제한되어 있지마는 가사는 시행의 제한을 받지 않고 시상에 따라 얼마든지 길게 지을 수 있는 장편성을 띠고 있다. 가사의 시행이 10행 미만의 짧은 작품이 있는가 하면 수천 행에 달하는 것이 있으며, 그 내용이 서사성과 산문성을 띠고 있어서 가사가 시가냐 아니냐 하는 문제가 제기되기도 하였다.

조윤제는 가사의 형식은 대강 8음1구를 중첩한 8·8조의 연속체라 하였고, 고정옥도 3·4조나 4·4조를 무제한으로 늘여 놓을 수 있는 자유스런 형식이라 하였다. 이런 논의에도 불구하고 오늘의 가사문학은 4음4보격 연속체로 음절률이 아닌 음량률로 읽으며, 4음보가 꼭 한 행을 이룰 필요는 없다. 더러는 1음보나 2음보, 그리고 3음보가 행을 이루면서 작가의 호흡에 따라 여백의 미와 전달효과를 극대화 할 수도 있을 것이다. 따라서 가사는 전통율격을 계승한 시가로 서사구조를 가져 유장하지만 시적 긴장감을 중시한 문학 장르다.

2) 음절률 音節律

음절률이란 음절의 수, 곧 음보·구·행 등을 이룸에 있어 일정한 음절수를 배열하는 율격으로 한시의 오언시, 칠언시와 일본의 와카나 하이쿠 등이 이런 음절률을 가진다고 했는데, 시조나 가사의 율격도 바로 이에 해당된다. 한국시가의 음절률에 대한 본격적 연구는 조윤제의 '時調字數考'(1930)에서 비롯되었으며, 안자산은 시조의 기본 음절률을 3장 6구 45자 내외로 도출했다.

따라서 가사의 율격도 3·4조 내지 4·4조를 그 시상詩想에 따라 연속하다가 결구형식結句形式에서 정형가사는 시조의 종장형식과 일치하는 3·5·4·3의 음절로 끝맺고, 변격가사는 4·4·4·4로 끝맺고 있다. 이러한 개념 규정은 형식면에서 음절률을 기준으로 하여 이루어진 것이다. 허나 3·4조나 4·4조라고 하는 음절률은 다음과 같이 행을 바꿔서,

江湖애 病이깁퍼

竹林의 누엇더니

關東八百里에

方面을 맛디시니

어와 聖恩이야

가디록 罔極ᄒ다

라고 써놓고, 읽을 때도 '江湖애 病이깁퍼'에서 일단 숨을 쉬었다가 '竹林의 누엇더니'를 읽으면 하나의 의미 단위가 이루어지고, 다음의 '關東八百里에'를 읽고 숨을 멈춘 뒤에 다음으로 나가는 것을 보아도 가사는 시조와 동일하게 4음보격으로 되어 있다. 4음보격 사이에는 하나의 기식군氣息群(breath group)으로 나눠져 그 중간에 휴지休止(caesura)가 있으며, 구문적(syntax) 견지에서도 전후의 2구가 모여서 한 단위의 생각을 표현하고 있다. 정병욱도 〈古詩歌韻律論序說〉에서 다음의 예를 들고, 가사가 시조와 같이 4보격의 운율임을 강조하였다.

紅塵에 뭇친분내 이내 生涯 엇더ᄒ고(賞春曲)

平生我才 쓸듸업셔 世上功名 下直ᄒ고(江村別曲)

江湖애 病이깁퍼 竹林의 누엇더니(關東別曲)

無常을 싱각ᄒ니 다거즛 것이로쇠(西往歌)

나라히 偏小ᄒ야 海東애 ᄇ려셔도(太平詞)

이보소 저각시님 설운말삼 그만하오(別思美人曲)

이제 가사가 4보격의 율문이란 견지에서 작품의 형식을 살펴보기로 한다. 경우에 따라서는 다음의 〈강호별곡〉처럼 완전한 4·4조를 기조로 4·4·4·4조형을 취했음을 볼 수 있다.

平生我才 쓸듸없셔   世上功名 下直ᄒ고
商山風景 ᄇ라보면   四皓遺跡 ᄯ라로리다
人間當貴 졀노두고   物外煙霞 興을졍워
滿壑松林 슈풀속의   草屋數間 지어두고
靑羅煙月 대ᄉ립의   白雲深處 다다두니
寂寂松林 개즈즌들   蓼蓼雪壑 졔뉘알니

　반면에 박인로의 가사는 그 율격이 매우 불규칙하게 된 가사도 있어, 한 마디로 가사의 음절률이 어떻다고 속단하기는 곤란하나 최강현과 서원섭의 연구에 의하면, 임란이전가사의 주음절율은 3·4조이고, 부음절률은 4·4조였다. 이런 현상은 임란이후에도 1770년대까지 동일하게 나타났으며, 그 이후에는 역전되어 4·4조가 주음절률이고 3·4조가 부음절률이 되었다. 그리고 개화기에는 거의 모두가 4·4조의 주음절률이었다.

　이상 음절률의 논의를 요약하면, 갑오경장까지는 유명씨와 무명관료문학으로 있을 때는 기본 음절률이 3·4조였다. 박성의는 3·4조가 4·4조로 발전한 것은 가사가 민요와 교섭을 맺는 것이고, 한학자류의 3·4조에서 민중화한 4·4조로 옮아간 것이다 라고 하였다. 즉 가사문학의 기본율조의 변이과정을 경기체가의 붕괴, 칠언 한시 등의 영향에 의한 3·4조가 민요와의 교섭에 의한 평민화에 따라 4·4조로 변한 것으로 보았다.

　이는 우리말 자체가 2음절어, 3음절어, 4음절어가 다수를 차지하고 있는데, 임동권의 국어사전 어휘조사에 나타난 바로는 3·4조가 91%에 이른다고 하였다. 그 중에도 2음절, 3음절이 절대적으로 많은데, 이 2음절, 3음절로 된 어휘의 체언에는 조사가 붙고 용언에는 활용형이 붙어서 자연히 1음절, 2음절이 증가된 3음절, 4음절이 압도적으로 많아 주류를 이룰 것은 당연한 일이다.

3) 음보율 音步律

음보율은 정병욱이 〈古詩歌韻律論序說〉에서 처음 시도한 것으로 자수율론의 허구성을 극복하기 위한 노력으로 음보율이 제시되었고, 이능우도 〈字數考代案〉으로 이를 심화시켰다. 시가 율격의 기본 단위인 음보(foot)는 시간적으로 등장성 等長性을 구비하는 운율(metre)로의 성격을 갖추었다. 그리고 우리 사가의 시행(verse)은 3步格과 4步格으로 크게 나누어 볼 수 있는데, 이 중에 고려가요, 민요 등이 3보격으로 되어 있고, 시조, 가사, 잡가, 민요, 등은 4음보격으로 된 것을 보면, 3보격과 4보격은 우리 민족의 전통적인 미의식에 적용되는 음보율이다. 따라서 3음보격과 4음보격은 함께 우리 민족의 대표적인 음보격으로 원래 우리나라에서 형성 발전되고, 전승되어 온 것이라 하겠다. 서원섭도 4음보격은 중국에서 온 것이라고 속단할 수 없으며, 이는 우리 민요와 고려속요 및 경기체가에서도 볼 수 있는 전통 음보격으로서 시조와 가사에 주로 나타났으며, 율격의 짝이 이루어짐으로 안정감을 찾아 번성하게 된 것이라 하였다.

이는 다른 국문학 형태인 고려가요 일부와 시조가 4음보라는 것이다. 다음에 그 실례를 들어본다.

① 비 오다가 개야 눈 하 디신 다래(4·2·4·2) … 〈履霜曲〉

② 耿耿孤枕上애 어느 즈미 오리오(2·4·4·3) … 〈滿殿春別詞〉

③ 靑山에 눈노긴 ᄇ람 것듯 불고 간듸업다(3·5·4·4) … 禹倬의 時調

④ 梨花에 月白ᄒ고 銀漢이 三更인제(3·4·3·4) … 李兆年의 時調

⑤ 나도 이럴망정 셰샹애 인재러니(2·4·3·4) … 〈西往歌〉

⑥ 紅塵에 뭇친 분네 이내 生涯엇더ᄒ고(3·4·4·4) … 〈賞春曲〉

⑦ 无登山 흔할기 뫼히 東다히로 버더이셔(3·5·4·4) … 〈俛仰亭歌〉

⑧ 江湖애 病이 김퍼 竹林의 누엇더니(3·4·3·4) … 〈關東別曲〉

⑨ 어화 그 뉘신고 어대로서 오시는가(2·4·4·4) … 〈居士歌〉

⑩ 왈 爾子姪 아이들아 敬受此書 하여서라(4·4·4·4) … 「용담유사」 중
〈敎訓歌〉

위에서 보면 ①·②는 고려가요, ③·④는 시조, 그리고 ⑤~⑩는 가
사다 이들은 모두가 4보격으로 구성되었음을 보여준 것이다. 음보는
율각律脚(foot)이라고도 하는데, 우리 시가의 율격단위 가운데서도 가
장 기본적인 것이며, 이는 리듬의 최소 단위이다. 가사는 한 절(행)이
2개의 구를 가졌고, 1개의 구는 2개의 음보를 가지고 있다. 다시 말하
면 가사의 형식 구조는 4음보로 되어 있다. 이를 보이면 다음과 같다.

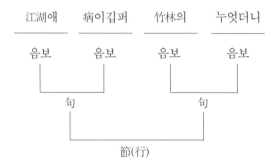

위 작품의 나머지 부분도 모두 이와 같이 4음보로 되어 있으며, 다
른 모든 작품도 마찬가지다. 이처럼 4음보는 가사에서 아주 규칙적으
로 되풀이되는 현상을 음보격이라 부를 수 있으니 가사의 음보는 1행
이 4음보격이다.

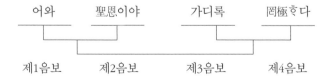

위에 보인 4음보의 성격을 살펴본다면 먼저, 4음보격은 3음보격과
대립하여 존재하기 때문에 3음보격과의 비교에서 그 성격은 가장 잘
이해 될 수 있을 것이다. 3음보는 4음보에 비해서 빠른 느낌을 주며,
음보의 구성방식이 다르다. 이는 우수계 음보와 기수계 음보의 차이
이기도 하다. 4음보는 두 개의 음보가 서로 짝을 이루면서 상호 의존
하는 관계에 있다.

가사는 1차적으로 제1·2음보가 율격적인 짝을 이루면서 상호 의
존하고, 제3·4음보의 관계도 이와 같다. 2차적으로는 제1·2음보와
제3·4음보가 하나의 짝을 이루면서 상호 의존한다. 이처럼 이중의
짝과 의존관계로 이루어져 있어서 안정된 느낌을 주고 있다.

요컨대 4음보격의 성격은 유장悠長하고 완만緩慢하며, 안정되고 중후
하다. 이는 3음보격이 지닌 급박하고, 불안정하며, 경쾌한 느낌과 대
조를 이룬다. 즉 가사문학은 2음보씩 짝을 지어 대응하면서 율격을
형성함으로 율격적으로 매끄럽게 느껴지는 진행구조를 가지고 있으
며, 음영독吟詠讀에 있어서는 호흡이란 생리적 조건으로 인하여 대개는
前二步(전구)와 後二步(후구)의 중간에 休止(caesura)를 넣어서 기식군
(breath group)으로 나뉘어진다.

4) 음량률 音量律

시의 율격은 음의 성질에 따라 고저율, 강약율, 장단율 등으로 나타
난다. 한시는 고저율이, 영시는 강약율이, 고대 그리스시나 산스크리
트시는 장단율이 지배한다. 우리시의 율격은 음의 성질이 아니라 음
의 양의 반복으로 형성되기에 음량률이라 한다. 음량률의 율격형태
를 4모라(mora)에 두고 가사의 형태를 4음4보격 연속체라 하였다. 음
량률을 소음보, 평음보, 과음보 등으로 나누고, 평음보의 음량은 4모
라인데 1모라는 1음절의 음량이다. 평음보보다 음량이 넘치면 과음보
(5모라이상)이고 모자라면 소음보(2~3모라)라 하는데, 한 마디(음보)

를 구성하는 율격자질(음절, 장음, 정음)이 양을 표시함으로 음량률이
라 한다.

　어저— — 내 일이야　그릴 줄을 모르더냐
　이시랴— 하더면 ∨　가랴마는 제 구테여
　보내고— 그리는 정은　나도 몰라 하노라 —

　위에서 음량률의 4음보를 채우는 데는 음절만이 아니라 장음長音
과 정음停音이라는 음운자질도 포함한다는 것이다. 장음은 1음절만큼
길게 빼고, 정음은 1음절만큼 음을 멈추는 것이다. 종장(3 · 5 · 4 · 3)에
서 보면 1음보에서 응축하다가 2음보에서 길게 늘리고 3음보에서 안
정의 자세를 취하다가 4음보에서 말을 줄여 완결시키는 것이다.
　우리말은 체언에 조사나 어미가 붙어 활용되는 첨가어(교착어)이
고, 이런 언어적 구조에 따라 우리 시가는 자연스럽게 음량이 조절되
는 음량률의 율격체계를 가진다. 음보는 반복의 최소단위로 작용할
뿐이지 그 자체가 율격현상이 될 수 없기 때문에 음량률의 율격체계
가 우리 시가에 적용된 것이다. 이처럼 율격자질을 다르다 보니 음보
마다 음절수가 조금씩 다를 수밖에 없다. 각각 다른 음절을 가진 음보가
모여 행을 이루지만, 각 음보의 시간의 등장성(等長性, equal length)을
4모라라 하는데서 음량률이 시도되는 것이다.

　千巖 ∨ ∨ 萬壑을 —　제 집을— 삼아 두고
　나명셩 — 들명셩 —　일히도 — 구는지고
　오르거니 느리거니　長空의 — 쩌나거니
　廣野로 — 건너거니
　프르락 ∨ 불그락 ∨　여트락 ∨ 지트락 ∨
　斜陽과 — 서거지어　細雨조ᄎ 쑤리ᄂ다 〈면앙정가〉

위에서 보인 것처럼 사람의 호흡에 따라 자연스럽고, 유장하게 펼쳐 나가는 것이 시적 이미지와 음악적 리듬감을 높여 줌으로 감흥과 감동이 더할 것이다. 따라서 가사의 1음보에 천편일률적으로 4음절을 기계적으로 나열하거나 1행에 4음보만을 고집하는 것은 시적 여백과 작가의 호흡을 방해하는 일이고, 전달효과의 극대화에 오히려 방해가 되지 않을까 염려된다. 이제 가사형식의 자율성을 누릴 때라고 본다. 같은 4음4보격이지만 시조가 억제되고 생략하여 정형화의 미학을 추구한 반면, 가사는 서사성과 유연성을 장점으로 하여 다정하고 자상하며, 감화와 설득으로 나아가야 할 것이다. 또한 형식적 틀도 사통팔달의 장르답게 더 개방적이고 다양성을 아우를 수 있게 나아간다면 가사의 부흥은 한층 더 빨라질 것이다.

5) 종결형식 終結形式

가사의 종결형식에 관해서는 이능우가 처음으로 밝힌 바, 가사의 마지막 시행이 시조의 종장과 동일한 구조라는 견해에 대하여 김사엽과 서원섭이 동조를 하면서 가사가 시조에서 발생되었다는 주장을 펴기도 하였다.

또한 가사의 종행 형식은 발생초기부터 정형과 변형이 공존했으며, 초기에는 변형이 오히려 우세했다가 정극인에 와서야 정형이 양반가사의 기본형식으로 확립되었으며, 송강·노계를 거치는 사이에 변형은 억눌려 오다가 영조조에 서민문학의 발흥으로 정형보다는 변형이 용이한데서 서민과 부녀자에 의해 크게 활용되었다고 했다

지금까지 가사종행이 시대의 변화에 따라 그 음절률의 변화 양상을 보았고, 이를 좀 더 실증적으로 살피기 위해, 고려 말에서 임란이전까지를 전기가사, 임란이후에서 갑오경장까지를 후기가사, 그리고 규방가사의 종결형식을 고찰하였다. 먼저 임란 이전가사의 종행만을 보면 다음과 같다.

1. 우리도 人間에 왔다가 念佛말고 어이할고 〈나옹화상의 西往歌〉
   3 · 6 · 4 · 4

2. 여보參禪 동모님네 이말삼을 信聽하오 〈나옹화상의 尋牛歌〉 4 ·
   4 · 4 · 4

3. 각수담화 조흔꼿치 處處에 피엇더라 〈나옹화상의 樂道歌〉 4 ·
   4 · 3 · 4

4. 於西於西 低極樂樂 速耳速耳 受耳可自 〈나옹화상의 僧元歌〉 4 ·
   4 · 4 · 4

5. 於의초 世世上 爲君臣 以也今 〈신득청의 歷代轉理歌〉 3 · 3 · 3 · 3

6. 아모타 白年行樂이 이만흔들 엇지ᄒ라 〈정극인의 賞春曲〉 3 ·
   5 · 4 · 4

7. 平生에 한詩를 을푸기 죠와하노라 〈이인형의 梅窓月歌〉 3 · 3 ·
   3 · 5

8. 아모나 이내뜻 알니곳이시면 白步交遊 萬世相感 하리라 〈조위의
   萬憤歌〉 3 · 6 · 4 · 4 · 3

9. 仲長統의 樂志論을 我亦松淑 하여셔라 〈이서의 樂志歌〉 4 · 4 ·
   4 · 4

10. 엇지타 大聖遺譜을 誤傳할 줄 잇슬는다 〈이황의 琴譜歌〉 3 · 5 ·
    4 · 4

11. 우리도 이방하찌허내야 父母供養 하리라 〈이황의 相杵歌〉 3 ·
    7 · 4 · 3

12. 아마도 萬端愁懷를 못다일너 하노라 〈이황의 孝友歌〉 3 · 5 ·
    4 · 3

13. 未久上達 天門하리라 〈백광홍의 關西別曲〉 4 · 5

14. 忠心애 憂國一念이야 니칠스치 업서이다. 〈양사준의 南征歌〉
    3 · 6 · 4 · 4

15. 이몸이 이렁굼도 亦君恩 이샷다. 〈송순의 俛仰亭歌〉 3 · 4 · 3 · 3

16. 謝安石 携妓東山을 볼랴말랴 하노라 〈양사언의 美人別曲〉 3·
    5·4·3

17. 無雩예 曾點기상은 어써던고 하노라 〈허강의 西潞別曲〉 3·5·
    4·3

18. 손이셔 主人드려닐오딕 그딕 귓가 ᄒ노라 〈정철의 星山別曲〉
    3·7·4·3

19. 明月이 五山萬樂의 아니비췬 딕업다 〈정철의 關東別曲〉 3·5·
    4·3

20. 님이야 날인줄모ᄅ셔도 내님조ᄎ려 ᄒ노라 〈정철의 思美人曲〉
    3·7·5·3

21. 각시님 돌이야ᄏ니와 구준비나 되쇼셔 〈정철의 續美人曲〉 3·
    6·4·3

22. 가다가 알이만나 다시무러 니거사라 〈조식의 勸善[義]指路歌〉
    3·4·4·4

23. 日後의 聖人만나 狂夫之言을 擇之할가 하노라 〈이이의 自警別
    曲〉 3·9·4·3

24. 갑업슨 江山風月과 함끽늙쟈 하노라 〈이이의 樂貧歌〉 3·5·
    4·3

25. 아마도 이님의 지위도 살동말동 하여라 〈허초희의 閨怨歌〉 3·
    6·4·3

이상 25편의 선택은, 졸고 '가사작품의 작자·연대별 총람(有名氏
分)'에 수록된 임란이전가사 31편 가운데서 뽑은 것이다. 위에서 임란
이전가사의 종행자수통계를 살펴본 바, 가사의 종행이 시조종장과 일
치하다든지, 양반가사의 종결형식은 서민가사 및 내방가사와는 달리
대체로 시조의 종장형식과 일치하는 정형을 유지하고 있다는 말은 재
고되어야 한다.

우선 25편중 2편은 4음보가 아니기에 논외로 하였지만, 23편의 통계에서 볼 때 지금까지 생각한 것과 같이 시조의 종장과 일치한 것도 아니고 우리말의 특징상, 시가의 율격상 3음절, 4음절을 즐겨 쓰던 관습에 따른 것이고, 일부 시조작가들이나 시조를 향유(享有)하는 사람들이 별 관심 없이 씌여진 것에 불과한 것이 아닌가 한다. 아는 바와 같이 송강은 시조·가사 양면에 뛰어난 사람으로 특히 작품의 量이나 質로 보아서 가사문학의 정상에 해당된 작가다. 그런데 그의 가사작품 4편 종행을 살펴 보면, 〈성산별곡〉이 3·7·4·3, 〈관동별곡〉이 3·5·4·3, 〈사미인곡〉이 3·7·5·3, 〈속미인곡〉이 3·6·4·3 등으로 어느 종행의 자수가 동일한 것이 하나도 없다. 시조의 종장과 같은 3·5·4·3의 종행은 1편 뿐이고, 더구나 제2음보의 자수가 3편이 각각 다르게 나타남으로 자유스런 가사 본래의 모습을 볼 수 있다. 시조의 종장을 모방하여 가사의 종행이 되었다면 송강처럼 잘 알고 행할 사람이 없다. 그런데도 그의 4편의 가사 중에 3편의 작품이 정형에서 이탈했으며, 그 3편의 모습도 다양해서, 소위 가사문학의 최고봉이라 할 수 있는 송강의 작품을 통해서 볼 때 가사의 종행은 시조의 종장과 많은 차이가 있음을 알 수 있다. 하나 송강가사 4편의 종장을 두고 보면, 2음보(장음보)를 제하고는 3·5·4·3의 종결미를 갖춘 것으로 보아, 우리 전통 시가의 마무리 형식으로 시상이 전환되는 종결형식을 따르는 것이 바람직하다고 본다.

이제까지 가사의 형식적 논의는 비연시형, 음절율, 음보율, 음량률, 종결형식 등에서 살펴보았다. 이를 요약하면 먼저 가사는 비연시형으로 시행의 제한을 받지 않고 시상에 따라 얼마든지 길게 지을 수 있는 장편성을 띠고 있다. 그러나 수천 행에 달하는 장편가사에 이르면, 그 형식과 내용면에서 가사로서 본질을 상실한 일면도 있다.

지금까지 명품 가사들을 보면 최장 100행 내외가 적당하고, 최소한

50행 이상은 되어야 한다. 가사의 속성과 지향이 시가로서 억제성과 문필로서 확장성을 가진다고 하더라도 너무나 짧아도 그렇고, 너무나 길어도 곤란할 것이기에 하는 말이다.

가사문학의 1행은 4음보이며, 음보면에서 보면 매우 정제된 형식의 장르다. 일부 변칙음보인 6음보는 기본음보인 2음보(1구)가 3배되어 우수계음보偶數系音步를 이룬 것이고, 기수계음보奇數系音步인 3음보가 가끔 나타나기도 한다. 결국 가사의 음보율은 4음보이며, 2음보씩 대응하여 율격을 형성하고, 전후 2음보 사이에 휴지를 넣어 호흡군을 나누었으며, 두 음보 사이에는 강약률이 있을 뿐만 아니라 전후음보가 等長性으로 대응하여 매끄러운 율격을 지니고 있다.

그리고 가사의 종결형식은 시조의 종장에 근접된 3·5·4·3조를 정형이라 하고, 4·4·4·4조를 변형이라 한다면, 임란이전 가사에서는 3·5·4·3조인 정형이 약간 우세하고, 임란이후 가사에서는 3·5·4·4조인 변형을 유지하였으며, 무명씨가사와 규방가사 그리고 개화기가사에서는 4·4·4·4조의 변형이 주류를 이루었다.

요컨대 가사문학의 형태적 특징은 주로 외형적인 모습에서 찾을 수 있으며, 그것은 비연시형이고, 3음절, 4음절을 가진 음절률이며, 3·4조나 4·4조의 2음보를 주축으로 한 전 2음보와 후 2음보가 대를 이루는 4음보격 음보율로 볼 수 있다. 가사가 4음4보격이라 하여 음절수나 음보 수에 매일 것이 아니고, 장음과 정음이 개입된 음량률에 근거하여 생체호흡에 따라 다양하고 유연하게 표현함으로 전달효과를 극대화할 수 있다. 그리고 종결형식은 유명씨 가사에는 3·5·4·3조의 정형이 우세하고, 무명씨가사와 규방가사 그리고 개화기 가사에서는 4·4·4·4조의 변형이 주류를 이루었다.

오늘날에도 우리 전통시가들이 전환과 종결의 기능을 가진다는 점에서 가사시의 종결형식으로 3·5·4·3의 종결미를 따르는 것도 무방하리라고 본다.

참고문헌

저서

강대성,『府應經』, 남원: 갱정유도성당, 1980.

강전섭,『韓國古典文學硏究』, 서울: 대왕사, 1982.

_____,『韓國詩歌文學硏究』, 서울: 대왕사, 1986.

강한영(校註),『신재효판소리사설집』, 서울: 민중서관, 1970.

갱정유도(更定儒道),『萬民解寃經』, 남원: 갱정유도, 1980.

고대 사학과,『역사란 무엇인가』, 서울: 고려대, 1981.

고정옥,『國語國文學要綱』, 서울: 대학출판사, 1949.

고 단,『紹古堂歌辭集』상·하, 서울: 삼성사, 1991.

구자균,『國文學論藁』, 서울: 박영사, 1966.

국문학신강편찬위원회,『國文學新講』, 서울: 새문사, 1985.

국어국문학회 편,『歌辭文學硏究』, 서울: 정음사, 1979.

권영철,『閨房歌辭各論』, 서울: 형설출판사, 1986.

_____,『閨房歌詞硏究』, 서울: 이우출판사, 1980.

김기동,『國文學槪論』, 서울: 대창문화사, 1955.

김기탁,『敍景歌辭硏究』, 서울: 학문사, 1989.

김대현,『鳳庵遺錄』, 서울: 창진사, 1973.

김동욱,『國文學槪說』, 서울: 민중서관, 1962.

_____,『韓國歌謠의 硏究續』, 서울: 이우출판사, 1978.

김만중,『西浦漫筆』.

김문기,『庶民歌辭硏究』, 서울: 형설출판사, 1985.

김사엽,『鄭松江硏究』, 서울: 계몽사, 1950.

_____,『改稿國文學史』, 서울: 정음사, 1954.

_____,『李朝時代의 歌謠硏究』, 대구: 대양출판사, 1956.

_____,『松江歌辭』, 서울: 문호사, 1959.

김석하,『韓國文學史』, 서울: 신아사, 1975.

김성배 외,『註解歌辭文學選集』, 서울: 정연사, 1961.

김성배,『韓國佛教歌辭의 硏究』, 서울: 아세아문화사, 1973.

김수업,『배달문학의 길잡이』, 서울: 선일문화사, 1978.

김용직,『한국근대문학논고』, 서울: 서울대출판부, 1985.

김종우,『鄕歌文學硏究』, 서울: 이우출판사, 1983.

김준영,『韓國古傳文學史』, 서울: 금강출판사, 1971.

김진욱,『歷史의 教訓』, 서울: 범조사, 1985.

김학성,『가사의 쟁점과 미학』, 서울: 도서출판 월인, 2019.

김학성 외 편,『古典詩歌論』, 서울: 새문사, 1984.

김 현 외,『韓國文學史』, 서울: 민음사, 1973.

류연석,『한국가사문학사』, 서울: 국학자료원, 1994.

_____,『시조와 가사의 해석』, 서울: 도서출판 역락, 2006.

민족문학사연구소,『민족문학사연구』2호, 서울: 삼광인쇄사, 1992.

박노춘,『李朝歌謠選註』상·하, 서울: 출판문화보급사, 1948.

박성의,『松江歌辭』, 서울: 정음사, 1956.

_____,『蘆溪歌辭通解』, 서울: 백조서점, 1957.

_____,『松江·蘆溪·孤山의 詩歌文學』, 서울: 현암사, 1966.

_____,『韓國歌謠文學論과 史』, 서울: 집문당, 1986.

박효순,『韓國詩歌의 新照明』, 서울: 탐구당, 1984.

박을수,『韓國古詩調史』, 서울: 서문당, 1975.

_____,『韓國開化期 抵抗詩歌研究』, 서울: 성문각, 1985.

박철희,『韓國詩史研究』, 서울: 형설출판사, 1977.

방종현 주,『松江歌辭』, 서울: 정음사, 1948.

서원섭,『時調文學研究』, 서울: 형설출판사, 1977.

_____,『歌辭文學研究』, 서울: 형설출판사, 1978.

_____,『울릉도 민요사 가사』, 서울: 형설출판사, 1979.

서종문,『판소리辭說의 研究』, 서울: 형설출판사, 1984.

송계연월옹,『古今歌曲』.

송재주,『古典詩歌要論』, 서울: 합동교재공사, 1989.

양염규,『國文學概論』, 서울: 정연사, 1959.

우리어문학회,『國文學史』, 서울: 수로사, 1948.

_____,『國文學槪論』, 서울: 일성당서점, 1949.

유경환,『동학가사의 배경사상연구』, 서울: 대한출판공사, 1985.

유　열,『풀이한 農家月令歌』, 서울: 한글사, 1947.

윤석산,『龍潭遺詞研究』, 서울: 민족문화사, 1987.

윤석창,『歌辭文學槪論』, 서울: 깊은샘, 1991.

이가원 외,『詳論歌辭文學』, 서울: 서음출판사, 1985.

이능우,『入門을 위한 國文學槪論』, 서울: 동화인쇄소, 1954.

_____,『이해를 위한 李朝時調史』, 서울: 이문당, 1956.

_____,『가사文學論』, 서울: 일지사, 1977.

이동영,『歌辭文學論考』, 부산대, 1987.

이명구,『高麗歌謠의 研究』, 서울: 신아사, 1974.

이병기 외,『國文學全史』, 서울: 신구문화사, 1957.

이병기,『國文學槪論』, 서울: 일지사, 1961.

_____,『가람문선』, 서울: 신구문화사, 1966.

이상보,『李朝歌辭精選』, 서울: 정연사, 1965.

_____,『韓國歌辭文學의 研究』, 서울: 형설출판사, 1974.

_____,『韓國古詩歌의 研究』, 서울: 형설출판사, 1975.

_____,『韓國佛敎歌辭全集』, 서울: 집문당, 1980.

_____,『韓國歌辭選集』, 서울: 집문당, 1981.

_____,『韓國古典詩歌의 研究續』, 서울: 태학사, 1984.

_____ 외,『國文學槪論』, 서울: 교학연구사, 1986.

_____,『17세기 가사전집』, 서울: 교학연구사, 1987.

_____,『18세기 가사전집』, 서울: 민속원, 1991.

이재수,『內房歌辭研究』, 서울: 형설출판사, 1976.

이종건,『俛仰亭宋純研究』, 서울: 문민사, 1982.

이종출,『韓國古詩歌研究』, 서울: 태학사, 1989.

이　탁,『國語學論考』, 서울: 정음사, 1958.

이태극,『時調槪論』, 서울: 새글사, 1959.

_____,『時調의 史的研究』, 서울: 이우출판사, 1981.

임기중 편,『歷代歌辭文學全集』1-10, 서울: 동서문화원, 1987.

_____,『歷代歌辭文學全集』11-20, 서울: 예강출판사, 1988.

장덕순,『國文學通論』, 서울: 신구문화사, 1960.

_____,『韓國文學史』, 서울: 동화문화사, 1977.

전규태,『韓國古典文學史』, 서울: 서문문고 251권, 1977.

_____,『歌辭文學論註』, 서울: 명문당, 1988.

전대환,『朝鮮歌辭文學論』, 서울: 계명문화사, 1990.

정병욱,『國文學散藁』, 서울: 신구문화사, 1959.

_____,『韓國古典詩歌論』, 서울: 신구문화사, 1977.

정상균,『韓國近世詩文學史研究』, 서울: 한신문화사, 1988.

정열모 편주,『가사선집』, 조선문학예술총동맹출판사, 1964.

정익섭,『湖南歌壇研究』, 서울: 진명문화사, 1975.

_____,『韓國詩歌文學論攷』, 광주: 전남대출판부, 1989.

정재호,『歌辭文學研究』, 서울: 정음사, 1979.

_____,『韓國歌辭文學論』, 서울: 집문당, 1982.

정 철,『松江別集』卷7.

정한모,『韓國現代詩文學史』, 서울: 일지사, 1974.

조동일,『한국문학통사』2, 서울: 지식산업사, 1983.

_____,『한국문학통사』3, 서울: 지식산업사, 1983.

_____,『한국문학통사』4, 서울: 지식산업사, 1983.

_____,『한국문학통사』5, 서울: 지식산업사, 1983.

조애영,『隱村內房歌辭集』, 서울: 금강출판사, 1971.

조애영 외,『韓國現代內房歌辭集』, 서울: 당현사, 1977.

조연현,『韓國現代文學史』, 서울: 현대문학사, 1956.

조윤제,『朝鮮詩歌史綱』, 서울: 동광당서점, 1937.

_____,『朝鮮詩歌의 研究』, 서울: 을유문화사, 1948.

_____,『國文學史』, 서울: 동국문화사, 1949.

_____,『國文學槪說』, 서울: 동국문화사, 1955.

_____,『國文學史槪說』, 서울: 을유문화사, 1967.

조지훈,『韓國文化史序說』, 서울: 탐구당, 1964.

최강현, 『韓國紀行文學研究』, 서울: 일지사, 1982.

_____, 『歌辭文學論』, 서울: 새문사, 1986.

최재숙 역, 『歷仕란 무엇인가』, 서울: 대일서관, 1982.

최한선 외, 『한국명품가사 100선』 1-2, 서울: 태학사, 2019.

하성래, 『天主歌辭研究』, 聖황석두 루가서원, 1985.

홍만종, 『旬五志』.

홍웅선 외, 『古詩歌注解』, 서울: 삼중당, 1949.

홍재휴, 『北行歌研究』, 서울: 효성여대, 1991.

황사영, 『帛書』, 서울: 한국교회사연구소, 1966.

논문

강윤호, 「開化期教育實態」, 『한국문화연구논총』 제5집, 1964.11.

강은해, 「開化期歌辭研究」, 계명대 석사학위논문, 1979.

강전섭, 「낙은별곡의 연구」, 충남대 석사학위논문, 1965.

_____, 「낙은별곡의 작자에 대하여」, 『국어국문학』 28호, 국어국문학회, 1965.

_____, 「高杜谷의 陶山歌에 대하여」, 『한국언어문학』 4집, 한국언어문학회, 1966.12.

_____, 「高杜谷의 陶山歌 復原에 대하여」, 『語文學』 23호, 한국어문학회, 1970.10.

_____, 「한국가사文學史上의 낙은별곡의 위치」, 『大田農專論文集』 창간호, 1970.

_____, 「姜淸溪의 長歌二篇에 대하여」, 『語文學』 22집, 한국어문학회, 1970.3.

_____, 「성산별곡의 작가에 대한 在疑」, 『池憲英先生華甲紀念論叢』, 1971.

_____, 「怨婦辭에 대하여」, 『한국언어문학』 11집, 한국언어문학회, 1973.12.

_____, 「금강별곡(丙長本)의 작자에 대하여」, 『국어국문학』 87호, 국어국문학회, 1982.

_____, 「香山別曲의 作者에 대하여」, 『語文學』 32집, 한국어문학회, 1975.2.

_____, 「樂貧歌에 대하여」, 『국어국문학』 71호, 국어국문학회, 1976.

_____, 「금강별곡(丙長本)에 대하여」, 『한국학보』 10집, 1978, 봄.

_____, 「李邦翼의 「漂海歌」에 대하여」, 『한국언어문학』 20집, 한국언어문학회, 1981.12.

_____, 「傳栗谷先生作 歌辭에 대한 管見」, 『한국언어문학』 21집, 한국언어문학회, 1982.

_____, 「心庵 趙斗淳의 景福宮營建歌에 對하여」, 『한국시가문학연구』, 대왕사, 1986.

_____, 「螺旻 李基遠의 農家月令에 對하여」, 『한국시가문학연구』, 대왕사, 1986.

_____, 「勤齋 尹禹炳의 農夫歌에 대하여」, 『한국시가문학연구』, 대왕사, 1986.

_____, 「청계 강복중의 장가 2편에 대하여」, 『한국시가문학연구』, 대왕사, 1986.

_____, 「東國歷代歌의 작가 모색」, 『국어국문학』 97호, 국어국문학회, 1987.5.

_____, 「海石 金載瓚의 箕成別曲에 대하여」, 『제30회 한국언어문학회 학술발표대회초』, 한국언어문학회, 1989.6.

_____, 「권선징악가의 작가추정」, 『송아 이종출 박사화갑기념논문집』, 태학사, 1989.

강한영, 「桃李花歌解說」, 『현대문학』 7호, 현대문학사, 1955.

고경식, 「「關西別曲」과 「出關詞」」, 『국어국문학』 36호, 국어국문학회, 1967.

_____, 「梅湖別曲과 自悼詞」, 『자유문학』 49호, 자유문학사, 1961.

고교형, 「嶺南大家內房歌辭」, 『朝鮮』 222호(조선총독부, 1933.1), 81-105면, 『東方學紀要別冊』(1968.9) 所載.

고순희, 「19세기 현실비판가사연구」, 이화여대 박사학위논문, 1990.

구수영, 「윤이후의 일민가 연구」, 『동악어문논집』 10집, 동국대, 1971.

_____, 「黃南別曲의 硏究」, 『한국언어문학』 10집, 한국언어문학회, 1972.

_____, 「瀨翁和尙과 西往歌硏究」, 『국어국문학』 62・63 합병호, 국어국문학회, 1973.

권영철, 「모하당시가 연구」, 『연구논문집』, 효성여대, 1967.

_____, 「不憂軒歌曲硏究」, 『국문학연구』 2집, 효성여대, 1969.12.

권성준, 「流配歌辭의 美學的 接近」, 고려대 석사학위논문, 1990.

금기창, 「歌辭文學의 形成發展에 대하여」, 『한국언어문학』20집, 한국언어문
학회, 1981.

김광조, 「朝鮮前期歌辭의 장르적 性格연구」, 서울대 석사학위논문, 1987.

김기동, 「歌辭文學의 形態的考察」, 『陶南趙潤濟博士回甲紀念文集』, 신아사,
1964.5.

김기탁, 「瀨翁和尙의 作品과 歌辭發生淵源考察」, 『영남어문학』3집, 영남어
문학회, 1976.10.

김동욱, 「許橿의 「西湖別曲」과 楊士彦의 「美人別曲」」, 『국어국문학』25호,
국어국문학회, 1962.

_____, 「楊士彦의 南征歌」, 『人文科學』9집, 연세대, 1963.

_____, 「고공가 및 고공답주인가에 대하여」, 『도남조윤제박사회갑기념논문
집』, 신아사, 1964.

_____, 「고공가」, 『문학춘추』1호, 문학춘추사, 1964.

_____, 「壬亂前後歌詞研究」, 『진단학보』25·26·27 합병호, 진단학회, 1964.
12.

_____, 「關西別曲攷異」, 『국어국문학』30호, 국어국문학회, 1965.

_____, 「西教傳來後의 天主讚歌」, 『人文科學』21호, 연세대, 1969.

김문기, 「歌辭文學發生考」, 『국어교육연구』4집, 대구: 국어교육위원회, 1972.6.

_____, 「노계의 소유정가 소고」, 『국어국문학』84호, 국어국문학회, 1980.

_____, 「朴仁老의 「小有亭歌」 考察」, 『권영철박사화갑기념논문집』, 1988.

김병국, 「장르론적 관심과 가사의 문학성」, 『현상과 인식』, 1977.

김봉영, 「未發表의 枕肱가사에 대하여」, 『국어국문학』20호, 국어국문학회,
1959.

김선풍, 「강릉 화전가고」, 『어문논집』16집, 고려대, 1975.

김성기, 「宗純의 詩歌文學研究」, 조선대 박사학위논문, 1990.

김성배, 「明村 朴淳愚의 金剛別曲」, 『无涯梁柱東博士華誕紀念論文集』, 1963.12.

_____, 「명촌 박순우의 금강별곡 연구」, 『가사문학연구』, 국어국문학연구총
서 3, 정음사, 1971.

김성수, 「19세기 광산노동가사 「銅店別曲」」, 『민족문학사연구』2호, 민족문
학사연구소, 1992.

김시업, 「북천가연구」, 『성대문학』 10호, 성균관대, 1976.4.

김영만, 「조우인의 가사집 이재영언」, 『어문학』 10호, 한국어문학회, 1963.

김용숙, 「훈가사」, 『청파문학』 10, 숙명여대, 1971.

김용직, 「暗黑期의 敍事詩」, 『문학사상』 5호, 문학사상사, 1972.2.

_____, 「문헌을 중심으로 한 開港期文人들이 西歐文化의 受容과 그 意識 연구」, 『진단학보』 44, 1978.

김유경, 「敍事歌辭硏究」, 연세대 석사학위논문, 1989.

김인구, 「世德家系 歌辭에 관한 연구」, 단국대 석사학위논문, 1980.

_____, 「春遊歌系紀行歌辭」, 『어문논집』 22집, 고려대, 1981.4.

_____, 「李世輔의 가사 「相思別曲」」, 『어문논집』 24·25 합집, 고려대, 1985.1.

김일근, 「朴萬戶所唱의 立岩別曲考察」, 『국어국문학』 81호, 국어국문학회, 1979.12.

_____, 「申會友齋作 「丹山別曲」의 作者攷」, 『국어국문학』 95호, 국어국문학회, 1986.

김장호, 「韓國佛敎歌辭의 기술문명관」, 『韓國文學硏究』 12, 동국대, 1989.

김종우, 「瀨翁和尙僧元歌」, 『국어국문학』 20집, 부산대, 1971.

_____, 「瀨翁과 그의 歌辭에 대한 硏究」, 『論文集』 17집, 부산대, 1974.

김창규, 「白松潭歌辭硏究」, 『어문학』 14호, 한국어문학회, 1966.4.

김태준, 「別曲의 硏究」, 『東亞日報』 1932.1.15日字.

김학성, 「가사의 장르성격 재론」, 『백영정병욱선생환갑기념논총』, 신구문화사, 1983.

_____, 「歌辭의 실현화 과정과 근대적 지향」, 『近代文學의 形成過程』, 문학과지성사, 1983.

나정순, 「朝鮮朝流配歌辭硏究」, 『梨花語文論集』 5, 이화여대, 1982.

노태조, 「금행일기에 대하여」, 『어문연구』 12, 어문연구회, 1983.

류연석, 「歌辭歷史의 時代區分攷」, 『논문집』 7호, 순천대, 1988.

_____, 「發生期 歌辭文學考察」, 『한국언어문학』 27집, 한국언어문학회, 1989.

_____, 「發展期 歌辭文學考察」, 『한소정한기교수화갑기념논문집』, 고려원, 1989.

_____, 「歌辭文學의 歷史的 硏究」, 조선대 박사학위논문, 1989.

_____, 「歌辭文學의 內容的 分類」, 『語學研究』 2집, 순천대, 1990.

_____, 「17세기 가사문학연구」, 『지역개발연구』 1집, 순천대, 1990.

_____, 「開化後期歌辭文學考察」, 『논문집』 9집, 순천대, 1990.

_____, 「歌辭文學의 形態的 考察」, 『남도문화연구』 3집, 순천대, 1991.

_____, 「18세기 가사문학연구」, 『語學研究』 3집, 순천대, 1991.

_____, 「19세기 가사문학연구」, 『논문집』 10집, 순천대, 1991.

_____, 「20세기 가사문학연구」, 『논문집』 11집, 순천대, 1992.

박노춘, 「歌辭形式의 發生」, 『月刊文學』 3권 4호, 월간문학사, 1970.

_____, 「가사문학의 형태 내용고」, 경희대 석사학위논문, 1976.

박삼찬, 「조선전기가사의 연구」, 영남대 석사학위논문, 1984.

박성의, 「韓國詩歌文學史(中)」, 『韓國文化史大系』 Ⅴ, 고대민족문화연구소, 1967.

_____, 「가사의 분류고」, 『경기』 2호, 경기대, 1967.

박영주, 「가사의 갈래규정과 체계화 방안」, 『成大文學』 25호, 성균관대, 1987.

박효순, 「허난설헌과 규원가고」, 『호남문화연구』 2집, 전남대, 1964.

_____, 「옥소 권섭의 미발표 가사」, 『문학사상』 16호, 문학사상사, 1974.1.

_____, 「권섭의 가사연구」, 『국어국문학』 85호, 국어국문학회, 1981.

_____, 「二十世紀歌辭攷-五倫歌를 중심으로」, 『한남어문학』 14집, 한남대 국어국문학회, 1988.

박우훈, 「醒菴李喆榮의 內範教訓歌考」, 『한국언어문학』 25집, 한국언어문학회, 1987.

박 일, 「東學歌辭研究」, 동아대 석사학위논문, 1984.

박준규, 「八域歌에 대하여」, 『언어와 문학』 1집, 한국어문연구회, 1965.12.

_____, 「月令體歌論考」, 『한국언어문학』 8 · 9 합병호, 한국언어문학회, 1970.

_____, 「韓國歲時歌謠의 研究」, 전북대 박사학위논문, 1983.

_____, 「성산의 식영정과 성산별곡」, 『국어국문학』 94호, 국어국문학회, 1985.

박지홍, 「國文學史時代區分方法을 위한 發表」, 『국어국문학』 20호, 국어국문학회, 1959.2.

_____, 「봉래별곡의 연구」, 『港都釜山』 4호, 1954.10.

방종현, 「松江歌辭의 板本攷」, 『조선일보』, 1942.7.1~2.

사재동, 「內房歌辭研究序說」, 『한국언어문학』 2집, 한국언어문학회, 1964.

_____, 「원앙서왕가의 연구」, 『한국언어문학』 4집, 한국언어문학회, 1966.12.

서수생, 「松江의 前後思美人曲의 研究」, 『경북대논문집』 6집, 1962.12.

_____, 「송강의 성산별곡 창작연대시비」, 『語文學』 24호, 한국어학회, 1971.

서원섭, 「北軒의 別思美人曲研究」, 『어문논총』 2호, 경북대, 1964.

_____, 「가사의 내용과 형식고」, 『경북대논문집』 12집, 경북대, 1964.

_____, 「울도선경가연구」, 『경북대논문집』 13집, 경북대, 1969.

_____, 「정처사술회가연구」, 『어문논총』 4 · 5 합병호, 경북대, 1970.

_____, 「歌辭의 槪念攷」, 『語文論集』 19 · 20 합병호, 고려대, 1977.9.

_____, 「退溪의 樂貧歌研究」, 『退溪學研究』 5집, 경상북도, 1978.

_____, 「가사의 형식과 주제연구」, 부산대 박사학위논문, 1983.

성범중, 「노계문학의 전개 양상과 그 의미」, 『국어국문학』 94호, 국어국문학
    회, 1985.

성옥련, 「韓國閨房歌詞文學攷」, 경북대 석사학위논문, 1962.

성원경, 「關東別曲과 赤壁賦의 比較研究」, 건국대 석사학위논문, 1964.

소재영, 「諺辭研究」, 『민족문화연구』 21호, 고대민족문화연구소, 1988.

손종호, 「개화기가사의 유형과 형태적 고찰」, 『成大文學』 22, 성균관대, 1984.

송기한, 「개화기대화체가사연구」, 서울대 석사학위논문, 1988.

송민호, 「韓國詩歌文學史(下)」, 『한국문화사대계』 Ⅴ, 고대민족문화연구소,
    1967.

신범순, 「개화가사의 양식적 특징과 현실의미의 전환양상」, 『국어국문학』 95
    호, 국어국문학회, 1986.

심재완, 「崔松雪堂의 歌辭」, 『국어국문학연구』 3집, 청구대, 1959.11.

_____, 「全義李氏 絶命詞」, 『국어국문학연구』 9집, 청구대, 1966.

_____, 「일동장유가」, 『어문학』 17호, 한국어문학회, 1967.

_____, 「일동장유가 · 연행가」, 『韓國古典文學大系』 10, 민중서관, 1971.

어영하, 「閨房歌詞의 敍事文學性 研究」, 『국문학연구』 4, 효성여대, 1973.

원용문, 「가사장르에 대한 논의」, 『國文學의 史的照明』, 계명문화사, 1992.

여증동, 「19세기 한국문학연구」, 『省谷論叢』 8, 성곡학술문화재단, 1977.

유경환, 「東學歌辭의 원형적 접근」, 『明知語文學』 19, 명지대, 1990.

유재영, 「晩隱 黃壥의 避疫歌」, 『圓光文化』 7호, 원광대, 1968.7.

유우선, 「가사문학의 작가별 및 내용별 분류고」, 『어문논집』 11집, 고려대, 1968.

유창균, 「韓國詩歌形式의 基調」, 『가람李秉岐博士頌壽論文集』 1966.11.

유탁일, 「開港地에 물결친 開化儀式」, 『文學思想』 64, 문학사상사, 1978.

_____, 「朝鮮後期歌辭의 現實認識」, 『韓國文學研究入門』, 지식산업사, 1982.

윤귀섭, 「歌辭文學형식에 관한 考察」, 성균관대 석사학위논문, 1963.

윤덕진, 「江湖歌辭研究」, 연세대 박사학위논문, 1988.

윤석창, 「歌辭文學의 形態 內容攷」, 경희대 석사학위논문, 1976.

_____, 「耽羅別曲研究」, 『明知語文學』 14호, 명지대, 1982.

_____, 「歌辭의 장르적 복합성 연구」, 경희대 박사학위논문, 1984.

윤영옥, 「韓國詩歌 形態의 系統論的研究」, 『국어국문학연구』 9집, 청주대, 1966.

_____, 「馬川別曲의 紹介」, 『영남어문학』 15집, 영남대, 1988.

윤장근, 「開化期歌辭의 律性에 관한 分析的考察」, 『成大文學』 22, 성균관대, 1983.

윤형덕, 「만언사연구」, 동국대 석사학위논문, 1976.

이가원, 「陶山別曲贅論」, 『현대문학』 18호, 현대문학사, 1956.6.

_____, 「목동문답가」, 『현대문학』 35호, 현대문학사, 1957.11.

_____, 「萬憤歌研究」, 『東方學志』 6집, 연세대, 1964.

이강옥, 「龍潭遺詞에 대한 一考察」, 『진단학보』 60, 진단학회, 1985.

이경선, 「松江歌辭의 比較文學的試考」, 『文理大學報』 1호, 부산대, 1958.

이규호, 「夢遊歌辭의 形成過程試考」, 『국어국문학』 89호, 국어국문학회, 1983.

이기백, 「韓國史의 時代區分문제」, 『韓國史研究入門』, 한국사연구회편, 지식산업사, 1982.

이동영, 「恬窩와 그의 詩歌」, 『국어국문학연구』 창간호, 청구대, 1957.

_____, 「還山別曲作者에 대하여」, 『조선일보』, 1958.9.17~18일자.

_____, 「長歌·歌詞·歌辭의 辨別」, 『현대문학』 50호, 현대문학사, 1959.

_____, 「訥齋歌辭研究」, 『語文學』 5호, 한국어문학회, 1959.

_____, 「歌辭文學의 發生的研究」, 성균관대 석사학위논문, 1963.

_____, 「歌辭文學과 儒敎思想」, 『국어국문학』 26호, 국어국문학회, 1963.

_____, 「開化期歌辭의 考察」, 『論文集』 8, 영남공전, 1971.

_____, 「歌辭의 發達史的 考察」, 『陶南趙潤濟古稀紀念論叢』, 1976.4.

_____, 「歌辭發生說에 대하여」, 『靑丘大倂設工轉論文集』 4호, 1976.12.

_____, 「朝鮮朝 嶺南詩歌의 硏究」, 성균관대 박사학위논문, 1983.

이동철, 「歌辭終行의 形態와 機能 小考」, 『어문논집』 23집, 고려대, 1982.9.

이병기, 「松江歌辭의 硏究」, 『진단학보』 5~7호, 진단학회, 1936~1937.

_____, 「별사미인곡과 속사미인곡」, 『국어국문학』 15호, 국어국문학회, 1956.

이병주, 「歌辭文學과 佛敎」, 『인생탈출』, 한진출판사, 1978.

이상무, 「流配歌辭硏究」, 전북대 석사학위논문, 1990.

이상보, 「박노계 연구」, 동국대 석사학위논문, 1957.

_____, 「寓言詞校註」, 『자유문학』 4~5월호, 자유문학사, 1959.

_____, 「仙石의 詩歌」, 『국어국문학』 2집, 서울대, 1961.

_____, 「關西別曲硏究」, 『국어국문학』 26호, 국어국문학회, 1963.

_____, 「벽위가에 대한 고찰」, 『국어국문학』 28호, 국어국문학회, 1965.

_____, 「금릉별곡」, 『국어국문학』 34·35 합병호, 국어국문학회, 1967.

_____, 「불교가사의 연구」(상), 『국어국문학』 7·8집, 동국대, 1969.

_____, 「歌辭文學의 歷史」, 『월간문학』 3권 4호, 월간문학사, 1970.4.

_____, 「한국불교 가사의 역사적 고찰」, 『명대논문집』 4집, 명지대, 1971.

_____, 「양사준의 남정가 신고」, 『국어국문학』 62·63 합병호, 국어국문학
회, 1973.

_____, 「정극인의 상춘곡 연구」, 『명지어문학』 6호, 명지대, 1974.

_____, 「長風에 놀란 물결 原題·西征別曲」, 『문학사상』 33호, 문학사상사,
1975.

_____, 「絶島流配의 恨」, 『문학사상』 45호, 문학사상사, 1976.

_____, 「정해정의 석촌가사 연구」, 『명대논문집』 12집, 명지대, 1979.

_____, 「李沃의 淸淮別曲硏究」, 『어문학』 4집, 국민대, 1984.

_____, 「황일호의 생애와 백마강 연구」, 『어문학』 4집, 국민대, 1984.

_____, 「牖窩金履翼의 詩歌硏究」, 『어문학논총』 6집, 국민대, 1987.

_____, 「愛景南極燁의 詩歌硏究」, 『어문학논총』 7집, 국민대, 1988.

_____, 「곤파유도관의 시가연구」, 『어문학논총』 8집, 국민대, 1988.

_____, 「閑說堂安昌後의 詩歌研究」, 『어문학논총』 9집, 국민대, 1989.

이수봉, 「磻溪 李養吾의 文學研究」, 『常山李在秀博士還曆紀念論文集』, 1972.

이우성, 「하명동가」, 『成大文學』 11호, 성균관대, 1965.

_____, 「實學研究序說」, 『實學研究入門』, 일조각, 1976.

이원주, 「退溪先生의 文學觀」, 『韓國學論集』 8집, 계명대, 1981.

이재수, 「면앙정가 해설」, 『사상계』 7권 8호, 사상계사, 1959.

_____, 「內房歌辭 研究」, 『문교부학술연구보고서』 16, 1968.

이재식, 「유배가사 연구상의 문제점 고찰」, 건국대 석사학위논문, 1988.

이재호, 「尙州東學의 背景과 歌辭研究」, 계명대 석사학위논문, 1983.

이정옥, 「內房歌辭에 나타난 美意識」, 『문학과 언어』 2, 경북대, 1981.

이종숙, 「內房歌辭研究」, 『論叢』 17. 이화여대, 1971.

이종출, 「止止齊 李商啓의 歌辭攷」, 『국어국문학』 33호, 국어국문학회, 1966.

_____, 「노명선의 천풍가」, 『한국언어문학』 4집, 한국어문학회, 1966.

_____, 「魏世寶의 金塘別曲攷」, 『국어국문학』 34・35 합병호, 국어국문학회, 1967.

_____, 「위백규의 가사 자회가에 대하여」, 『사대논문집』 4호, 조선대, 1973.

이주홍, 「資料關西別曲」, 『국어국문학』 13호, 국어국문학회, 1955.

이태극, 「새歌辭 註解三篇」, 『국어국문학』 25호, 국어국문학회, 1962.

_____, 「歌辭概念의 再考와 장르攷」, 『국어국문학』 27호, 국어국문학회, 1964.8.

_____, 「歌辭의 內容攷」, 『도남조윤제박사회갑논문집』, 1964.

_____, 「李朝時調史」, 『한국예술총람개관편』, 예술원, 1964.

_____, 「現代時調略史」, 『현대시조』 1호, 현대시조사, 1970.

이혜순, 「歌詞・歌辭論」, 서울대 석사학위논문, 1966.

_____, 「규원가, 봉선화가 작자고」, 『백영정병욱선생환갑기념논총』, 1982.

임기중, 「西行綠解說紀行文學史의 新紀元」, 『文藝中央』, 중앙일보사, 1978 겨울호.

_____, 「和淸과 歌辭文學」, 『국어국문학』 97호, 국어국문학회, 1987.

임남형, 「성산별곡의 창작동기에 대한 再檢討」, 『향토문화보』, 광주일보 향토문화연구소, 1983.

임동권, 「한국민요의 형식과 운율」, 『국어국문학』 18호, 국어국문학회, 1957.

임성철, 「가사문학의 내용적 분류에 대한 연구」, 건국대 석사학위논문, 1976.

임헌도, 「崔孤雲江山曲研究」, 『가람李秉岐博士頌壽論文集』, 1966.11.

장덕순, 「일동장유가」, 『현대문학』 95호, 현대문학사, 1962.12.

_____, 「북관곡해제」, 『현대문학』 110호, 현대문학사, 1964.

장석연, 「이조가사의 작품사적 연구」, 청주대 석사학위논문, 1971.

장순하, 「현대시조 60년 개요」, 『현대문학』 159호, 현대문학사, 1968.3.

장연숙, 「난설헌집」, 『한국의 명저』 I, 서울: 현암사, 1983.

장정수, 「서사가사특성연구」, 고려대 석사학위논문, 1989.

장홍재, 「국문학사의 時代區分論」, 『경희어문학』 6집, 경희대, 1983.

_____, 「歌辭의 장르 小考」, 『崇實語文』 1호, 숭실대, 1983.

전일환, 「조선전기의 가사문학연구」, 전북대 박사학위논문, 1987.

정기호, 「이광명의 적소시가에 대하여」, 『人文科學硏究論文集』 3집, 인하대, 1977.

정병욱, 「古詩歌 韻律論序說」, 『최현배선생회갑기념논문집』, 1954.11.

_____, 「別曲의 歷史的形態考」, 『思想界』 3권 1호, 사상계사, 1955.1.

_____, 「李朝後期歌辭의 變異過程考」, 『創作과 批評』 통권 31호, 창작과비평사, 1974.3.

정양현, 「朝鮮後期歌辭에 나타난 現實認識의 考察」, 영남대 석사학위논문, 1989.

정익섭, 「景福宮歌·湖南歌·訓蒙歌」, 『國文學報』 1호, 전남대, 1959.10.

_____, 「栗谷先生 自警別曲考察」, 『國文學報』 2집, 전남대, 1960.

_____, 「栗谷先生 自警別曲考察抄」, 『국어국문학』 23호, 국어국문학회, 1961.

_____, 「李緖의 樂志歌考察(抄)」, 『국어국문학』 24호, 국어국문학회, 1961.

_____, 「流配文學小考」, 『무애양주동박사화탄기념논문집』, 1963.12.

_____, 「景福宮打令과 景福宮歌의 比較考察」, 『논문집』 8집, 전남대, 1963.3.

_____, 「藝菴韓錫地의 吉夢歌考察」, 『語文學』 9호, 한국어문학회, 1963.

_____, 「美人歌辭攷」, 『호남문화연구』 1~2호, 전남대, 1963~64.

_____, 「龜溪朴履和歌辭攷」, 『한국언어문학』 2집, 한국언어문학회, 1964.

_____, 「歌辭形式의 淵源的 考察」, 『한국언어문학』 6집, 한국언어문학회,

1969.4.

_____, 「淸狂子 朴士亨의 「南草歌」考」, 『藏庵池憲英先生화갑기념논총』, 1971.

_____, 「면앙정가단의 형성과 시가 활동에 대하여」, 『박노춘선생회갑기념논총』, 1974.11.

_____, 「16·7世紀의 歌辭文學」, 『국어국문학』 78호, 국어국문학회, 1978.

_____, 「성산가단연구」, 『호남문화연구』 7집, 전남대, 1975.6.

_____, 「歌辭槪念의 數三問題」, 『湖南文化研究』 8집, 전남대, 1976.6.

_____, 「愚谷의 長恨歌攷」, 『한국언어문학』 24집, 한국언어문학회, 1986.

_____, 「香山別曲의 作品攷」, 『한국언어문학』 26집, 한국언어문학회, 1988.

정재호, 「歌辭文學研究」, 고려대 석사학위논문, 1964.

_____, 「歷代歌類攷」, 『어문논집』 1집, 고려대, 1966.

_____, 「俛仰亭歌와 星山別曲의 比較研究」, 『현대문학』 151호, 현대문학사, 1967.

_____, 「東學歌辭에 대한 小考」, 『아세아연구』 38, 고려대, 1970.

_____, 「續美人曲의 內容分析」, 『국어국문학』 79·80호, 국어국문학회, 1979.

_____, 「最初의 義兵歌辭攷」, 『어문논집』 22, 고려대, 1981.

_____, 「歌辭의 分節考」, 『語文論集』 24·25합집, 고려대, 1985.

_____, 「歌辭文學生成論」, 『민족문화연구』 20, 고려대, 1987.

정주동, 「觀水齋 洪啓英과 그의 歌辭 「喜雪」」, 『국어국문학』 17호, 국어국문학회, 1957.

_____, 「琴譜歌」, 『어문논집』 2집, 경북대, 1964.

정혜원, 「가사의 장르적 성격」, 『한국문학사의 쟁점』, 집문당, 1986.

조규익, 「時調·歌辭硏究 60년 槪觀」, 제35회 국어국문학 연구발표대회, 1992.5.

조남현, 「사회등가사와 풍자방법」, 『국어국문학』 72·73 합병호, 국어국문학회, 1976.

조동일, 「歌辭의 장르 規定」, 『語文學』 21집, 한국어문학회, 1968.12.

_____, 「개화기 가사에 나타난 개화·구국사상」, 『東西文化』 4집, 계명대, 1970.

_____, 「개화기 우국가사」, 『개화기의 우국문화』(신구문고 10), 신구문화사, 1974.

조윤제, 「古歌謠一章」, 『新興』 4호, 1929.

_____, 「嶺南女性과 그 文學」, 『新興』 6호, 1931.

주종연, 「가사의 장르고」, 『서울대 교양학부 논문집』 3, 서울대, 1971.

_____, 「가사의 장르고II」, 『국어국문학』 62·63 합병호, 국어국문학회, 1972.

진동혁, 「恭人南原尹氏의 「命道自歎歌」 研究」, 『논문집』 19집, 단국대, 1985.

진무현, 「가사형태의 연구에 대한 고찰」, 『국어국문학』 7집, 동아대, 1980.

최강현, 「왕조한양가 이본에 대하여」, 『국어국문학』 32호, 국어국문학회, 1966.

_____, 「북정가 소고」, 『어문논집』 1호, 고려대, 1966.

_____, 「듁챵곡(竹牕曲)소고」, 『어문논집』 14·15 합병호, 고려대, 1973.7.

_____, 「歌辭의 發生史的硏究」, 『새국어연구』 18~20 합병호, 한국국어교육학회, 1974.

_____, 「화양별곡소고」, 『홍대논총』 6권 2집, 홍익대, 1975.

_____, 「英祖時代의 歌辭文學」, 『국어국문학』 76호, 국어국문학회, 1977.

_____, 「미발표가사 「도희가」 소고」, 『高鳳』 25호, 경희대, 1981.

_____, 「한국해양문학연구」, 『星谷論叢』 12집, 성곡학술문화재단, 1981.9.

_____, 「홍리가의 지은이에 대하여」, 『한국언어문학』 20집, 한국언어문학회, 1981.

_____, 「漂海歌의 지은이를 살핌」, 『어문논집』 23집, 고려대, 1982.9.

_____, 「未發表思美人曲」, 『홍대신문』 512호, 홍익대, 1985.11.7.

_____, 「歌辭文學의 發生時期를 살핌」, 『어문논집』 26, 고려대, 1986.

최래옥, 「한양가의 작가의식」, 『우리문학연구』 3호, 우리문학연구회, 1978.

최상은, 「流配歌辭의 作品構造와 現實認識」, 한국학대학원 석사학위논문, 1984.

최승범, 「新基別曲과 그 俗音」, 『영생해럴드』 20, 전주영생대, 1969.7.

최 웅, 「가사의 기원」, 『韓國文學史의 爭點』, 서울: 집문당, 1986.

최원식, 「가사의 소설화 경향과 봉건주의의 해체」, 『창작과 비평』 46호, 창작과비평사, 1977.

최익한, 「東涯松湖歌辭」, 『正音』 32호, 조선어학연구회, 1939.

최정희, 「규방가사의 민속문학적 성격연구」, 중앙대 석사학위논문, 1986.

최태호, 「內房歌辭研究」, 경북대 석사학위논문, 1968.

최한선, 「개화기가사연구」, 성균관대 석사학위논문, 1985.

_____, 「開化期歌辭의 장르 複合考」, 『牧園語文學』 5호, 목원대, 1985.

하성래, 「完山歌」, 『한국언어문학』 5권, 한국언어문학회, 1967.

_____, 「정훈의 수남방옹가」, 『문학사상』 8호, 문학사상사, 1973.5.

_____, 「鄭枋의 孝子歌攷」, 『한국언어문학』 10호, 한국언어문학회, 1973.

_____, 「天主歌辭의 史的研究」, 고려대 박사학위논문, 1984.

한강부, 「燕行歌片考」, 『국문학』 7호, 고려대, 1963.9.

홍재휴, 「雩潭薛得沂와 鳳山曲研究」, 『어문학』 5호, 한국어문학회, 1959.

_____, 「우담채득기와 천대별곡에 대하여」, 『국어국문학』 22집, 국어국문학
       회, 1960.

_____, 「蒼軒趙友慤의 大明復讐歌·天君復位歌攷」, 『杏丁李商憲先生回甲紀
       念論文集』, 형설출판사, 1968.

_____, 「訒齋歌辭攷」, 『청계김사엽박사송수기념논총』, 1970.

_____, 「해동만화고」, 『국어국문학』 55~57 합병호, 국어국문학회, 1972.

_____, 「全義李氏遺文攷」, 『국어교육논지』 1호, 대구교대, 1973.

_____, 「영남시가 문학연구」, 『논문집』 8집, 대구교대, 1973.

_____, 「金縷辭」, 『시문학』 50호, 시문학사, 1975.9.

_____, 「금루사고」, 『국문학연구』 5집, 효성여대, 1976.

_____, 「歌辭文學論」, 『국문학연구』 13집, 효성여대, 1984.

_____, 「歌辭」, 『國文學新講』, 새문사, 1985.

_____, 「寵兵歌·嘆中原歌攷」, 『국어국문학』 9호, 효성여대, 1986.

_____, 「太平詞攷」, 『韓南語文學』 13집, 한남대, 1987.

_____, 「小岩歌辭研究」, 『효대논문집』 36집, 효성여대, 1988.2.

홍흥구, 「朝鮮後期世態描寫歌辭研究」, 한국정신문화연구원 부속대학원 석사
       학위논문, 1986.

황충기, 「노계가사 문제점 고찰」, 『국어국문학』 58~60 합병호, 국어국문학회,
       1972.12.

_____, 「성산별곡」, 『大東』 大東中·商業高校誌, 1975.

찾아보기